C
Wilhelminaplantsoen 126
1111 CP Diemen
Telefoon : 020 - 6902353

DE FRY KRONIEKEN

Stephen Fry

De Fry Kronieken

EEN AUTOBIOGRAFIE

Vertaling onder redactie van Henny Corver

2011
Uitgeverij Thomas Rap

Voor M'Coll

Inhoud

Voorwoord

Wie is Stephen Fry? Is hij de stereotiepe Brit, een product van kost-school, public school en Cambridge, een man die gekleed gaat in tweedjasjes met een beschaafde ruit en spreekt in grammaticaal correcte arabesken, die een mengeling zijn van Britse zelfspot, superieure ironie en achteloze belezenheid? Is hij de man die altijd op zijn plek is, gezegend met het bijna nonchalante zelfvertrouwen van iemand die weet wie hij is, waar hij is en waarheen hij gaat? Of is hij het probleemkind uit de provincie dat snoep steelt, van school wordt gestuurd, een creditcard achteroverdrukt en daarmee een kortstondige fantasie van exclusieve kleren, obscure cocktails en jaren dertig highlife-decadentie financiert, tot hij wordt opgepakt door de politie en in de gevangenis belandt?

We kennen hem als de schrijver/acteur/blogger/televisiepresentator voor wie de woorden 'ad rem' en 'brille' schijnen te zijn uitgevonden. Hij is de pleitbezorger van Oscar Wilde en P.G. Wodehouse, een hartstochtelijk poëzieliefhebber (die een populaire handleiding voor het schrijven van gedichten publiceerde). Hij heeft meer Twitter-volgers dan de koningin en is digitaal onsterfelijk in de vorm van een eigen iPhone/iPad-app. Maar achter al dat succes en onder dat tweedy 'hoho, old fruit'-uiterlijk gaat een man schuil die niet is wat hij lijkt.

Hij werd geboren in 1957 en ontwikkelde zich snel tot het soort leerling dat tegenwoordig in de gaten zou worden gehouden door een leger van leerplichtambtenaren, ritalin-verstrekkers en sociaal-werkers. Destijds – en ik kan erover meepraten, we zijn even oud en hebben een achtergrond die op het onthutsende af vergelijkbaar is – werden zulke jongens met rust gelaten in de hoop dat 'ze er wel overheen zouden groeien'. In zijn (en mijn) geval is dat op de een of andere wonderbaarlijke manier gelukt. Het is niet alleen zijn jeugd als 'moeilijke jongen' die zo in tegenspraak lijkt met de gevierde publieke persoonlijkheid die hij nu is. Ook zijn familiege-schiedenis is anders dan je zou vermoeden als hij Jeeves of Wilde speelt, of in zijn auto (een Londense Black Cab) naar de BBC rijdt om daar even hilarisch als intelligent QI te presenteren.

Zijn grootvader van moederskant heette Martin Neumann en was een Hongaarse Jood die in de jaren dertig naar Groot-Brit-tannië werd gehaald om een suikerfabriek op te zetten en Engelse boeren te leren hoe ze suikerbieten moesten verbouwen. Met de Tweede Wereldoorlog in zicht vreesde de Britse regering dat het land, tot dan geheel aangewezen op geïmporteerde rietsuiker, het zonder zoetstof moest doen en de verwachting was dat een En-geland zonder thee met suiker geen schijn van kans had tegen de Duitsers. Neumann had goede redenen om naar Engeland te ver-huizen. Het was hem duidelijk geworden dat Duitsers nog minder van Joden hielden dan de andere Europese volkeren. Fry's vader is een natuurkundige die een aantal uitvindingen deed en een bedrijf opzette in regelsystemen, dat tegenwoordig wordt geleid door Fry's broer.

In de *Chronicles* doet Fry oprechte pogingen om zichzelf te ver-klaren aan de hand van die familiegeschiedenis, zijn vrienden, zijn getroebleerde jeugd, zijn onstilbare honger naar zoetigheid, zijn rookgewoontes, zijn gretige interesse in computers en alles wat daarbij hoort en uiteindelijk zijn eerste lijntje coke. Het zijn de jaren van het eerste succes, de bekendheid, het geld dat binnen begint te stromen. Het zijn ook de jaren van het onverklaarbare ongeluk.

Stephen Fry, met al zijn talent en intelligentie, zijn geld, roem, al de hem toegevallen bewondering en een hoeveelheid gadgets waar een ander mens een leven over doet om bijeen te brengen, de man die zo ontzettend veel hooi op zijn vork neemt dat een ander er drie levens voor nodig zou hebben en dan waarschijnlijk nog een hartkwaal zou oplopen, is ongelukkig, suïcidaal, ontevreden met zijn lichaam en zelden content met wat hij heeft bereikt en de keuzes die hij heeft gemaakt. In de Amerikaanse grondwet mag dan 'the pursuit of happiness' zijn opgenomen, maar dat wil niet zeggen dat het luchtkasteel van het geluk ook voor iedereen bereikbaar en bewoonbaar is. Ondanks zijn succes, zijn interessante vrienden, zijn financiële onafhankelijkheid, zijn vrijheid, piekert en tobt hij. Hij staat onder de douche, pist in de afvoer en kan niet ontsnappen aan de Mieke Telkamp-vragen des levens: waarheen, waartoe, waarvoor?

Het vreemde huwelijk van succes en ongeluk wordt samengevat in een voorval uit 1995. Fry speelde toen in het toneelstuk *Cell Mates* en kwam drie dagen na de premiere niet meer opdagen. Hij was 's avonds naar huis gegaan, had daar zitten broeden, liep vervolgens met een dekbed naar zijn garage, dekte de kier tussen de deur en straat af met het dekbed en ging achter het stuur zitten. Zelf schat hij dat hij daar een uur of drie zo heeft doorgebracht, met zijn hand op de contactsleutel. 'Een heuse poging tot zelfmoord,' zoals hij later zou zeggen. Uiteindelijk reed hij naar de kust, stak over naar het Europese vasteland en dook onder in België. Een paar weken later keerde hij terug en liet zich opnemen in een Londens ziekenhuis, waar de diagnose bipolaire stoornis (vroeger manische depressiviteit geheten) werd gesteld.

In de *Chronicles* maakt Fry ons deelgenoot van zijn lichte en don-

kere kant, hoe hij de weg naar het succes betreedt, en van de onzekerheid die nooit geheel afwezig is. Hij doet zich niet beter voor
dan hij is. Er is geen twijfel aan de oprechtheid van zijn pogingen
om de man achter het publieke personage te laten zien. Wat we
niet te zien krijgen is niet wat hij verbergt, maar wat hij zelf niet
weet: een antwoord op de vraag: wie is Stephen Fry?

Marcel Möring
2011

Inleiding

'Werken is plezieriger dan plezier.'
Noël Coward

Laat ik nou eens niet meer aldoor sorry zeggen; je schiet er niets mee op. Had ik het maar in me om altijd onbarmhartig, onvervaard en onwrikbaar te zijn in plaats van mijn conversatie voortdurend te doorspekken met armzalige nuanceringen, verontschuldigingen en spitsvondigheden. Dat is een van de redenen dat ik nooit kunstenaar had kunnen worden, op literair gebied of anderszins. Alle echte kunstenaars die ik ken staan volstrekt onverschillig tegenover de mening van anderen en bekommeren zich niet om zelfduiding. Zelfonthulling, ja, en vaak, maar nimmer zelfduiding. Kunstenaars zijn sterk, obstinaat, lastig en gevaarlijk. Het lot, of luiheid, of lafheid heeft me lang geleden de rol toebedeeld van entertainer, en toen ik in de twintig was ontdekte ik dat ik dat ook werd, hoewel bij tijden een fataal overeerlijke en overgenuanceerde entertainer, wat natuurlijk geen echte entertainer is. Aardig gevonden willen worden is vaak een zeer onsympathieke eigenschap. Ik houd daar ook niet van bij mezelf. Maar ja, er is zo veel aan mezelf waar ik niet van houd.

Twaalf jaar geleden schreef ik de herinneringen op aan mijn kindertijd en adolescentie, in het boek *Moab is My Washpot*, een titel die voor iedereen begrijpelijk was, zo helder was de betekenis, zo duidelijk de verwijzing. Of misschien ook niet. Chronologisch ben ik nu toe aan de tijd dat ik uit de gevangenis kwam en min of meer geaccepteerd begon te raken op de universiteit, en dit boek pakt de draad daar op. Voor degenen die *Moab* gelezen hebben, hoef ik de gebeurtenissen tot dan toe niet allemaal te herhalen. Waar ik zaken uit mijn verleden noem die daar al behandeld zijn, voeg ik een superscript obelisk toe, zo: [†].

Dit boek beschrijft mijn belevenissen in de volgende acht jaar van mijn leven. Waarom zo veel pagina's voor zo weinig jaren? Het was een late adolescentie en vroege volwassenheid vol verwikkelingen, dat is één antwoord. Een tweede is dat ik in geen enkel opzicht voldoe aan Strunks *Elements of Style* of enige andere handleiding voor 'goed schrijven'. Als iets gezegd kan worden in tien woorden, kun je het aan mij overlaten om er honderd te gebruiken. Ik zou me daar eigenlijk voor moeten verontschuldigen. Ik zou eigenlijk moeten teruglezen en meedogenloos de wildgroei moeten snoeien, kappen en ontwortelen, maar dat doe ik niet. Ik houd van woorden – streep dat maar door, ik ben dol op woorden – en hoewel ik het beknopte en zuinige gebruik van woorden zeer waardeer in poëzie, in songteksten, in Twitter, in goede journalistiek en in moderne reclame, houd ik ook van de luxueuze overdaad ervan en van krankzinnige verbale uitzaaiingen. Tenslotte ben ik iemand, zoals u misschien al opgemerkt hebt, die zinnetjes schrijft als 'voeg ik een superscript obelisk toe, zo'. Als mijn manier van schrijven een vorm van zelfgenoegzaamheid is die u doet tandenknarsen, dan spijt me dat, maar ik ben een oude hond, te oud om nog nieuwe deuntjes te leren blaffen.

Vergeeft u me de onsmakelijke aanblik van mijn strijd om uiting te geven aan de waarheden van mijn innerlijke zelf, en de afstand te meten tussen het masker van zekerheid, gemak, zelfvertrouwen en stoutmoedigheid dat ik draag (met zo veel gemak dat het vaak uitmondt in een grijns die lijkt op zelfvoldaanheid en zelfgenoegzaamheid), en de werkelijke staat van angst, afkeer van mezelf en vertwijfeling waarin veel van mijn leven zich heeft afgespeeld en nog steeds afspeelt. Het is een leven, denk ik, dat net zo interessant of oninteressant is als dat van ieder ander. Maar het is mijn leven en ik kan ermee doen wat ik wil, zowel in de wereld van de echte objectieve feiten als in die van subjectieve woorden. Het is echter niet aan mij om zo ruimhartig om te gaan met het leven van anderen. In veel van mijn leven van 1977 tot 1987 komen mensen voor die algemeen bekend zijn en voor wie ik geen overtuigend pseudoniem kan verzinnen. Als ik u bijvoorbeeld zou zeggen dat ik op de universiteit iemand kende die Lew Horrie heette, en dat we samen een carrière als humoristen zijn begonnen, dan zou het niet veel inzicht of veel googelen van u vergen om erachter te komen dat ik over iemand schreef die echt bestaat. Het is niet aan mij om uit de school te klappen over zijn leven en liefdes, persoonlijke gewoontes, hebbelijkheden en levensstijl. Aan de andere kant, als ik simpelweg zou zeggen dat iedereen die ik op mijn levensreis was tegengekomen een schat was en beeldschoon en super en lief en getalenteerd en oogverblindend, zou u algauw een warme stroom braaksel uitstoten, waarbij ongetwijfeld kortsluiting in uw e-reader zou ontstaan. Ik twijfel er geen moment aan dat mijn uitgever in de kleine lettertjes van het contract dat ik heb ondertekend, heeft vastgelegd dat ik, de auteur, volledig aansprakelijk ben voor alle rechtszaken voortvloeiend uit, maar niet beperkt tot, schade aan elektronische leesapparaten wegens de uitstoot van braak- dan wel andere lichaamssappen, waar dan ook ter wereld. Daarom zeil ik tussen de Scylla van de volstrekt redelijke bescherming van de persoonlijke levenssfeer van vrienden en collega's en de Charybdis van het opzadelen van u, de lezer, met braakneigingen. Het is een nauwe doorgang, en ik zal mijn best doen er veilig doorheen te laveren.

Deze pagina's voeren langs een aantal C-woorden die een bepalende rol hebben gespeeld in mijn leven. Voordat de chronologie van deze kroniek zich ontvouwt, zet ik nog wat C's op een rijtje. Om u, als het ware, in de stemming te brengen…

De C van $C_{12}H_{22}O_{11}$

… van Cereals
… van Chocola et cetera
… van Cariës
… van Caviteiten
… van Corpulentie
… van Calorieën

*'Schaduwen van het tuchthuis beginnen de opgroeiende
jongen te omgeven.'*
William Wordsworth – 'Intimations of Mortality'

Dat ik me bekommerde om mijn lichaam zou betekenen dat ik een lichaam had dat die bekommernis waard was. Sinds mijn vroegste jeugd voelde ik niets dan schaamte voor het nutteloze omhulsel van vlees dat ik bewoon. Het kon niet bowlen, niet batten en niet vangen. Het kon niet dansen. Het kon niet skiën, duiken of springen. Als het een kroeg of club binnenliep, trok het geen wellustige blikken vol begeerte of zelfs maar een opgetrokken wenkbrauw van belangstelling. Het had niets om zich aan te bevelen behalve zijn functie als brandstofcel voor mijn brein en afvalhoop voor gifstoffen die me eventueel beloonden met een kick en redenen om me vrolijk te voelen. Misschien komt het allemaal wel neer op borsten. Of de afwezigheid ervan.

Ik kan niet ontkennen dat ik een baby ben geweest, maar volgens mij ben ik nooit een zuigeling geweest. Ik herinner me niet dat ik vastgeklemd zat aan een tepel en houd mezelf voor dat ik vanaf het begin met de fles ben grootgebracht. Er zijn psychologen, geschoold in een of andere traditie, of het nu kleiniaans, freudiaans, adleriaans, jungiaans of vulmaarinniaans is kan ik niet zeggen, die beweren dat de kwestie 'tepel of speen' significante, zelfs cruciale gevolgen heeft voor de menselijke ontwikkeling. Ik weet niet meer of de theorie suggereert dat het ontbreken van moedermelk of juist de overvloedige aanwezigheid ervan problemen in het latere leven oplevert. Waarschijnlijk allebei. Veel boezem midden in je gezicht op jeugdige leeftijd en je groeit op met een Russ Meyer- of Jonathan Ross-achtige borstfixatie. Niets dan een flesje om op te zuigen en je ontwikkelt borstangst. Of drankzucht in het algemeen. Of juist het omgekeerde. Allemaal absolute onzin natuurlijk. Valse-borstsyndroom. Er zijn genoeg broertjes en zusjes, zelfs eeneiige tweelingen, die als kind precies hetzelfde voedsel kregen, en die in alle opzichten verschillend zijn geworden – behalve in het ene irrelevante opzicht van fysiek voorkomen. Mijn broer en zus werden als kind precies hetzelfde behandeld als ik en de verschillen tussen hen en mij kunnen, gelukkig voor hen en de wereld, niet groter zijn. Dus laten we even aannemen dat de ondeugden en zwakheden waarover ik ga vertellen, persoonlijk zijn en dat ik ze bij mijn geboorte heb meegekregen, net als de moedervlekken op mijn kuiten en de lijntjes op mijn vingertoppen. Wat niet wil zeggen dat ik de enige ben die met die zwakheden begiftigd is. Verre van dat. Je zou ze zelfs de tekortkomingen van mijn generatie kunnen noemen.

Als we eenmaal van de melk af zijn, uit de borst of de fles, gaan we over op het echte werk. Vast voedsel. Paplepels vol appelmoes en worteltjespuree krijgen we in onze mond gestouwd tot we zelf met bestek kunnen omgaan. Een van de eerste en krachtigste manieren waarop het karakter van een kind zich begint te ontwikkelen wordt bepaald door zijn houding ten opzichte van eten. Eind jaren vijftig en begin jaren zestig betekende eten: cereals en zoetigheid. Ik zat in de eerste golf kinderen die blootgesteld werd aan kindgerichte reclame. Sugar Puffs kwamen, net als ik, in 1957 ter wereld. Dat product, waarvan niemand kan zeggen dat het bedoeld was om door volwassenen gegeten te worden, werd tien jaar voor het aantreden van het Honingmonster vertegenwoordigd door een echte levende beer, Jeremy genaamd. Die leidde een druk leven: er werden foto's van hem gemaakt voor op het pak en hij werd gefilmd voor televisiespotjes tot hij uiteindelijk met pensioen kon en na korte tijd terechtkwam in Cromer Zoo, in Campertown, Dundee, waar hij in 1990 vredig in zijn slaap overleed. Ik heb hem gezien in Cromer, de eerste beroemdheid wiens vlees, of vacht, ik in het echt zag, en geloof me, wat een top-babe uit Hollywood of een popidool nu voor een kind is, was Jeremy de Beer toen voor mij. Dat soort passie, liefde en gretigheid moet u zich voorstellen.

Sugar Puffs waren tarwekorrels die warm gepoft waren en bedekt met een stroopachtig, ietwat kleverig laagje fructose en glucose. Het enige wat je hoefde te doen om van hun glorie te genieten, was er koude melk overheen gieten. Warme melk was mogelijk in de winter, maar dat leverde een kom vol kleffe substantie op die meer op soep leek. Bovendien kon zich op melk die het kookpunt naderde een vel vormen en van een vel op de melk moest ik overgeven. Ook nu nog moet ik kokhalzen en braken als ik gekookte melk zie of ruik. Ik herinner me de verhalen die verteld worden over de cocktailparty's van Cocteau. Van Jean Cocteau zegt men dat hij ter vermaak van zijn vrienden naakt op een tafel ging liggen en zich volledig tot ejaculatie bracht zonder zichzelf aan te raken, louter door de kracht van zijn fantasie. Ik heb een vergelijkbare gave. Ik kan mezelf tot braken brengen door me een vel op warme melk, pudding of koffie voor te stellen. Jean en ik kunnen dus allebei de uitstoot van warme vloeistoffen uit ons lichaam opwekken. Op de een of andere manier denk ik dat er naar Cocteaus partykunstje altijd meer vraag zal zijn dan naar het mijne.

Aan de ontbijttafel werd het zaad van mijn smart gezaaid. Ik weet zeker dat mijn eerste verslaving daar ontstaan is. Sugar Puffs waren de eerste schakel in een keten die me het grootste deel van mijn leven zou kluisteren. In eerste instantie, zoals u zich kunt voorstellen, waren ze bedoeld voor het ontbijt. Maar algauw at ik ze de hele dag door, tot mijn moeder begon te zuchten vanwege het aantal pakken dat ze moest kopen. Ik at de zoete korrels zo uit het pak. Eén voor één verdwenen ze in een gestage stroom in mijn mond. Ik was als een Amerikaan met popcorn in de bioscoop: glazige ogen, de hand op-en-neer van pak naar mond, pak naar mond, pak naar mond, als een machine.

'Glazige ogen'. Is dat belangrijk? Een baby aan de borst of de fles heeft die blik ook. Er zit een seksueel element aan een dergelijke ongerichte vastberadenheid. Tot ik een jaar of acht, negen was, zoog ik op de wijs- en middelvinger van mijn linkerhand. Vrijwel constant. Terwijl ik met de vingers van mijn rechterhand door mijn hoofdhaar kroelde. En altijd met die glazige, afwezige blik, met mijn lippen halfopen en die karakteristieke ademhaling. Gaf ik mezelf het gevoel dat ik aan de borst lag die ik nooit gekend had? Dat zijn duistere wateren, Watson.

Ingrediëntenlijstjes en serveertips op cerealsverpakkingen waren mijn lectuur; thiamine, riboflavine en niacine mijn geheimzinnige, onzichtbare vrienden. Verkocht per gewicht, niet per volume. De inhoud kan ingeklonken zijn tijdens het transport. Steek uw vinger onder de flap en beweeg naar links en rechts. *They're Gr-r-r-r-r-eat! Ricicles, twicicles as nicicles.* En dat was ook zo. Eigenlijk waren ze, zoals ik toen graag zei, *thricicles as nicicles.* In elk geval veel lekkerder dan hun saaie ongezoete ouders, Rice Krispies, het product dat zei, als je goed luisterde: snot, zuur en poep. Rice Krispies eten als je ook Ricicles kon eten, cornflakes als je ook Frosties had. Wie kon zich zo'n saai leven voorstellen? Het was alsof je vrijwillig koos om naar het nieuws op de televisie te kijken of liever thee zonder suiker dronk. Ik heb maar voor één ding geleefd. $C_{12}H_{22}O_{11}$. Misschien had ik wel een Amerikaan moeten zijn, want in de Verenigde Staten zit overal suiker in. In brood, in gebotteld water, in *beef jerky*, augurken, mayonaise, mosterd en salsa. Suiker, suiker, suiker.

Mijn relatie tot deze verleidelijke en duistere substantie is gecompliceerd. Als er geen suiker was geweest had ik niet geboren hoeven worden, en toch is suiker ook bijna mijn dood geweest.

Elders[†] heb ik het verhaal verteld van de rol van mijn moeders vader bij de import van suiker in Engeland. Recentelijk kwam ik daar meer over te weten doordat ik meedeed aan het BBC-programma *Who Do You Think You Are?* over genealogie. Mijn grootvader Martin Neumann kwam naar Bury St. Edmunds, helemaal uit zijn geboorteland, dat oorspronkelijk Hongarije was, hoewel het Verdrag van Trianon uit 1920 zijn woonplaats Nagysuráni later toewees aan de jonge staat Tsjecho-Slowakije. Volgens de geschiedenis echter kwam hij uit Hongarije. Een Hongaarse Jood, zoals hij graag opmerkte, is de enige die achter je een draaideur in kan lopen en er als eerste weer uit komt.

Hij kwam naar Engeland op uitnodiging van het ministerie van Landbouw in Whitehall, waar de meer vooruitziende functionarissen beseften dat de Atlantische Oceaan zeer waarschijnlijk gesloten zou worden als er, wat in toenemende mate waarschijnlijk werd, een nieuwe wereldoorlog ophanden was. Hetzelfde was immers bijna gebeurd op het hoogtepunt van de Duitse U-bootdreiging in 1917. Brits West-Indië en Australië zouden buiten bereik raken en er zou geen suiker zijn voor het Britse kopje thee, een ramp die te erg was om je er een voorstelling van te kunnen maken. Groot-Brittannië had geen enkele mogelijkheid om zelf suiker te produceren. De boeren hadden nog nooit één suikerbiet verbouwd, de fabrikanten hadden nooit één korrel geraffineerd. In Nagysurány, nu Šurani, was mijn grootvader directeur geweest van wat toen de grootste suikerraffinaderij ter wereld was, dus hij leek de logische kandidaat om in Britse dienst te treden. In 1925 kwamen hij en zijn zwager Robert Jorisch over om in Bury St. Edmunds in Suffolk de eerste Britse suikerraffinaderij te bouwen, waar deze nu nog steeds staat en een volle, bittere stank uitstoot die vaag doet denken aan verbrande pindakaas. Als Martin en zijn vrouw en hun gezin in Šurani waren gebleven, waren ze vermoord in de vernietigingskampen van de nazi's, omdat ze Joods waren, zoals zijn moeder, zuster, schoonouders en de tientallen andere familieleden die op het vasteland van Europa waren blijven wonen. Ik zou nooit geboren zijn, en het papier of de digitale displaytechniek die gemoeid is met de productie van het boek dat u nu met zo veel onversneden plezier leest, zou een andere toepassing hebben gevonden.

Suiker schonk mij het leven, maar eiste zijn prijs – slaafse aanhankelijkheid. Verslaving aan suiker en een verslaving aan verslaving bovendien.

Zoete ontbijtproducten waren één ding, en relatief ongevaarlijk bovendien. Wekelijks bestelde mijn moeder telefonisch de pakken Sugar Puffs, Ricicles en Frosties die samen met de andere krudenierswaren werden bezorgd door meneer Neil, die mij altijd 'jongeman' noemde en die de bestelauto bestuurde voor Riches, het winkeltje in het dorp Reepham, dat zo'n drie of vier kilometer verwijderd was van Booton, het gehucht waar wij woonden. Mannen als meneer Neil bestaan niet meer; winkeltjes als Riches bestaan niet meer.

Als gevolg van de wekelijkse bezorging door meneer Neil kon ik bijna zo veel zoetigheid eten als ik wilde, zonder dat het me geld kostte. Ik scoorde gratis suiker. Natuurlijk. Waarom niet? Ik was een kind dat in een huis woonde waar altijd Sugar Puffs in de kast stonden. Volkomen natuurlijk en normaal. Dat veranderde allemaal toen ik op zevenjarige leeftijd naar een kostschool in Gloucester werd gestuurd, op de kop af 320 kilometer van ons huis in Norfolk.

Mijn eerste ochtend op Stouts Hill, zo heette de school, leverde een teleurstelling op die de eerste van een lange reeks zou blijken te zijn. Na een nacht vol hikken en snikken van heimwee was ik ontwaakt in het opdringerige lawaai en het angstaanjagende mysterie van een onbekend instituut waar de dagelijkse riten een aanvang namen.

'Jij daar! Wat doe jij daar? Jij hoort nu in de refter te zijn,' riep een surveillant, een oudere leerling, tegen me toen ik volslagen in paniek door willekeurige gangen stuiterde.

'Wat is een refter?' Het beeld van een soort middeleeuwse martelkamer doemde op in mijn angstige hoofd.

De surveillant greep me bij mijn schouders en duwde me een gang in en nog een en ten slotte door een deur die naar een lange, lage eetzaal leidde vol luidruchtig ontbijtende jongens op lange glimmende eiken banken zonder leuning. Hij marcheerde me naar een bank, wrikte twee jongens uit elkaar, hees me op en wrong me in de zo ontstane ruimte. Ik zat daar met mijn ogen te knipperen in angstige verlegenheid. Ik hief mijn hoofd timide op en zag dat de keus bestond uit cornflakes of havermoutpap met klonten. Geen spoor van Sugar Puffs, Frosties en Ricicles. Ik durf te beweren dat het leven nooit meer hetzelfde zou zijn, dat alle vertrouwen, geloof en hoop die dag in mij stierven en dat vanaf dat moment de melancholie voorgoed bezit van me nam, maar dat is misschien iets te sterk uitgedrukt. Niettemin was ik geschokt. Zou ik voorgoed zonder zoetigheid moeten leven?

De school had één instituut dat als compensatie fungeerde voor de zorgwekkende tekortkomingen van de refter. De snoepwinkel. Ik kende het verschijnsel snoep wel, natuurlijk. Het zat meestal in zakjes van een ons, geschept uit grote glazen flessen bij Riches of het postkantoor van Reepham. Perendrups, zure bonken, toffees, pepermuntkussentjes, en vruchtenbonbons: allemaal nogal primitief, respectabel en vooroorlogs. De snoepwinkel van Stouts Hill School had een spannender aanbod in die periode, het begin van het gouden tijdperk van zoetwaren. Cadbury, Fry (hoera!), Rowntree, Nestlé, Mackintosh, Mars en Terry waren allemaal nog aparte, onafhankelijke fabrikanten. Mackintosh maakte Rolo's, Caramac, en Toffee Crisp; Fry (hoera!) Turkish Delight, Crunchie-repen en Chocolate Cream. Cadbury schonk ons de Picnic en de Flake, evenals hun vlaggenschip Dairy Milk verpakt in subtiel paars zilverpapier. De reuzen van Bournville waren toen al bezig met de lancering van de legendarische Curly Wurly die binnen een jaar zou volgen en De Grootste Chocoladereep in de Wereldhistorie, de Aztec. Nestlé bood ons intussen de Milky Bar en de Kitkat. Rowntree had de Aero, de Fruit Pastilles, de Fruit Gums, Smarties en Jelly Tots, Mars had Milky Way, Mars, Maltesers en Marathon. Gebenedijd was ik! Pas nu merk ik dat de producten van Mars allemaal met een M begonnen. Vele jaren later werd Marathon omgedoopt in Snickers (en ik hielp de nieuwe naam lanceren door de voice-over in te spreken voor de reclamecampagne: als ik als schooljongen had geweten dat zoiets mij kon overkomen, was ik ontploft), net als de Opal Fruits van Mars eens Starburst zouden worden. Daar hadden ze ongetwijfeld hun redenen voor. Ze fabriceerden ook Spangles, het zuurtje dat synoniem is geworden voor het soort luie, overspannen nostalgie waarin ik me nu wentel. Maar wacht even met uw oordeel; er zit meer achter dit alles dan het koortsachtig opsommen van merknamen.

De snoepwinkel van Stouts Hill was op verschillende dagen open voor elk van de vier huizen waarin de school was verdeeld: IJsvogels, Otters, Wespen en Panters. Ik was een Otter en onze snoepdag was donderdag. Eerst ging je in de rij staan voor geld. Het zakgeld dat je ouders je toebedeeld hadden werd door de school beheerd en in termijnen uitgekeerd door de onderwijzer van dienst, die de opgenomen som vastlegde op jouw persoonlijke pagina in het zakgeldboek. Naarmate het trimester verstreek zag ik tot mijn ontzetting hoe mijn kapitaal in rook opging. Ik schreef wanhopige smeekbrieven naar huis om de allerspoedigste toezending van een briefje van tien shilling. 'Alstublieft, mama, alstublieft. Alle andere jongens krijgen veel meer geld dan ik. *Alstublieft, alstublieft, alstublieft...*'

En zo begon het.

Hoe luisterrijk de snoepwinkel van Stout Hill ook was, hij was niet meer dan een Johannes de Doper vergeleken met de messiaanse glans van de dorpswinkel van Uley en onwaardig om diens dropschoenveters te strikken of suikerdrop te likken. Het kleine postkantoor annex dorpswinkeltje lag zo'n achthonderd meter van de schoolpoort, en we liepen er in ganzenpas langs op onze begeleide wandelingen door het dorp en draaiden ons hoofd eenstemmig naar de uitnodigende vensters, als cadetten die hun vorst eren met hoofd rechts. Op de planken van die winkel glansde, glinsterde en straalde de meest exotische, kleurrijke en suikerzoete schat die ik ooit had gezien of waarvan ik ooit had gedroomd. Jamboree Bags. Trebor Refreshers. Fruit Salads en Blackjacks, een farthing per stuk (dus vier stuks voor een oude penny). Bananenschuimpjes. Vliegende schotels van ouwel, gevuld met zwart-op-wit. Swizzels Matlow Twizzlers die als vuurwerk sisten en ploptten in je mond. Liefdeshartjes. Zure colaflesjes om op te kauwen en rubberachtige witte melkflessen. Chocoladeflikken met honderdduizend spikkeltjes. Strips Wrigley's Juicy Fruit en Spearmint, doosjes Chiclets en Pez, losse stukken Bazooka Joe en pakjes Beatles-kauwgum met in elk pakje een plaatje met een foto en onschatbare biografische informatie: 'John houdt niet van marmelade, maar Ringo is dol op citroenpasta!', 'George is de langste Beatle, maar het scheelt maar een centimeter!', en andere fabelachtig waardevolle geheimen, die allemaal eindigden met het uitroepteken dat tot op de dag van vandaag nog steeds karakteristiek is voor fanlectuur. Op andere planken stonden toverballen, anijskussentjes en nog veel meer likdingen en hapdingen. Wijngums. Wagon Wheels en Walnut Whips. Vergeef me de onbedoelde alliteratie. Daar stond het veelgeprezen Spanish Gold, zakjes geel vetvrij papier met een plaatje van een rood galjoen op de voorkant met daarin draadjes geraspte kokos, gebruind met cacaopoeder zodat het op shagtabak leek. Drop in de vorm van de pijp van Sherlock Holmes, compleet met kop en steel. Witte snoepsigaretten met een rood uiteinde en in ouwel gerolde chocoladesigaretten verpakt in een Chesterfield-pakje.

Alle elementen waren nu aanwezig. Suiker. Wit poeder. Tabak. Begeerte. Geldgebrek. Het verbodene.

Jawel, verboden. De dorpswinkel was voor ons jongens verboden terrein. De extra suikerigheid van de zuurtjes, de verblindend heldere vrolijkheid van de verpakkingen en de onbeschofte Amerikaanse informaliteit van kauwgom en toverballen ontriefden de uiterst militaire gevoeligheden van het lesgevend personeel. Deze artikelen werden een beetje vulgair gevonden, een beetje... ik zal het maar zeggen: voor arbeiders. God weet wat diezelfde arme schoolmeesters hadden gevonden van Haribo Starmix of de Kinder Happy Hippo. Het is misschien maar goed dat ze al waren overleden toen deze gruwelijkheden op de markt verschenen, want ik weet zeker dat hun hart het had begeven.

Zeven jaar oud, ruim driehonderd kilometer van huis en een berooide junk. Er zijn talloze verhalen van kinderen jonger dan zeven jaar die al volslagen alcoholist zijn of al bij hun geboorte verslaafd aan crack, crystal meth en Red Bull, en ik ben me er volkomen van bewust dat daarbij vergeleken mijn afhankelijkheid van suiker niet veel voorstelt. Dat ik een junk was, is een aanklacht tegen niets en een les voor niemand. Evenmin is het genoegzaam verklaarbaar. Ik heb u de contouren ervan geschetst, maar dat suggereert geen noodzakelijke of voldoende reden voor een verslaving die zo dwangmatig en allesverterend was. Tenslotte werden mijn leeftijdgenootjes blootgesteld aan dezelfde reclame, hadden ze de beschikking over dezelfde cereals, hetzelfde snoep en dezelfde comestibles en waren ze opgebouwd uit dezelfde organen en beschikten over dezelfde zintuigen en afmetingen. Toch voelde ik vanaf mijn allereerste bewustzijn met woeste, onwankelbare zekerheid dat andere mensen niet gegrepen werden door de roofzuchtige hebzucht, onstilbare honger, overweldigende begeerte, griezelige lust en vreselijke, kwellende behoefte die mij elk uur van elke dag in hun greep hadden. En als dat wel zo was, dan beschikten ze over een zelfbeheersing die me volstrekt beschaamd maakte. Misschien, dacht ik, was iedereen behalve ik sterk, karaktervol en vol morele kracht. Misschien was ik wel de enige die zo zwak was om te zwichten voor een begeerte die anderen wel konden beheersen. Misschien knaagden dezelfde verlangens ook aan alle anderen, maar hadden zij van de natuur of het Opperwezen het vermogen gekregen hun emoties de baas te blijven dat mij in mijn trillende wanhoop was ontzegd. We moeten er rekening mee houden dat de sfeer op mijn school, net als op elke kostschool in die tijd (en op vele nog steeds) kreunde van religieuze rechtschapenheid (de huidige scholen kreunen onder rechtschapenheid zonder religiositeit, wat duidelijk een verbetering is). U kunt zich dan misschien iets van de spirituele marteling voorstellen die mijn meer lichamelijke kwellingen vergezelde. De Bijbel staat van kaft tot kaft vol met verhalen over verleiding, verboden en kastijding. Op de allereerste pagina hangt er al een verboden vrucht aan een boom, en als we verder lezen krijgen we nog meer vreselijke lessen over hoe hebzucht gestraft en lust vervloekt wordt, tot we de volle, fatale en krankzinnige verdoemenis en extase van de Openbaring van Johannes bereiken nadat we langs beproevingen in de wildernis en de woestijn getrokken zijn, met sprinkhanen, honing, manna, raven, zweren, puisten, plagen, bezoekingen, ellende, rampspoed, en offers. Leid ons niet in verzoeking. Laat af, Satan. Mij is de wrake, sprak en zeide de Heere, en de vergelding.

In een dergelijke sfeer, met een psychische hunkering die toen al aanwezig was, is het geen wonder dat er in mijn hoofd schuldige verbanden ontstonden tussen suiker en verlangen en bevrediging, en verlangen en bevrediging en schaamte. Al jaren voor de nog sterkere verschrikkingen en kwellingen van seks zich kenbaar maakten en in mijn hart en darmen hetzelfde patroon uitkerfden; waarbij vanzelfsprekend nog diepere en wredere sneden werden uitgegutst. Nou, ik weet het wel dramatisch te brengen, hè?

Omdat negentig procent van mijn schoolkameraadjes immuun leek voor al die trauma's, bespiegelingen, schaamte en verleiding, vraag ik me nog steeds af, terugblikkend, of ik nu bijzonder zwak was, bijzonder gevoelig of bijzonder genotziek.

Om snoep te kunnen kopen bestal ik winkels, de school en, het meest beschamend van alles, andere jongens. Deze diefstallen werden, net als het eten zelf, uitgevoerd in een staat van bijna-trance. Met oppervlakkige ademhaling en glazige ogen plunderde ik de kleedkamers en schoolbanken, kolkend van angst, vervoering, doodsangst, spanning en heftige walging van mezelf. 's Nachts plunderde ik de schoolkeukens, en zette koers naar een kast waarin grootverbruikblokken ongekookte vruchtengelatine bewaard werden die ik met mijn tanden verscheurde, zoals een leeuw een antilope verscheurt.

In *Moab* beschreef ik de keer dat ik door een surveillant werd betrapt op het bezit van illegale zuurtjes, kauwgom en zwart-op-wit die alleen uit de dorpwinkel afkomstig konden zijn. [†] Ik kreeg een goedaardig jongetje, Bunce genaamd, die mij in stilte bewonderde, zover de schuld op zich te nemen. Ik was al schuldig geweest aan zo veel eerdere overtredingen dat één meer zou resulteren in een ernstige aframmeling, terwijl Bunce, die geen strafblad had, ervan af zou komen met een waarschuwing. Het liep natuurlijk fout af, en het schoolhoofd doorzag onze strategie. Mijn beloning was een extra speciaal pak slaag omdat ik zo doortrapt was geweest om een onschuldig joch als Bunce in mijn zondig web te lokken.

De werkelijk bestaande Bunce en ik hebben weer contact met elkaar sinds de publicatie van *Moab*. Hij was er zeer blijmoedig onder en herinnerde me aan een gebeurtenis die ik totaal vergeten was.

Heel vroeg in mijn schoolcarrière had ik Bunce verteld dat mijn ouders dood waren.

'Wat vreselijk voor je!' Bunce, altijd aardig, was diep geroerd.

'Ja. Auto-ongeluk. Ik heb drie tantes die om de beurt voor me zorgen in de schoolvakanties. Je moet zweren dat je het tegen niemand zegt. Het is geheim.'

Bunce knikte, met een vastberaden blik in de ogen. Ik wist dat hij eerder zijn eigen tong zou afbijten dan het verklappen.

Aan het eind van het trimester vroeg ik Bunce wat zijn plannen met Kerstmis waren. Hij keek een beetje ongemakkelijk toen hij bekende dat hij met zijn hele familie naar Brits West-Indië ging.

'En jij?' vroeg hij.

'Nou, in Norfolk met mijn ouders natuurlijk. Waar anders?'

'M-m-maar... ik dacht dat je ouders dood waren en dat je bij je tantes woonde.'

'Ah. Mmm. Ja.'

Verdomme. Betrapt.

Bunce keek gekwetst en onthutst.

'Neem het me maar niet kwalijk,' zei ik en keek hem strak aan. 'Zie je... ik...'

'Ja?'

'Ik zeg dat soort dingen.'

We hebben het er nooit meer over gehad. Tot Bunce me er vijfenveertig jaar later aan herinnerde. 'Ik zeg dat soort dingen', waren, beweert hij, mijn exacte bewoordingen.

Regelmatig geslagen, altijd in de problemen, nooit evenwichtig, nooit op mijn gemak of veilig. Ik kwam van de lagere school als een suikerjunk, dief, fantast en leugenaar.

Dat patroon herhaalde zich op mijn volgende school, Uppingham in Rutland. Meer stelen, meer snoep. In die tijd begon de gigantische hoeveelheid suiker die ik opgeschrokt had zijn pijnlijke fysieke tol te eisen. Niet rond mijn middel, want ik was zo mager als een spijker, maar in mijn mond. Cariës, gaatjes en etterende gezwellen waren mijn constante metgezellen. Op mijn veertiende verjaardag was ik al vijf kiezen voorgoed kwijt. De behoefte aan suiker richtte me te gronde. De roes van opwinding bij het stelen en de roes van de suiker als ik me te goed deed aan mijn buit eindigde onvermijdelijk, zo gaat dat met passie, in de afgrond van schuld, melancholie, walging en afkeer van mezelf, die volgt op alle verslavingen... suiker, shoppen, alcohol, seks, noem maar op.

Nog meer stelen leidde tot tijdelijke verwijdering van school: een paar weken schorsing. Ten slotte kon de school me niet langer handhaven en werd ik van school gestuurd.[†] Ik was naar Londen gegaan voor een officieel toegestaan weekendbezoek aan een bijeenkomst van het Londens Sherlock Holmes Genootschap, waarvan ik enthousiast lid was. In plaats van een bezoek aan Londen van twee dagen, zoals afgesproken, bleef ik een week weg, en bezocht vrolijk bioscopen waar ik film na film na film bekeek. De maat, zoals ouders en onderwijzers met niet-aflatende nadruk zeiden, was vol.

De bittere sappen van tabak zullen spoedig het verhaal overnemen. Zodra dat aanminnige blad me in zijn tedere omhelzing sloot, had suiker minder macht over me dan voorheen. Maar er is nog wel wat meer te vertellen over mijn getroebleerde relatie met $C_{12}H_{22}O_{11}$.

Terwijl ik doorgroeide naar mijn late adolescentie en vroege volwassenheid werd mijn trouw aan Sugar Puffs beetje bij beetje vervangen door een passie voor Scott's Porage Oats, aangemaakt met koude melk, maar royaal bestrooid, voor de zekerheid, met gulle lepels kristalsuiker. Tegelijkertijd maakte de adoratie uit mijn kindertijd voor zwart-op-wit en zure bonken plaats voor een meer volwassen voorkeur voor die toch wel wat meer geacheveerde zoetigheid: chocolade. En dan was er natuurlijk nog koffie.

Het is 1982 en ik zit in een sjofel zaaltje van Granada Television in Londen. Ben Elton, Paul Shearer, Emma Thompson, Hugh Laurie en ik zijn daar aanwezig om te repeteren voor de eerste reeks van wat later een tv-programma met sketches zal worden, *Alfresco* genaamd. De titel van die eerste reeks is *There's Nothing to Worry About*. Mijn voorkeur ging uit naar de titel *Trouser, Trouser, Trouser*, maar dat werd, misschien terecht, verworpen.

We zijn allemaal halverwege de twintig en acht maanden eerder van de universiteit gekomen. Alles zou prachtig moeten zijn in ons leven, en dat was waarschijnlijk ook zo. Hugh, Emma, Paul en ik hebben de eerste Perrier Award gewonnen op het Edinburgh Festival met onze universiteitsrevue, gevolgd door een tournee door Australië. Die revue is net door de BBC op film gezet en nu staan we op het punt onze eigen televisieserie te maken.

Grote kleverige blikken Nescafé en dozen PG Tips theezakjes staan op een schragentafel in de hoek van het zaaltje. Er is iets met repetities wat de consumptie van grote hoeveelheden thee en koffie bevordert. Die ochtend, als een sketch wordt doorgenomen waar iedereen in zit behalve ik (er is sprake van muziek en dans), maak ik koffie voor iedereen en besef, als mijn hand naar de suikerlepel reikt, dat ik de enige ben die suiker neemt.

Daar sta ik dan, de lepel zwevend boven een open zak Tate and Lyle. Stel dat ik ermee zou stoppen. Ik heb altijd horen zeggen dat thee en koffie oneindig beter smaken zonder. Ik kijk naar de anderen en zweer plechtig dat ik twee weken geen suiker zal gebruiken. Als ik, na veertien dagen ongezoete koffie, de smaak nog niet te pakken heb, mag ik terug naar mijn tweeënhalve lepel. Niets aan de hand.

Ik steek een sigaret op en kijk naar de anderen. Ik voel een stralend gevoel van trotse vervoering in me opzwellen. Misschien kan ik het.

En het lukt. Tien dagen later geeft iemand me een kop koffie waaraan suiker is toegevoegd. Na de eerste slok spring ik van schrik op, alsof ik een elektrische schok heb gekregen. Het is de mooiste schok van mijn leven, want hij zegt me dat ik erin geslaagd ben om iets op te geven. Het lijkt in niets op het gevoel van triomf bij het overwinnen van tegenslag zoals dat vaak wordt beschreven, maar de herinnering aan hoe ik naar die zak suiker keek en me afvroeg of ik ooit zou kunnen stoppen, is me altijd bijgebleven. Het was alsof het die ene zwakke fluistering van hoop was op de bodem van de doos van Pandora. Ik ruik nog steeds dat repetitielokaal en hoor nog steeds de piano. Ik zie nog steeds de pakjes biscuitjes op de schragentafel en de Tate and Lyle-zak, met de doorschijnende klonten, het gevolg van het herhaaldelijk indopen van een natte lepel.

Zevenentwintig jaar later zag en rook en herleefde ik die scène nog eens in een kamer in Hotel Colbert in Antananarivo op Madagascar. Het was heel, heel warm en heel, heel vochtig, en ik had alleen

een boxershort aan. Een naderende onweersbui gromde dreigend en de internetverbinding van het hotel, die toch al vrij grillig was, had het begeven. Toen ik opstond van het bureau om naar de badkamer te gaan, werd mijn oog getroffen door een afschuwelijk tafereel.

Ik zag een gruwelijk dikke man met gigantische hangborsten en een enorme, uitpuilende pens door de kamer lopen. Ik knipperde met mijn ogen, draaide me om en keek weer, vol afschuw en ongeloof. Daar was hij weer en hij vulde de hele spiegel, een komisch corpulente middelbare man, even grotesk zwaarlijvig als de mensen die ik had gezien toen ik het jaar daarvoor in het middenwesten van Amerika gefilmd had. Ik monsterde het lijf van die walgelijke berg vet van top tot teen en weende.

Ik had mezelf de laatste kwarteeuw gezien op grote en kleine schermen en gefotografeerd in bladen en had enige illusie gekoesterd omtrent mijn fysieke verschijning. Maar om de een of andere reden zag ik mezelf die avond in die kamer zoals ik was. Ik haalde niet mijn schouders op, bedekte mijn naaktheid niet en ging niet voort met mijn leven. Ik huichelde niet dat het wel meeviel. Ik zei niet bij mezelf dat ik lang genoeg was om wat extra gewicht te kunnen hebben. Ik huilde om het vreselijke ding dat ik was geworden. In de badkamer stond een weegschaal. Honderdnegenendertig kilo. Wat was dat in echte, Engelse gewichten? Daar had ik een app voor op mijn telefoon. Tweeëntwintig stone en twaalf pond. Heilige twaalftallige hel. Tweeëntwintig stone. Driehonderdzes Engelse ponden.

Ik dacht terug aan dat repetitielokaal in 1982. Het was me gelukt om suiker in koffie en thee op te geven. Nu was het tijd om suiker op te geven in al zijn manifestaties: toetjes, chocola, harde toffees, zachte toffees, pepermuntjes, donuts, taart, koffiebroodjes, vruchtengebak, flan, gelatinepudding en jam. Ik moest ook meer bewegen. Een dieet was niet genoeg, er zat niets anders op dan een volkomen andere manier van eten en leven.

Ik beweer niet dat er geen suikerkorrel meer over mijn lippen is gekomen sinds dat moment van geopenbaarde verschrikking op Madagascar, maar het is me gelukt om alle verleidelijke taarten, puddingen, geconfijte vruchten, ijs, petits fours en *friandises* te weigeren die obers aanbieden in het soort restaurants dat ik en mijn verwende soortgenoten frequenteren. Gecombineerd met een regime van dagelijkse wandelingen, drie keer per week naar de sportschool en het algemeen vermijden van zetmeelrijk en vet eten, is door die standvastige onthouding mijn gewicht gedaald tot iets onder zestien stone (honderd kilo).

Ik twijfel er geen moment aan dat ik heel makkelijk weer kan opbollen en dat mijn gewicht weer als een raket omhoog kan schieten langs de eenentwintigste, tweeëntwintigste, drieëntwintigste, vierentwintigste en vijfentwintigste verdieping, als een lift in een tekenfilm. Voortdurende waakzaamheid is geboden. Het is niet aan mij om u ervan te overtuigen dat ik mezelf nu helemaal ken, maar ik denk dat ik wel geloofwaardig kan betogen dat ik mezelf althans goed genoeg ken om uiterst weifelend en argwanend te zijn wat betreft het vinden van oplossingen, genezing en het arriveren op een definitieve bestemming.

Neem roken, bijvoorbeeld...

C van Carlton Premium-sigaretten

… van Crimineel
… van Cundall
… van Corporale Correctie
… van *Common Pursuit*
… van Champagnofiel

'Zij die niet van tabak houden zijn jongens en dwazen.'
Christopher Marlowe

In aanmerking genomen dat ik als schooljongen zo tegendraads en ongehoorzaam was, is het misschien verrassend dat ik mijn eerste sigaret pas rookte toen ik vijftien was. Als om te compenseren dat mijn geestelijke ontwikkeling zo vroeg op gang kwam, ben ik lichamelijk altijd een laatbloeier geweest. Mijn eerste orgasme en mijn eerste sigaret kwamen later dan bij de meeste van mijn leeftijdgenootjes en terugkijkend lijkt het alsof ik tientallen jaren bezig ben geweest om te proberen die verloren tijd in te halen. Ik heb roken altijd in samenhang met seks gezien. Misschien is het daar wel fout gelopen in mijn leven.

In 1979, tegen het eind van mijn eerste jaar in Cambridge, schreef ik een toneelstuk getiteld *Latin! or Tobacco and Boys*. Dominic Clarke, de held, als zoiets gezegd kan worden van zo'n verknipt personage, steekt in de het tweede bedrijf een toespraak af waarin hij zijn eerste seksuele en rookervaringen beschrijft en samenvoegt.

Een van die pijnlijke stappen richting volwassenheid was mijn eerste sigaret. Het was achter de kaatsbanen van mijn huis op school, met een jongen die Prestwick-Agutter heette. Ik herinner het me nog alsof het vijf minuten geleden was. Prestwick-Agutter maakte zijn pakje Carlton

Premium open en trok er een korte, dunne… sigaret uit. Toen mijn lippen zich om het uiteinde sloten, voelde ik paniek opkomen. Ik hoorde hoe mijn kindertijd inwendig gewurgd werd en voelde een nieuw vuur ontbranden. Prestwick-Agutter stak het uiteinde aan en ik zoog en inhaleerde. Mijn oren suisden, mijn bloed vatte vlam en ergens in de verte kreunde mijn kindertijd. Ik negeerde het en ik zoog nog eens. Maar ditmaal verzette mijn lichaam zich, en ik hoestte en spuugde. Mijn jongenslongen waren niet opgewassen tegen de vieze werveling van roet waarmee ik ze zo graag wilde laten kennismaken en dus hoestte ik en bleef maar hoesten. Ondanks mijn innerlijke opwinding en mijn hoestaanval slaagde ik erin om uiterlijk onaangedaan te blijven. Waarmee ik indruk maakte op Prestwick-Agutter, die ingenomen was met mijn stoerheid en lef. Brits flegma en Brits lef stroomden vrijelijk in en uit me, en de spirit van de *public school* was geboren. Na ongeveer een uur begon het te regenen, dus doken we onder het dichtstbijzijnde afdak en leunden tegen de steunpaal. Het was een namiddag vol beklemming. Later die avond, toen een bende lompe filistijnen onder wie Prestwick-Agutter mijn kamer binnenviel, kreeg ik de baard in de keel. Heel plotseling. Ik was bijna zeventien, nogal gênant eigenlijk.

Hoewel die tekst niet (dat verzeker ik je) autobiografisch was, liepen de reacties op seks en sigaretten van Dominic grotendeels parallel aan de mijne. Ik hoestte en braakte flink. Niet na seks, moet ik zeggen, maar na mijn eerste sigaret. En na mijn tweede en derde. De natuur gaf me krachtige aanwijzingen, die ik in de wind sloeg.

Ik was thuis, vijftien jaar oud. In ongenade gevallen en van school gestuurd[†] toen ik begon te roken. Mijn ouders hadden de Paston School in North Walsham in Norfolk voor me gekozen, een middelbare school die als grootste wapenfeit had dat Horatio Nelson er een ongelukkige leerling was geweest. Om er te komen moest ik elke morgen met een bus die op weg naar school door het marktstadje Aylsham reed. Na een paar weken op Paston stapte ik in Aylsham uit de bus en bracht de dag door in een koffiehuis waar ik kon roken, schuimige koffie drinken en flipperen tot de bus weer langskwam op de terugweg. Dat chronische spijbelen had natuurlijk weer verwijdering van school tot gevolg. Vervolgens werd ik naar NORCAT gestuurd, het Norfolk College of Arts and Technology in King's Lynn. Al het geld dat ik bijeen kon bedelen, lenen of uit mijn moeders handtas stelen, ging op aan sigaretten. Als verslaving was het duurder dan Sugar Puffs of zuurtjes en bijna even rampzalig voor mijn gebit, hoewel het sociaal meer geaccepteerd werd.

De gebruikelijke saffies voor arme scholieren waren merken als Players Number Six, Embassy, Carlton en Sovereign. Had ik eens gewonnen met blufpoker, dan ging ik me te buiten aan Rothmans, Dunhill of Benson and Hedges, maar als ik echt goed in mijn slappe was zat, lonkte het tabaks-equivalent van de dorpswinkel in Uley. Mijn obsessie met Oscar Wilde, Baron Corvo en de aantrekkelijk giftige wereld van de laatnegentiende-eeuwse decadentie resulteerde in een pretentieuze voorkeur voor exotische merken. Sobranie Cocktails, Passing Cloud, Sweet Afton, Carroll's Major, Fribourg & Treyer en Sullivan Power Private Stock waren het begeerlijkst, vooral de laatste twee, die alleen betrokken konden worden bij het enige sigarenmagazijn in heel Norfolk of bij hun eigen winkels in Haymarket en de Burlington Arcade in Londen.

En naar Londen ging ik toen ik ten slotte wegliep van King's Lynn. De dreigende nadering van overgangstoetsen en de waarschijnlijkheid dat ik zou zakken, gecombineerd met de irritante adolescente 'ik heb geen opleiding nodig'-houding, bepaalden mijn keuze voor het hazenpad. Net als dokter Watson in het eerste Sherlock Holmes-verhaal voelde ik me aangetrokken door Piccadilly, 'die grote beerput waartoe alle lanterfanters en leeglopers uit het hele rijk zich onweerstaanbaar voelen aangetrokken'. Ik had de beschikking over creditcards[†] van iemand anders om me de meest uitgelezen sigarettenmerken te kunnen veroorloven. Op een barkruk in de American Bar van het Ritz Hotel nipte ik aan cocktails, smookte Sobranies en vond mezelf heel mondain. Ergens onderweg had ik de oude losse boorden van mijn grootvader gejat en de hoefijzervormige leren doos waarin ze werden bewaard. Niet alleen was ik een zeventienjarige die probeerde te lijken op een combinatie van Wilde, Coward, Fitzgerald en Firbank, ik was een zeventienjarige in een Gatsby-pak met stijve boord die gekleurde sigaretten rookte in een amberkleurig sigarettenpijpje. Het is een wonder dat niemand me in elkaar geslagen heeft.

Waar ik niet aan ontsnapte was arrestatie. De politie pakte me in Swindon op en na een nacht in de cel werd ik opgeborgen in een tuchthuis voor jeugdige delinquenten met de vertederend landelijke naam Pucklechurch.

Tabak, dat is algemeen bekend, is het belangrijkste betaalmiddel in een inrichting. Betrekkelijke rust en orde worden binnen gevangenismuren gehandhaafd door gestructureerd werk, maar geen enkele veroordeelde zou een poot uit de mouwen steken, ware het niet dat het loon van zijn arbeid het enige middel is waarmee hij zijn saffies, zijn peuken, zijn apenhaar kan kopen. Wie de meeste tabak heeft, heeft de hoogste status, invloed en respect. Dat was althans zo in mijn dagen, misschien is het allemaal wel veranderd.

Je zou denken dat een echt slimme bajesklant daarom een nietroker zou zijn, of tenminste het benul zou hebben om er een te worden. Maar slimme bajesklanten zijn er bijna niet, natuurlijk. Er zijn genoeg handige bajesklanten, maar slechts weinigen onder hen zijn handig in dat opzicht. Je kunt een gedetineerde bijna definiëren als iemand die net het soort wijsheid en zelfbeheersing mist dat nodig is om voordeel op lange termijn tegen ongemak op korte termijn af te wegen. Door dat gebrek zijn ze in de criminaliteit beland en bovendien onbekwaam om te voorkomen dat ze opgepakt en opgeborgen worden. Wie verwacht dat een gedetineerde de kracht heeft om te stoppen met roken, verwacht ook dat een luipaard zijn vlekken aflegt, vegetariër wordt en leert breien, allemaal op dezelfde dag.

Ik was een geboren crimineel omdat ik niet over het vermogen beschikte om verleiding te weerstaan of maar één enkele seconde af te zien van genot. De wachtpost in het hoofd die het morele besef van de meeste mensen in de gaten houdt, heeft er in mijn mentale kazerne nooit gestaan. Ik doel op de schildwacht die de grens bewaakt tussen overdaad en genoeg, tussen goed en kwaad. 'Dat zijn wel genoeg Sugar Puffs voor vandaag, we hoeven niet nog een kom,' zou hij in het hoofd van mijn vrienden zeggen, of: 'Eén reep chocola is genoeg.' Of: 'Gossie, kijk, daar ligt geld. Verleidelijk, maar ja, het is niet van ons.' Ik heb nooit zo iemand gehad.

Eigenlijk is dat niet helemaal waar. Pinokkio had zijn Japie Krekel en ik had mijn Hongaarse grootvader. Hij overleed toen ik tien was en sinds de dag dat hij er niet meer was, had ik het ongemakkelijke gevoel dat hij van boven op me neerkeek en treurde om wat het Book of Common Prayer mijn veelvuldige zonden en verdorvenheid zou noemen. Ik had gezworven en was van het rechte pad afgedwaald als een verdoold schaap. Opa zag me stelen, liegen en bedriegen; hij betrapte me bij het bekijken van verboden plaatjes in blaadjes en hij zag hoe ik met mezelf speelde; hij was getuige van al mijn hebzucht en lust en schaamte; maar al zijn behoedende aanwezigheid kon niet voorkomen dat ik naar de hel ging. Als ik psychopathisch genoeg was om geen wroeging te voelen, of religieus genoeg om te geloven in verlossing door middel van extern goddelijk ingrijpen, zou ik misschien gelukkiger geweest zijn; maar het was zo dat ik noch de troost had dat ik vrij van schuld was, noch de overtuiging dat ik ooit vergiffenis kon krijgen.

In de bak rolde iedereen zijn eigen sigaretten. Een weekloon was bijna voldoende om genoeg Old Holborn of Golden Virginia te kopen waar je de week mee doorkwam tot de volgende betaaldag. De vloeitjes waren de gebruikelijke Rizla+, maar om redenen die ik nooit begrepen heb, zaten ze in een vaalgeel pakje met het opschrift 'Uitsluitend voor gebruik penitentiaire inrichtingen', schuin gedrukt op het klepje. Ik hamsterde daar zoveel van als ik kon en ritselde het zo dat ik ze mee kon smokkelen toen ik vrij kwam. Nog jaren daarna vulde ik ze bij met gewone rode, blauwe en groene pakjes Rizla+ die overal verkrijgbaar zijn en genoot er opschepperig van dat ik gezien werd met bajesvloeitjes. Zielig. Soms wil ik dolgraag terug naar die tijd om mezelf een lel te geven. Hoewel, ik zou me daar toch niks van aantrekken.

Als de minder zuinige gevangenen aan het einde van de gevangenisweek door hun voorraad heen begonnen te raken, gingen ze over tot een bedelritueel dat ik opmerkelijk snel oppikte. Je zag iemand roken en benaderde hem uiterst welwillend. 'Tweeds, maat,' zei je dan vleierig en als je de eerste was die dat gezegd had, werd je beloond met zijn peuk als hij uitgerookt was. Die vochtige tweedehands peuken waarvan de overgebleven draadjes kostbare tabak bitter en vol teer waren door de rook die erdoor was gegaan, waren als een dadelpalm in de woestijn, en ik rookte ze zo ver op dat ik brandblaren op mijn lippen kreeg. We weten allemaal welke vernederingen tot slaaf gemaakte mensen zich laten welgevallen om aan hun verslaving toe te kunnen geven, of het nu om drugs, alcohol, tabak, suiker of seks gaat. De wanhoop, het geweld en de verloedering die ze publiekelijk tentoonspreiden, doen varkens die naar truffels zoeken vreedzaam en bedaard lijken. Het beeld van mezelf, met schroeiplekken op mond en vingertoppen als ik begerig de laatste trek naar binnen zoog, zou genoeg moeten zijn om me alles wat ik over mezelf moest weten in te peperen. Maar dat was natuurlijk niet zo. Ik had op school, toen het me begon te dagen hoe hopeloos ik in sport was, besloten dat ik een nuttig brein was op een nutteloos lichaam. Ik bestond uit goed functionerende hersenen, terwijl de anderen om me heen bestonden uit modder en bloed. De waarheid dat ik een groter slachtoffer was van lichamelijke behoefte dan zij, zou ik onmiddellijk en boos hebben verworpen. Wat alleen maar bewijst wat een zak ik was.

Na een paar maanden voorarrest in Pucklechurch werd ik veroordeeld tot twee jaar voorwaardelijke gevangenisstraf en naar mijn ouders teruggestuurd. Daarna slaagde ik erin om me te laten inschrijven op een college en een vwo-opleiding te volgen als voorbereiding op een studie in Cambridge.[†]

De gevangenis was het dieptepunt van mijn leven. De zelfmoordpogingen,[†] vlagen van razernij en de gekte van mijn tienerjaren leken voorbij te zijn. Weer thuis in Norfolk concentreerde ik me op mijn schoolwerk, haalde mijn vwo-diploma en won een beurs voor Engels aan Queens' College in Cambridge.

Nu ik het goede nieuws van mijn toelating had, zat ik met het probleem wat ik moest doen met de maanden tot het studiejaar begon. In tegenstelling tot de huidige onverschrokken schoolverlaters-avonturiers met armbanden van olifantshaar, en eco-krijgers die in hun tussenjaar jaar de Inca-trail doen, met leprozen werken in Bangladesh en duiken en skiën en surfen en hanggliden en hun weg door een wereld vol seks en laaghangende jeans Facebooken, koos ik voor de toen al belachelijk ouderwetse uitdaging om les te gaan geven op een kostschool. Ik heb altijd geloofd dat ik een geboren leraar was, en de wereld van de Engelse kostschool was er een waarvan ik de codes en mores grondig begreep. Des te meer reden voor een stijlvol persoon om zo'n plek te mijden en nieuwe werelden en verse uitdagingen te zoeken, zou je zeggen, maar ik had een diepe neiging om erbij te willen horen, ondanks alle afwijzingen waar ik op gestuit was. En misschien voelde ik ook dat ik aan mezelf verplicht was de mislukkingen van mijn eigen schoolcarrière goed te maken door te helpen bij de educatie van anderen. En dan was er nog het voorbeeld van twee van mijn helden, Evelyn Waugh en W.H. Auden, die mij op dit pad waren voorgegaan. Waugh had die ervaring zelfs gebruikt voor zijn eerste roman. Misschien zou mij dat ook lukken.

Ik had mijn naam gezet op de lijst van leraren-in-spe, een lijst die ergens hing tussen rolluikbureaus, gemarmerde grootboeken en Eastlight-archiefdozen in de gezellige, baarmoederwarme burelen van het schoolbemiddelingsbureau Gabbitas-Thring in Sackville Street, Piccadilly. Al twee dagen na mijn inschrijving belde een dunne, montere stem me op in Norfolk.

'We hebben een vacature bij een heel leuke school in North Yorkshire. Cundall Manor. Latijn, Grieks, Frans en een beetje scheidsrechteren bij rugby en voetbal. En de gewone taken, natuurlijk. Is dat wat?'

'Goh. Fantastisch. Moet ik erheen voor een gesprek?'

'Nou, gelukkig woont meneer Valentine, de vader van Jeremy Cundall, dat is de rector van Cundall, niet ver bij jou vandaan in Norfolk. Je gaat met hem praten.'

Meneer Valentine was vriendelijk, droeg een vest en was buitengewoon geïnteresseerd in mijn opvattingen over cricket. Hij schonk me een royaal glas amontillado in en bekende dat de jonge Botham een aardig balletje kon gooien, maar dat zijn lijn en lengte veel te grillig waren om een technisch correcte batter in moeilijkheden te brengen. Over Latijn en Grieks werd niet gesproken. Noch, gelukkig, over rugby of voetbal. Ik werd geprezen vanwege de universiteit waarvoor ik had gekozen.

'Queens' had een verdomd aardig ploegje in mijn tijd. Oliver Popplewell was de wicketkeeper. Prima vent.'

Ik hield me in en zei maar niet dat dezelfde Oliver Popplewell, een vriend van de familie en intussen een gerenommeerd topjurist, een paar maanden daarvoor nog met pruik en toga namens mij het woord had gevoerd op een strafzitting in Swindon.[†] Dit leek me niet het juiste moment.

Valentine senior stond op en drukte me de hand.

'Ik neem aan dat ze willen dat je zo gauw mogelijk komt,' zei hij. 'Je kunt in Peterborough de sneltrein naar York nemen.'

'Dus ik... u vindt...'

'Grote hemel, ja. Precies de knaap die Jeremy maar al te graag wil inlijven.'

Ik nam die trein en kwam aan op Cundall als leraar en 'precies de knaap'.

Verschilde ik nu zo heel veel van het diefachtige, leugenachtige kleine rotzakje dat de voorgaande tien jaar zijn ouders grijze haren had bezorgd? Was al de woede, de oneerlijkheid en het verlangen verdwenen? Alle hartstocht uitgeput, alle hebzucht bevredigd? Ik was ervan overtuigd dat ik nooit meer zou stelen. Ik was volwassen genoeg om te weten wat ik moest doen en laten en om verantwoording te nemen voor mezelf. Alle volwassen stemmen die in mijn oor geschreeuwd hadden (Denk na, Stephen. Gebruik je gezonde verstand. Werken. Concentreren. Denk eens aan andere mensen. Denk. Denk, denk, dénk!), leken eindelijk tot me door te dringen. Ik had een eerlijk, geordend, respectabel en ontspannen leven voor me liggen. Mijn wilde jaren waren voorbij en het werd tijd om verstandig te worden.

Dat dacht ik tenminste.

Ik rookte nog steeds. Sterker, om me aan te passen aan mijn nieuwe rol van leraar, was ik van handgerolde sigaretjes overgegaan op een pijp. Mijn vader had pijp gerookt in mijn jeugd. Sherlock

Holmes, wiens verering de directe oorzaak was geweest van mijn verwijdering van Uppingham,[†] was de beroemdste pijproker van allemaal. Een pijp was voor mij een symbool van werken, denken, zelfbeheersing, concentratie ('Het is een probleem van drie pijpen, Watson'), volwassenheid, inzicht, intellectuele kracht, mannelijkheid en morele integriteit. Mijn vader en Holmes beschikten over die kwaliteiten, en ik wilde mezelf en de mensen om me heen ervan overtuigen dat dat ook voor mij gold. Een andere reden om voor een pijp te kiezen, vermoed ik, was dat ik op Cundall Manor, de kostschool in Yorkshire waar ik nu een baan aangeboden had gekregen als assistent-schoolmeester, in leeftijd dichter bij de schooljongens stond dan bij de andere leraren, en daarom vond ik dat ik eruit moest zien als wat meer volwassen; een pijp en een tweedjasje met leren elleboogstukken waren de perfecte oplossing. Dat een slungelige puber die een pijp rookt eruitziet als de slechtste soort opgeblazen flapdrol kwam niet in me op, en de mensen om me heen waren te aardig om me daarop te wijzen. De jongens noemden me de Towering Inferno, maar er was, misschien omdat de directeur ook een pijproker was, geen kritiek op de gewoonte zelf.

Ik hoefde me nog steeds niet te scheren en de bos sluik haar waar ik tot de dag van vandaag niets mee kan aanvangen, sprak mijn verlangen om er volwassen uit te zien krachtig tegen. Ik zag er eerder pedant uit dan professoraal en meer als een melkmuil dan een macho, en zo pufte ik goedmoedig door de school, gelukkiger dan ik ooit geweest was in mijn jonge leven.

Behalve dan de eerste week, dat was een hel. Het was nooit bij me opgekomen dat lesgeven zo vermoeiend kon zijn. Mijn werkzaamheden waren veelomvattend: niet alleen lesgeven en orde houden in de klas, maar ook lessen voorbereiden, corrigeren en cijfers geven voor schriftelijk werk, bijles geven, invallen voor andere leraren en klaarstaan voor alles en iedereen van de bel voor het ontbijt tot lichten-uit 's avonds. Aangezien ik intern was en geen huwelijkse banden had in de buitenwereld, konden de directeur en de andere leraren zo veel gebruik van me maken als ze wilden. Ik bleek te zijn aangenomen als vervanger van de vriendelijke en zachtaardige leraar Noel Kemp-Welch, die aan het begin van het jaar op het ijs was uitgegleden en zijn bekken had gebroken. De kern van mijn werk bestond uit het overnemen van zijn lessen Latijn, Grieks en Frans, maar al heel snel viel ik ook in voor de directeur en andere leraren, en gaf ik les in geschiedenis, wiskunde, aardrijkskunde en natuuren scheikunde. Op mijn derde dag kreeg ik te horen dat ik biologie moest geven aan de hoogste klas.

'Waar zijn ze mee bezig op dit moment?' vroeg ik. Mijn kennis van het onderwerp was oppervlakkig.

'De voortplanting van de mens.'

Die morgen leerde ik heel veel over lesgeven en, dat kwam niet slecht uit, ook over de voortplanting van de mens.

'Zo,' had ik tegen de klas gezegd, 'vertel eens wat je weet...'

Ik liet het klinken alsof ik hen testte, en knikte geïnteresseerd als ze antwoordden; natuurlijk was ik eigenlijk als een gek bezig tijd te winnen. Ik luisterde gefascineerd en ongelovig terwijl ze de details beschreven van buisjes en klieren en flappen en ribbels waarvan ik wel gehoord had, maar wier vormen en functies mij volstrekt onbekend waren. De zaad- en eileiders, de bijbal, de clitoris en het toompje... het was overweldigend. Toen ik het biologielokaal uit liep, was ik hevig onder de indruk van de diepte en omvang van de kennis van mijn klas.

De ruimte op het rooster naast de lesuren werd op Cundall Manor gevuld met sport en spel. Zonder de minste kennis van de spelregels rende ik rond op rugby- en voetbalvelden met een fluitje tussen mijn lippen. Ik ontdekte dat ik, als ik erop blies, mijn hak willekeurig in de modder zette, naar de goal wees en elke vijf of tien minuten riep dat er een scrum-down of indirecte vrije schop genomen moest worden, er aardig mee wegkwam.

'Maar meneer! Wat deed ik dan?'

'Ik heb je in de smiezen, Heydon-Jones.'

'Maar dan is het toch een directe vrije schop, meneer?'

'Dan had ik dat wel gezegd.'

Het was een grote grap dat ik, de sporthatende, antisociale, rebelse, driemaal verbannen crimineel die voorwaardelijk op vrije voeten was, nu straf uitdeelde, op scheidsrechtersfluitjes liep te blazen en om stilte vroeg bij het ochtendgebed. Maar het was geen grap dat ik daar geen moment bij stilstond of geamuseerd over was. Wat mijzelf betrof was mijn metamorfose compleet en was de lepe, geniepige Stephen die aan de rafelrand van de gezonde, nette wereld had rondgeslopen dood, en stond hij volstrekt los van het aimabele jong-oude mannetje dat woordspelingen in het Latijn maakte en dreigde de leerlingen van de vierde klas ervanlangs te geven als ze nou niet eindelijk eens hun mond hielden, verdomme nog aan toe, tot aan Hades en terug – en draai je om, Halliday, of je krijgt met de karwats, vast en zeker, als je niet uitkijkt.

Die dreigementen waren humoristische hyperbolen, natuurlijk, maar lijfstraffen bestonden toen nog op die school. Heb ik ooit mijn hand met geweld tegen een kind opgeheven uit naam van discipline en orde? Ja, ik beken. Ik had zelf op school slaag gehad en had nooit getwijfeld aan het nut van het rietje, de liniaal of de pantoffel. Laat me het even uitleggen voor u nu wanhopig de handen wringt of aanstalten maakt mijn nek om te draaien.

Dat kwam ongeveer zo...

Op een avond, ongeveer na een maand in het eerste trimester, heb ik dienst. Dat betekent dat ik de jongens naar bed moet begeleiden, het licht uitdoen en bereikbaar moet blijven voor noodgevallen en onverwachte crises. De slaapzalen op Cundall zijn genoemd naar watervogels: Kluut, Zeekoet, Scholekster, dat soort namen. Op mijn eigen kostschool waren ze genoemd naar bomen – Beuk, Iep, Eik en Plataan. Ik vermoed dat de slaapzalen van moderne kindvriendelijke onderwijsinstellingen in de eenentwintigste eeuw waarschijnlijk namen hebben als Ferrari, Aston Martin, Porsche en Lamborghini, of Chardonnay, Merlot, Pinot Noir en Shiraz, of zelfs Beyoncé, Britney, Jay-Z en Lady Gaga, maar in mijn tijd, de tijd van Peter Scott, Gerald Durrell en de Tufty Club, werden schepselen uit veld en beemd gezien als de beste inspiratiebron voor opgroeiende jongetjes.

Ik draai het licht uit in Stern en Papegaaiduiker en loop naar Aalscholver, van waaruit een buitensporige hoeveelheid lawaai oprijst.

'Koppen dicht, nou! Waarom is het altijd weer keet bij de Aalscholver?'

'Meneer, mijn kussen is stuk.'

'Meneer, het tocht zo.'

'Meneer, ik heb net een spook gezien. Echt waar.'

'We zijn bang, meneer.'

'Luister. Stil zijn. Ik doe nu het licht uit. Geen woord meer. Geen. Woord. Meer. En ja, Philips, dat geldt ook voor jou.'

Ik ga naar beneden, naar de lerarenkamer. De open haard brandt behaaglijk en ik zit met een stapel oefeningenboekjes om te corrigeren. Voor ik daarmee begin, vis ik mijn pijp uit de zak van mijn tweedjasje. Ik haal er ook de Smoker's Friend uit – een combinatie van pennenmes, ruimer, stamper en priem. Ik wriemel en schraap en pook een tijdje en giet de restjes van de vorige pijp in een asbak; dan blaas ik in de steel als een trompettist die zijn instrument opwarmt. Ik wrik een blikje Player's Whisky Flake open en pel er een laagje stevige, licht vochtige tabak uit. De zoete, houtachtige geur, dooraderd met iets wat misschien wel de whisky is die de merknaam belooft, rijst als balsem op. Ik leg de pluk in mijn linkerhand en met de vingertoppen van mijn rechterhand begin ik hem in de palm met stevige kringen te masseren. De meeste pijprokers hebben liever een pakje tabak dat al losgerold is, maar voor mij is het ritueel van het losmaken van een geperste wafel tabak bijna even belangrijk als het inhaleren van de rook zelf.

Er zit een prachtige regel in de laatste James Bond-roman van Ian Fleming, *The Man with the Golden Gun*: 'De beste borrel van de dag,' merkt hij op, 'is vlak voor de eerste.' Zo is het ook met mijn verslaving. De beste smook voor mij is die in mijn hoofd als ik met de voorbereidingen bezig ben.

Net als ik op het punt sta om de pijp te stoppen en het vuur erin te jagen, hoor ik boven me het geroffel van blote voeten op vloerplanken.

Aalscholver.

Met een geïrriteerde zucht leg ik de pijp neer en ernaast de dot vers losgemaakte tabak. Terwijl ik de trap op loop hoor ik gesmoord gegiechel, gesmiespel en gefluister en klappende geluiden. Ik been naar binnen en draai het licht aan. Er is een geritualiseerd gevecht gaande, nu bevroren in het plotse lichtschijnsel. Schooldassen zijn in elkaar gedraaid en worden gebruikt als zwepen. Ik ken die gevechten nog uit mijn eigen slaapzaaltijd.

'Stilte! Allemaal terug je bed in. En meteen!'

Ze klauteren in bed en doen onmiddellijk alsof ze slapen.

Ik draai het licht uit. 'Nog één geluid uit deze slaapzaal en de aanstichter krijgt met de plak. Is dat begrepen? Met de plak. Ik meen het.'

Terug in de lerarenkamer stel ik teleurgesteld vast dat in de twee of drie minuten dat het plukje tabak op mijn bureau heeft gelegen de losse draadjes een beetje zijn uitgedroogd. Ik vul de kop en druk de tabak met mijn duim aan. Nog steeds vochtig genoeg om goed te kunnen aanstampen. Stevig, maar met nog voldoende veerkracht.

Nu komt het moment waarnaar mijn hersenen en longen hebben gesnakt.

Alleen Swan Vesta voldoet op dit moment, geen andere vuurbron is goed genoeg: geen speciale pijpaansteker, hoe slim en handig ook, geen Bryant and May-lucifers, geen Bic, Clipper, Zippo, Ronson, Calibri, Dupont of Dunhill, allemaal uitstekend op hun eigen manier, maar toch. Swan Vestas zijn échte lucifers, wat wil zeggen dat je hun magenta kop langs welk ruw oppervlak dan ook kunt strijken, en niet alleen langs het bruine reepje waartoe gewone lucifers beperkt zijn. Je kunt een baksteen in een muur gebruiken, of, als een cowboy, de hak van je laars. Het schuurpapier waarvan het gele Swan Vesta-doosje is voorzien is goudkleurig, en niets ter wereld schraapt zo lekker. Ik strijk de lucifer naar me toe. Ik weet wel dat het beter is om van je af te strijken, voor het geval dat deeltjes brandende luciferkop in je gezicht vliegen, maar ik geef de voorkeur aan een binnenwaartse haal, die eindigt door de opvlammende lucifer naar je gezicht te brengen.

De zwavelige wierook kringelt mijn neusgaten in als ik de aangestoken lucifer eerst schuin en dan langzaam horizontaal boven de pijpenkop houd. Elke inhalering zuigt de vlam omlaag door de voorbereide tabak, die blij knettert en pruttelt en met zijn vochtige frisheid een zoet aroma aan de rook toevoegt. Ten slotte, als het hele zaakje gloeit en net voor ik mijn vingers brand, wapper ik met drie polsbeweginkjes de lucifer uit. Hij tinkelt als hij in de glazen asbak valt. Vrijwel geheel opgebrande lucifers zijn altijd een aanwijzing geweest voor Columbo's en Sherlocks. 'Een pijproker heeft dit op zijn geweten, Watson, let op mijn woorden…'

Ik puf nu. Een, twee, drie, vier, vijf keer lurk ik aan de pijp, met beschaafd smakkende lippen. Elke hijs stookt de ketel op, zodat ik bij de zesde of zevende trek een hele longvol kan inademen. De warme rook dringt onmiddellijk door in de bronchioli en alveoli van mijn longen en zendt zijn gift van nicotineroes door het bloed en de hersenen, zo krachtig dat het zelfs bij de meest verstokte pijproker duizeligheid en zweten kan veroorzaken. Maar de eruptie diep vanbinnen, de dankbare golf encefalinen en endorfinen, de kick gevolgd door het zoete elektrische zoemen als de weldadige farmacopee in één grote stroom vrijkomt – wat maakt hoesten, misselijkheid, brandende tong en mond, bittere teer in je spuug en het langzaam afkalven van longcapaciteit dan uit, tegenover die tollende, pulserende stoot van liefde, die sidderende explosie van genot?

Die eerste dosis, dat is is echt waar het om gaat. Daarna is het de truc om de pijp met zachte, spaarzame pufjes en trekjes aan de steel brandend te houden: kleinere halen op sigarettenformaat volgen tot het restant van de plug, die als een filter voor de tabak erboven dienst heeft gedaan, zo bezoedeld en besmet is met teer en vergif dat de pijp doodverklaard kan worden en klaar is om gereinigd, geschraapt en geruimd te worden zodat het hele heerlijke proces van voren af aan kan beginnen.

Ik ben nu in het stadium van het gestage trekjes nemen, zo content als een mens maar kan zijn – een vervullend gevoel van tevredenheid dat alleen een pijp kan verschaffen: pijprokers zien er voldaan uit, ze weten van zichzelf dat ze een symbool van ouderwetse tevredenheid zijn en daarom zijn ze tevreden – als een luid geruis boven mijn hoofd me doet opschrikken uit het oefeningenboek dat ik aan het corrigeren ben.

Verdomme nog aan toe.

Het was maar één geluidje, als een muis in de lambrisering. Ik kan het negeren.

Maar nee, een ander geluid, het onmiskenbare stampen van blote voeten op vloerplanken.

Een golf van gramstorigheid overspoelt me. Ik ben nu even vertoornd als ik net tevreden was. Was ik minder kalm, pijprokend sereen geweest, dan zou ik nu niet zo woedend de trap op rennen. 'Philips! Natuurlijk. Wie anders? Goed. Wel. Wat had ik gezegd? Dat de aanstichter met de plak zou krijgen, en dat meende ik ook. Kamerjas en pantoffels, op de gang bij de lerarenkamer. Nú!'

Terwijl ik voor hem uit naar beneden loop, besef ik het enorme van wat er te gebeuren staat. Ik heb gedreigd met slaag, en op Cundall betekent dat niet het rietje, noch de liniaal, noch de pantoffel, maar een gymschoen. Ik ga de lerarenkamer in. Rook van een pijp blijft heel anders hangen dan die van sigaretten. Zware lagen ervan walmen op de tocht van mijn binnenkomst in ribbelende golven door de ruimte. Ik doe de deur dicht. In een kast onder de postvakjes van de leraren vind ik de officiële zwarte gymschoen. Ik pak hem op, buig hem dubbel en laat hem in mijn hand terugspringen.

Wat heb ik gedaan? Als ik het pak slaag waarmee ik gedreigd heb niet doorzet, is mijn autoriteit ondermijnd en heb ik de jongens niet meer in de hand. Maar hoe hard moet ik slaan? Stel dat hij gaat huilen. O, lieve heer.

Ik ijsbeer heen en weer en sla hard met de zool op mijn handpalm, en dan harder en harder tot het gloeit en brandt.

Een timide klop op de deur.

Ik schraap mijn keel. 'Binnen.'

Philips schuifelt naar binnen. Zijn gezicht staat strak en serieus. Hij is bang. Het is bekend dat ik nog nooit iemand geslagen heb, en ik vermoed dat hij er niet helemaal op kan rekenen dat ik hem niet te hard zal aanpakken. Hij schijnt beter te weten hoe zoiets eraan toegaat dan ik, want hij trekt zijn kamerjas uit en hangt die aan een haak aan de deur op een manier die suggereert dat hij het al heel wat keren gedaan heeft.

'Ik heb gezegd dat de volgende die ik betrapte op keten slaag zou krijgen, nietwaar, Philips?'

'Ja, meneer.'

Waarom smeekt hij niet om genade? Dan kan ik tenminste met de hand over mijn hart strijken. In plaats daarvan staat hij daar, angstig maar koppig resoluut, waardoor ik bitter weinig keus heb.

'Goed. Nou. Vooruit dan maar.'

Ik heb absoluut geen idee hoe het nu verder moet, maar weer wijst Philips me de weg. Hij loopt naar de leren leunstoel voor de open haard, buigt zich over de leuning en presenteert zijn achterste in de juiste positie.

O God. O hel.

Ik zwaai mijn arm omhoog en laat de gymschoen neerdalen.

Hij treft doel.

Stilte.

'Daar. Ziezo.'

Philips kijkt op werpt me een snelle blik toe. Een geschokte blik. Hij is verbijsterd.

'Is dat… is dat alles, meneer?'

'En laat het een les voor je zijn! Als ik zeg niet keten, dan bedoel ik ook niet keten. Nou, vooruit. Naar bed.'

'Ja, meneer.'

Amper een grijns verbergend staat Philips op, pakt zijn kamerjas en vertrekt.

De kracht waarmee de rubber zool van de gymschoen contact heeft gemaakt met zijn achterste, zou nog geen mug hebben verwond. Als ik in plaats van ermee te slaan de schoen op hem had laten vallen, zou het meer pijn gedaan hebben. Het had even goed een papieren zakdoekje kunnen zijn. Het was geen mep geweest, maar een heel zacht tikje.

Ik laat me trillend over mijn hele lijf in de leunstoel zakken.

Nooit meer. Nooit meer zou ik dreigen met een lijfstraf. En dat heb ik ook nooit meer gedaan.

De lange, meestal humorvolle, pijprokende vreemde snuiter die allerlei vakken gaf, scheidsrechterde bij wedstrijden van de lagere klassen en zich zo nuttig maakte bij leraren en leerlingen als hij kon, had het naar zijn zin op Cundall. En Cundall zag hem ook wel zitten, want toen hij aan het begin van de zomer afscheid nam, vroeg de rector hem of hij het volgende trimester wilde terugkomen.

'Maar dan begin ik in Cambridge.'

'De colleges beginnen pas in oktober. Wij beginnen een maand eerder.'

En dus kwam ik de daaropvolgende twee jaar terug op Cundall en gaf er buiten de korte trimesters in Cambridge les. In de zomer zat ik op de tractor die de grasroller over het cricketveld trok en scheidsrechterde ik bij cricketwedstrijden. In de wintermaanden nam ik de jongens mee op wandelingen en op regenachtige zondagen bedacht ik quizzen en wedstrijden om hen onledig te houden.

Ik twijfelde er geen moment aan dat lesgeven mijn voorland was. Het was mijn ware roeping en die schalde even helder in mijn hoofd als een schoolbel. Of ik ging lesgeven op een internaat als Cundall, op universitair niveau of ergens daartussenin, zou slechts worden bepaald door mijn tijd in Cambridge. Als ik het intellectuele gewicht had om het tot academicus te schoppen, dan zou ik misschien wetenschapper kunnen worden. Ik stelde me voor dat Shakespeare mijn *métier* zou worden en tweed en meerschuim mijn vaste parafernalia.

Een alleszins prettig vooruitzicht. Ik was af van mijn vreselijke suikerverslaving en de waanzin en onrust die ze had veroorzaakt. Daarvoor in de plaats was een knoestige, tweed-achtige, ouderwets mannelijke verslaving gekomen die, zolang er aanvoer was, geen invloed had op stemming of gedrag en die me er ook aan hielp herinneren dat ik nu een rijpe, nuchtere, rationele volwassene was. Ik had niets met liefde, seks of lichamelijke dingen. Ik was vuur en lucht – met andere woorden, rook: mijn andere elementen hoorden, zoals Cleopatra zei, tot een lager leven...

Tien jaar later, in 1988, maakte ik kennis met een van de grootste rokers van Engeland. Hij was in die tijd ook een topdrinker.

'Ik ben,' zei hij tegen Rik Mayall, John Gordon Sinclair, John Sessions, Sarah Berger, Paul Mooney en mij toen we bij elkaar waren voor de eerste repetitie van zijn stuk *The Common Pursuit*, 'van de drank- en peukengeneratie.' Hij liet zijn schouders meelijwekkend zakken om te benadrukken dat het een onverbiddelijk feit was, voor welks meedogenloos aangezicht hij machteloos stond.

Simon Grey was toen, realiseer ik me met lichte huiver, even oud als ik terwijl ik dit opschrijf. Net als zijn lievelingacteur Alan Bates had hij een volle kop zwart haar, maar zijn fysiek was minder robuust. Door jaren van onmatig drankgebruik was zijn buik uitgedijd tot een bolle pens, terwijl zijn onderlijf tegelijkertijd langzaam uitteerde, zodat hij spillebeentjes had en nagenoeg geen kont. Ik zag hem vrijwel nooit zonder een sigaret in de ene hand en een glas van het een of ander in de andere. 's Ochtends goot hij champagne naar binnen, want dat telde in zijn ogen niet als alcohol. Vanaf lunchtijd nipte hij aan eindeloze koffiemokken of plastic bekertjes met Glenfiddich-whisky. Dat was de eerste keer dat ik een echte alcoholist van dichtbij zag. Sommigen van mijn generatie dronken meer dan goed voor hen was en zouden ongetwijfeld die kant op gaan, maar voorlopig hadden ze hun jeugd nog mee.

Ongebruikelijk voor het professionele theater, begonnen de repetities voor *The Common Pursuit* na de lunch. Wij bedachten dat

dat was omdat Simon, die de productie regisseerde, voor die tijd niet kon functioneren. Maar de eigenlijke reden, zoals ik ontdekte, was dat hij zijn ochtenden doorbracht aan zijn schrijftafel. Hoeveel hij ook gedronken had, hij leek altijd in staat om dagelijks aan een toneelstuk of dagboek te werken. Heel af en toe zag ik hem 's morgens vroeg, vóór zijn eerste champagne. Geen prettig gezicht. Zijn gezicht was verzakt, zijn ogen waren dof, slijmerig en betraand, zijn stem knerpend schor, en zijn hele gestalte oogde verslagen en niet in staat tot enige gedachte, actie of doel... maar één slokje alcohol en hij bloeide op als een woestijnplant in de regen. Hij leek centimeters te groeien waar je bij stond, er verscheen een sprankeling in zijn ogen, zijn teint werd glad en glanzend en zijn stem vast en helder. Simon Grey, besloot ik toen ik hem voor het eerst zag veranderen van een kikker in een prins, had geen drankprobleem. Hij had een drankoplossing.

Rik Mayalls bijnaam voor Simon was Mr. Drinky. We aanbaden hem en hij leek ons te aanbidden. 'Ik weet niks van jullie generatie,' zei hij altijd. 'Ik kijk geen televisie, dus *The Young Ones* of *Blackadder,* of hoe die dingen heten die jullie doen, heb ik nooit gezien. Ze zeiden dat ik jullie moest nemen en dat heb ik dan ook gedaan. Jullie zijn allemaal absurd jong en zelfverzekerd, en ik weet zeker dat jullie de zaal vol zullen krijgen.'

Dat we hem jong toeleken kan ik me indenken, maar dat we de indruk wekten zelfverzekerd te zijn kan ik me haast niet voorstellen, op Rik Mayall na. Rik was een natuurverschijnsel dat charismatisch onverslaanbaar en onverschrokken ongeremd overkwam, vanaf het eerste moment dat hij begin jaren tachtig met zijn vriend Ade Edmondson de comedy-scene bestormde. En waarschijnlijk straalde ik ook, als altijd, een overtuigd zelfvertrouwen uit dat ik echter allerminst voelde.

De titel van Simons stuk was gebaseerd op een zin, bedacht en gebruikt als de titel van een verzameling essays door de criticus en academicus F.R. Leavis, die een eigen literairkritische school stichtte en wiens hoge graad van serieusheid, aandacht voor detail en oprechte morele streven legendarisch waren. Simon Gray had zelf in Cambridge college gelopen bij Leavis en zou blijvend door hem beïnvloed worden. Zelf had ik Leavis altijd een schijnheilige kwast gevonden, slechts van beperkt belang (hier spreekt mijn eigen studentikoze schijnheiligheid, weet ik nu). Toen ik in Cambridge begon, was zijn invloed al tanende; hij en de zijnen waren inmiddels vrijwel totaal overvleugeld door de Parijse poststructuralisten en hun karavanserai van breedsprakige en ondoordringbare discipelen en dogmatisch kwezelige acolieten. In Cambridge gingen verhalen over Frank Leavis en zijn helleveeg van een vrouw, Queenie, die iedereen die hun niet aanstond negeerden, dood verklaarden, verstootten en belasterden, en Engelse academici die in hun invloedssfeer hadden verkeerd, werden door de elite harteloos weggezet als dode Leavisieten.

Leavis' intense, achterdochtige neiging om in gramschap te ontsteken en iedereen te verdoemen die het met hem oneens durfde te zijn, zag ik terug bij Harold Pinter. Zijn hechte, maar licht ontvlambare vriendschap met Simon Gray en diens vrouw Beryl was een voortdurende bron van vreugde voor mij en John Sessions in het bijzonder, als doorgewinterde kenners van literaire excentriciteit. Ik weet nog dat John en ik eens in de brasserie van de Groucho Club zaten. Harold, zijn vrouw lady Antonia, Beryl en Simon hadden een hoektafel. Plotseling hoorden we Harolds bulderende stem: 'Als je zoiets kunt zeggen, Simon Gray, is het volstrekt duidelijk dat er geen enkele verdere basis voor onze vriendschap is. We gaan.'

We gluurden rond en zagen Harold met massieve, zwart becoltruide waardigheid opstaan. Hij drukte zijn sigaret uit, sloeg het restant van zijn whisky achterover en beende grommend langs ons heen. Zijn massieve waardigheid werd enigszins doorgeprikt toen hij zich realiseerde dat zijn trouwe metgezel hem niet volgde. Hij draaide zich om en blafte door de zaal: 'Antonia!'

Lady Magnesia Fridge-Freezer, zoals Richard Ingrams haar noemde, rukte zich uit haar sluimer (haar verdediging tegen de waanzin van Harolds uitbarstingen was altijd gewoon in slaap vallen. Dat kon ze midden in een maaltijd of zin, een soort traumatische *symplegie*, een ziekte die alleen bekend is van katten in boeken van P.G. Wodehouse, maar volgens mij hetzelfde is als wat we tegenwoordig narcolepsie noemen) en trok kalm haar jas aan. Inmiddels keek de hele brasserie ademloos naar het tafereel en genoot grotelijks van de gênante stiltes, beladen blikken en dreigende uitwisselingen die men associeert met het authentiek Pintereske. Antonia glimlachte minzaam naar de Grays en voegde zich bij haar man. Toen ze langs onze tafel liep, hield ze even in en plukte een wollen pluisje van mijn pullover.

'O, wat een zalige jumper,' zuchtte ze, en bevingerde hem heel even.

'Antonia!'

En daar ging ze. Ik durf bijna te geloven dat de zaal in applaus losbarstte, maar vermoedelijk is dat een voorbeeld van een wens als de vader van de gedachte.

Ik breng Leavis hier ter sprake omdat de morele ernst die hij in de letterenstudie bracht op een merkwaardige manier zijn sporen op Simon Gray had nagelaten. Ik herinner me een avond in de bar van het Watford Palace Theater. We hadden een week lang try-outs van het stuk gedaan, voorafgaand aan de première in het West End. De voorstelling van die avond was een groot succes en na afloop had Simon nog wat regieaanwijzingen uitgedeeld die hij op kaartjes en taxibonnen had gekrabbeld, onderwijl nippend aan een glas Glenfiddich. We waren in een opperbest humeur. Hij verzuchtte weer eens hoe jong wij allemaal waren.

'Nou,' zei John Gordon Sinclair, 'weet je nog dat je bij mijn auditie vroeg hoe oud ik was?'

'Ja,' zei Simon. 'Hoezo?'

'Nou, ik zei dat ik achtentwintig was, maar ik ben pas vijfentwintig.'

'Wat? Wát? Waarom?'

'Nou, ik wist dat je Stephen en Rik en Johnny zou nemen; zij waren negenentwintig en dertig en tweeëndertig of zo, en ik wou niet dat je dacht dat ik te jong was…'

'Heb je gelógen?' Simon keek hem verbijsterd aan.

'Ja, nou ja…' Gordie had duidelijk gedacht dat Simon er wel om kon lachen. Het was toch allemaal voorbij: hij had zijn plek in het stuk en we deelden allemaal in de charme van zijn drang om mee te spelen en zijn leugentje om bestwil om die kans groter te maken. Het was vooral een compliment voor het stuk en zijn verlangen er deel van uit te maken. Gordons glimlach verdween op slag toen hij zich realiseerde dat Simon allesbehalve geamuseerd was.

'Je hebt gelógen.' Simons schouders zakten omlaag en een grimas van pijn en vertwijfeling trok over zijn gezicht. 'Je hebt gelógen?'

De arme Gordie was nu knalrood en kon wel door de grond gaan.

'Nou ja, ik dacht…'

'Maar líégen…'

Ik mocht Simon graag, maar dit vond ik wel erg ver gaan. Dat je tegen liegen bent is één ding, maar om tegen een leugen te zijn die zo goedbedoeld en aimabel is, en dan zo meedogenloos tegen de dader van leer trekken, vond ik treiterig, pedant, gemeen en belachelijk. We probeerden allemaal op onze eigen manier de kou uit de lucht te halen, maar Gordie bleef zich er de rest van de week slecht over voelen. Hij was ervan overtuigd dat Simon hem de laan uit zou sturen, of ten minste hem voor eeuwig zou haten. Ik heb me altijd afgevraagd of de kwalijke invloed achter dit alles whisky was, of Leavis.

Het stuk dat we opvoerden beschreef het leven van een groep bevriende studenten die samen een literair tijdschrift oprichten, *The Common Pursuit*. In de loop van het stuk schuurt het meedogenloze echte leven met zijn liefdes, ontrouw, compromissen en verraad alle glans en pracht van de nobele ambitie en hoge leavisiaanse idealen van de groep. John Sessions vertolkte de hoofdrol van Stuart, de hoofdredacteur, tegenover Sarah Berger als zijn vriendin Marigold. Paul Mooney speelde Martin, de vriend met voldoende eigen geld om het blad op de been te houden, en John Gordon Sinclair speelde Peter, een sympathieke rokkenjager, eindeloos verstrengeld in een web van leugens en uitvluchten terwijl hij probeert zijn chaotische harem van maîtresses te bestieren. Mijn rol was die van een zwartgallig intelligente, seksueel verkrampte, opvliegende en sociaal onbeholpen filosofiedocent, Humphrey Taylor genaamd, die uiteindelijk wordt vermoord door een stuk tuig van de richel, à la James Pope-Hennessy en (misschien) Richard Lancelyn Green. Rik nam de rol van Nick Finchling voor zijn rekening, een briljante, relaxte en onderhoudende historicus, die zijn academische belofte verkwanselt voor een gemakkelijke carrière in de media. Nick is een zware roker en aan het einde van het stuk krijgt hij emfyseem. Op zeker moment geeft mijn personage hem op zijn donder als het hem een sigaret ziet opsteken en vervolgens half ziet stikken van het hoesten.

'Je moet stoppen.'

'Waarom?'

'Nou, dan leef je langer.'

'Je leeft niet langer, het voelt alleen maar zo.'

Zo keek Mr. Drinky tegen zijn verslavingen aan, en nu deed ik hetzelfde. Het voorgaande jaar had ik iedereen verteld dat ik op 24 augustus zou stoppen met roken, op mijn dertigste verjaardag. Met hangen en wurgen haalde ik tien nicotinevrije dagen in mijn huis in Norfolk, tot een groep zwaarrokende vrienden kwam logeren en mijn zwakke wil allengs knakte en vervolgens brak. Het zou bijna twintig jaar duren voor ik het opnieuw zou proberen. Voorlopig nam ik Simon Grays onbekommerde aanvaarding van zijn verslaving over. Nee, het was meer dan onbekommerde aanvaarding: sigaretten waren trotse vaandels die moesten wapperen. Bezwaren tegen roken waren in Simons ogen verachtelijk en bourgeois. Hij kreeg altijd vreselijke ruzie omdat hij sigaretten opstak in taxi's en delen van theaters en openbare ruimten die, zelfs toen al, voorbehouden waren aan niet-rokers. De dagboeken die hij schreef en die in de loop van de jaren tachtig, negentig en nul gepubliceerd werden, schetsen het beeld van een omineuze voorvechter van de tabak, die krijgszuchtig door een toenemend intolerante en vijandige wereld struint. De titels van zijn laatste dagboeken maken dat meer dan duidelijk: *The Smoking Diaries Vol. 1*, *The Smoking Diaries 2: The Year of the Jouncer* en *The Last Cigarette: Smoking Diaries 3*.

Natuurlijk kan het lichaam chronische aanvallen van alcohol en tabak maar een bepaalde tijd aan. Het werd tijd voor hem om eerst het een en vervolgens het ander op te geven.

Ik bevind me in een rustige straat in Notting Hill. Het is 2006 en ik ben bezig met een documentaire over manische depressiviteit. De regisseur, Ross Wilson, zet de camera aan het eind van een lange, rechte stoep. Ik loop naar het andere eind, draai me om en wacht op zijn aanwijzing. Het enige wat ik hoef te doen is naar de camera toe lopen. Acteren of spreken is niet nodig. Het is een van de duizenden shots die steevast in documentaires voorkomen. Soms als schermvulling voor een ingesproken stuk commentaar dat er later in gemonteerd wordt: 'En dus besloot ik dat een bezoek aan het Royal College of Psychiatry nuttig kon zijn…' – dat soort dingen. Ross wuift 'actie' en ik begin te lopen. Uit een van de huizen komt een oude man in kamerjas het beeld in geschuifeld. Ik draai me om en loop terug naar mijn plek. Dat gebeurt altijd als we op straat filmen, we zijn het wel gewend. Nou ja, niet oude mannen in kamerjas in het bijzonder, maar wel voorbijgangers, of burgers, zoals sommige mensen in de film- en tv-business hen noemen, of dat huiveringwekkende modewoord, 'mensjes'. Televisiedocumentaires zijn geen bioscoopfilms, waarbij politiemensen en regie-assistenten het gepeupel in het gareel houden. Wij volstaan met geduldig wachten en schaapachtig grijnzen. De man met de kamerjas nadert pijnlijk langzaam, en opeens zie ik dat het Simon Gray is. Zijn haar is vrijwel wit en zijn gezicht is ingevallen. Hij ziet er doodziek uit en veel ouder dan zijn zeventig jaar.

'Hallo, Simon.'

'O. Hallo.'

We hebben elkaar maar één keer gesproken sinds het vreselijke trauma van 1995, toen ik uit zijn stuk *Cell Mates* was weggelopen en naar Europa was gevlucht. Stomtoevallig probeert de documentaire die ik vandaag aan het draaien ben uit te zoeken, onder andere, wat me tot die plotse vlucht had gedreven.

'Zo. Wat ben je aan het doen?'

'O, filmen.' Ik wijs op de camera achter hem. Het lijkt me niet verstandig om te melden dat de gebeurtenissen uit 1995 een centrale rol in de film spelen.

Hij draait zich langzaam om, kijkt naar de camera en draait zich weer naar mij toe. 'Zo. Nou. Kijk eens aan. Een comedy of zo, zeker. Nou.' Nooit heeft het woord 'comedy' zo laag, vulgair en treurig geklonken. Simon heeft het me nooit vergeven dat ik uit *Cell Mates* weggelopen ben. Zijn aanvankelijke zorg over mijn welbevinden had snel plaatsgemaakt voor wrok, woede en minachting. En dat was allemaal begrijpelijk. De *show* had gewoon *on* moeten gaan.

Ik zie hem daarna nog één keer. Het is juli 2008 en ik zie vanuit een loge op Lord's cricketveld Pietersen en Bell bijna driehonderd runs maken voor het vierde wicket tegen Zuid-Afrika. De naastgelegen loge is gevuld met beroemde toneelschrijvers: Tom Stoppard, Ronald Harwood, David Hare, Harold Pinter en, rustig in een hoekje, Simon Gray. Toneelschrijvers en cricket hebben altijd iets met elkaar gehad. Samuel Beckett blijft, ik geloof dat ik dat met recht mag zeggen, de enige Nobelprijswinnaar met een lemma in de cricket-almanak, de Wisden.

Bij de thee wipt het in rookwolken gehulde, kettingrokende koppel Tom Stoppard en Ronnie Harwood aan bij onze nogal showbizzy loge. David Frost is onze gastheer en hij vraagt zich hardop af of er een collectief zelfstandig naamwoord is voor een groep toneelschrijvers. Stoppard oppert het woord 'grauw'. Het grauw dat op dat moment bij de buren zat, had een paar Oscars, een stuk of tien Bafta's en Olivier Awards, drie CBE's, twee ridderorden en een Nobelprijs op zijn naam. Ik sta vrolijk te kouten met Stoppard en Harwood, die allebei even betrokken, charmant en vriendelijk zijn als Pinter en Gray recalcitrant, ruziezoekerig en labiel. Pinters vermogen tot explosieve vijandigheid en zure schimpscheuten bij de minste krenking is legendarisch, en hoewel hij nooit enige animositeit jegens mij heeft getoond, heb ik altijd gezorgd dat ik nooit langer dan een paar minuten met hem praatte, voor het geval dat.

Na de wedstrijd kom ik bij het verlaten van de loge tegenover Simon te staan, die ik niet meer gezien heb sinds die middag in Notting Hill.

'Hallo, Simon,' zeg ik. 'Goh, je ziet er goed uit.'

Wat, vergeleken met twee jaar daarvoor, inderdaad zo is.

'Vind je?' vraagt hij. 'Dat heb je met terminale kanker. Ik maak het niet lang meer. Dit is mijn laatste cricketwedstrijd. Tja. Nou, dag.'

Drie weken later overleed hij. Of de prostaatkanker waaraan hij gestorven is op enige manier verband hield met zijn roken, ik zou het niet weten. Ik vermoed dat zijn alcoholisme en twee, drie pakjes per dag niet de oorzaak van zijn dood waren. Maar goed, Simon Gray overleed wel en werd terecht betreurd als een van de meest individualistische, intelligente en komisch desperate stemmen van zijn tijd. Ik werd niet uitgenodigd voor de begrafenis.

Terug naar 2006. Ik had besloten, ik weet eigenlijk niet waarom, dat het tijd was om te stoppen met roken. Eigenlijk weet ik wel waarom. Ik was er eindelijk in geslaagd te stoppen met 'dat ene', dat ene dat we op een ander tijdstip zullen behandelen, en het stoorde me dat het me zo'n moeite kostte om dat ook met sigaretten te doen. Als ik een hardnekkig en systematisch gebruikte harddrug de rug kon toekeren, moest ik de strijd tegen mijn nicotineverslaving toch in een vloek en een zucht kunnen winnen?

Op de plank naast mijn bureau in mijn huis in Londen stond een vreemd voorwerp. Het was ontworpen en vervaardigd door de Dunhill Company en leek op een ouderwetse bbc-radiomicrofoon. Als je het echter uit elkaar haalde en weer in elkaar zette à la Scaramanga en het Gouden Pistool, werd het een pijp. Die prachttrofee had ik een paar jaar eerder ontvangen toen ik was uitgeroepen tot Pijproker van het Jaar. Vandaar dat ik nu een speldenprikje van schuldgevoel ervoer bij het idee om te stoppen. Ik pakte mijn trofee en draaide, klikte en drukte hem tot zijn andere gedaante, als een jongetje met een speelgoedtransformer.

Stomtoevallig zou de uitreiking van mijn onderscheiding in 2003 de laatste blijken van de amusante Pijproker van het Jaar-plechtigheden. Die prijs werd door de gezondheidsautoriteiten beschouwd als een vorm van tabaks-sluikreclame en vanaf dat jaar verboden. Op het hoogtepunt was hij toegevallen aan de groten van die tijd, de meesten weliswaar ietwat braaf en wollenvesterig, maar van Harold Wilson tot Eric Morecambe via Tony Benn en Fred Trueman hadden ze toch iets tamelijk prachtigs vertegenwoordigd wat sindsdien uit het Britse leven verdwenen is. Niet chic, noch sophisticated, noch stijlvol, maar het soort mensen van wie je je voorstelt dat ze hun zondagen doorbrengen hetzij worstelend met de tuinslang of het wassen van de Wolseley, hetzij met kwieke bergwandelingen, gewapend met knapzak en knickerbocker.

Dunhill en de organisatie van het prijsgebeuren lieten een speciale pijp voor me maken, bedachten een speciale blend tabak voor me en verwelkomden me in hun midden. Nu was het pas drie jaar later en stond ik op het punt me van hen af te keren. Ergens voelde het als verraad. Maar eigenlijk rookte ik nooit meer een pijp in het openbaar. Ik was meer een Marlboro-man. Niet de volle Marlboro Rood, noch de anemische Marlboro Light, maar de Mamma Beer Marlboro Medium – voor de schipperende mens. Middelbare leeftijd, middelbare opleiding, middle class, middenmoter, middelmatig teergehalte: dat ben ik. Ik bewaarde de oude bruyèrepijpen voor de wintermaanden en eenzame uren aan mijn bureau. Hoewel er net onlangs een gelegenheid was geweest waarbij ik er met pijp op uit was gegaan...

In de zomer van 2003 wijdde de *Independent* een artikel aan me. Ik weet niet meer waarom; mogelijk viel het samen met de eerste serie van het televisieprogramma QI. Om een of andere reden kwam ik op de afgesproken plaats opdagen met een pijp op zak. Op een zeker moment moet ik door mijn sigaretten heen zijn geweest en de pijp gepakt hebben. Een week later verscheen het interview in de krant, op de voorpagina, met een foto van mij met mijn pijp schalks opzij gestoken en een dikke wolk rook die op kunstige wijze mijn zelfvoldane trekken aan het oog onttrok. Helaas kunnen mijn trekken zich uitsluitend als zelfvoldaan presenteren. Waarom had ik die pijp bij me en waarom had ik hem in bijzijn van de fotograaf opgestoken? Achteraf vraag ik me af of ik op een volstrekt onbewust niveau besefte dat een pijp paste bij de professorale kant van mijn karakter die in QI benadrukt wordt, en misschien had ik hem daarom bij me gestoken toen ik naar de fotograaf ging. Wat interessant is, of tenminste onthullend, over de aard van beroemd zijn in de eenentwintigste eeuw, is dat er een paar dagen na de publicatie van dat interview een brief kwam van de British Pipesmokers' Council, met de mededeling dat ik verkozen was tot Pijproker van het Jaar.

Deze charmante absurditeit kwam zo vlak na het krantenartikel dat ik het gevoel kreeg dat zelfs een bonobo voor de prijs in aanmerking was gekomen als hij toevallig die week met een pijp op de voorpagina van de *Independent* had gestaan… Wanhopig is, denk ik, het woord om het devote gezelschap van pijprokers en tabaksblenders te omschrijven. En gegeven de naderende teloorgang van de trofee was hun wanhoop misschien wel terecht.

Daar zat ik nu, drie jaar later, friemelend aan mijn prijspijp en met verraad aan de zaak van het roken in de zin. 'Verraad' en 'zaak' zijn misschien ietwat hysterische en borstklopperige woorden, maar roken wás voor mij een zaak; ik had het altijd als iets enorm belangrijks gezien. Sherlock Holmes heb ik al genoemd, maar het is een feit dat bijna al mijn helden niet alleen rokers waren, maar meer dan dat: actieve, trotse en overtuigde rokers. Ze rookten niet in de wereld, ze rookten tégen de wereld. Oscar Wilde was een van de pioniers van de sigaret. Toen hij Victor Hugo ontmoette, was de *cher maître* evenzeer gefascineerd door Wildes overvloedig voorradige verse, hoogkwalitatieve sigaretten als door diens evenzeer uitbundige voorraad verse, hoogkwalitatieve epigrammen. Wildes eerste echte roem werd gevestigd toen hij na de triomfale première van *Lady Windermere's Fan* het open doekje in ontvangst nam met een sigaret tussen zijn vingers – een achteloos detail dat niettemin vermeldenswaard werd geacht in bijna alle recensies en in de brieven en dagboeken van degenen die erbij waren geweest.

'Een sigaret is het volmaakte voorbeeld van volmaakt genot,' zegt lord Henry Wotton in *The Picture of Dorian Gray*. 'Hij is hemels, en bevredigt nooit helemaal.' Het duurde lang, zoals met zo veel opmerkingen van Wilde, voor ik begreep dat deze woorden getuigden van een veel dieper inzicht dan het op het eerste gezicht leek. Wilde bedoelt dat een genot dat bevredigt geen genot meer is zodra het genoten is. Je bent verzadigd, er valt verder niets meer uit te halen. Seks en eten zijn zulke genoegens. Wat komt erna? Een voldaan gevoel achteraf, als je dat soort mens bent, maar meestal schuldgevoel, opgeblazenheid en zelfwalging. Voorlopig heb je er je bekomst van. Gedragsveranderende genotmiddelen als alcohol en drugs, daarvan kun je steeds meer willen, maar ze veranderen je stemming en manier van doen, en de crash en de kater die daarna komen kunnen uitermate onplezierig en deprimerend zijn. Maar een sigaret… een sigaret biedt instantvreugde, de open armen van de lustbevrediging, en dan – het verlangen om het nog eens te ervaren. En zo voort. Geen moment van je volgepropt voelen, opgeblazen, onwaardig en onpasselijk, geen kater of plotse neerslachtigheid. Een sigaret is volmaakt omdat hij zich, net als een hoogontwikkeld virus, aan de hersenen van de gebruiker hecht, en maar één doel heeft: hem aanmoedigen er nog een te nemen. Dat levert een beloning op in de vorm van genot, dat echter te kort duurt om voldoening genoemd te worden.

Ik had Holmes en Wilde aan mijn zijde. Ik had Wodehouse en Churchill, Bogart en Bette Davis, Noël Coward en Tom Stoppard,

Simon Gray en Harold Pinter. En wie stonden er aan de andere kant? Burgerlijke neus-ophalers, zure gezondheidsfreaks, Hitler, Goebbels en Bernard Shaw, zonderlingen, puriteinen en bemoeizieke zedenprekers. Roken was een banier van bohemienschap, een bewijs dat je burgerlijke kwezelarij en respectabiliteit afwees, en op dat gebied liep ik fier voorop, ook al was ik diep in mijn hart even burgerlijk, braaf en behoudend als de buurman. Het gaat er in dit soort zaken om dat je jezelf overtuigt, de rest doet er niet toe. Als ik wilde optrekken met outsiders, kunstenaars, radicalen en revolutionairen, dan was het logisch dat ik rookte en daar trots voor uitkwam. Zielig, hè?

Ik heb de dood niet genoemd. Noch de verwoesting van teint, keel, hart en longen die sigaretten aanrichten. Wat Oscar niet wist, is dat de meest superbe eigenschap van die betoverende cilindertjes van genot de *geleidelijkheid* van hun giftigheid is, de onmerkbaar subtiele manier waarop hun gif zich in je nestelt. Juist hun mildheid (na de klamme duizeligheid, draaierigheid en misselijkheid bij maagdelijke rokers waar ik het al over heb gehad), de ondraaglijke traagheid en het raffinement waarmee ze je om zeep brengen, de onweerstaanbaar verleidelijke periode van krediet die ze beloven, de schijnbaar onoverbrugbare afstand tussen nu genieten en in de toekomst de rekening betalen... zo'n bedaarde, niet aflatende, diabolisch subtiele beul levert wat de echte sadist en connaisseur van pijn zeker als de hoogste staat van het hoogste genot zou beschouwen.

Ik was een uitgesproken apologeet van roken geweest en een luidruchtige en militante vijand van de antirooklobby. Maar toen ik die dag met mijn Dunhill-microfoon-pijp zat te spelen, besefte ik dat ik veranderd was. Omdat ik vind dat je nooit spijt moet hebben van ervaringen, had het ineens wel iets prettigs me een leven als niet-roker voor te stellen. Ik had ruim dertig jaar plezierig gepaft, en nu wilde ik weleens zien hoe het leven zonder sigaretten zou zijn. Ik keek er bijna naar uit mezelf op de proef te stellen. Mits ik me voornam om nooit intolerant te zijn jegens de mederokers die ik achterliet.

Vuur bestrijd je met vuur, drugs met drugs. Ik had gehoord van een pil, Zyban, een merknaam voor amfebutamon, in Amerika beter bekend als Welbutrin, een van de meest voorgeschreven antidepressiva. Ik had ergens gelezen dat het bij dertig procent van de gebruikers ook werkt als een 'hulpmiddel bij het stoppen met roken'. Ik belde mijn huisarts en maakte een afspraak. Hij schreef een recept voor een kuur van drie weken. Op dezelfde manier waarop dit middel depressies tegengaat, namelijk door in te werken op het pakket stemmingsverhogende stoffen dat de hersenen zelf voorradig hebben – noradrenaline en dopamine en hun kompanen – had het ook, zo werd beweerd, een kalmerend, remmend en verlichtend effect op de angsten en gruwelen van nicotinedeprivatie. Het ongewone en aantrekkelijke was dat je het moest slikken en gewoon doorgaan met roken. Om een of andere reden zou de hunkering je vanzelf verlaten, tenminste, als je bij de zevenentwintig procent hoorde bij wie de behandeling aansloeg.

En weet u wat? Ik bleek daarbij te zitten.

Het was een wonder. Ik was gestopt en het deed me niks.

Ik vlieg naar Amerika, voor het eerst in mijn leven blij om twaalfenhalf uur door te brengen in een vliegtuig zonder de vernedering te moeten ondergaan van nicotinepleisters, -kauwgom en -inhalers – soms, in de slechte oude tijd, alle drie tegelijk.

Op de vierde donderdag van november, Thanksgiving Day in de Verenigde Staten, heb ik een bespreking met de filmmaker Peter Jackson, voor wie ik een scenario ga schrijven gebaseerd op de grote aanval op de dammen in de Ruhr in 1943. Er bestond natuurlijk al een meesterwerk van de Britse cinema over het bombardement op de Ruhrdammen, maar we hoopten het verhaal opnieuw te kunnen vertellen met bijzonderheden die in 1954 te gevoelig lagen of te geheim waren om te onthullen.

Ik kom aan bij de bungalow van het Beverly Hills Hotel die Peter tijdelijk voor zichzelf heeft gehuurd en we bepreken de details. Fran, Peters vrouw, is erbij, net als andere leden van hun productiemaatschappij Wingnut. Thanksgiving Day is een uitstekende dag om ongestoord te vergaderen als je, zoals wij, geen Amerikaan bent.

Na de bespreking laadt een assistent een enorme doos researchmateriaal dat Wingnut voor me heeft verzameld in de kofferbak van mijn huurauto. Elke denkbare archiefbron over het onderwerp 'Dambusters' in tekst, video, geluid of fotografische vorm is voor mijn gemak verzameld. Er is zelfs een facsimile van het oorspronkelijke scenario van R.C. Sherriff voor de film uit 1954. Ik rijd Sunset Boulevard af en West Hollywood in richting Chateau Marmont, het hotel waar ik een suite heb gehuurd voor de maand of zo die ik heb om het scenario te schrijven.

Ik breng een leuke avond door met het doorploegen van de documenten en de planning voor wat ik de volgende dag ga schrijven. Wat prettig allemaal. Wat bof ik toch. Wat kan er misgaan?

Er is wat commotie bij de buren. Ik kijk even op de gang en zie de actrice Lindsay Lohan op een brancard afgevoerd worden. Het Chateau Marmont zelf zal altijd het bekendst blijven, vrees ik, als het toneel van John Belushi's laatste fatale speedball. Het is nog steeds een favoriet adres voor de meer woeste feestbeesten van Hollywood, en Lindsay Lohans ongelukkige overdosis, hoewel niet fataal, genereert veel aandacht. Maar over dat soort dingen hoef ik me niet druk te maken.

De volgende dag sta ik vroeg op voor een duik in het zwembad en verheug me erop een begin te maken met het script. Ik maak een omelet voor mezelf en zet een gigantische pot koffie – de suites in het Chateau zijn uitgerust met perfecte keukens – en ga achter mijn bureau zitten, met foto's van Guy Gibson, Barnes Wallis en een Lancaster-bommenwerper aan de muur om me te inspireren.

Kan het nog aangenamer?

Maar er is een probleem.

Een vreselijk probleem.

Ik kan niet schrijven.

Mijn vingers gaan naar het toetsenbord en ik dwing ze te tikken.

FADE IN:

INT. MINISTERIE VAN LUCHTVAART – AVOND, 1940

Verder kom ik niet.

Belachelijk.

Ik sta op en loop door de kamer. Dit kunnen niets anders zijn dan beginzenuwen. Het is een groot project. De oorspronkelijke film is een van mijn favorieten. Ik ben blij dat ik met dit magnifieke verhaal mag stoeien. Zitten en schrijven, Stephen.

Maar er is meer. Terwijl ik naar het scherm kijk, voel ik een leegte vanbinnen, een holle, duistere plek. Wat kan het zijn, dat zuigende zwarte gat dat ergens zit tussen honger, angst, vrees en pijn?

Ik schud mijn hoofd en dan mijn hele lichaam, als een hond die uit het water komt.

Het zal wel overgaan.

Ik ga de kamer uit en neem de lift naar beneden, luisterend naar een stel dat roddels uitwisselt over Lindsay Lohans dramatische afgang uit het hotel de vorige avond.

Ik loop rondjes om het zwembad. Jerry Stiller, komiek en vader van acteur Ben, trekt traag zijn baantjes.

'Ha jochie,' roept hij. Ik ben negenenveertig en hou er wel van als ze me jochie noemen.

Na tien of twintig rondjes loop ik terug naar mijn kamer en ga weer voor het scherm zitten.

Het zwarte gat is er nog steeds.

Dit is vreselijk, dit is afschuwelijk verkeerd.

Wat kan het zijn? Wat ís het? Ben ik ziek?

En dan, in een flits van helderheid die me bijna uit mijn stoel slaat, weet ik ineens wat het is.

Ik moet een sigaret. Ik kan niet schrijven zonder sigaret.

Dat kan niet waar zijn. Echt?

De volgende drie uur probeer ik alles wat ik kan bedenken om de schrijfsappen op gang te krijgen, maar tegen twaalf uur 's middags besef ik dat het zinloos is. Of ik lever geen scenario in, of ik rook. Ik pak de telefoon.

'Hallo, met Stephen. Kunt u een slof Marlboro naar boven laten komen, alstublieft? Ja, een hele slof. Tien pakjes. Bedankt. Dag.'

We spoelen vooruit naar april van het jaar daarop, 2007. In juli wordt het verbod op roken in openbare ruimtes van kracht en een maand daarna word ik vijftig. Dit is toch zeker het moment om er eens en voor altijd mee te stoppen. Ik ben door Paul McKenna gehypnotiseerd in een poging de bedrading in mijn hersenen te verwijderen die schrijven associeert met roken. Ik heb een sessie gevolgd in de 'Easy Way'-kliniek van Allen Carr in Londen. Geen van beide lijkt veel nut te hebben gehad, hoewel ik ze allebei dankbaar ben voor de aangeboden hulp. Maar er is goed nieuws…

Er is een nieuw geneesmiddel op de markt. Vaarwel Zyban, hallo Champix, Pfizers naam voor een nieuw middel, varenicline genaamd, dat geen antidepressivum is maar een 'partiële nicotine-zuur receptor agonist'. Wat kan er watter zijn?

Ik krijg een kuur voorgeschreven en net als met Zyban rook ik door alsof er niets gebeurd is. Op ongeveer de tiende dag merk ik dat mijn asbak gevuld is met absurd lange peuken. Ik heb niet meer dan één trekje van al die sigaretten genomen. Tegen het eind van de tweede week betrap ik mezelf erop dat ik sigaretten uit het pakje haal, naar ze kijk alsof ze iets heel zonderlings zijn en ze weer in het pakje terug stop. In die tijd nemen we twee of drie keer per week QI op. Als dat afgelopen is, merk ik dat ik geen pakje sigaretten meer koop. Ik ben gestopt met roken.

Ik rijd naar Norfolk en begin met de opnamen voor *Kingdom*. Als die eind september zijn afgelopen, vlieg ik naar Amerika om te gaan werken aan een reisserie.

Maar de echte test komt pas later. In mei 2008 kom ik terug in Engeland vanuit Hawaï, de laatste staat die ik bezocht heb voor de reisserie, en ik moet aan de slag om het boek bij de serie te schrijven. Pas nu zal blijken of ik het kan, voor het eerst in mijn leven iets schrijven dat meer is dan journalistiek, brieven en af en toe een blog, zonder sigaret na sigaret te paffen terwijl ik typ.

Het lijkt erop, wanneer die dag aanbreekt, dat mijn vijfendertigjarige relatie met tabak echt voorbij is.

Is, terwijl ik dit schrijf, achter een computer gezeten en terugkijkend op toen, die oude drang weer teruggekomen? Nee, dat oude zwarte gat is niet opnieuw geopend, maar ergens, diep vanbinnen, stuipt en rilt een oude herinnering als een gekooide draak in zijn onrustige slaap.

Heb ik mijn levensvisie verloochend? Heb ik mijn vrijheid, eigengereidheid en onafhankelijkheid van geest ingeleverd? Ben ik verburgerlijkt en gezwicht voor de grote massa? De meesten zullen die vraag bespottelijk vinden, maar ik niet. Hoewel nicotineverslaving terecht gekarakteriseerd kan worden als smerig, gevaarlijk, asociaal, ontologisch zinloos en fysiek funest, en degenen die nog in haar ban verkeren beschouwd kunnen worden als roekeloos, dwaas, gemakzuchtig, zwak en dom, trek ik nog steeds naar rokers en erger ik me aan mensen die tegen hen zeuren en op hen vitten.

Vele jaren geleden was ik bij een dineetje, waar ik een paar stoelen van Tom Stoppard af zat, die indertijd niet slechts tussen de gangen rookte, maar tussen elke twee happen die hij nam. Een Amerikaanse vrouw tegenover hem bezag het in ongeloof.

'En je bent zo intelligent!'

'Pardon?' vroeg Tom.

'Je weet dat die dingen je dood worden,' zei ze, 'en toch ga je er mee door.'

'Ik zou me anders gedragen,' zei Tom, 'als onsterfelijkheid tot de mogelijkheden behoorde.'

Stoffen lijken onbelangrijk vergeleken bij de grote dingen in het leven: Werk, Geloof, Kennis, Hoop, Angst en Liefde. Maar de lusten die ons drijven, en onze bevattelijkheid voor, weerstand tegen en aanvaarding en ontkenning van stoffen, bepalen en kenmerken ons minstens evenzeer als abstracte geloofsuitdrukkingen of kale opsommingen van daden en prestaties.

Misschien gaat dat alleen voor mij op. Misschien hebben andere mensen meer beheersing over hun lusten en minder interesse erin. Het lijkt erop dat ik mijn hele leven beheerst ben geweest door hebberige behoefte en behoeftige hebzucht.

1.

Van College naar Collega

Cambridge

De Winter der Onvrede noemden ze het. Stakingen van vrachtwagenchauffeurs, arbeiders in de auto-industrie, verpleegkundigen, ambulancepersoneel, spoorwegpersoneel, vuilnismannen en grafdelvers. Ik geloof niet dat ik ooit gelukkiger was geweest.

Na alle stormachtige verwarring van mijn tienerjaren – liefde, schaamte, diefstal, schandaal, verwijdering, zelfmoordpoging, fraude, arrestatie, detentie en veroordeling – leek ik eindelijk iets gevonden te hebben dat in de buurt kwam van evenwicht en vervulling. Leek. Een pijpje roken als een gezapig en vertrouwenwekkend symbool van autoriteit op een kleine kostschool was één ding. Nu bevond ik mij op een enorme universiteit en begon ik helemaal opnieuw als een nieuweling, een feut, een niemand.

Het is iets heel natuurlijks om het hele idee van Oxford en Cambridge te verachten. De Oude Universiteiten, zoals ze zichzelf verwaand beschrijven, elitair, snobistisch, bekrompen, zelfingenomen, arrogant en afgezonderd, lijken het irrelevante, archaïsche, zieltogende en beschamende verleden te belichamen dat Groot-Brittannië nu schijnbaar zo hard probeert af te schudden. Niemand trapt nog in die mooie praatjes van de 'meritocratie' en 'uitmuntendheid' van Oxbridge. Moeten we onder de indruk zijn van al die rare namen die ze zichzelf geven? Fellows en stewards en deans en dons en proctors en praelectors. En hun studenten, of *undergraduates*, neem me niet kwalijk, pretentieuze dames en heren…

Veel mensen, maar ik denk vooral jongeren, zien overal om zich heen uiterlijk vertoon en aanstellerij. Ze zien pose en aanmatiging in elk gebaar. Als ze in Trinity Street in Cambridge zouden lopen, zouden ze jonge manen en vrouwen zien die makkelijk te karakteriseren zijn als zelfverzekerde poseurs of de schijn ophoudende zakken. O ja, ze vinden zichzelf zó intellectueel; o ja, ze vinden zichzelf zó *Brideshead Revisited*; o ja, ze vinden zichzelf de crème de la crème. Kijk ze eens over de kinderkopjes fietsen met hun armen over elkaar, te cool om hun stuur vast te houden. Kijk ze eens met een achteloos gebaar hun collegesjaal om hun nek slaan. Alsof we daarvan onder de indruk moeten zijn. Hoor ze met hun bekakte kostschoolstemmen. Of erger nog, hoor ze met hun aangeleerde platte accent. Wie denken ze wel dat ze zijn, wie denken ze verdomme dat ze verdomme zijn? Maai ze neer, de klootzakken.

Zeker. Jawel. Maar probeer je ook even voor te stellen dat deze elitaire poseurtjes eigenlijk alleen maar jonge mannen en vrouwen zijn met echte levens en echte gevoelens net als iedereen, net als ik en net als u. Stel u voor dat ze even bang en onzeker zijn en hoopvol en dwaas als u en ik. Stel u voor dat die spontane minachting en afkeer in werkelijkheid meer zegt over de ander dan over hen. En stel u dan nog iets voor. Stel u voor dat bijna elke student die voor het eerst aankomt in een oord als Cambridge precies dezelfde gevoelens van afkeer, wantrouwen en angst heeft doorgemaakt, kijkend naar de ontspannen en zelfvoldane tweede- en derdejaars die daar rondlopen met hun luchtige zelfverzekerdheid en de superieure wetenschap dat ze daar thuishoren. Stel u voor dat ook zij hún nerveuze gevoelens van tekortschieten compenseerden door ervoor te kiezen iedereen 'te doorzien', door ervoor te kiezen te geloven dat de mensen om hen heen zielige poseurs waren. En stel u tot slot voor dat ze zonder het in de gaten te hebben op de een of andere manier in dat milieu opgenomen en genaturaliseerd zijn,

zodat voor de buitenstaander zíj nu degenen zijn ‹
gante eikels uitzien. Vanbinnen, neemt u dat maa
kruipen en krimpen ze nog steeds weg als met zout t
ken. Ik weet dat, want ik ben er een geweest, net als u er een geweest
zou zijn.

Het is waar dat ik ervaring in het onderwijs had. Het is waar dat
ik ouder was dan mijn mede-eerstejaars. Ook waar is dat ik meer
ervaring had in de 'echte wereld' (wat dat ook moge betekenen)
dan de meeste anderen. Evenzeer is het waar dat ik, in tegenstelling tot een verrassend aantal van de nieuw aangekomenen op de
universiteit, al gewend was om niet thuis te wonen, omdat ik al als
jochie van zeven naar kostschool was gestuurd. Het is ook waar dat
ik een op het oog zelfverzekerde houding had en een diepe, resone-
rende stem die me deed klinken alsof ik daar evenzeer thuishoorde
als de lambrisering, de gekortwiekte gazons en de *porters* met hun
bolhoed. Dat geef ik allemaal toe, maar het is heel belangrijk dat u
niettemin begrijpt hoe bang ik vanbinnen was. Ik leefde, moet u
weten, in angst en beven dat ik elk moment door de mand kon vallen. Nee, het was niet mijn status als veroordeeld en voorwaardelijk op vrije voeten gestelde crimineel die ik geheim wilde houden,
noch mijn verleden van dief, leugenaar, oplichter en bajesklant.
Wat mij betreft mocht dat allemaal aan de grote klok worden gehangen, net als mijn geaardheid, mijn Joodsheid of wat dies meer
zij. Nee, de doodsangst die me die eerste weken in Cambridge in
zijn greep hield betrof mijn intellectuele recht om daar te zijn. Mijn
angst was dat iemand mij zou benaderen en, ten overstaan van een
massa smalende toeschouwers, naar mijn mening zou vragen over
Lermontov of de superstringtheorie of de categorische imperatie-
ven van Kant. Ik zou op mijn gebruikelijke plausibele manier tijd
proberen te winnen en eromheen proberen te praten, maar omdat
dit Cambridge was, zou die tactiek geen hout snijden bij mijn mee-

dogenloze en (in mijn fantasie) kwaadaardig grijnzende ondervrager. Nee, hij zou me met zijn kraaloogjes aankijken en luidkeels met een van hoongelach krakende stem zeggen: 'Neem me niet kwalijk, maar weet je eigenlijk wel wie Lermontov is?' Of Rilke of Hayek of Saussure of een andere naam die ik niet kende, zodat de vreselijke oppervlakkigheid van mijn zogenaamde opvoeding pijnlijk geopenbaard zou worden.

Ieder moment kon aan het licht komen dat mijn beurs oneerlijk verdiend was, dat er iets fout was gegaan met de examenpapieren en dat een ongelukkig genie dat Simon Fry of Steven Pry heette, verdrongen was van zijn rechtmatige plek. Een meedogenloos openbaar onderzoek zou volgen, waarbij ik ontmaskerd zou worden als een van hersens gespeende charlatan die niets te zoeken had op een serieuze universiteit. Ik zag zelfs al de sombere ceremonie voor me, waarbij mij formeel de universiteitspoort werd gewezen en ik onder gejoel en gefluit een smadelijke aftocht blies. Een instituut als Cambridge was voor anderen, insiders, clubleden, de uitverkorenen – voor hén.

U denkt misschien dat ik overdrijf en misschien is dat ook zo. Maar niet meer dan vijf procent. Al die gedachten spookten werkelijk door mijn hoofd, en ik was echt bang dat ik geen recht had op een studie in Cambridge, en dat die waarheid maar al te gauw aan het licht zou komen, samen met mijn academische en intellectuele tekorten waaruit zou blijken dat ik volstrekt ten onrechte was toegelaten.

Deels voelde ik me zo omdat ik waarschijnlijk een veel hogere dunk van Cambridge had dan de meeste aankomende studenten. Ik geloofde er volkomen in, ik aanbad het. Ik had Cambridge verkozen boven Oxford of welke andere universiteit dan ook omdat… omdat… o jee, ik kan dit niet uitleggen zonder vreselijk precieus te klinken.

Mijn favoriete twintigste-eeuwse auteur in die tijd was E.M. Forster. Ik aanbad hem en G.E. Moore en de Cambridge Apostles en hun aanverwante Bloomsbury-satellieten Goldsworthy Lowes Dickinson en Lytton Strachey, alsook de meer illustere planeten in dat stelsel, Bertrand Rusell, John Manyard Keynes en Ludwig Wittgenstein. Ik bewonderde in het bijzonder de cultus van persoonlijke relaties die Forster aanhing. Zijn visie dat vriendschap, warmte en eerlijkheid tussen mensen meer betekende dan welk doel of welk geloofssysteem ook, was voor mij niet alleen een praktisch maar ook een romantisch ideaal.

'Ik verwerp het idee van doelen,' schreef hij, 'en als ik moest kiezen tussen mijn land verraden en mijn vriend verraden, hoop ik dat ik het lef heb om mijn land te verraden.' Die bewering, uit een essay getiteld 'What I Believe' en gepubliceerd in zijn verzameling *Two Cheers for Democracy*, werd door sommigen opgevat als bijnaverraad. Gegeven zijn connecties met de groep spionnen die later bekend werd als de Cambridge Spies, is het wellicht te begrijpen waarom zo'n credo nog steeds ongemakkelijke gevoelens oproept. Hij wist dat natuurlijk, want hij vervolgde met:

Een dergelijke keuze zal de moderne lezer misschien choqueren, en wie weet strekt hij onmiddellijk zijn patriottische hand naar de telefoon om de politie te bellen. Dante zou er echter niet van hebben opgekeken. Dante plaatst Brutus en Cassius in de onderste ring van de Hel, omdat zij hadden verkozen hun vriend Julius Caesar te verraden in plaats van hun land Rome.

Ik weet hoe onverdraaglijk vreselijk ik moet lijken als ik u vertel dat ik naar Cambridge wilde vanwege de Bloomsbury Group en een pakket nichterige oude *bien-pensant* schrijvers en verraders, maar het is niet anders. Dus niet vanwege Peter Cook en John

Cleese en de traditie van humor, hoezeer ik die ook bewonderde, noch vanwege Isaac Newton en Charles Darwin en de traditie van de natuurwetenschappen, hoezeer ik die óók bewonderde. De schoonheid van Cambridge als universiteitsstad had ook wel enige invloed, denk ik. Ik kende die stad eerder dan Oxford, en ze raakte mijn hart zoals een eerste liefde dat doet. Maar eigenlijk was het, hoe pretentieus het ook klinkt, de intellectuele en ethische traditie die mijn puriteinse en van mijn eigen goedheid overtuigde ziel aansprak. Ik had een getroebleerde jeugd achter de rug, moet u bedenken, en ik had vermoedelijk de heilige vuren van Cambridge nodig om gelouterd te worden.

'Cambridge brengt martelaren voort en Oxford verbrandt ze.' Ik weet waarachtig niet meer of die zin van mezelf is of dat ik hem van iemand anders heb: op internet wordt hij aan mij toegeschreven, wat uiteraard niets bewijst. Maar goed, het is waar dat Martyrs' Memorial in Oxford een gedenkteken is voor de verbranding van de drie Cambridge-godgeleerden Hugh Latimer, Nicholas Ridley en Thomas Cranmer in de stad Oxford. Het idee heeft altijd bestaan dat Oxford een werelds, politiek en reactionair instituut is, sterk in humaniora en geschiedenis, en dat Cambridge meer idealistisch, iconoclastisch en dissident is, sterk in wis- en natuurkunde. Oxford heeft inderdaad Engeland zesentwintig ministers-presidenten gegeven, terwijl Cambridge niet verder komt dan vijftien. Ook veelzeggend is dat Oxford in de Engelse Burgeroorlog het royalistische hoofdkwartier was, terwijl Cambridge als een parlementair bolwerk gold; sterker, Oliver Cromwell was een alumnus van Cambridge en afkomstig uit die streek. 'Roundhead' Cambridge, 'Cavalier' Oxford. Dat patroon herhaalt zich in de theologie – de tractariaanse Oxfordbeweging is zo *high church* dat het naar het roomse neigt, terwijl Wescott House en Ridley Hall in Cambridge zo *low* zijn dat het op het vrijzinnig-evangelische af is.

Datzelfde doctrinaire onderscheid is zelfs te zien in de humor, hoe gek dat ook klinkt. Robert Hewison (Oxfordiaan) laat in zijn uitmuntende boek *Monty Python: The Case Against* zien hoe de grote Pythons opgesplitst waren in Oxford en Cambridge. De lange, slanke Cantabrigians (Virginia Woolf had vijftig jaar daarvoor al opgemerkt hoe Cambridge ze hoger opkweekt dan Oxford) Cleese, Chapman en Idle waren een en al ijzige logica, sarcasme en woordspel, terwijl de Oxonians Jones en Palin warmer, maller en surrealistischer waren. 'We kunnen een stuk of tien prinsessen Margaret over een heuvel laten rennen,' kon Jones opperen, waarop Cleese koel antwoordde: 'Waarom?'

De creatieve spanning tussen met name die twee, zegt Hewison, vormde het hart en de ziel van wat Python was. Hetzelfde is te zien in de verschillen tussen Peter Cook en Jonathan Miller uit Cambridge en Dudley Moore en Alan Bennett uit Oxford. Het is meer dan mogelijk dat u de knuffelbare Dudley en de nog knuffelbaarder Alan Bennett en Michael Palin veel aardiger vindt dan hun rijzige, hautaine en nogal intimiderende tegenhangers uit Cambridge. En wellicht geldt dat ook voor latere incarnaties – Rowan Atkinson en Richard Curtis uit Oxford zijn kleiner en zeker liever dan de laatdunkende en frikkerige Stephen Fry en Hugh Laurie.

Er schuilt ontzettend veel romantiek in de rekkelijke traditie en absoluut niets in de puriteinse. Oscar Wilde zat op Oxford, en een deel van mij voelt zich hevig aangetrokken tot het Oxford van de esthetische beweging, Arnolds 'Scholar-Gipsy' en de *Dreaming Spires*. Maar Cambridge trok altijd meer; ergens in mijn tienerjaren werd ik door Forsters wereld geraakt en sindsdien was het Cambridge of niets.

Dit alles verklaart hopelijk enigszins waarom ik zo bang was door de mand te vallen. Ik wist zeker dat ik in Cambridge, het mekka van de Geest, alleen maar de meest intellectueel geacheveerde mensen ter wereld zou tegenkomen. Studenten organische chemie waren vertrouwd met Horatius en Heidegger en classici wisten alles van de wetten van de thermodynamica en de poëzie van Empson. Ik was onwaardig.

Ik had wanen van epische omvang moeten hebben of klinisch paranoïde moeten zijn om niet te beseffen waar die onzekerheden vandaan kwamen: een combinatie van een te idealistisch idee van wat Cambridge was en een gulle dosis van het ergste soort laatadolescente solipsistische angst. Ik was op al mijn scholen een buitenstaander gebleven, en nu was ik op een plek die bijna op maat voor me gemaakt leek: stel dat ik hier nu ook weer buiten de boot zou vallen? Wat zei dat over mij? Dat idee was te beangstigend om over na te denken.

Maar de eerste twee weken op een universiteit zijn ontworpen, dat wil zeggen geëvolueerd, om feuten in te prenten dat iedereen in hetzelfde schuitje zit en dat het helemaal goed komt. Bovendien had ik na een paar dagen al zo veel mensen gesproken en zo veel gesprekken gehoord dat ik doorkreeg dat Cambridge allesbehalve het vijfde-eeuwse Athene of het vijftiende-eeuwse Florence was.

Het universiteitsleven begint met de Freshers' Fair en allerlei soorten 'squashes' – wervingsfeesten voor studentenverenigingen en sociëteiten. Gezien het relatief gezonde banksaldo van de student in de eerste week van het academisch jaar enerzijds en het diepe verlangen om geaccepteerd te worden en geliefd te zijn dat voortvloeit uit al die boven beschreven onzekerheden anderzijds, zal een eerstejaars zich vaak bij een hele rits extracurriculaire groepen aansluiten, van gevestigd – de Footlights Club, het studentenblad *Varsity* en de Cambridge Union, tot bizar – de Friends of the Illuminati, de Society of Tobacco Worshippers en de Beaglers Against Racism. Allemaal dwaas en studentikoos en heerlijk.

College en Colleges

Ik moet hier even het verhaal onderbreken en in zo kort en simpel mogelijke bewoordingen uitleggen, indien mogelijk, hoe het studieleven in Cambridge in zijn werk gaat. Alleen Oxford heeft een vergelijkbaar systeem, en er is geen enkele reden waarom iemand zou begrijpen hoe het werkt zonder het meegemaakt te hebben. En, uiteraard, geen enkele reden waarom het iemand wat zou kunnen schelen. Tenzij u nieuwsgierig bent, in welk geval ik van u houd, want nieuwsgierigheid naar de wereld en al zijn uithoeken is een mooi ding, zelfs als die uithoeken zo weinig cool zijn als de kloostergangen van Oxbridge.

Er zijn vijfentwintig colleges in Cambridge (nou ja, eenendertig in totaal, maar twee daarvan zijn voor postdoctoraal onderwijs en de andere vier uitsluitend voor oudere studenten), stuk voor stuk zelfbestuurde instituten met hun eigen geschiedenis, inkomsten, goederen en statuten. Trinity College is met zevenhonderd studenten het grootste. Het is ook het rijkste van alle colleges van Oxbridge, heeft een waarde van honderden miljoenen en is eigenaar van lappen grond her en der. Andere zijn armer: in de vijftiende eeuw stond Queens' vierkant achter koning Richard III, wiens wapenschild nog steeds op de collegevaandels prijkt, en kreeg als gevolg daarvan confiscaties en andere financiële sancties aan de toga na de onfortuinlijke nederlaag van razende Richard op Bosworth Field.

Elk college heeft een eetzaal, een kapel, een bibliotheek, senior en junior studentenverblijven, 'combination rooms' genoemd ('commons rooms' in Oxford) en een portiersloge. Ze zijn meestal middeleeuws van makelij en altijd middeleeuws van structuur en bestuur. Men betreedt ze via poorten met torens en ze zijn aangelegd in carrévormige gebouwen om een begraste of bestrate binnenhof, de 'court' (in Oxford heten ze 'quads'). Zo zou je nooit een onderwijsinstelling ontwerpen en oorspronkelijk waren ze dat ook niet. Toch zijn deze twee universiteiten al meer dan achthonderd jaar onafgebroken in bedrijf en is er nooit een reden geweest om hun fundamentele organisatie te veranderen anders dan via een uiterst trage en nagenoeg onmeetbaar geleidelijke evolutie. Of Oxford en Cambridge de afgunst en de wrok, de afkeer en het wantrouwen van toekomstige generaties kunnen overleven, daar kunnen we slechts naar raden. Het is heel goed mogelijk dat iemand ze op een gegeven moment het stempel 'ongeschikt' of nog erger 'geen nut hebbend' zal geven en dat ze worden omgevormd tot musea, cultureel erfgoed of hotels. Maar niemand kan ze hun historiciteit ontnemen, en evenmin kan men, vandalisme daargelaten, verhinderen dat ze prachtig zijn om te zien. Die twee kwaliteiten alleen al zullen ervoor zorgen dat er, wat er ook gebeurt, nog genoeg jonge mensen heen willen die niet bang zijn als elitair te worden beschouwd.

Oxbridge-studenten worden niet door de universiteit aangenomen, maar door hun college, en daar wonen ze en krijgen ze onderwijs in de vorm van tutorials – die in Cambridge supervisions heten. Het gemiddelde aantal studenten van een college is ongeveer driehonderd. Toen ik in oktober 1978 op Queens' aankwam, waren er vijf anderen in mijn jaar die Engels gingen studeren. Of waren het er zes? Ik weet dat er één de overstap maakte naar theologie, en twee anderen zijn helemaal gestopt. Niet belangrijk. De universiteit, dus niet de colleges, gaat over de faculteiten (geschiedenis, filosofie, rechten, klassieke talen en cultuur, geneeskunde et cetera) en hun docenten, lectoren en hoogleraren. In mijn tijd had Queens' drie English Literature Fellows (of 'dons') die tevens verbonden waren aan de faculteit Engels van de universiteit, al is het ook heel goed mogelijk fellow binnen een college te zijn en supervisions te geven en studenten te begeleiden zonder een faculteitsaanstelling te hebben. O heer, dit is zo ingewikkeld en saai... Ik hoor uw ogen bijna dichtvallen.

Bekijk het eens zo. Je woont en eet in je college en volgt supervisions van de dons in je college voor wie je essays schrijft, maar je gaat naar lectures en wordt ten slotte geëxamineerd door de universiteitsfaculteit, die losstaat van je eigen college. Er is geen campus, maar er zijn wel faculteitsgebouwen, collegezalen, examentrainingen enzovoort. Helpt het als ik zeg dat colleges een soort afdelingen van Zweinstein zijn, Huffelpuf en Ravenklauw? Ik heb het vreselijke gevoel van wel...

Het Queens' College of St. Margaret and St. Bernard, zoals het voluit heet, is een van de oudste van de universiteit. Het is ook een van de mooiste, met een fraaie in vakwerk uitgevoerde kloostergang, een charmante middeleeuwse aula, beide gerenoveerd door Thomas Bodley en Burne-Jones op het hoogtepunt van de late prerafaëlitische periode, en een beroemd houten bouwsel, de Mathematical Bridge, die de rivier de Cam omspant en het oude deel van het college met het nieuwe verbindt. In 1978 was het nog een puur mannencollege. Girton, het eerste vrouwencollege, begon het jaar daarop jongens toe te laten, terwijl de wat modernere Kings' en Clare al zes jaar gemengd waren, maar Queens' ging door zoals het al een half millennium gewend was. Overigens, de apostrof achter de 's' staat daar omdat het college is gesticht door twee koninginnen, Margaretha van Anjou en Elizabeth Woodville. In Le Keux' *Memorials of Cambridge*, dat u vast gelezen hebt, maar ik zeg het toch maar, spelt de auteur rond 1840 de naam van het college als Queen's College, en voegt een voetnoot toe:

De laatste tijd is de gewoonte ontstaan de naam te schrijven als Queens' College, om aan te geven dat het is gesticht door twee vorstinnen. Dit lijkt ons een onnodige verfijning. We hebben hierbij de autoriteit van Erasmus aan onze kant, die zijn college altijd 'Collegium Reginae' noemt.

'Reginae' is natuurlijk Latijn voor 'van de koningin', in enkelvoud. God, ik lijk wel een reisgids. Niet verwonderlijk, want ik heb dit van de website van Queens' College gehaald. Nou ja, u ziet maar.

Als enige student Engels van mijn jaar had ik een tamelijk fraai stel kamers met uitzicht op de President's Gardens toegewezen gekregen. Dat is weer zo'n idiosyncratische onzintitel die hoofden van de college-huizen toebedeeld worden. Sommigen zijn masters of mistresses, anderen wardens, provosts, principals of rectors en een paar, zoals bij Queens', heten president.

Op de dag dat ik aankwam op mijn nieuwe college bleef ik onder aan mijn trappenhuis staan en tien minuten lang koesterde ik me in het heerlijk spannende besef dat ik, voor zo lang als het duurde tenminste, echt een Cambridgestudent was. Elk trappenhuis heeft namelijk bij de ingang een houten bord met daarop de handgeschilderde namen van de bewoners. Naast elke naam zit een houten schuifje dat de woorden IN of UIT ver- of onthult, zodat studenten (of fellows, want de dons hebben ook hun kamers in het college) als ze op weg naar of van hun kamer langs het bord komen hun aan- dan wel afwezigheid kenbaar kunnen maken aan een in angstige of blijde verwachting verkerende wereld. Ik stond lekker mijn schuifje heen en weer te schuiven en zou dat nu nog steeds doen als het geluid van naderende voetstappen me niet haastig naar mijn kamer had gejaagd.

Ik was die middag aangekomen met een verzameling zorgvuldig uitgekozen boeken, een schrijfmachine, een grammofoon, een stapel platen, wat affiches en een buste van Shakespeare, die op de meest esthetische en kunstig ongekunstelde manier die ik kon bedenken over mijn kamers werden verdeeld. Studentenkamers bestaan uit een slaapkamer, een woonkamer en een zogenaamde gypkamer oftewel keuken. 'Gyp' was de ongelukkige bijnaam voor een collegebediende: de meer aansprekende naam in Oxford is 'scout', maar ik stuur u niet meer het bos van Oxbridge-trivia in, dat beloof ik. Ik weet dat u daar kregel van wordt.

Ik had besloten dat ik er later op uit zou gaan voor koffie, melk en andere voorraad. Voorlopig wilde ik even in mijn eentje genieten, althans alleen in het gezelschap van een stuk of twintig uitnodigingen, die zorgvuldig waren uitgestald op mijn bureau. In die tijd, toen e-mail en mobiele telefoons nog niet bestonden, communiceerde men via briefjes die achtergelaten werden in postvakjes in de portiersloge. Als iemand contact met je wilde, was het makkelijker om daar een briefje achter te laten dan helemaal naar de kamers te klimmen en het onder de deur door te schuiven. Ik was het afgelopen uur al drie keer naar de portiersloge beneden geweest om te kijken of er nog meer uitnodigingen binnengekomen waren. De postvakjes waren gerangschikt en kleurgecodeerd naar jaar. Zo kon een club of sociëteit een mailing naar alle eerstejaars doen, een soort spam *avant la lettre*, zeg maar. Vandaar de hoeveelheid papier die was uitgestald op mijn bureau. De uitnodigingen voor 'squashes' van sport-, politieke of religieuze sociëteiten had ik al direct weggegooid, maar uitnodigingen van toneel- en literaire clubs, bladen en tijdschriften had ik op categorie bij elkaar gelegd. Wat deed ik met de Cambridge University Gay Society? Daar was ik nog niet helemaal uit. Het idee stond me wel aan om mijn roze vaandel aan de homo-mast te hijsen, maar ik wilde niet betrokken raken bij iets wat ook maar zweemde naar actiegroep of erger. Ik was destijds politiek eigenlijk een aartsconservatieve of op zijn minst actief inactieve figuur. Om het in het jargon van die tijd te zeggen: mijn bewustzijn was nog niet ontwaakt.

Uitnodigingen voor sherryparty's bij de Senior Tutor van het college, de Dean of Chapel en een totaal andere persoon die ook de titel dean claimde, konden niet worden afgeslagen, had ik te horen gekregen. Ook essentieel was een bijeenkomst in de kamers van A.C. Spearing, de senior English Fellow van het college, die blijkbaar mijn Director of Studies zou worden. De meest indrukwekkende en formele invitatie, een en al geschept papier, reliëfdruk en goud op snee, was de uitnodiging voor het Aankomstdiner van Queens' College, een hoogst formeel gebeuren waarbij de hele lichting eerstejaars officieel zou worden ontvangen en ingewijd als lid van het college.

En zo stortte ik me in deze ronde van party's en introductiebijeenkomsten. In de kamers van A.C. Spearing ontmoette ik mijn mede-eerstejaars Engelse letterkunde. We klitten die eerste week bij elkaar en togen gezamenlijk naar diverse squashes en inleidende colleges, wisselden tweedehands roddels uit en namen elkaar de maat, academisch, intellectueel, sociaal en in een of twee gevallen ook seksueel, geloof ik. We waren zeer typisch voor onze generatie. We kenden T.S. Eliot van achter naar voren, maar konden amper een zin van Spenser of Dryden citeren. Met uitzondering van één lid van ons gezelschap zagen we er voor de neutrale toeschouwer uit als het grootste prijzenpakket onuitstaanbaar opgeblazen, omhooggevallen eikels dat ooit op één plek gevallen was. De uitzondering was een in sm-broek, leren jack en henna-haardos gestoken jongen die Dave Higgins heette. Hij zag eruit als het soort punker voor wie je King's Road in Chelsea overstak om hem te kunnen ontlopen. Hoewel hij verreweg de vriendelijkste en meest benaderbare was van onze groep, was ik doodsbang voor hem en ik denk dat dat voor de anderen ook gold. Iets in mijn bulderstem en schijnbaar zelfverzekerde manier van doen leek hem echter aan te trekken, of althans te amuseren, en hij gaf mij de titel King.

Ondanks zijn intimiderende punkuiterlijk had Dave op Radley gezeten, een van de chiquere kostscholen: sterker, onze hele lichting Engelse letterkunde had op kostschool gezeten. Hoe onzeker van onszelf en beducht om academisch tekort te schieten we ook waren, we moeten vreselijk en vervreemdend zijn overgekomen op mensen die op gewone scholen hadden gezeten, dat kader jonge mannen en vrouwen dat altijd thuis had gewoond en nog nooit en masse in aanraking was gekomen met kostschooltypes. Een paar maanden later vertelde een student die op een openbare scholengemeenschap in Zuidoost-Londen had gezeten dat hij wekenlang niet had begrepen wat 'say gid' betekende. Hij hoorde het overal: 'Say gid! That's jarst say gid!' Uiteindelijk kreeg hij door dat het de manier was waarop de upper middle class zei: 'So good, that's just so good.' Hij merkte op hoe vreemd het voor hem was om tot een minderheid te behoren. Zo'n drie procent van de bevolking genoot in die tijd privé-onderwijs, en hij hoorde tot de overweldigende andere zevenennegentig procent. Toch voelde hij zich een soort schoorsteenveger die ongenood op een jagersbal was binnengedrongen. Hoezeer Cambridge zich ook presenteerde als een zuiver academisch instituut waarvoor het enige criterium voor toelating academisch van aard was, het dominante accent was het kostschoolaccent. Je moest wel heel erg in jezelf geloven en een sterk karakter hebben om je in zo'n omgeving niet wrokkig of niet op je plek te voelen.

Ik heb geen idee uit welk hout ik gesneden was. Nee, dat is niet waar. Ik vrees dat ik maar al te goed weet uit welk hout ik gesneden was. Mijn typische uitmonstering was een Harris-tweedjasje met leren knopen, Viyella-overhemd en tricot das, lamswollen V-halstrui, jagersgroene corduroy broek en glimmend gepoetste bruine half-brogues. Met mijn kenmerkende haarlok en tussen mijn tanden geklemde pijp zag ik er natuurlijk uit als wat ik het hele voorgaande jaar was geweest: een invalleraar op een kleine landelijke kostschool, met iets van het nerdige air van een codekraker uit de Tweede Wereldoorlog. Welke indruk ik ook wekte, zeker niet die van een hippe jonge rocker in de tijd van The Clash en The Damned.

C2-C4, Componisten, Charlatan met Cum

Het bleek dat Queens' inderdaad twee deans had, een Dean of Chapel en een dean belast met discipline. Bij beide decanale sherryparty's die in de eerste week van mijn verblijf plaatsvonden raakte ik in gesprek met een eerstejaars die Kim Harris heette. Hij was knap à la een jonge Richard Burton en straalde een krachtige mix van strengheid, mysterieusheid, enthousiasme en verrassing uit die ik buitengewoon intrigerend vond. Net als ik was hij anders dan andere eerstejaars, door enerzijds meer ervaren en volwassen te lijken en anderzijds gênant hoge ideeën te hebben over wat Cambridge hoorde te zijn. Hij had, zo ontdekte ik al snel, op Bolton School gezeten, een onafhankelijke dagschool die een generatie of twee eerder Ian McKellen had afgeleverd aan Cambridge en een dankbare wereld. Kim was naar Queens' gekomen om klassieke talen en cultuur te studeren. Hij kleedde zich ongeveer net als ik, maar dan met full brogues van Church en V-halstruien van het fijnste en kostbaarste cashmere. Hij kon zelfs een vlinderdasje dragen zonder er absurd uit te zien, wat een hoge menselijke vaardigheid genoemd mag worden. We raakten direct bevriend op een manier zoals alleen jongeren dat kunnen. We peinsden er niet over om zonder elkaar naar een party of andere gelegenheid te gaan.

'Ben je homo?' vroeg ik hem al vrij snel.

'Laten we zeggen dat ik weet wat ik wil,' was zijn preutse en cryptische antwoord.

Afgezien van zijn vaardigheid in Latijn en Grieks had Kim nog een vaardigheid en een niveau van brille dat me behoorlijk bovenmenselijk voorkwam. Hij was schaakmeester. Op Bolton had hij gespeeld met, en tot op zekere hoogte onderricht gegeven aan, Nigel Short, die toen al snel naam maakte als de grootste belofte die Engeland ooit had voortgebracht. Op tienjarige leeftijd had Short de grote Viktor Kortsjnoi verslagen en hij leek nu op zijn veertiende de jongste internationale meester in de geschiedenis te gaan worden. Kim was 'maar' meester, maar dat betekende dat hij goed genoeg was om blind partijen te spelen, een truc die ik nooit moe werd hem te laten demonstreren. Zonder één blik op het bord te werpen liet hij zijn tegenstanders alle hoeken ervan zien.

Toen ik hem dat voor het eerst zag doen, vond ik dat hij wel enige opheldering mocht geven.

'Kim,' zei ik, 'ik herinner me dat we, de eerste keer dat ik je sprak, op een van die sherryparty's, bij de dean een schaakbord zagen en dat ik je vroeg of je kon schaken.'

'Ja, dat klopt.'

'Weet je nog wat je toen zei?'

Kim trok zijn wenkbrauwen op. 'Nee, eigenlijk niet.'

'Je zei: "Laten we zeggen, ik ken de zetten."'

'Nou, dat klopt wel.'

'Je weet wel meer dan alleen de zetten,' zei ik.

'Hoe bedoel je?'

'Ik bedoel, als dat je antwoord is op de vraag of je kunt schaken, hoe moet ik dan je antwoord interpreteren op de vraag: "Ben je homo?" Toen zei je: "Laten we zeggen, ik weet wat ik wil."'

Kims ouders waren welgesteld en voorzagen hun enige zoon van alle denkbare luxe, waaronder een magnifieke Bang & Olufsen-stereo-installatie waarop Kim Wagner draaide. En Wagner zong. En Wagner dirigeerde. En Wagner leefde.

Ik was zelf al vroeg voor de muziek van Wagner gevallen, maar tot de geheimen van zijn volledige werken was ik nooit doorgedrongen. Afgezien van alle andere redenen had ik me nooit die enorme boxen kunnen veroorloven. Behalve *Lohengrin*'s en *Meistersinger*'s en een *Parzifal* of twee had Kim twee complete cycli van de *Ring* op vinyl: de liveopname van Karl Böhm uit Bayreuth en de grote Decca-studioproductie van de *Ring* van Solti, een van de hoogtepunten van het grammofoontijdperk. Ik weet hoe verveeld en onrustig mensen worden als Wagner ter sprake komt, dus ik zal er niet te lang bij stilstaan. Laat alleen gezegd zijn dat Kim mijn Wagner-opvoeding compleet maakte, en alleen al daarvoor zal ik hem mijn hele leven dankbaar zijn.

Hij en ik en een vriend van hem van Bolton, Peter Speak, die filosofie studeerde, zochten elkaar op en bespraken dan laatnegentiende-eeuwse meesterwerken. Strauss, Schönberg, Brahms, Mahler en Bruckner waren onze goden en Kims B&O was onze tempel.

Gegeven dat Groot-Brittannië kookte van anarchistische postpunk creativiteit, de politieke opwinding van zich opeenstapelende stakingen en de verkiezing van Margaret Thatcher tot leider van de Conservatieve Partij, dat het vuilnis zich ophoopte in de straten, lijken onbegraven bleven en de inflatie tot de hemel reikte, gegeven dat alles lijkt een trio in tweed geklede late adolescenten dat op hun kamer in Cambridge zwijmelt over de schoonheid van Strauss' *Metamorphosen* en Schönbergs *Verklärte Nacht*... ja, wat? Volstrekt legitiem. Volkomen in overeenstemming met wat educatie hoort te zijn. Educatie is de som van wat studenten elkaar tussen de colleges en seminars door leren. Je zit bij elkaar op de kamer en drinkt koffie – dat zal tegenwoordig wel wodka met Red Bull zijn – je deelt je enthousiasme, je lult je suf over politiek, religie, kunst en de kosmos en dan ga je naar bed, alleen of samen, al naargelang je smaak. Ik bedoel, hoe moet je anders iets leren, hoe moet je anders je afleiding zoeken? Niettemin ben ik zelf lichtelijk geschokt als ik me realiseer hoe braaf en saai het beeld is dat ik voorschotel met mijn tweedjasje en corduroy broek, aan mijn pijp lurkend en luisterend naar al dat Duitse laatromantische lawaai. Is het daar allemaal misgegaan? Of is het daar juist goedgekomen?

Er is iets aan het studentenleven wat de connectie tussen de woorden 'universiteit' en 'universeel' versterkt. Alle divisies van het leven zitten erin, en alle cirkels en groeperingen en coterieën die in de bredere menselijke kosmos te vinden zijn, zijn ook te vinden in de kolkende stroom van jonge mensen die tijdens de drie of vier jaar van hun verblijf een universiteit vormen en definiëren.

Elke keer als ik weer in Cambridge ben, zwerf ik als een vreemde door de vertrouwde straten. Ik ken en houd mateloos van de architectuur, maar terwijl de kapellen en colleges, courts, bruggen en torens zijn wat ze altijd zijn geweest, is Cambridge elke keer totaal anders. Je kunt niet twee keer in dezelfde rivier stappen, zei Heraclitus al, want je staat steeds in ander water. Je kunt niet twee keer in hetzelfde Cambridge stappen, of hetzelfde Bristol, of Warwick, of Leeds of welke stad dan ook, want steeds nieuwe generaties bevolken de stad en geven er een andere betekenis aan. De gebouwen zijn verstild in de tijd, maar een universiteit bestaat niet uit zijn gebouwen, maar uit de mensen die er wonen en er gebruik van maken.

Ik heb briljante mensen en sufferds en alles ertussenin leren kennen. Er zaten levendige types tussen en exceptioneel saaie. Elk denkbare specialisme was vertegenwoordigd. Je kon je eerste drie jaar doorbrengen op sportvelden en nooit weten dat er theaters waren. Je kon jezelf inlaten met politiek en totaal onwetend blijven van orkesten of koren. Je kon op vossenjacht gaan, zeilen, dansen, bridgen, een computer bouwen of een tuin bijhouden. Net als aan honderden andere universiteiten natuurlijk. Alleen heeft Cambridge het voordeel dat het zowel groter als kleiner is dan de rest. Kleiner omdat je in een college woont en studeert met pakweg driehonderd anderen; groter omdat de hele universiteit meer dan twintigduizend mensen telt, wat een voordeel is als het gaat om publiek en deelnemers aan sport en toneel, spreiding van tijdschriften en afzetgebieden voor alle mogelijke ondernemingen en initiatieven.

Ik had natuurlijk niet bang hoeven zijn dat ik zou worden doorgezaagd en afgemaakt over Russische dichters of de principes van de deeltjesfysica. De angst dat ik op zulke verheven terreinen van academische brille zou terechtkomen dat ik naar adem zou happen, bleek ongegrond.

Om te scoren op examens (in elk geval die van literatuur en kunstgeschiedenis) is het beter een egel te zijn dan een vos, als ik even Isaiah Berlins beroemde onderscheid mag lenen. Met andere woorden: het is beter één groot ding te weten dan een heleboel kleine dingetjes. Een gezichtspunt, één enkele manier van denken die alle elementen van een onderwerp bevat, en een essay schrijft zich min of meer vanzelf. De manier om voor examens te slagen is frauderen. Ik heb al mijn drie jaar in Cambridge de kluit bedonderd. Dat wil niet zeggen dat ik afgekeken heb bij mijn buurman, of dat ik mezelf van spiekbriefjes voorzag. Ik fraudeerde door van tevoren al precies te weten wat ik ging schrijven, nog voor de surveillant ons vroeg de vragenformulieren om te keren en de klok startte. Ik had bijvoorbeeld een theorie over shakespeariaanse tragedie en komische vormen, waarmee ik u niet zal vervelen en die waarschijnlijk onzin is, of ten minste een niet méér ware of overtuigende interpretatie van Shakespeares werk dan enige andere. De waarde ervan was dat die theorie op elke vraag een antwoord had en toch altijd weer specifiek leek. Ik had een deel ervan gevonden in een essay van Anne Barton (meisjesnaam Righter). Zij is een uitmuntend Shakespeare-kenner, en ik fileerde en herkauwde haar ideeën voor zowel Deel Een als Deel Twee van de tripos (Cambridge noemt zijn kandidaatsexamen de tripos; dat heeft iets te maken met de driepotige kruk waarop studenten plachten te zitten als ze examen deden). Voor beide Shakespeare-essays kreeg ik een cum laude. Dat van Deel Twee was zelfs het beste van de hele universiteit. In feite was het beide keren hetzelfde essay. Je hoeft alleen in de eerste alinea de vraag zo te herformuleren dat je essay er het antwoord op is. Laten we zeggen, in eenvoudige bewoordingen, dat mijn essay stelt dat Shakespeares komedies, zelfs de 'feestelijke' varianten, spelen met het idee dat ze tragedies zijn, terwijl zijn tragedies spelen met het idee dat ze blijspelen zijn. Het leuke is nu dat je dat essay bij om het even welke vraag kunt oplepelen. 'Shakespeares echte stem zit in zijn blijspelen': Bespreken. 'Lear is Shakespeares enige sympathieke tragische held': Bespreken. 'Shakespeare raakte zijn blijspelen ontgroeid.' 'Shakespeare stak zijn talent in zijn blijspelen en zijn genialiteit in zijn tragedies.' 'Tragedies zijn adolescent, blijspelen zijn volwassen.' 'Shakespeare vindt gender belangrijk, maar seks niet.' Bespreken, bespreken, bespreken, bespreken, bespreken, bespreken. Ik deed natuurlijk niet aan zoiets vulgairs als bespreken. Al mijn eendjes stonden in het gelid als ik de examenzaal betrad en ik hoefde niet meer te doen dan hun snaveltjes op de vraag te richten.

Dat ik een goed geheugen had, hielp natuurlijk ook... Ik had genoeg citaten in mijn hoofd, zowel uit de werken zelf als van Shakespeares critici en kenners, om mijn essay te kunnen opleuken met puntige en toepasselijke verwijzingen. Mijn geheugen was zo griezelig goed dat ik bij elk citaat uit een stuk bedrijf, scène en regelnummer kon noemen, of tussen haakjes de bron en datum van elke kritische verwijzing kon geven (*Witwatersrand Review*, Vol. 3, Sept. '75, red. Jablonski, Yale Books, 1968, dat soort dingen). Ik ben me ervan bewust dat de gave van een goed geheugen meer waard is dan welke verworven vaardigheid ook, maar ik geloof ook dat het even zeldzaam is om met een fysiek beter geheugen te worden geboren als om geboren te worden met betere vingers of betere benen. Overal in het land zijn er jonge mannen en vrouwen die vrolijk (of niet vrolijk) zeggen dat ze geen academisch talent hebben, of dat ze niet gezegend zijn met een goed geheugen, en die toch honderden songteksten kunnen ophoesten en gigantische hoeveelheden informatie over voetballers, auto's en sterren paraat hebben. Waarom? Omdat ze *belangstelling* hebben voor zulke dingen. Ze zijn nieuwsgierig. Als je hongert naar eten, doe je alles om het te krijgen. Als je hongert naar informatie idem dito. Informatie is overal om ons heen, nu meer dan ooit. Je hoeft amper een vinger uit te steken om dingen te weten te komen. Mensen weten alleen weinig als het hun niks kan schelen. Zulke mensen zijn onnieuwsgierig. Onnieuwsgierigheid is het raarste en meest dwaze gebrek dat er bestaat.

Stel je de wereld voor als een stad waarin de trottoirs bedekt zijn met een dikke laag gouden munten. Je moet erdoorheen waden om vooruit te komen. Het geklink en geklank schalt overal. Stel je voor dat je in zo'n stad een bedelaar tegenkomt.

'Een kleinigheid, alstublieft. Ik heb geen cent.'

'Kijk eens om je heen!' zou je uitroepen. 'Er ligt hier genoeg goud voor de rest van je leven. Je hoeft alleen maar te bukken en het op te rapen.'

Als mensen klagen dat ze niets van literatuur weten omdat het op school slecht gegeven werd, of omdat ze niets van geschiedenis hebben meegekregen omdat het in het rooster samenviel met biologie, of een ander onzinsmoesje, is het moeilijk om niet op dezelfde manier te reageren. 'Maar het ligt voor het oprapen!' wil ik uitschreeuwen. 'Je hoeft alleen maar te bukken!' Waarom mensen in godsnaam denken dat hun gebrek aan kennis over de Honderdjarige Oorlog of Socrates of de kolonisatie van Batavia te maken heeft met schóól, is me een raadsel. Als iemand die van een groot aantal instellingen is verwijderd en op geen daarvan ook maar iets heeft uitgevoerd, weet ik donders goed dat het niet aan het lerarenkorps lag dat ik van toeten noch blazen wist, maar aan mezelf. Maar op een dag, of ergens in de loop der tijd, werd ik gretig. Gretig om dingen te weten, gretig naar inzicht, gretig naar informatie. Ik leek een beetje op robot Nummer 5 in de film *Short Circuit* die almaar roept: 'Informatie, informatie!' Dingen onthouden was voor mij hetzelfde als Sugar Puffs eten, ik propte mezelf eindeloos vol.

Ik zeg niet dat deze honger naar kennis moreel, intellectueel of stilistisch bewonderenswaardig was. Ik denk dat hij te maken had met ambitie, met de latere tekortkomingen in mijn leven waar we nog aan toe zullen komen: lid zijn van zo veel clubs, zo veel creditcards hebben... allemaal onderdeel van erbij willen horen, de behoefte om me altijd en overal met iets te verbinden. Tamelijk vulgair, tamelijk drammerig.

De manier en motieven waren dus misschien niet erg verheffend, maar het eindresultaat was zeker nuttig. Mijn onverzadigbare nieuwsgierigheid en honger naar kennis leidden tot allerlei soorten voordelen. Door mijn tentamens rollen was er een. Ik heb schrijftoetsen onder tijdsdruk nooit anders dan leuk en gemakkelijk gevonden. Dat komt door mijn fundamentele oneerlijkheid. Ik heb nooit een poging gedaan me authentiek of oprecht in een intellectueel onderwerp te verdiepen of een vraag echt te beantwoorden. Ik wilde alleen pronken met mijn kennis, en ik ben in mijn leven maar weinig mensen tegengekomen die mij in die weinig achtenswaardige kunst naar de kroon konden steken. Er zijn mensen genoeg die apertere uitslovers zijn dan ik, maar dat is het achterbakse van mijn specifieke soort exhibitionisme – ik verhul het in een dikke jas van minzame bescheidenheid en roerende valse schroom. Om wat minder hard voor mezelf te zijn: die uitingen van minzaamheid, bescheidenheid en schroom waren ooit vals, maar zijn inmiddels behoorlijk echt, ongeveer net zoals de bewuste manier waarop we in onze tienerjaren onze handtekening zetten mettertijd zijn aanstellerigheid verliest en onze echte handtekening wordt. Als je het masker lang genoeg draagt, gaat je gezicht ernaar staan.

Dit lijkt niet echt een memoire van mijn universiteitsleven, wat dit hoofdstuk zou moeten zijn. Het leven van een student, in het bijzonder dat van een meer dan gewoonlijk verlegen student in een instituut als Cambridge, bestaat echter voor een groot deel uit het onderzoeken van je geest en je intellectuele vermogens en de zin en het doel van studeren, dus vind ik het gerechtvaardigd om te proberen te peilen hoe het in die tijd met mijn hoofd gesteld was.

In die hele drie jaar heb ik drie hoorcolleges gevolgd. Ik kan me er maar twee herinneren, maar ik weet zeker dat er nog een was. Het eerste was een introductiepraatje over *Piers Plowman* door J.A.W. Bennett, die in 1963 C.S. Lewis was opgevolgd als hoogleraar Middeleeuwse en Renaissance Literatuur en oud genoeg leek om geleefd te hebben in de periode die hij tot zijn vakgebied had gemaakt. Zijn hoorcollege was een verpletterend saaie uiteenzetting over de vraag waarom de B-tekst van *Piers Plowman* (een ellenlang werk in Middelengelse allegorische alliterende verzen) betrouwbaarder was dan de C-tekst, of misschien andersom. Professor Bennett hoopte dat het hem niet euvel werd geduid dat hij het met W.W. Skeat oneens was ten aanzien van de weergave in de A-teksten van de *Harrowing of Hell*, bla-di-bla-di-bla...

Dat was me genoeg. Ik wist dat ik aan vijf minuten in de faculteitsbebliotheek genoeg had om een voldoende obscuur artikel in de *Sewanee Review* of iets dergelijks op te diepen om voer voor een essay te leveren. Hoorcolleges slokten je dag op en waren duidelijk vreselijke tijdsverspilling. Ongetwijfeld noodzakelijk als je rechten of geneeskunde of een andere roeping studeerde, maar in het geval van Engels was het heel wat logischer om veel te praten, naar muziek te luisteren, koffie en wijn te drinken, boeken te lezen en naar toneelvoorstellingen te gaan.

Misschien zelfs ín toneelvoorstellingen te staan?

Regelmatig krijg ik brieven van acteurs-in-spe of hun ouders die me om raad vragen. Als ík er al veel krijg, kun je nagaan hoeveel Ian McKellen, Judi Dench, Simon Russell Beale, David Tennant en andere, échte acteurs er moeten krijgen. De frase 'crowded profession' ofwel 'overbevolkt beroep' wordt meer gebruikt voor het gilde der acteurs dan voor enig ander beroep, en met reden.

Zoals op zo veel terreinen van het leven zijn er mensen van buiten die o zo graag een geheim, een ingang, een techniek willen weten. Daar kan ik goed in komen. Bijna even algemeen als de frase 'crowded profession' zijn frasen die het idee uitdrukken dat je 'alleen maar een ingangetje nodig hebt' en dat 'het niet gaat om wat je weet, maar wie je kent'. Ik laat, voorlopig, het hele punt van beroemd willen zijn even voor wat het is en concentreer me uitsluitend op hen die het echt om acteren zelf gaat: in een later stadium komen we ongetwijfeld wel uit bij degenen die het vooral te doen is om de bijkomende 'voordelen' in de vorm van rode lopers, erkenning en je tronie in de roddelbladen.

Die brievenschrijvers willen weten wat de beste manier is om voet aan de grond te krijgen in het acteursvak. Het enige wat nodig is, weten ze, is een *kans*, één gelegenheid om te stralen: hun talent, vlijt en inzet doen de rest wel. Ze weten, de hele wereld weet, hoeveel *geluk* erbij komt kijken. Ze kennen allemaal de verhalen van de jonge streber die een beroemde acteur een brief schreef en een figurantenrol kreeg in een film, of een auditie, of een plek op de toneelschool.

Wat een etter of ondankbare hond moet je zijn om onbewogen te blijven bij al die smachtende zielen daarbuiten, die binnengelaten willen worden. Als je het geluk hebt gehad om vooruit te komen in je vak kun je toch op zijn minst een handje toesteken, of enig waardevol advies geven aan al die lieden die net zo willen worden als jij? Absoluut waar, maar je moet ook eerlijk zijn. Ik kan alleen advies geven vanuit mijn eigen ervaring. Als iemand me vraagt hoe je iets moet doen, kan ik daar geen abstract antwoord op geven, ik kan alleen antwoorden vanuit mijn eigen verleden. Ik heb absoluut geen idee hoe je acteur moet worden, ik kan alleen vertellen hoe ik er een geworden ben. Of tenminste, hoe ik een soort acteur geworden ben die ook een soort schrijver is die ook een soort komiek is die ook een soort tv-maker is die ook een soort van alles en nog wat is. Soort van. Meer kan ik er niet van zeggen. Ik kan geen uitspraken doen over de vraag of het beter is om naar de toneelschool te gaan of niet, ik kan je niet adviseren of je repertoire- of straattheater moet doen voor je overstapt naar film of televisie. Ik kan je niet vertellen of het gunstig of ongunstig voor je carrière is als je extra werk aanneemt of een rol in een soap. Ik weet eenvoudigweg het antwoord op die vragen niet, omdat ze zich in mijn leven nooit hebben voorgedaan. Het zou onverantwoord en onverantwoordelijk van me zijn iemand in een bepaalde richting te duwen, of juist in een andere, als ik daar niets van af weet.

Maar goed, ik ben dus als volgt acteur geworden.

Op kostschool was het schooltoneelstuk altijd een musical, dus de beste rol waar ik op mocht hopen zat altijd in de hoek van de niet-zingende personages: Mr. Higgins in *My Fair Lady* was een bijzondere triomf ('een sieraad voor elke salon' stond in mijn eerste gepubliceerde recensie). In Uppingham schreef en speelde ik met mijn vriend Richard Fawcett komische sketches voor House Suppers, zoals de kerstuitvoeringen daar werden genoemd. Ik heb ook veel indruk gemaakt als heks in *Macbeth*. Ik zeg 'veel indruk' omdat de regisseur – in een vlaag van creatieve vrijheid waarvan hij waarschijnlijk levenslang spijt heeft gehad – had besloten dat we onze eigen personages, kostuums en rekwisieten mochten bedenken. Ik ging naar de slager in Uppingham en bemachtigde een emmer vol varkensdarmen om uit de ketel te vissen voor de 'Paddenoog en salamanderoor'-scène. Lieve hemel, de stánk, ...

De volgende keer dat ik op de planken stond, was op het Norfolk College of Arts and Technology in King's Lynn. De docent van dienst op het gebied van toneel heette Bob Pols, en hij koos me eerst voor de rol van Creon, in een dubbeluitvoering van *Oedipus Rex* en *Antigone* van Sofocles, en daarna als Lysander in *A Midsummer Night's Dream*. Ik was camp en droeg een crickettrui; als Lysander bedoel ik, niet als Creon. Mijn enige andere theaterervaring voltrok zich in een voorstelling van Charles Williams' *Thomas Cranmer of Canterbury* voor de plaatselijke parochie, een stuk in dichtvorm van het 'andere' lid van de Inklings (dus die ene die niet J.R.R. Tolkien of C.S. Lewis was). Dat was de som van mijn theaterervaring, kerstspelen daargelaten, toen ik in Cambridge aankwam. Toch had ik het in mijn hoofd gehaald dat ik een geboren acteur was, dat ik wist hoe ik teksten moest voordragen, dat ik een présence had op de planken, gewicht, overwicht, een vermogen om de aandacht te trekken en vast te houden als dat nodig was. Ik vermoed dat dat komt doordat ik altijd vertrouwen heb gehad in mijn stem en in mijn vermogen om verzen voor te dragen en op de juiste toon en met de juiste intonatie te spreken, zonder de misplaatste nadruk en valse klemtónen die ik zo duidelijk hoorde bij schooloudsten en andere amateurs als ze voorlazen tijdens de kerkdienst of gedichten declameerden of toneelteksten opzegden. De weinige prijzen die ik op school gewonnen had, waren voor poëzievoordrachten of het declameren van een of andere tekst. Op dezelfde manier als iemand gepijnigd kan kijken bij een valse noot keek ik gepijnigd bij een gebrekkige intonatie en moest ik de aandrang om op te springen en ze te verbeteren onderdrukken. Nu komt me dat arrogant en on-beschaamd betweterig voor, maar de overtuiging dat jij beter bent, is denk ik een van de drijfveren die je nodig hebt om je roeping te volgen. Helden zijn ook belangrijk. Alle mensen die ik in mijn le-ven bewonderd heb, zijn opgegroeid met hun eigen pantheon van helden. Ik luisterde naar, keek naar en bewonderde Robert Donat, Laurence Olivier (uiteraard), Orson Welles, Maggie Smith, James Stewart, Bette Davis, Alistair Sim, Ralph Richardson, John Gielgud, Paul Scofield, Charles Laughton, Marlon Brando (tuurlijk), James Mason, Anton Walbrook, Patrick Stewart, Michael Bryant, Derek Jacobi, Ian McKellen en John Wood. Er waren er nog veel meer, maar deze staan me het beste bij. Ik had niet veel theater gezien, maar John Wood en Patrick Stewart van de Royal Shakespeare Company hadden enorme indruk op me gemaakt. Op de terugweg naar school deed ik in de bus Stewarts Enobarbus en Cassius na. De anderen op mijn lijstje zijn tamelijk logische keuzes voor iemand met mijn achtergrond en van mijn generatie, vermoed ik.

Toen ik een jaar of twaalf was, namen mijn ouders me een keer mee naar het Theatre Royal in Norwich, omdat sir Laurence Oli-vier er zou spelen. Het stuk was *Home and Beauty* van Somerset Maugham, tenminste dat denk ik: het geheugen kan verschillende producties en avonden door elkaar halen, dus misschien was het een ander stuk. Toen ik ging zitten en het programma opensloeg, zag ik dat de voorstelling *geregisseerd* was door Laurence Olivier. Mijn hooggespannen verwachting viel kletterend in duigen. Ik had zo gehoopt de theaterlegende in eigen persoon te zien. Toen de voorstelling afgelopen was, vroeg mijn moeder wat ik ervan had gevonden.

'Mooi,' zei ik, 'maar het mooiste vond ik die man die op het eind opkwam als de advocaat. Ik bedoel, alleen al hoe hij zijn hoed afzette was bijzonder. Wie was dat?'

'Maar dat was Olivier!' zei mijn moeder. 'Had je dat niet door?'

Ik kan me nog steeds precies voor de geest halen hoe hij op dat toneel stond, de knik van zijn hoofd, het bijzondere vermogen dat hij had om je naar elke vinger afzonderlijk te laten kijken toen hij met tergend precieze bewegingen zijn handschoenen uittrok. Hij speelde een gortdroge advocaat in een kleine komische tournure in de laatste sène van het stuk, maar het was verpletterend. Schaamteloos exhibitionistisch ook, natuurlijk. Totaal het tegenovergestelde van de eerlijke, dappere pogingen van duizend hardwerkende acteurs die in theaters en studio's in het hele land de psychologische en emotionele waarheden van hun personages naar boven proberen te halen, maar goddomme, het was grandioos. En het deed me deugd dat ik het, zelfs zonder dat ik wist wie die acteur was, zo goed had gevonden.

In Cambridge had ik dus, hoewel ik dol was op de stiel en het idee van acteren, geen theorieën over het theater als een instrument van sociale of politieke verandering, noch de ambitie om er mijn carrière van te maken. Als ik al vertrouwen had in mijn mogelijkheden, had ik zeker niet het gevoel dat ik me op komische rollen zou moeten toeleggen. Eerder het tegendeel. Theater betekende voor mij eerst en vooral Shakespeare, en de komische rollen in de canon – dwazen, narren, clowns en andere bijfiguren – pasten totaal niet bij me. Ik was meer een Theseus of Oberon dan een Bottom of Quince, meer een hertog of Jaques dan een Touchstone. Maar eerst was er de vraag of ik me zelfs maar naar voren zou durven schuiven.

Cambridge had tientallen en nog eens tientallen toneelclubs. Elk college had er een, en dan waren er nog de clubs van de universiteit als geheel. De belangrijkste, zoals de Marlowe Society, de Footlights en de Amateur Dramatic Club, kenden een lange geschiedenis: de Marlowe was honderd jaar geleden opgericht door Justin Brooke en Dadie Rylands; de ADC en Footlights waren nog ouder. Andere waren van recentere datum – de Mummers was in de vroege jaren dertig opgericht door Alistair Cooke en Michael Redgrave en koesterde een meer progressieve en avant-gardistische identiteit.

Velen in Cambridge zullen u vertellen dat de theaterwereld daar bol staat van de streberige, pretentieuze, krengerige wannabe's, en dat de sfeer van achterklap, jaloezie en ellebogen-rivaliteit verstikkend en ondraaglijk is. De mensen die dat zeggen zijn uit hetzelfde hout gesneden als degenen die tegenwoordig opgroeien tot surfers op internetsites en die zich specialiseren in het plaatsen van valse, gemene, grove, anonieme kijk-naar-mij-, luister-naar-mij-commentaren op 'Uw Mening Telt'-pagina's van YouTube en de BBC en andere websites en blogs die zo dwaas zijn om ruimte aan hun gif te bieden. Zulke zwijnen specialiseren zich in het zogenaamd kennen van de motieven van hen die moedig genoeg zijn om zichzelf eventueel publiekelijk voor paal te zetten, en ze zijn een plaag voor de mensheid. 'O, maar een dikke huid is absoluut noodzakelijk in het acteurswezen. Acteurs en theatermensen moeten daar maar aan wennen.' Nou, als je in een vak werkzaam wilt zijn waarbij je je emoties moet aanboren en dat poogt de mens in hart en ziel te raken, heb je juist een *dunne* huid nodig. Gevoeligheid. Maar ik dwaal af.

Ik bedacht, toen ik eenmaal een beetje gewend was aan het studentenleven, dat ik ten minste naar een paar voorstellingen moest gaan, om te kijken of acteren te hoog gegrepen voor me zou zijn. Het had geen zin om naar audities te gaan als ik hooguit een speer zou mogen torsen.

Voor de lezer die niet bekend is met de wereld van het Britse universiteitstoneel moet ik even uitleggen dat er totaal geen volwassenen aan te pas kwamen: geen dons, lectoren, besturen of universiteitsafdelingen en -faculteiten. Het was even extracurriculair als drank, seks en sport. Ik weet dat op Amerikaanse universiteiten veel van deze activiteiten studiepunten opleveren, 'credits' heten ze daar, geloof ik. In Engeland niet. Universiteiten die dramaopleidingen aanbieden bestaan hier wel – Manchester en Bristol, bijvoorbeeld. Maar voor de meerderheid geldt dat niet, en zeker niet voor Cambridge. Toneel en activiteiten van die aard hebben niets te maken met academisch werk, die doe je maar in je eigen tijd. Als gevolg daarvan groeien en bloeien zulke bezigheden dat het een aard heeft. Als ik me had moeten onderwerpen aan een toneeldocent die me voor een rol zou kiezen of me zou vertellen hoe ik die moest invullen, had ik me ijlings uit de voeten gemaakt. De schoonheid van onze methode was dat iedereen al doende leerde. De acteurs en regisseurs waren allemaal studenten, net als de mensen van licht, geluid, decorbouw, kostuums, toneeltechniek, productie, kaartverkoop en administratie. Iedereen was jongerejaars en zei: 'Hé, dat lijkt me leuk.'

Hoe leerden ze dan? Nou, dat is het mooie van het universiteitsleven. Je leert al doende en je leert van de tweedejaars en derdejaars boven je, die het op hun beurt al doende hebben geleerd van de lui boven hen. Mijn god, maar dat is reuze spannend. Even spannend als ik het standaardtoneelonderwijs saai, afstompend, gênant en vernederend vind. Het enige wat je nodig hebt is enthousiasme, passie, onvermoeibare inzet en de wil, de honger en de drang om het te doen. Maar daarbinnen is er meer dan genoeg ruimte voor de aimabele rugbyer die het wel geinig vindt om in het koor van de musical te staan, of voor de nerveuze bolleboos die er wel been in ziet om een rol met één regeltje tekst in een Shakespeare-tragedie te doen, alleen voor de kick om een toneelproductie van binnnenuit mee te maken. Je hoeft geen professional te zijn om eraan mee te doen.

Waar kwam het geld voor decors en kostuums vandaan? Van voorgaande producties. Elke toneelclub had een commissie, meestal van tweede- en derdejaars, en iemand in die commissie ging over de begroting en het geld. Op die manier leerde je misschien niet veel over toneel, maar wel over het functioneren van een commissie, over toewijding, boekhouden en alle gevaren en valkuilen van business en management. Soms werd een don gevraagd zitting te nemen in het bestuur van een club om te helpen met financiële zaken, maar die had niet meer macht dan de andere leden. De Footlights, zo ging het gerucht, was de enige club in Cambridge die, op welk terrein dan ook, groot en winstgevend genoeg was om vennootschapsbelasting te moeten betalen. Ik weet niet of dat waar was, maar het feit dat zo'n gerucht de ronde kon doen, zegt wel iets over de omvang van sommige van hun ondernemingen. Continuiteit was een belangrijke factor. De clubs bestonden al zo lang dat het betrekkelijk simpel was om ze draaiende te houden.

De eerste voorstelling waar ik heen ging was *Travesties* van Tom Stoppard. Het stuk speelt zich af in Zürich en slaagt erin om in een kluchtige verwarring niemand minder bij elkaar te brengen dan Lenin, die daar een tijdje in ballingschap zat, de dadaïst Tristan Tzara, de schrijver James Joyce en een Engelse consul, Henry Carr genaamd, die bezig is met het opzetten van een productie van *The Importance of Being Earnest* van Oscar Wilde.

De voorstelling werd geregisseerd door Brigid Larmour, nu artistiek directeur van het Watford Palace Theatre, en Annabelle Arden, die tegenwoordig overal ter wereld opera's regisseert. Toen waren ze twee heel slimme eerstejaars die Cambridge stormenderhand veroverden. De anderen van het ensemble zullen me wel vergeven, hoop ik, als ik hun eigen bewonderenswaardige bijdrage aan het succes van de avond onbesproken laat. Hoewel het echt een uitstekende voorstelling was, stak voor mij de prestatie van één actrice er met kop en schouders bovenuit. Het meisje dat Gwendolen speelde, straalde als een goede daad in een slechte wereld.

Het leek wel of ze net als de godin Athene volledig bewapend ter wereld was gekomen. Haar stem, haar bewegingen, haar helderheid, gemak, rust, esprit... je had erbij moeten zijn. Een van de beste dingen die een artiest op het toneel kan doen, of hij nu een komiek, smartlappenzanger, balletdanser, karakteracteur of tragediespeler is, is de toeschouwers op hun gemak stellen. Hun laten weten dat alles in orde komt en dat ze achterover kunnen leunen in de wetenschap dat de avond geen ramp wordt. Natuurlijk, een van de andere beste dingen die een artiest kan doen is een gevoel scheppen van opwinding, gevaar, onvoorspelbaarheid en ontsporing. Het publiek inprenten dat de avond elk moment kan mislukken en dat het op het puntje van zijn stoel moet zitten en ingespannen moet opletten. Als je dat allebei tegelijk kunt, ben je pas echt iemand. Dit meisje was echt iemand. Met haar gemiddelde lengte en perfecte Engelse teint was ze beeldschoon, maar daarnaast was ze buitengewoon grappig en imponerend zelfverzekerd voor haar leeftijd. Haar naam, zo meldde het programmaboekje, was Emma Thompson. In de pauze hoorde ik iemand zeggen dat ze de dochter was van Eric Thompson, de stem in *The Magic Roundabout*.

We spoelen door naar maart 1992. Voor haar vertolking van Margaret Schegel in *Howards End* heeft Emma Thompson zojuist de

Oscar voor beste actrice gekregen. Journalisten bellen al haar oude vrienden op om te horen wat zij ervan vinden. Nu is het een soort ongeschreven wet dat je, als de pers je vraagt om iets te zeggen over iemand, nooit iets vertelt, tenzij die persoon dat van tevoren met je heeft besproken. Als iemand uit zichzelf met een journalist wil praten, is dat prima, maar het is niet echt netjes om over een derde te blaten zonder diens toestemming. Een vasthoudende journalist, die min of meer afgepoeierd was door alle vrienden van Emma, had het nummer van Kim Harris achterhaald.

'Hallo?'

'Dag, ik ben van de *Post*. Ik begrijp dat u een oude studievriend bent van Emma Thompson?'

'Eh... jaa...'

'Ik vroeg me af of u iets kunt zeggen over haar Oscar. Verrast het u? Vindt u dat ze die verdiend heeft?'

'Ik zal het maar eerlijk zeggen,' zegt Kim. 'Ik voel me verraden, in de steek gelaten en diep teleurgesteld door Emma Thompson.'

De journalist laat bijna de telefoon vallen. Kim kan het geluid horen van een potlood waaraan gezogen wordt en dan, zweert hij later, het geluid van kwijl die op het tapijt druipt.

'Verraden? Echt waar? Ja? Vertel!'

'Iedereen die Emma Thompson op de universiteit heeft zien spelen,' zegt Kim, 'zou er een niet onaanzienlijk bedrag op hebben gezet dat ze een Oscar zou krijgen voor ze dertig was. Ze is inmiddels de dertig gepasseerd. Het is een verpletterende teleurstelling.'

Niet zo'n verpletterende teleurstelling als die van de journalist, die één tel dacht dat hij een verhaal had. Kim had het, zoals zo vaak, perfect gespeeld. Meer was er niet te zeggen. Er waren genoeg andere studenten met talent, sommige van hen zeer begenadigd, en je kon zien dat hun, met wat wind in de rug, de juiste kansen en enige begeleiding en ontwikkeling, een leuke of misschien wel briljante carrière wachtte. Bij Emma zag je dat al bij de eerste keer. Een ster. Oscar. Lintje. Dat laatste moet ze zelf weten, natuurlijk, maar je kunt er gif op innemen dat ze er een aangeboden krijgt.

Mannen willen dat hun actrices, als ze zo goed zijn, leeghoofdig, excentriek, en op een charmante manier dwaas zijn. Emma is zeker in staat tot een... verfrissend andere benadering van logisch denken... maar een leeghoofd, excentriek en dwaas is ze zeker niet: ze is een van de helderst denkende en intelligentste mensen die ik ken. Het feit dat haar tweede Oscar, twee jaar na de eerste, werd toegekend voor een scenario, zegt genoeg over haar vermogen om zich te concentreren, te denken en te werken. Het mag verleidelijk zijn om wrokkig te staan tegenover mensen omdat ze zo veel gaven hebben meegekregen, maar zij heeft zo'n overmaat aan vriendelijkheid, openheid en pure liefheid dat je onmogelijk jaloers of wrokkig kunt zijn. Ik ben me ervan bewust dat we hier het kleffe terrein betreden van 'schat, ze is zo'n prachtig, mooi mens', maar dat risico zit er bij een boek als dit altijd in, ik heb u gewaarschuwd. Wie liever een andere kijk op die vrouw meekrijgt, kan ik vertellen dat het een talentloos takkenwijf is dat in Noord-Londen langs de straten struint, slechts gehuld in twee ongelijke rubber laarzen. Ze krijgt alleen filmrollen aangeboden omdat ze het met de huisdieren van producenten doet. En ze stinkt. Ze heeft nooit een scenario geschreven. Ze houdt een schrijver gevangen die ze twintig jaar geleden op een feest heeft gedrogeerd, en die is verantwoordelijk voor alles wat onder haar naam is gepubliceerd. Haar zogenaamde linkse humanitaire principes zijn even vals als haar borsten: ze zit bij de Gestapo en mokt nog altijd over de afschaffing van de apartheid. Dat is Emma Thompson: de schat der dwazen en de dwaas der schatten.

Ondanks of daardoor leerden we elkaar kennen. Ze zat op het meisjescollege Newnham, waar ze net als ik Engels studeerde. Ze was grappig. Erg grappig. En ze was nogal extreem in haar opvatting van mode. Op een dag besloot ze haar hoofd kaal te scheren, volgens mij onder invloed van Annie Lennox. Emma en ik zaten in dezelfde werkgroep van de faculteit Engels en op een ochtend, na een stimulerende discussie over *A Winter's Tale*, liepen we samen over Sidgwick Anenue naar het centrum. Ze trok haar wollen muts af zodat ik de textuur van haar kale knikker kon voelen. In die dagen was een vrouw die zo kaal was als een ei een uiterst zeldzaam verschijnsel. Een langsfietsende jongen draaide zich om en knalde recht tegen een boom, zonder zijn van paniek wijd opengesperde ogen van Emma's glimmende schedel af te wenden. Ik had nooit gedacht dat zulke dingen ook in het echt gebeurden, en niet alleen in zwijgende films, maar het gebeurde en daar werd ik erg vrolijk van.

Het eerste trimester kwam en ging zonder dat ik ook maar één keer auditie durfde te doen. Ik had gezien dat er acteurs bestonden, of tenminste eentje, die even verbluffend waren als Emma, maar er waren genoeg mensen die rollen kregen die ik naar mijn idee beter had gespeeld, of althans niet slechter. Toch ondernam ik niets.

Mijn leven op het college en op de universiteit in bredere zin volgde over het algemeen een saaie, traditionele koers. Ik werd lid van de Cambridge Union, die niets te maken heeft met studentenvakbonden, maar een debatingenootschap is met een eigen 'kamer', een soort miniatuur-Lagerhuis, een en al hout en leer en glas-in-lood, compleet met een tribune en deuren met 'Aye' en 'No' erop waar je doorheen moest lopen om te stemmen nadat de 'Speaker' een motie in het 'Huis' had ingebracht. Eigenlijk nogal pretentieus, maar oeroud en traditioneel. Veel leden van Margaret Thatchers kabinet hadden in de vroege jaren zestig het klappen van de zweep geleerd in de Cambridge Union: Norman Fowler, Cecil Parkinson, John Selwyn Gummer, Ken Clarke, Norman Lamont, Geoffrey

Howe... dat stel. Ik was niet politiek geïnteresseerd genoeg om te willen spreken of me in te dringen in de Union, noch was ik geïnteresseerd in het stellen van vragen of het deelnemen aan debatten, op welke wijze dan ook. Ik ben wel een paar keer geweest – Bernard Levin, Lord Lever, Enoch Powell en nog zo wat anderen kwamen discussiëren over de grote vraagstukken van die tijd, welke dat dan ook waren. Oorlog, terrorisme, armoede, onrecht, als ik me goed herinner... problemen die inmiddeels allemaal opgelost zijn, maar in die tijd uiterst urgent leken. Eens per trimester was er ook een debat over 'humor', gewoonlijk met een badinerende motie, zoals: 'Dit Huis gelooft in Broeken' of 'Dit Huis Is Liever een Mus dan een Slak'. Ik woonde een debat bij waarbij de rijkbesnorde komiek Jimmy Edwards, zo dronken als een tor, tuba speelde, uitstekende grappen vertelde en naderhand, hoorde ik, bij het diner alle bevallige jongelingen over hun dijen streelde. Ik ben sindsdien regelmatig uitgenodigd om te debatteren in Cambridge, Oxford en andere universiteiten, en de jongelingen die die avonden organiseerden waren vaak uitermate bevallig en huiveringwekkend mooi. Maar dat dronken worden en dijen strelen heb ik nooit echt onder de knie gekregen. Of dat me een keurige en galante heer maakt, een laffe sukkel of een stijve puritein, dat laat ik aan u over. Dijen zijn in elk geval veilig bij mij. Misschien verandert dat nog als ik de herfst van mijn leven bereik en het me niet meer zo kan schelen wat men van me vindt.

Kim was meteen lid geworden van de schaakcub van de universiteit en kwam daarin uit tegen andere universiteiten. Niemand twijfelde eraan dat hij zijn Blue zou krijgen, of liever gezegd, Half Blue. U weet misschien dat er in Oxford en Cambridge zoiets is als sport-'Blues'. Je kunt bijvoorbeeld in hockey uitkomen voor Cambridge, dat lichtblauw als kleur heeft, en vrijwel elke wedstrijd meedoen en verreweg de beste speler van je team zijn, maar als je de Varsity mist, die ene wedstrijd tegen de donkerblauwen, Oxford, krijg je niet je Blue. Een Blue, aan beide kanten, betekent dat je tegen De Vijand hebt gespeeld. De Boat Race en de Varsitywedstrijden in rugby en cricket zijn de beroemdste krachtmetingen, maar er zijn Blues-wedstrijden in elke denkbare tak van sport, spel en competitieve activiteit, van judo tot tafeltennis, van bridge tot boksen, van golf tot wijnproeven. De mindere activiteiten resulteren in de uitreiking van een 'Half Blue', en die won Kim prompt toen hij voor Cambridge uitkwam tegen Oxford in de Varsity-schaakmatch. Hij deed alle keren van zijn drie jaar in Cambridge mee en won de trofee voor de beste tweekamp in 1981.

Kim en ik waren een heel hecht koppel, maar minnaars waren we nog niet. Hij was hopeloos verliefd op een tweedejaars die Robin heette, en ik was hopeloos verliefd op niemand in het bijzonder. De liefde had me te heftig te pakken gehad in mijn tienerjaren, misschien. Ik was op school zo totaal, intens en zielverscheurend verliefd geweest dat ik een soort onbewust pact met mezelf had gesloten dat ik nimmer de zuiverheid van die verrukkelijke perfectie zou verraden (ja, ik weet het, maar zo dacht ik gewoon), noch mezelf ooit nog aan zo veel pijn en kwelling zou blootstellen (hoe heerlijk ook). Er waren genoeg aantrekkelijke jonge mannen in de colleges en in de stad, en een meer dan statistisch gebruikelijk percentage wekte de indruk zo gay te zijn als gay maar kan zijn. Ik herinner me een of twee dronken nachten in mijn of andermans bed, met bijbehorend friemelen, frotten, frutselen en farcicaal floppend falen, en ook minder frequente feiten van fortissimo fanfare en triomfale vleselijke vervulling, maar van liefde was geen sprake, en hoewel ik in veel opzichten een sensualist ben, miste ik noch de beloningen, noch de bestraffingen van de vleselijke gemeenschap.

Een week of zo voor het einde van het eerste trimester werd ik benaderd met de vraag of ik lid wilde worden van de May Ball-commissie. De meeste universiteiten houden een zomerfeest om het einde van de tentamenperiode en het begin van de zomervakantie te vieren. Oxford heeft Commem Balls, Cambridge heeft May Balls. 'We vragen elk jaar één eerstejaars in de commissie,' zei de voorzitter tegen me, 'zodat je bij het May Ball in je laatste jaar weet hoe het moet.'

Ik heb nooit durven vragen waarom ze uit alle eerstejaars mij hadden gekozen om zitting te nemen in de commissie, maar ik vatte het op als een groot compliment. Misschien vonden ze dat ik stijl uitstraalde, *savoir faire*, *diablerie*, zwier en élégance. Of misschien achtten ze me het soort brave sukkel dat bereid was zich uit te sloven.

'In elk geval,' kreeg ik te horen, 'betekent het dat je in je derde jaar voorzitter van de May Ball-commissie bent, en dat staat erg goed op je cv. Prima om een baan in de City te krijgen.'

We gingen toen al naar een tijd toe dat een baan in de City niet meer gezien werd als een gênant opstapje naar een sleurvol klerkenbestaan en duffe respectabiliteit, maar als een glamoureze, sexy en begerenswaardige bestemming voor de elite van de wereld.

De leden van de May Ball-commissie waren allemaal, zoals je zou verwachten, ex-kostschoolleerlingen. Een groot aantal was ook lid van de Cherubs, de exclusieve eet- en drinkclub van Queens' College. Ik weet dat ik met geamuseerd dedain had moeten neerkijken op instituten als May Balls en eetclubs, maar zodra ik van het bestaan van de Cherubs had gehoord, had ik besloten dat ik erbij wilde. Ik heb Alan Bennett ooit snobisme een 'zeer aimabele ondeugd' horen noemen, wat me nogal verraste. 'Dat wil zeggen,' vervolgde hij, 'het soort snobisme dat bewonderend omhoogkijkt is aimabel. Dom, maar aimabel. Het soort dat geringschattend neerkijkt is niet aimabel. Totaal niet aimabel.' Ik kan niet ontkennen dat ik bevattelijk ben voor een zweempje van het aimabele soort. Ik geloof oprecht dat ik nooit op iemand heb neergekeken omdat hij 'van lage komaf' is (wat dat ook moge betekenen), maar ik kan niet ontkennen dat ik wel gevoelig ben voor de glamour van personen van 'hoge komaf' (wat dát ook moge betekenen). Het is een absurde zwakte en ik zou makkelijk kunnen doen alsof ik er immuun voor ben, maar dat ben ik gewoon niet, dus kan ik het net zo goed bekennen. Ik vermoed dat ook dit deel uitmaakt van dat eeuwige gevoel dat ik een buitenstaander ben, altijd bewezen wil zien dat ik erbij hoor, wat mensen die er echt bij horen niet nodig hebben. Of zoiets.

Een trimester in Cambridge duurt maar acht weken. Ze noemen het Full Term, en je wordt geacht die hele tijd aanwezig te zijn – in theorie heb je toestemming van de dean of je Senior Tutor nodig voor een 'exeat' als je wilt spijbelen; de gemiste tijd kun je twee weken voor en na Full Term inhalen. Ik hield me braaf aan Full Term zodat ik meteen daarna naar Cundall kon om nog drie weken les te geven tot hun veel langere laatste trimester erop zat. Na Kerstmis bij mijn ouders in Norfolk nog een week Cundall en toen weer terug naar Cambridge voor het voorjaarstrimester.

Puur het feit dat ik in mijn tweede trimester zat leek iets in me los te maken, want ik ging meteen al de eerste week naar drie audities. Bij alle drie kreeg ik de rol waarop ik had gehoopt. In Peter Lukes bewerking van de roman *Hadrian the Seventh* van Corvo speelde ik Jeremiah Sant, een waanzinnige Paisley-achtige Noord-Ier, in *The Bespoke Overcoat* van Wolf Mankowitz vertolkte ik de rol van de radeloze Joodse kleermaker die een spook ziet, en verder was ik ook nog iemand in de lunchproductie van Trinity Hall, een stuk over Schots nationalisme. Dat zette een patroon uit voor een trimester waarin ik heen en weer rende tussen audities en repetities en theaters. De voorstellingen vonden meestal plaats in lunchtijd, in de vroege avond en in de late avond. Als iemand een ochtendvoorstelling had gesuggereerd, zou ik me daar ook voor hebben opgegeven. Ik denk dat ik in die acht weken wel in twaalf stukken heb gestaan. Ik slaagde erin één essay af te scheiden, over Edmund Spenser, en volgde geen enkel hoor- of werkcollege. Supervisions vormden de enige min of meer verplichte academische inbreuk op mijn nieuwe leven als theaterdier. Je ging alleen, of incidenteel met iemand anders, naar de kamer van een don, las het essay voor dat je had geschreven, praatte erover en besprak dan een andere schrijver, literaire beweging of literair verschijnsel. Dan vertrok je weer met de belofte de volgende week een essay over dat onderwerp in te leveren. Ik werd een expert in smoesjes.

'Het spijt me heel erg, dr. Holland, maar ik zit nog steeds te worstelen met de eschatologie van *Paradise Lost*. Ik denk dat ik nog een week nodig heb om het tot een goed einde te brengen.' Het is beschamend en vernederend om te bekennen hoe ik woordenboeken van letterkundige en filosofische termen doorploegde op woorden als eschatologie, syncrese en syntagmatisch.

'Goed, hoor. Neem gerust de tijd.'

Dr. Holland had me natuurlijk best door. Hij was gewend aan beginnende studentjes en hun vermoeiende vertoon van beheersing van lange en ingewikkelde woorden (u bent daar in dit boek al de nodige van tegengekomen: een *vulpes* verliest immers wel zijn *capilli*, maar niet zijn *artes*), en hij had bij zeker twee van de stukken waar ik in stond in de zaal gezeten en wist drommels goed dat ik al mijn tijd in toneel stak en niet in academisch werk. Cambridge deed daar heel ontspannen over. Zolang ze niet het idee hadden dat je ging zakken, hoefde je niet bang te zijn dat ze met hel en verdoemenis gingen dreigen. De kans op zakken voor je doctoraal was minuscuul. Het hoorde misschien bij de arrogantie van Cambridge dat ze ervan uitgingen dat iedereen die toegelaten was per definitie niet kon falen. Verder lieten faculteit en college het heel verstandig aan de student zelf over. Als je hard wilde werken voor een cum laude-bul werd alle mogelijke hulp geboden; als je liever de hele dag een boot door het water duwde of rondliep in een maillot en pentameters brulde, nou, dan was dat ook prima. De hele universiteit ademde een ontspannen gevoel van vertrouwen.

Het voorjaarstrimester vloog voorbij in een orkaan van acteerwerk. Aan het eind was ik volledig thuis in het wereldje van het Cambridge-theater. Die microkosmos was een reflectie van de esoterische coterieën, klieken en facties van de grotere wereld daarbuiten. De bar van het ADC-theater gonsde van de gesprekken over Artaud en Anouilh, Stanislavsky en Stein, Brecht en Blin. Menige toekomstige sporter, onderzoeker of politicus zal – al had hij nog zo'n sterke maag – ons gezwatel niet hebben kunnen aanhoren zonder te braken. We spraken elkaar waarschijnlijk aan met 'schat'. Ik deed dat in ieder geval wel. Of anders met 'honnekontje', 'liefdesengel' of 'tepeltoetje'. Misselijkmakend, ik weet het, maar het is niet anders. Het denigrerende 'liefie' was toen nog geen gemeengoed in theaterkringen, maar dat waren we, avant la lettre: allemaal liefies. Allemaal. Je kunt zeggen dat de historie ons daarin sterkte: Peter Hall, John Barton, Richard Eyre, Trevor Nunn, Nick Hytner, James Mason, Michael Redgrave, Derek Jacobi, Ian McKellen... de lijst van theatergiganten die aan dezelfde bar hadden gehangen en dezelfde dromen hadden gedroomd was inspirerend groot en groots.

Hoe was ik zo snel tot zulke hoogten geklommen? Had ik echt zo veel talent? Of had de rest zo weinig? Ik wou dat ik het wist. Ik kan me heel veel beelden, gelegenheden en concrete gebeurtenissen voor de geest halen, maar de emotionele herinnering erachter is onscherp en onduidelijk. Was ik ambitieus? Ja, ik denk dat ik heimelijk wel ambitieus was. Altijd veel te trots om het te laten zien, maar ik hunkerde naar het malle microkosmische equivalent van sterrendom dat Cambridge bood. Als de aanvoerder van de studentenrugbyploeg een eerstejaars het veld op ziet komen die even later zijn eerste kans krijgt, weet hij direct of die jongen kan rugbyen. Ondanks al mijn tekortkomingen als acteur (fysieke schutterigheid, nadruk op het orale, neiging om ironische droefenis boven rauwe emotie te verkiezen) liet ik vermoedelijk op audities zien dat ik op zijn minst iets had waar een publiek graag naar keek. Door de nevelen des tijds heen zie ik een lange, graatmagere, waardige, bassende student die zowel voor zeventien als voor zevenendertig kon doorgaan. Hij weet hoe hij stil moet blijven staan en een andere acteur aankijken. Hij is in staat een tekst zo te brengen dat hij in elk geval de betekenenis ervan weet door te geven, en zonodig ook de schoonheid ervan. Hij kan, zoals dat heet, de aandacht op zich vestigen en ook weer van zichzelf af leiden. Ik ben niet zo zeker van zijn vermogen om in de huid van iemand anders te kruipen, om de emotionele reis van zijn personage helemaal te verinnerlijken en al die moderne quatsch, maar hij slaat in elk geval geen schaamroodverwekkend figuur.

Vanaf het eerste moment ik het toneel betrad, voelde ik me zo absoluut en totaal thuis dat ik me er amper nog van bewust was dat ik eigenlijk nauwelijks toneelervaring had. Ik was gewoon dol op alles wat met acteren te maken had. Op de mild bespottelijke kanten ervan, de onmiddellijke kameraadschap en diepe genegenheid die je voor alle andere medespelers voelde, de lange inhoudelijke gesprekken, het lezen en de repetities en de doorlopen, het passen van de kostuums en het experimenteren met de grime. Ik was dol op het zenuwachtig in de coulissen wachten, op de bijna mystieke, hyperesthetische manier waarop je je bewust was van elke microseconde dat je op de planken stond, en precies kon aanvoelen waar de aandacht van het publiek van moment tot moment naartoe ging, op het heerlijke besef dat ik honderden mensen meesleepte, dat ze op de eb en vloed van mijn stem meesurften.

Zo genieten van op de planken staan heeft echt niets te maken met zwelgen in liefde, aandacht en bewondering. Het gaat niet om genieten van de macht die je (denkt dat je) hebt over een zaal vol mensen. Het is gewoon een kwestie van vervulling. Je voelt je op en top leven en allerheerlijkst volmaakt in de wetenschap dat je aan het doen bent waarvoor je op aarde bent gezet.

Nog niet zo lang geleden begeleidde ik een transport van een paar witte neushoorns naar Kenia. Ze kwamen uit een dierentuin in Tsjechië, de enige wereld die ze kenden. Het was immens ontroerend om te zien hoe die dieren hun topzware kop ophieven en de gigantische weidsheid van de savanne opnamen, de geuren en geluiden van een habitat waaraan hun genen zich in miljoenen jaren hadden aangepast. Aan hun korte, ongelovige knorren, het van links naar rechts zwaaien van hun gehoornde kop en het sidderen van hun flanken kon je zien dat ze ergens vanbinnen wisten dat ze hier thuishoorden. Ik wil niet beweren dat het toneel mijn savanne is, maar ik ervoer wel iets van diezelfde overweldigende opluchting en vreugde van 'eindelijk thuis' die die neushoorns ook uitstraalden toen ze voor het eerst de geur van Afrika opsnoven.

Het is alleen jammer dat het professionele, volwassen theater je niet diezelfde mate van plezier en vervulling vergunt. Na drie, hooguit vijf voorstellingen zit een studentenproductie erop en begin je weer aan iets anders. En dat deed ik. Keer op keer op keer.

Het paastrimester is het moment dat Cambridge op slag een van de heerlijkste oorden op aarde wordt. Zoals de St John's College-alumnus William Wordsworth het stelde: 'Gelukzalig was het die dag te leven, maar jong te zijn was de hemel zelf!' Goed, dat schreef hij niet over May Week, maar over de Franse Revolutie, maar de gedachte is achteraf gezien iets toepasselijker op het eerste, en ik wil wedden dat hijzelf in werkelijkheid ook meer aan tuinfeesten dacht dan aan guillotines.

De Head of the River wordt twee keer per jaar op de Cam gehouden. Boten van elk college proberen de voorliggende boot opzij te stoten en zo naar voren te dringen. De rivier is niet breed genoeg voor een reguliere roeiwedstrijd, vandaar dat deze merkwaardige zogenaamde Lent en May Week Bumps zijn ontstaan. Langs de kant staan en mijn college toejuichen was waarschijnlijk het meest 'normale' Cambridge-achtige wat ik in mijn drie jaar heb gedaan.

Verder stroomopwaarts is de schoonheid van de Backs rond het begin van de zomer in staat het meest puriteinse hart te laten kreunen en sidderen van verrukking. Het zonlicht op de stenen bruggetjes, de treurwilgen die het hoofd buigen en wenend het water kussen: jonge jongens en meisjes, of jongens en jongens, of meisjes en meisjes, punteren naar Grantchester Meadows, met flessen wijn aan een touw in hun kielzog om ze te laten koelen. '*No kissing in the punt*' – verspreek je niet, haha. Blokkende studenten onder de kastanjebomen, hun boeken en aantekeningen uitgespreid op het gras terwijl ze roken, drinken, kletsen, flirten, zoenen en lezen. Tuinfeesten op elk gazon van elk college gedurende de twee weken in juni die volstrekt eigenwijs May Week worden genoemd. Eetclubs en sociëteiten, dons, clubs en rijke studenten serveren punch en Pimm's, bier en sangria, cocktails en champagne. Blazers en flanellen pantalons, zelfverzekerde snobbigheidjes en aanstellerij, blozende jongeren, verwende jongeren, bevoorrechte jongeren, blije jongeren. Val ze niet te hard. Onderdruk de gedachte dat het allemaal brallende kaaskoppen zijn die geen benul hebben dat ze bestaan, onuitstaanbare poseurs die een schop onder hun kont moeten hebben.

Heb wat medelijden en begrip. Ze krijgen die schop gauw genoeg. Kijk ze nu maar eens, nu ze in de vijftig zijn. Sommigen zijn bezig aan hun derde, vierde of vijfde huwelijk. Hun kinderen verachten hen. Ze zijn alcoholist of gewezen alcoholist. Verslaafd of verslaafd geweest. Hun gerimpelde, grijze, kale, doorploegde en ingevallen gezichten kijken hen elke morgen in de spiegel aan; niets in die lappen stervend vlees vertoont nog een spoor van de open, blije en elastische lach die ze eens deed oplichten. Hun leven is mislukt en verwoest. Al die stralende belofte is niet uitgerijpt tot iets waarop met trots of plezier kan worden teruggekeken. Ze hebben die baan in de City aangenomen, die baan bij de bank, dat beursbedrijf, advocatenkantoor, accountantsbureau, chemisch bedrijf, toneelgezelschap, of die uitgeverij, wat voor bedrijf dan ook. Het licht en de energie, de passie, de vrolijkheid en het vertrouwen zijn al snel één voor één uitgedoofd. In de sleur van de veeleisende wereld zijn hun dwaze dromen verdampt als nevel in het wrede licht van de ochtendzon. Soms komen die dromen 's nachts weer terug en zijn ze zo beschaamd, woedend en teleurgesteld dat ze er het liefst een eind aan zouden willen maken. Eens lachten en verleidden ze of lachten ze en werden verleid, op middeleeuwse gazons, tegen middeleeuwse stenen, en nu haten ze de jeugd en hun muziek, ze halen smalend hun neus op voor alles wat vreemd en nieuw is en staan hijgend boven aan de ladder.

Mijn hemel, Stephen, wat heb jij nou ineens? Het leven loopt niet altijd uit op ellende, eenzaamheid en mislukking, hoor.

Natuurlijk, dat weet ik. U hebt gelijk. Maar vaak wel. De entropie en het verval op latere leeftijd is pijnlijk duidelijk als je het afzet tegen de lyrische droom van een May Week in Cambridge, hoe afgezaagd, gedateerd, onrechtvaardig en absurd zo'n idylle ook moge zijn. Dat is het tafereel waar classicistische schilders zo dol op waren: de gouden jongelingen die zich vermeien in het Elysium, dansend met guirlandes, drinkend en omhelzend, zich onbewust van het graf waarop de schedel rust en zijn boodschap uitgehouwen in het marmer: 'Et in arcadia ego'. Waarom zouden ze ook? Die schaduw zal gauw genoeg over hen heen vallen, en dan zeggen zij op hun beurt vermanend tot hun kinderen: 'Ook ik heb ooit in het aards paradijs geleefd...' En hun kinderen zullen ook niet luisteren. Veel voormalige Cambridge-studenten zullen misschien het voorgaande lezen en zich er totaal niet in herkennen. Er waren genoeg studenten die met een grote boog om blauwe blazers of glaasjes Pimm's heen liepen, de meesten hebben nooit langs de rivier gestaan bij een May Bump, nooit planter's punch genipt in de Master's Garden, nooit *cunted up the Pam* naar Grantchester, noch hebben ze ooit op Suicide Sunday hun maag moeten laten leegpompen. Er waren heel veel Cambridges, ik probeer alleen het mijne in mijn herinnering naar boven te halen, hoe braakverwekkend dat ook moge zijn.

Behalve al die feesten waren er de toneeluitvoeringen. De toneelclub van Queens' College heette BATS, waarschijnlijk wegens de vleermuizen die piepend door de lucht suisden boven de Cloister Court tijdens de openluchtvoorstelling, een van de populairste en belangrijkste hoogtepunten van May Week. De productie van dit jaar was *The Tempest*, en de regisseur, een tweedejaars van Queens' die Ian Softley heette, gaf mij de rol van Alonso, koning van Napels. Omdat ik groot was en een luide stem had, kreeg ik bijna altijd rollen van vorsten of oudere hoogwaardigheidsbekleders. De jonge minnaars, schone deernen en knappe prinsen werden gespeeld door studenten die er zo oud uitzagen als ze waren. Dat deed ik niet, maar gezien het feit dat we praktisch allemaal tussen de achttien en tweeëntwintig waren, was het vanuit rolverdelingperspectief duidelijk een voordeel als je er ouder uitzag.

Ian Softley regisseert tegenwoordig films – *The Wings of the Dove,* *Backbeat, Hackers, Inkheart* en zo – maar toen was hij een student met zwart krulhaar en een witte broek om zijn goed geschapen lijf. Tot het ensemble behoorden ook Rob Wyke, een ouderejaars die een goede vriend van me zou worden en, in de rol van Prospero, een buitengewone acteur en een nog buitengewonere man, Richard MacKenney. Hij was bezig met zijn proefschrift, 'Gilden en religieuze broederschappen in de Venetiaanse staat en maatschappij tot 1620', en sprak niet alleen vloeiend Italiaans, maar ook Venetiaans, en dat is heel andere koek. Terwijl hij wachtte tot iedereen er was (hij was altijd uiterst punctueel, net als ik) ijsbeerde hij pijlsnel heen en weer, elke noot van de ouverture van *Don Giovanni* van Mozart neuriënd. Als er dan nog geen quorum was, begon hij aan de openingsaria van Leporello en ging door tot iedereen present was, waarbij hij alle rollen volmaakt uit zijn hoofd zong. Eén keer was Ariel een halfuur te laat door een misverstand over tijd en plaats (je kon toen nog niet sms'en of bellen), en toen hij eindelijk hoogrood en hijgend kwam aanzetten, brak Richard zijn gezang af en wendde zich woedend tot hem.

'Wat is dit nou voor tijd? De Commendatore is al dood en Ottavio zweert op zijn bloed dat hij hem zal wreken.'

Richard was een fantastische acteur, zijn Lear was verbijsterend voor iemand die nog zo jong was (zijn wijkende haargrens en gemaakt norse manier van doen deden hem vijftig lijken, al kan hij niet veel ouder dan drie- of vierentwintig zijn geweest), maar hij verborg zijn artisticiteit onder een obsessie met tempo en volume. 'Het enige wat je hoeft te doen,' zei hij, 'is naar de rand van het toneel lopen en een flinke keel opzetten.' Eén keer gaf hij het hele ensemble op zijn donder omdat het stuk vijf minuten te lang was. 'Dat is godverdomme onvergeeflijk! Elke extra seconde is een straal pis op Shakespeares graf.'

Ik keek eens op een middag toe hoe Ian Softley op zijn hurken ging zitten voor Barry Taylor, die Caliban speelde. 'Ken je het werk van de punkdichter John Cooper Clarke?' fluisterde hij, Barry diep aankijkend met zijn melancholieke bruine ogen.

'Eh, ja…'

'Ik denk, vind je ook niet, dat we wel iets van zijn woede in Caliban kunnen gebruiken. Iets van die woede?'

'Eh…'

'Ach, laat toch,' zei Richard, die met zijn handen op zijn rug heen en weer liep. 'Gewoon naar de rand van het toneel en flink krijsen en raaskallen.' Hoewel ik alle respect heb voor Ian en John Cooper Clarke, geloof ik niet dat er in de vierhonderd jaar sinds het ontstaan van *The Tempest* ooit een beter advies gegeven is aan de speler die Caliban vertolkte.

Op een morgen zag ik een affiche hangen voor een tenstoonstelling in het Fitzwilliam Museum. Het ging om een expositie van tekeningen, schilderijen, afdrukken en brieven van Blake, die vanwege hun lichtgevoeligheid meestal in donkere laden opgeborgen bleven. Ik vertelde het aan Richard en vroeg of hij van plan was erheen te gaan.

'William Blake?' vroeg Richard. 'Kon niet tekenen, kon niet inkleuren.'

MacKenny is nu hoogleraar geschiedenis aan de universiteit van Edinburgh. Ik hoop dat ze hem daar op waarde schatten.

Dave Huggins schoot me op een middag aan in Walnut Tree Court.

'Mijn moeder komt vanavond naar je stuk kijken.'

'O ja?' Ik was verbaasd. Dave zat niet in de toneelwereld en het leek vreemd dat een moeder naar een voorstelling kwam kijken waar haar kind niet aan meedeed.

'Ja. Ze is actrice.'

Ik ging in mijn geheugen na of ik een actrice kende die Huggins heette. Er schoot me niets te binnen. 'Eh... nou. Leuk.'

'Ja. Mijn vader ook.'

'Kan ik ze kennen?'

'Geen idee. Ze hebben allebei een toneelnaam. Zij heet Anna Massey en hij noemt zich Jeremy Brett.'

'M-maar... goeie God!'

Anna Massey kwam naar mij kijken in een toneelstuk? Nou ja, misschien niet per se naar mij, maar in elk geval naar een stuk waar ik aan meedeed.

'Komt je vader soms ook?'

'Nee, ze zijn gescheiden. Hij is homo.'

'O ja? O ja? Ik wist niet... tjonge, jeetje. Hemel.'

Ik wankelde weg, daas van opwinding.

We deden onze vier of vijf uitvoeringen onder de fladderende vleermuizen; Ariel rende heen en weer, Caliban piepte en raaskalde, ik baste vorstelijk, Prospero liep naar de rand van het toneel en zette een flinke keel op, Anna Massey applaudisseerde ruimhartig.

In de tussentijd had ik geholpen met de voorbereidingen voor het May Ball.

Toevallig is de zogenaamde Patron of Visitor van Queens' College – heel toepasselijk, gezien de naam van de instelling – degene die op dat moment koningin is: een positie die ze tot haar dood houdt. Van de jaren dertig tot de jaren vijftig was die koningin natuurlijk Elizabeth, de gemalin van koning George VI. Na diens overlijden behield ze, nu koningin-moeder geheten, die functie. Rustig, dit gaat heus ergens heen.

We zijn aan het vergaderen met de May Ball-commissie. Een groot deel van de tijd gaat op aan te verwachten details – hoe je een roulettetafel bedient zonder de wet op het gokwezen te overtreden, wie de eer te beurt valt de Boomtown Rats te begeleiden naar de tent die dienst doet als hun kleedkamer, of er wel genoeg ijs is in de champagnebar, al dat soort administratieve trivia. De voorzitter richt zich tot mij.

'Heb je je uitnodiging van Magdalene en Trinity?'

'Yep. En Clare.'

Een van de voordelen van het lidmaatschap van de May Ball-commissie was dat je gratis naar andere May Balls mocht. Behalve naar ons eigen bal ging ik naar dat van Clare, een van de mooiste colleges, waar mijn nichtje Penny ook eerstejaars was, en naar de twee chicste van allemaal, die van Trinity en Magdalene. Zo chic waren die dat er fotografen van *Tatler* en *Harper's & Queen* rondliepen. In smoking kwam je er bij Clare en Queens' wel in, maar Trinity en Magdalene stonden op een rokkostuum. De verhuurbedrijven deden goede zaken. Alleen King's, een gemengd college en trots op zijn radicale en progressieve ethos, weigerde een May Ball te organiseren. Hun zomerfeest werd in plaats daarvan, met zure letterlijkheid, de 'King's June Event' genoemd.

'Goed,' zegt de voorzitter van de commissie tegen me. 'O, nog iets. Ik kreeg een briefje van dr. Walker dat het college, als de koningin-moeder overlijdt, een week rouw moet aannemen, en dan kunnen er geen vermakelijkheden of festiviteiten plaatsvinden, en zeker geen May Ball. Misschien kun je een verzekering regelen om dat te dekken?'

'Verzekering?' Ik probeer nonchalant en ontspannen te klinken, alsof het regelen van verzekeringen iets is wat ik al van kindsbeen af doe. 'Ja, ja. Tuurlijk. Geen punt.'

De vergadering is afgelopen en ik glip de telefooncel in de hoek van Friar's Court in en begin verzekeringsmaatschappijen te bellen.

'Sun Life, wat kan ik voor u doen?'

'Eh, ja, ik bel over een verzekering voor…'

'Leven, auto, commercieel of opstal?'

'Geen van alle, eigenlijk.'

'Scheepvaart, reizen of medisch?'

'Nee, ook niet. Het gaat om een verzekering als je iets moet afgelasten.'

'Abandonnement?'

'Eh… ja. Heet dat zo? Ja, abandonnement dan maar.'

'Ogenblikje.'

Ik wacht tot een vermoeide stem aan de lijn komt.

'Speciale dienstverlening, zegt u het maar.'

'Ik bel om een afgelasting te verzekeren. Ik geloof dat u dat abandonnement noemt.'

'O ja? Om wat voor afgelasting gaat het?'

'Eh… een feest.'

'Openlucht?'

'Eh, het is een bal. Voornamelijk op gras in tenten, maar er zijn ook dingen binnen.'

'Ik snap het. En u wilt zich verzekeren tegen regen. Gedeeltelijke of gehele afgelasting?'

'Nee, niet tegen regen. Eigenlijk tegen een regént.'

'Pardon?'

'Sorry, nee. Ik bedoel… ik wil me verzekeren tegen het overlijden van de koningin-moeder.'

Het geluid van een hoorn die tegen het bureaublad geslagen wordt, gevolgd door geblaas in de luidspreker. 'Er is iets mis met de lijn. Het klonk als… laat maar. Kunt u dat nog eens herhalen?'

Nu, in de eenentwintigste eeuw, zijn er waarschijnlijk nog maar twee verzekeringsmaatschappijen, die Axxenstander heten of een andere foute naam hebben, maar in 1979 waren er nog tientallen.

Ik probeerde de Royal, Swan, Prudential, Pearl, Norwich Union, alle maatschappijen waarvan ik gehoord had en een hele stapel die ik niet kende. In alle gevallen werd ik, als ik erin geslaagd was de persoon aan de andere kant uit te leggen wat de bedoeling was, verzocht terug te bellen. Ik stel me voor dat ze hoger op de ladder moesten informeren. Ik was er na aan toe om alles zelf maar af te gelasten.

Zo'n soort verzekering is natuurlijk niets meer of minder dan gokken. Je zet iets in (wat verzekeraars premie noemen) en als jouw paard wint (huis in brand, auto gestolen, lid van het koninklijk huis dood), kun je je winst in ontvangst nemen. Het verband tussen de premie en het uitgekeerde bedrag wordt bepaald door de afweging van de waarde van het verzekerde object (de schadeloosstelling) tegen de kans en statistische waarschijnlijkheid dat die in gevaar komt. Bookmakers gebruiken de gegevens van de paardenfokkers samen met de stijgingen en dalingen van de gokmarkt om hun prijzen te bepalen; verzekeraars gebruiken een vergelijkbare combinatie van markttrends en hun eigen gegevens uit het verleden, die ze actuariële tabellen noemen. Dat kan ik allemaal volgen. Had ik een annuleringsverzekering gewild tegen sneeuw en ijs, dan hadden ze naar de waarde van het May Ball gekeken en gezien dat ze veertigduizend pond moesten uitkeren als het werd afgelast. Ze zouden ook inzien dat sneeuwstormen begin juni ongelooflijk zeldzaam zijn, zelfs in Cambridge, dus zouden ze waarschijnlijk maar een fractie van een fractie van de te dekken schade als premie berekenen: twintig pond zou al heel wat zijn, maar ja, natuurlijk zou alleen een gek de moeite nemen zich tegen zo'n zeldzame eventualiteit te verzekeren. Bij een regenpolis zou de verzekeraar kunnen besluiten, na raadpleging van weerlieden en plaatselijke meteorologische gegevens, dat er, zeg, een neerslagkans was van vijftig procent, in welk geval de premie een duizelingwekkende twintigduizend pond zou bedragen. Maar welke gek organiseert er nou een zomerfeest in Engeland dat zo afhankelijk van het weer is dat het afgelast moet worden als de hemelsluizen opengaan? Afgelastingspolissen zijn niet erg gebruikelijk, bedoel ik te zeggen, maar niettemin zijn er tamelijk voor de hand liggende mechanismen om de kwestie van de premiehoogte op te lossen als het gaat om natuurrampen als slecht weer, brand of aardbeving. Maar de dood van de moeder van het staatshoofd... hoe kun je van een actuaris verwachten dat hij de kans daarop kan berekenen? Het goede mens was negenenzeventig jaar.

Ik besloot dat ik de verzekeraars drie uur de tijd zou geven; dan zou ik ze terugbellen voor een prijsopgave.

Doken de assurantieklerken inderdaad in haar familiehistorie en diepten ze de levensduur van elk lid van de hele Bowes-Lyon-clan op? Belden ze naar Clarence House en informeerden ze naar gezondheidstoestand, voedingspatroon en mate van lichaamsbeweging van de koningin-moeder? Wogen ze haar overbekende voorliefde voor gin en Dubonnet mee? Ik vraag me af welke gesprekken en discussies ze in hun kantoren hebben gevoerd.

Bij elke firma, zo bleek toen ik terugbelde, bleken de actuarissen uitermate somber over de kansen dat de oude schat de zomer zou halen: de gigantische premiebedragen waar ze mee kwamen impliceerden een overlevingskans van 20, 25, 23 procent. Het goedkoopste bod, twintig procent van de waarde, was al ver boven onze taks. Ik had een budget ter beschikking gekregen van vijftig pond.

'Ik vrees,' zeg ik tegen de voorzitter na het laatste rondje telefoontjes, 'dat we gewoon maar moeten bidden voor de gezondheid van Hare Majesteit. Mocht ze toch overlijden, dan zal ik alles ondernemen om het slechte nieuws voor iedereen te verzwijgen, al moet ik elke krant en radio in het hele college stelen en in de kelder wegbergen.'

'Daar hou ik je aan,' zei de voorzitter, waarbij een zorgelijke groef zich in zijn jeugdige voorhoofd ploegde.

Ik denk dat er sinds Boudicca niet meer zo ijverig voor de gezondheid van een vorstin is gebeden. Helaas is de koningin-moeder wel overleden, hoewel gelukkig voor ons pas drieëntwintig jaar later. Toen ze uiteindelijk het ondermaanse verliet, in 2002, was ze zo tactvol dat in maart te doen, wat betekende dat de rouwperiode van het college in May Week allang voorbij zou zijn. Precies dat soort voorbeelden van hartelijkheid en consideratie hadden haar tijdens haar lange, rijke en vitale leven zo geliefd gemaakt. Ergens in de jaren negentig mocht ik bij een diner naast haar zitten. Even overwoog ik haar namens mijn hele college te bedanken dat ze haar dood zo tactvol had uitgesteld, maar verlegenheid en gezond verstand weerhielden me daarvan.

Een ander vast onderdeel van het paastrimester (want zo noemen ze de derde periode van het academisch jaar) is de Footlights May Week Revue. De Footlights Club is een van de bekendste instituten van de universiteit en heeft in de loop van zijn honderddertigjarige bestaan generaties komische schrijvers en artiesten de wereld in gestuurd. Hun May Week-show in het Arts Theatre was een jaarlijks ritueel. Voor wie 'cool' was, was het een gebeurtenis om schamper over te doen. 'Kennelijk is de Footlights helemaal niks dit jaar,' zei je dan tegen je gezelschap, terwijl je je neus voor het affiche ophaalde. Er is nooit een jaar geweest dat dat niet gezegd is. Dezelfde zin zal gebezigd zijn toen Jonathan Miller de Footlights leidde, of Peter Cooke en David Frost, vervolgens Cleese, Chapman en Idle en daarna Douglas Adams, Clive Anderson en Griff Rhys Jones, Dave Baddiel en Rob Newman, David Mitchell en Robert Webb en zo maar door tot het lopende jaar. Als je een beetje normaal was, kwam zulk cynisme niet in je op en was de May Week Revue gewoon een vrolijk gebeuren op de kalender van Cambridge. Ik was cool noch normaal, maar gewoon te druk met *The Tempest* en andere zaken om erheen te kunnen gaan.

Ik hoorde dat iemand een voorstelling van *Oedipus Rex* aan het opzetten was voor Edinburgh en besloot dat ik daar maar auditie voor moest doen. Ik bulderde en struinde en gesticuleerde en declameerde voor de regisseur, Peter Rumney, en ging na afloop naar huis met de gedachte dat ik me misschien te veel had uitgesloofd. De volgende dag vond ik in mijn postvakje een briefje van Peter: of ik Oedipus wilde spelen. Ik was uitverkoren voor de Festival Fringe, en ik was zo opgetogen dat ik het niet meer had. De rest van het trimester stuiterde en zoemde ik door Cambridge als een bij in een fles.

Op een bepaald moment zijn er denk ik wel tentamens geweest. Prelims, heetten die geloof ik. Ik weet er nul komma nul meer van. Niet waar ze plaatsvonden en ook niet welke vragen we te beantwoorden kregen. Ik neem aan dat ik geslaagd ben, want alles bleef rustig en niemand ontbood me voor ernstige gesprekken. Mijn Cambridge gleed aangenaam voort zonder de inbreuk van academische studie: een universiteit is, de hemel zij dank, geen beroepsopleiding en heeft niets te maken met je voorbereiden op een werkzaam leven en een carrière; het is een oord van educatie, en dat is iets heel anders. Echte educatie geschiedt niet in de leeszaal van de bibliotheek, maar bij vrienden op de kamer, met serieuze luim en vrolijke discussies. Wijn is soms een betere leraar dan inkt en scherts is soms beter dan ernst. Dat was mijn theorie tenminste, en daar leefde ik ook naar. Die serene en verheven kijk op educatie als iets wat het tegenovergestelde is van een beroepstraining begon intussen het nieuwe politieke leiderschap vreselijk te irriteren. Thatcher was van huis uit industrieel chemicus en jurist, allebei disciplines waarbij droogstoppeligheid en hard werken vereist zijn en geen greintje educatie – zoals zij duidelijk liet zien. Ons soort losse kennisvergaring, althans zo zagen zij en de haren het, ons vasthouden aan de elitaire traditie van de 'Liberal Arts', ons arrogante dwepen met Atheense eruditie was een vijand, een schadelijk onkruid dat standrechtelijk verdelgd moest worden. Onze dagen waren geteld.

Het May Ball van Queens' van 1979 vond plaats. Ik hulde me in het rokkostuum dat ik voor die week gehuurd had, helemaal klaar om... nou ja, te feesten. Wij gelukkige, uitgelaten, trotse en opgewonden leden van de commissie troffen elkaar een halfuur voor de aftrap voor onze eerste champagne. Tien minuten later lag ik in een ambulance op weg naar het Addenbrooke's Hospital, met een zuurstofmasker op mijn gezicht, happend naar adem. Verdomde astma. Het zou nog twee jaar duren voor ik uiteindelijk begreep wat de oorzaak van die aanvallen was. Het sloeg vaak toe op bruiloften, partijen, jagersbals en dergelijke. Bij die gelegenheden waren meestal bloemen en stuifmeel aanwezig, dus het was nooit bij me opgekomen dat de oorzaak van het feit dat mijn gezicht blauw aanliep en mijn longen het bordje 'gesloten' ophingen, eigenlijk champagne was. Een belachelijke allergie, maar ja, je hebt ze niet voor het uitkiezen.

In Addenbrooke's had een adrenaline-injectie zo'n onmiddellijk herstellend effect dat ik rond tienen het ziekenhuis al weer uit was en per taxi naar Queens' ijlde, voorzien van twee extra inhalers die de vouw en snit van mijn pantalon verpestten. Ik ging geen seconde meer missen van het feest, zo had ik besloten.

May Balls eindigen traditioneel met een ontbijt, en veel feestvierders plegen de nieuwe dag dan aan de Cam te verwelkomen. Zelfs op die prille leeftijd was ik al een sentimentele en zwijmelende dwaas, op het huilerige af. Dat ben ik nog steeds, en ik zal de aanblik van jonge mannen in nonchalante avondkledij die hun geliefde op een vroege zomerochtend over de rivier punteren nooit anders dan hartverscheurend romantisch, hartroerend lief en hartbrekend prachtig vinden.

Caledonia 1

Toen het trimester erop zat, vertrok ik zoals gewoonlijk naar Noord-Yorkshire om wat Latijn te geven, de tweede rugby-elf van Cundall Manor te scheidsrechteren, de speelvelden klaar te maken voor de sportdag en, in het beetje vrije tijd dat ik nog had, mijn rol van Oedipus in te studeren, alsook de teksten voor mijn diverse rollen in *Artaud at Rodez* van Charles Marowitz, dat de Cambridge Mummers gingen opvoeren en waar ik, nogal dwaas misschien, ook ja op had gezegd; dwaas, omdat ik twee weken lang elke dag zodra het doek viel bij *Artaud* als een haas naar de zaal moest waar *Oedipus* een halfuur later zou beginnen. Oude Edinburgh-rotten zeiden dat het verdomd krap was, zeker als ik ingewikkelde kostuums uit en aan te trekken, of zware grime te verwijderen en aan te brengen had, maar verdomd krap was nou net wat ik lekker vond.

Aan het eind van de zomer is Edinburgh drie weken het wereldcentrum van het studententheater. De daaropvolgende vijf jaar zou ik elk jaar acte de présence geven op de Fringe. Wie erheen gaat, wordt vrijwel altijd niet alleen op slag verliefd op het festival, maar ook op de stad zelf. Binnen een paar dagen heb je pijnlijke schenen van het ongewoon steile klimmen en dalen in de stad, de ontelbare stenen trapjes en smalle steegjes overvallen je spieren – als je een zittend leven en de vlakke straten van East Anglia gewend was werden ze niet alleen overvallen, maar tot op het bot geschokt.

De hoog uittorenende, grimmige tenements, de eeuwenoude eta-
gewoningen met hun natuurstenen trappen en dreigende topgevels
gaven me het gevoel dat elk ogenblik Burke en Hare, deken Brodie
of Mr. Hyde grommend van de treden van de Grassmarket konden
oprijzen. Wat in werkelijkheid oprees was, natuurlijk, niets angst-
aanjagenders dan dronken jongeren met plastic bordjes piepers
met kaas. In die dagen leverden verkopers van gepofte aardappels
de goedkoopste vorm van voedzaam eten die een student zich kon
wensen. Schotland was echt een ander land. Het eten was anders:
naast gepofte aardappels bood de snackbar-cum-kippengrill de de-
licieuze *specialité du pays* – gefrituurde Marsen, Wagon Wheels en
Curly Wurly's. De Schotse bankbiljetten waren anders, de taal, het
weer, het licht, zelfs de Kensitas-sigaretten waren vreemd. Een pint
heavy was de favoriete drank, waarbij heavy gelijkstaat aan bitter of
tenminste iets met belletjes dat een eind in die richting komt.

Overal in de stad, in elk raam, tegen elke muur, lantaarnpaal of
kozijn hingen affiches voor toneelstukken, komedies en idiosyn-
cratisch vertier, van circus, variété, surrealistische ballonmanipu-
latie en ballet tot straatpercussie, maoïstisch limbodansen, sek-
sedoorbrekende operette en kettingzaagjongleren. Medewerkers
aan die shows renden verkleed door de straten en bedolven de gemoedelijk voortschuifelende voorbijgangers onder folders en gratis kaartjes. Op de dag van de opening trok een stoet van praalwa-
gens oostwaarts door Princess Street. Ergens in de stad, dat hadden
we tenminste gehoord, werd een echt en officieel festival gehouden: professionele theatergezelschappen en internationale orkesten
voerden in chique concertzalen en theaters stukken op en brachten
concerten ten gehore voor een volwassen publiek, maar wij zagen
of wisten daar niets van, wij waren de Fringe, de zelfkant, een groot
organisme dat zich als een zwam verspreidde door de vezels van
Edinburgh, tot in de krapste accommodaties, de raarste schuurtjes,

hutjes, pakhuizen en werven, en tot in elk kerkje en zaaltje dat groot genoeg was om er een punkgoochelaar en een paar stoelen kwijt te kunnen.

Halverwege de Royal Mile, die loopt van Edinburgh Castle tot de achttiende-eeuwse New Town, stond het Fringe Office, waar festivalgangers in de rij stonden voor kaartjes. Er waren twee shows die ik absoluut wilde zien. De ene was de Footlights Revue die ik vanwege *The Tempest* gemist had, en de andere was een solovoorstelling in de Wireworks, een verbouwde fabriek pal achter het Fringe Office. Ik had zo vaak te horen gekregen dat je die artiest, een in Oxford afgestudeerde knaap die Rowan Atkinson heette, niet mocht missen, dat ik het gerechtvaardigd vond in de rij te gaan staan om wat geld te dokken voor kaartjes voor mij en de cast van *Oedipus*.

Toen ik eindelijk vooraan in de rij stond, wachtte me slecht nieuws.

'O, die is uitverkocht, schat.'

'Echt waar?'

'Jammer genoeg wel. Is er nog iets anders… Wacht even.'

Ze nam de telefoon op en terwijl ze luisterde trok er een glimlach over haar gezicht en keek ze me blij aan. Het was een bijzonder knap Schots meisje, en ongelooflijk vrolijk, gegeven de moeilijke taak die ze zonder hulp van een computer moest verrichten. Ik kan haar gezicht nu nog uittekenen.

'Nou zeg. Dat waren de mensen van Rowan Atkinson die zeiden dat hij vanwege de grote belangstelling zaterdagavond laat een extra voorstelling geeft. Kun je dan?'

Ik kocht vijf kaartjes, en één voor de Cambridge Footlights, en maakte me zielsgelukkig uit de voeten.

Wij speelden onze *Oedipus* twee weken lang elke avond in het Adam House in Chambers Street. De vormgeving van de voorstelling was 'geïnspireerd' door sciencefictionfilms en de acteurs en het koor moesten rare kostuums aan, vervaardigd van verknipte vellen gekleurd cellofaan, die razend moeilijk aan te trekken waren in de beperkte tijd die ik tussen de voorstellingen had. Peter Rumney had gekozen voor W.B. Yeats' vertaling van het origineel van Sofocles, en ik bracht de tekst goed, op een wat zoetgevooisd retorische manier, maar ik slaagde er niet in de hoogten van tragiek en wanhoop te bereiken waar het stuk om vroeg. Eerlijk gezegd kwam ik niet eens verder dan de uitlopers. Oedipus Rex' reis van gezagvolle grootheid tot jammerlijke ondergang vroeg, in Edinburghse termen, om een Royal Mile die van de elegante pleinen van de New Town omlaag glooide naar de sinistere sloppen van de oude stad. Ik gaf het publiek een vlakke straat in Cambridge met wat aardige etalages, maar met evenveel doodsangst en mededogen als een bananenmilkshake. Onze voorstelling deed het ook niet bijster goed in de turbulente concurrentie om Fringe-publiek. De recensente van de *Scotsman* beschreef mij als het boegbeeld van het schip, wat best goed klonk, tot ze vervolgens zei dat ze bedoelde dat ik opdringerig en houterig was. Nou ja. Ik maakte me er niet druk om: ik had de tijd van mijn leven. In de middagvoorstelling van de Mummers, *Artaud at Rodez*, speelde ik onder anderen de grote Franse acteur Jean-Louis Barrault. Mijn regisseur was de dynamische en intense Pip Broughton, die Jonathan Tafler (zoon van de filmacteur Sidney) gecast had in de hoofdrol van Artaud. Hij was grandioos en domineerde het podium en de voorstelling, ook al zat hij het grootste deel van de tijd in een dwangbuis.

Op mijn vijfde avond ontdeed ik me, zodra *Oedipus* erop zat, zo snel mogelijk van mijn cellofaan en schoof haastig aan in een imposante rij die langzaam opschoof in de richting van het theater waar de Cambridge Footlights hun revue *Nightcap* zouden opvoeren.

'Ik heb gehoord dat het dit jaar niks is,' hoorde ik iemand achter me zeggen toen ik eenmaal zat.

'Ja. *Nightcrap*,' giechelde zijn metgezel.

Het was geen *crap*, geen rotzooi. Het was verbijsterend goed, en het sceptische stel achter me kwam als eerste overeind en floot en stampte zijn goedkeuring toen het doek viel.

Er zaten twee eerstejaars in het programma, mijn vriendin Emma Thompson en een lange jongen met grote blauwe ogen, driehoekige, hoogrode blossen op zijn wangen en een verontschuldigend air dat zowel ontstellend grappig als volkomen onweerstaanbaar was. Hij heette, volgens het programma dat tevens behulpzame foto's van de spelers bevatte, Hugh Laurie. Een tweede lange knul met lichtere, maar even blauwe ogen, krullen en een charmante jaren-veertigmanier van doen, was de toenmalige voorzitter van de Footlights, Robert Bathurst. Martin Bergman, de voorzitter van het jaar daarvoor, zat ook in de voorstelling en speelde een heel knappe rol als verwijfde ceremoniemeester met een blotebillengezicht. Een ander lid van het ensemble was een verbijsterend gevatte, twinkelende en clownesk begenadigde komische acteur die Simon McBurney heette. Hem kende ik, want hij was toevallig het vriendje van Emma. Voor mijn geschokte gemoed was dit het meest volmaakte cabaret dat ik ooit gezien had. Het was nooit bij me opgekomen dat de Footlights zo goed konden zijn. Echt zo goed dat ik stante pede elke droom die ik had dat ik het jaar daarop zelf mijn eerste voorzichtige schreden op het komische pad zou kunnen zetten liet varen. Ik besefte dat ik nog geen seconde op kon tegen deze mensen. Al was ik niet cool, ik had me niettemin de visie van het coole volkje eigen gemaakt dat de Footlights Club bevolkt werd door zelfingenomen, semiprofessionele showbizzy uitslovers. Wat zo uitzonderlijk was aan *Nightcap*, was hoe trefzeker en technisch perfect in presentatie, tekst, timing en stijl het was, terwijl het er tegelijkertijd in slaagde een innemend besef van de absurditeit van het fenomeen studentencabaret over te brengen. Het was volwassen en geacheveerd, en toch bedeesd en vriendelijk; het was sophisticated en intelligent, maar nergens pretentieus of zelfingenomen; het had autoriteit, finesse en kwaliteit zonder één zweem van opschepperij, ijdelheid of oppervlakkigheid. Het was, kortom, precies wat ik vond dat humor van dat soort moest zijn. Ook al had ik inmiddels in zeker vijftien stukken gestaan, waarvan sommige in een of andere vorm komisch waren geweest, ik dacht niet dat ik ooit zou durven aankloppen bij een Footlights Club die overliep van zo veel talent.

Ach, nou ja. Ik zou me tenminste lekker op die Rowan Atkinson kunnen afreageren. Wat had Oxford per slot nou ooit aan de humor bijgedragen? Oké, Terry Jones en Michael Palin natuurlijk, maar afgezien van die twee, wat had Oxford ooit aan de humor bijgedragen? Dudley Moore. Nou ja, afgezien van Palin, Jones en Moore, wat had…? Alan Bennett. Goed. Akkoord. Maar afgezien van Michael Palin, Terry Jones, Dudley More en Alan Bennett… Evelyn Waugh? Oscar Wilde? O, goed dan, verdomme. Mischien waren het toch niet allemaal droogkloten in Oxford. Toch ging ik naar de Wireworks zonder de verwachting dat een onemanshow opkon tegen de vaardigheid en stijl van *Nightcap*. Twee uur later wankelde ik naar buiten, bijna niet meer in staat om te lopen. Mijn ribben en longen waren totaal gesloopt. Nog nooit in hun bestaan waren ze zo gewelddadig en oneigenlijk afgebeuld. U hebt Rowan Atkinson waarschijnlijk weleens gezien. Als u geluk hebt gehad, kunt u hem op het toneel gezien hebben. Als u heel veel geluk hebt gehad, kunt u hem op het toneel hebben gezien voordat u hem ergens anders gezien had. Dat is een vreugde die nooit meer gereconstrueerd kan worden: een onvoorstelbaar talent voor de eerste keer zien, zonder verwachtingen en zonder dat je je er al een voorstelling van hebt kunnen maken. Ik had Rowan Atkinson nog nooit op televisie gezien en ik wist echt helemaal niks over hem, behalve dat je hem absoluut moest gaan zien. Het heette een 'onemanshow' maar eigenlijk waren er nog twee spelers: Richard Curtis, de schrijver van het meeste materiaal, die een soort aangeversrol vervulde, en Howard Gooddall, die elektrische piano speelde en een geestig liedje van zichzelf zong.

Ik had in het programma gelezen dat de mise-en-scène gedaan was door Christopher Richardson, die ik nog kende van toen ik op school zat in Uppingham en hij daar les gaf.[†] Ik sprak hem kort na afloop van de voorstelling en hij vertelde dat de show eerst in Uppingham was uitgeprobeerd.

'Het is min of meer onze vaste tussenstop geworden op weg naar Edinburgh,' zei hij. 'Je moet eens langsgaan met wat lui uit Cambridge.'

'O, ik denk niet... ik vind niet... we kunnen niet...'

Het soort toneel dat ik in Cambridge deed leek opeens gewoontjes, braaf en wanhopig onboeiend. Ik bande die onnodig negatieve gedachten uit mijn hoofd. Wat had ik te klagen?

Cherubs, Coming Out, Continent

Het accelerando dat in het tweede trimester had ingezet, zette zich na mijn terugkeer voort. Meer toneel, minder studie.

Ik kon nu kiezen om buiten het college te gaan wonen of er te blijven en een appartement te delen met een andere tweedejaars. Kim en ik besloten tot het laatste en werden beloond met twee beeldschone kamers in Walnut Tree Court. Het plafond had donkere elizabethaanse balken en de wanden waren voorzien van houten lambriseringen. In sommige van die panelen zaten deurtjes met kasten erachter en op één plek zat zelfs nog een stuk middeleeuws beschilderd pleisterwerk. Er waren boekenkasten, een prima keukentje, diepe vensterbanken waarin je kon zitten, hoogst antieke glas-in-loodramen, en verre van minderwaardig meubilair. Met onze boeken, platen, glaswerk en porselein, mijn buste van Shakespeare, Kims buste van Wagner, zijn schaakspel en zijn Bang & Olufsen-grammofoon waren we geheel op het universiteitsleven toegerust.

De drie trimesters van dat tweede jaar zijn in mijn herinnering in elkaar overgevloeid. Ik weet dat ik dat jaar ben gevraagd voor de Cherubs, hoera! De inwijdingsceremonie vereiste het nuttigen van heroïsch weerzinwekkende en onmogelijk gecombineerde kannen gedestilleerd, wijn en bier. Daarnaast moest je de betekenis van de smaragdgroen, marineblauw en zalmroze Cherubs-das opzeggen: 'Groen staat voor Queens' College, blauw voor het firmament en roze voor een cherubijnenkontje.' Een ander vereiste was verklaren wat je zou doen om de Cherubs en het cherubisme te verdedigen. Ik weet niet meer wat ik gezegd heb, ik geloof iets arrogants over dat ik altijd mijn das op televisie zou dragen als ik eenmaal een beroemd acteur was. Een ander nieuw lid, Michael Foale, kondigde aan dat hij de eerste Cherub zou zijn die zich bij alle andere cherubijnen in de hemel zou voegen. Gevraagd zich nader te verklaren, zei hij dat hij van plan was de eerste Cherub in de ruimte te worden. Een bespottelijke bewering natuurlijk. Ruimtevaarders waren Amerikaanse astronauten of Russische kosmonauten. Bij een later, iets minder beneveld Cherubs-feest, kwam ik erachter dat hij het in volstrekte ernst had gezegd. Hij had een dubbele nationaliteit, de Engelse en de Amerikaanse, omdat zijn moeder Amerikaanse was. Hij sprak vloeiend Russisch, dat hij zichzelf had geleerd, met als reden dat de toekomst van de ruimevaart afhing van volledige en collegiale samenwerking tussen de Verenigde Staten en de Sovjet-Unie. Hij zat in zijn derde jaar van een doctoraalstudie astrofysica en was lid van het RAF Air Training Corps, en kon vliegen met zo'n beetje alles wat vleugels of rotors had. Ik had nog nooit zo veel doelgerichtheid en vastberadenheid in iemand gezien. Zeven jaar later werd hij door de NASA aangenomen als astronaut. Vijf jaar daarna vloog hij zijn eerste missie met de Space Shuttle en nam ontslag nadat hij meer dan een jaar van zijn leven buiten de aarde had doorgebracht. Tot 2008 stond het Amerikaanse record voor in de ruimte doorgebrachte tijd op zijn naam: 374 dagen, 11 uur en 19 minuten – wat tevens, dat hoef ik eigenlijk niet te vertellen, een Brits record is. Ik zou graag zeggen dat ik dankzij zijn voorbeeldige vastbeslotenheid, toewijding en inzet een ander en beter mens ben geworden. In plaats daarvan vond ik hem niet goed snik en ik moet nog blozen als ik eraan terugdenk hoe ik maar wat met hem mee praatte.

Mike Foale had me in 1999 uitgenodigd voor de lancering van zijn missie ter reparatie van de Hubble-ruimtetelescoop, maar ik kon er helaas niet heen. Hij nodigde me nogmaals uit voor zijn laatste lancering in 2003, als gezagvoerder van het internationale ruimtestation ISS. Weer had ik andere verplichtingen. Wat bezielde me? Ik had datgene waar ik mee bezig was toch wel kunnen uitstellen en afreizen naar de lanceringsplek om een opmerkelijk man een van de opmerkelijkste dingen te zien doen die een mens kan doen? Ik betreur het diep dat ik die kans heb laten lopen. Hopelijk hebben de huidige Cherubs van Queens' een toost in hun ritueel opgenomen die eer bewijst aan de meest illustere en onversaagde van hun hemelse legerschaar die ooit het groen, blauw en roze heeft gedragen.

Ik zorgde ervoor dat Kim ook tot de Cherubs werd toegelaten, en Kim bood aan, misschien bij wijze van bedankje, maar waarschijnlijker omdat hij gewoon zo'n gulle ziel was, een smoking voor me te laten maken bij een tailleur op de hoek van Silver Street en Trumpington Street. Ede and Ravenscroft waren behalve verfijnde vervaardigers van herenkostuums ook makers van bewerkelijke en gedistingeerde academische, rechterlijke, kerkelijke en ceremoniële kledij, van toga's tot koningsmantels. Het dubbelknoops smokingjasje van zware wol dat ze voor me maakten was van een zeldzame schoonheid. De voorzijde van de revers was van zwarte zijde, evenals de strepen op de naden van de broekspijpen. Kim vond dat ik er een passend overhemd bij moest hebben, met een extra boordje en een fatsoenlijke zijden vlinderdas. En hoe kon dit alles naar behoren gedragen worden zonder bijpassende schoenen? Kim was gul met geld, maar dat deed hij nooit om op te scheppen. Niet één keer gaf hij me het gevoel dat ik een fortuinlijke ontvanger van zijn edelmoedigheid was, of bracht hij me in een zodanige positie dat ik me ervoor schaamde of overweldigd voelde. Zijn hartelijkheid zat meer in de manier waarop hij gaf dan in de mate waarin hij gaf, al konden we dankzij dat laatste alleszins luxe leven. Kims moeder stuurde regelmatig royale manden met lekkers van Harrods, kistjes wijn en flinke voorraden cashmere sokken voor haar geliefde enig kind. Zijn vader zat in de reclame, iets met de plaatsen waar reclameposters werden opgehangen, en het was duidelijk een branche die floreerde. De betrekkelijk bescheiden welvaart van mijn eigen ouders reikte niet, zoals bij de ouders van Kim, tot truffels, paté en oude port, maar mijn moeder voelde, vaker dan een scepticus als ik prettig vond, griezelig precies aan wanneer en hoe ernstig mijn fondsen uitgeput waren. Soms lag er in mijn postvakje een rekening van Heffer's, de academische boekwinkel van Cambridge, die me 's nachts uit de slaap hield, en de volgende dag lag er dan een envelop van moeder met een cheque en een briefje dat ze hoopte dat het van pas kwam. Het bedrag bleek bijna altijd genoeg om de rekening te betalen plus nog wat extra's voor wijn en gebak.

Mijn zusje Jo kwam logeren. Ze adoreerde Kim en werd goede maatjes met al mijn vrienden, van wie de meesten dachten dat ze eerstejaars was, terwijl ze pas vijftien was. In een brief aan haar toen ze weer thuis was schreef ik iets wat mijn vader las, iets waaruit bleek dat ik homo was. Hij stuurde een bericht naar de portiersloge van Queens', waarin hij vroeg of ik hem wilde bellen. Toen ik belde, zei hij dat hij mijn brief aan Jo gezien had, dat het niet zijn bedoeling was geweest, maar dat hij wat dat homogedoe betrof niet gelukkiger had kunnen zijn...

'O, en je moeder wil je graag spreken.'

'Lieverd!'

'O mam, ben je van streek?'

'Doe niet zo mal. Ik heb het altijd al geweten...'

Wat een heerlijke opluchting om zo uit de kast te kunnen komen.

Mijn beurt kwam om zoals alle studenten van Queens' een week lang het dankgebed in het Latijn in de eetzaal uit te spreken. Af en toe schreef ik artikelen en televisierecensies voor een studentenblad, *Broadsheet*, en er kwamen steeds meer rollen in steeds meer stukken op mijn weg. Ik speelde een discjockey in *City Sugar* van Poliakoff, een dichter in *The Narrow Road to the Deep North* van Bond en een don in de klassieke talen in een nieuw stuk van de eerstejaars Harry Eyre. Ik speelde vorsten en hertogen en oude raadslieden in Shakespeare en moordenaars en echtgenoten en zakenlui en chanteurs in oude, nieuwe, vergeten en herontdekte stukken. Als Kiplings stelling dat het kenmerk van een man is dat hij elke minuut vult met zestig seconden duurloop op waarheid berust, dan leek ik een van de virielste studenten in Cambridge geworden te zijn.

In de kerstvakantie tussen het herfst- en het voorjaarstrimester begeleidde ik de European Theatre Group op een tournee op het vasteland van Europa, het continent, zoals de insulaire Engelsen zeggen, waarbij we een perplex publiek van Nederlandse, Duitse, Zwitserse en Franse theatergangers, voornamelijk onwillige schooljeugd, de blijde boodschap van *Macbeth* brachten. De regie was in handen van Pip Broughton, die ook *Artaud at Rodez* had gedaan, en zij had Jonathan Tafler gecast als de moorddadige leenheer. Door ziekte was hij echter op het laatste moment verhinderd, wat een grote teleurstelling voor Pip was, want zij en Jonathan waren een hartveroverend verknocht stel. Ik speelde koning Duncan – een prachtrol voor zo'n tournee omdat hij al vrij vroeg in het stuk sterft. Daardoor kon ik mijn tijd besteden aan het verkennen van de stad waar we ingekwartierd waren en op tijd terug zijn voor het slotapplaus, zwanger van informatie over de beste bars en de goedkoopste restaurants. De ETG was door Derek Jacobi, Trevor Nunn en anderen opgericht in 1957, het jaar van mijn geboorte, en had een bedroevende reputatie opgebouwd wegens een frequent verlies van serieusheid en decorum. Het gerucht ging dat de stad Grenoble zelfs had besloten alle theatergroepen uit Cambridge te verbieden ooit nog binnen haar poorten op te treden, na een beruchte dronken exhibitie op een receptie van de burgemeester ergens halverwege de jaren zeventig: dat wil zeggen, dronken exhibiti*onisme*, als het verhaal waar is. Zo erg was ons gezelschap niet, maar we misdroegen ons wél op de planken. Als er iets is wat de duivel losmaakt in een Brits acteur is het wel het uitzicht op lange rijen serieuze Zwitserse schoolkinderen met Shakespeare op schoot die de tekst regel voor regel volgen. Voor het doek opging werd een Woord van de Dag bekendgemaakt en een prijs uitgeloofd voor de acteur die dat woord het vaakst in zijn of haar tekst kon stoppen. 'Er is geen wezel om de geestesgesteldheid in de wezel te vinden,' herinner ik me op een avond in Heidelberg gezegd te hebben. 'Hij was een wezel waarin ik een absolute wezel plaatste.' Enzovoort.

Mark Knox, die een heel stel rollen speelde, waaronder die van de boodschapper die lady Macduff komt vertellen dat de snode Macbeth onderweg is om haar kwaad te doen, ontdekte dat zijn waarschuwende tekst gezongen kon worden op de wijs van 'Greensleeves', wat hij ook deed, met een vinger in zijn oor, tot grote verbazing van het publiek in Bern. Iemand anders ontdekte de tekst van de drie heksen 'Wanneer zullen wij drieën elkaar weer ontmoeten?' met slechts minimale aanpassing van het aantal lettergrepen paste op de wijs van 'Hark, the Herald Angels Sing'.

Tussen dit alles door zag Barry Taylor, die de krijsende en raaskallende Caliban had gespeeld in Ian Softleys uitvoering van *The Tempest* tijdens BATS May Week en op het laatste moment Jonathan Tafler had vervangen, kans een superbe Macbeth neer te zetten. Als ik vroeg genoeg terug was van mijn stadsverkenning, keek ik vol bewondering in de coulissen toe als hij, uitstijgend boven, maar soms ook meedoend aan de practical jokes, erin slaagde op ongeëvenaarde wijze woeste moordlust, zelfdestructief schuldgevoel, kokende woede en helse pijn over te brengen. Het is natuurlijk een waarheid als een koe dat amateurtoneelgezelschappen altijd denken dat ze zich met het beste beroepstheater kunnen meten: dat is maar zelden zo, maar soms zijn er amateuropvoeringen waar ook een beroepsgezelschap trots op zou zijn, en Barry Taylors Macbeth was er daar een van. In mijn herinnering, in elk geval.

We brachten veel meer tijd door in onze touringcar, rijdend van de ene Europese stad naar de andere, dan we op de planken stonden. Spelletjes en activiteiten bedenken om de tijd te doden werd een ware obsessie. De meesten van ons zaten voor ons kandidaats Engels, en één spelletje dat we speelden behelsde het op een velletje papier noteren van de belangrijkste literaire werken die we nooit gelezen hadden. Ik verzamelde de papiertjes en riep de leeslijst van titels af, waaronder *Hamlet, Animal farm, David Copperfield, Pride and Prejudice, The Great Gatsby, Waiting for Godot...* Noem een meesterwerk dat je gelezen moet hebben en er zat wel iemand in de bus die het nog nooit gelezen had. Het beschaamde gekronkel vanwege de diepte van onze onwetendheid was zowel hilarisch als dodelijk gênant. Het is ergens een opluchting te weten dat je niet de enige bent met een onverklaarbare leemte in zijn kennis. Misschien wilt u weten welke titel ik opgeschreven had. Het was *Women in Love* van D.H. Lawrence, tot mijn ongetwijfeld verlammende schaamte en schande. Ik heb het nog steeds niet gelezen. En *Sons and Lovers* ook niet, net zomin als *The Rainbow.* Daar mag u alle romans van Thomas Hardy aan toevoegen, met uitzondering van *The Mayor of Casterbridge* (dat ik een waardeloos boek vond). Ik koester Lawrence en Hardy als dichters, maar hun romans vind ik niet te pruimen. Zo. Het voelt alsof ik uit de biechtstoel kom. Ik hoop dat u niet al te teleurgesteld bent.

Challenge 1

Mijn eerste televisieoptreden vond ergens rond die tijd plaats. Het had niets te maken met acteren, maar vond zijn oorsprong in dezelfde irritante neiging me uit te sloven en bewonderd te worden die ik hopelijk ooit, misschien als ik kinds geworden ben, weet af te schudden. Het gerucht ging dat Queens' mee zou doen aan *University Challenge,* de studentenquiz van Granada Television. Ik volgde dat programma al sinds mijn vroegste jeugd en was er zeer op gebrand uitverkoren te worden om mee te doen. De teamleider was gekozen via een proces dat ik nooit begrepen heb, maar hij voldeed volmaakt aan de eisen. Het was een briljante student moderne en middeleeuwse taalkunde, genaamd Steven Botterill, nu een vermaard Dantekenner en hoogleraar in Berkeley in Californië. Hij had heel verstandig besloten de andere drie teamleden te selecteren door een vragenlijst op te stellen en een open kwalificatietest te houden. Ik was oneindig veel zenuwachtiger en opgewondener over dit examentje dan over het hele kandidaatsexamen. De vragen staan me niet meer bij... Eentje ging over Natty Bumppo, en die wist ik tot mijn opluchting te beantwoorden. Toen er een handgeschreven briefje van Botterill in mijn postvakje lag met de mededeling dat ik toegelaten was tot het team, was ik bijna even opgetogen en in net zo'n jubelstemming als op de dag in 1977 dat mijn moeder had opgebeld naar John's Delicatique in Norwich om te melden dat mijn beurs voor Queens' rond was.[†] De andere twee geselecteerde eerstejaars waren een bèta-student die Barber heette en een rechtenstudent, Mark Lester – nee, niet het kindsterretje uit *Oliver!*, maar een heel andere Mark Lester. We reisden naar het noordelijke Granadaland voor de eerste ronde.

Het was mijn eerste bezoek aan Manchester en mijn eerste kennismaking met een televisiestudio. In Norwich had ik weleens in het publiek gezeten bij de opname van een lang vergeten sitcom van Anglia tv die *Back to the Land* heette, maar verder strekte mijn ervaring met de omroepwereld niet. Granada was veel indrukwekkender dan dat lieve, onschuldige, regionale Anglia. Hier werd *Coronation Street* opgenomen, en *World in Action*. De gangen hingen vol met foto's van acteurs, filmsterren en landelijk bekende televisiepresentatoren als Brian Trueman en Michael Parkinson. Door een doolhof van zulke gangen werden we naar een grote kleedkamer gebracht, waar we dienden te wachten. We knabbelden chips en aten fruit, dronken priklimonade en werden geleidelijk aan steeds zenuwachtiger. Als we de eerste ronde door kwamen, moesten we 's middags tegen een ander team uitkomen. Als we wonnen, moesten we op een latere datum in Manchester terugkomen voor de kwart- en halve finale. Als we die wonnen, was een derde en laatste gang naar het noorden noodzakelijk. Dat waren een hoop 'als'-en, en plotseling voelde ik, en misschien de andere drie ook, dat ik absoluut niets wist. Elk feitje dat ik ooit geweten had, vloog van me weg als duiven voor een geweerschot. Vernedering wachtte ons. Ik sloeg tegen mijn slaap in een laatste poging alles in mijn hoofd op een rijtje te zetten.

De quizmaster was, uiteraard, de geniale Bamber Gascoigne, wiens stem en gelaatstrekken ik even goed kende als die van mijn ouders. Hij was zo iemand als de koningin en Robert Robinson: ik kan me niet heugen dat ik hem ooit niet gekend heb. Hij kwam wijs en vriendelijk over en leek zich ervan bewust dat andere teams wisten dat hij in Cambridge was afgestudeerd. Daarom deed hij altijd zijn uiterste best om pijnlijk eerlijk te zijn, zonder ooit tot apert anticantabrigianisme te vervallen. Hij leek altijd in zijn nopjes bij elk correct antwoord van wie dan ook, en iedereen was ervan overtuigd dat hij elke vraag hoogstpersoonlijk zelf bedacht had. Hij was beroemd om zijn zachtmoedige, inzichtelijke verbeteringen – 'Dat is pech, je dacht waarschijnlijk aan Duns Scotus...' of 'Bijna, hij was natuurlijk een vríénd van Clausewitz...'. Heel anders dan het geschokte geblaf van de verder zo begenadigde Jeremy Paxman: 'Wát?' en diens gezicht alsof hij in een rotte olijf heeft gebeten als hij een antwoord krijgt dat indruist tegen zijn idee van wat een mens hoort te weten. *Autre temps, autres moeurs...*

Botterill, Lester, Barber en ik liepen verlegen de set op, maakten de gebruikelijke grapjes over het feit dat de tegenstanders naast elkaar zaten in plaats van boven elkaar, zoals het op het scherm leek, en namen plaats op de aangewezen plek. Ik moet helaas bekennen dat ik niet meer weet wie onze tegenstanders waren in die eerste ronde. Leeds University komt bovendrijven, maar ik kan het mis hebben. Zij vonden ons ongetwijfeld vreselijke Oxbridge-kakkers. Afgaande op de foto's van ons team, met onze woest divergerende kapsels, sullige ernst en ongezonde gelaatskleur, kun je niet zeggen dat we nou het fraaiste kwartet waren dat het televisiepubliek ooit tegemoet had getreden.

We hadden helemaal niet zenuwachtig hoeven te zijn. We waren een goed stel en straften alle tegenstand gedecideerd af tot aan de finale, die in die tijd beslist werd door twee gewonnen ontmoetingen. Voor die confrontatie vonden we ons gesteld tegenover Merton, Oxford, het oude college van mijn mentor. Het leek een gedegen en helder ploegje, maar in de eerste manche rolden we ze op met een winnende marge van meer dan honderd punten. In de twee manche wonnen zij met tien punten, wat natuurlijk afschuwelijk iritant was, maar wel garant stond voor een van de spannendste finales die er ooit geweest zijn. Toen de gong klonk voor het einde van de derde en beslissende manche, lagen de twee teams precies gelijk, wat een sudden death tiebreak noodzakelijk maakte. Wie de volgende vraag goed had, was algeheel winnaar van de serie. Merton drukte op de zoemer met het goede antwoord. We waren tweede geworden. Zelden in mijn leven heb ik me zo ellendig en zo genomen gevoeld. Het doet nu nog pijn dat ons team zo veel meer vragen goed had beantwoord dan onze tegenstanders, en toch verloor. Infantiel en zielig, maar zelfs nu, nu ik deze woorden dertig jaar later opschrijf, suist het bloed nog in mijn oren en kolkt mijn hele wezen van afgrijzen en woede, bittere wrok en gekmakende teleurstelling over die schokkende onrechtvaardigheid. Niets kan dat ooit goedmaken. Niets, zeg ik je. Nou ja.

Corpus Christi

Terug in Cambridge werd ik aan het eind van het voorjaarstrimester benaderd door ene Mark McCrum, nu een bekend reisschrijver, maar in die dagen een speelse, kwajongensachtige eerstejaars met een bos zwart haar en ogen als glinsterende krenten. Zijn vader Michael was rector van Eton (hoewel hij kort daarop naar Cambridge zou terugkeren om de leiding van Corpus Christi op zich te nemen), en zijn oudere broer Robert begon net naam te maken als uitgever bij Faber and Faber. Mark McCrum, met het initiatief, de ondernemersgeest en het argeloze lef dat zijn handelsmerk was, had bezit genomen van een kleine L-vormige ruimte in St Edward's Passage die bij het Corpus Christi College hoorde. Hij en zijn vriendin Caroline Oulton waren van plan het om te vormen tot 'The Playroom', een toneelzaaltje waar nieuwe schrijvers aan bod zouden komen. Ik kende Caroline Oulton en aanbad haar. Ze had deel uitgemaakt van de cast van *Macbeth* en ik had altijd geprobeerd naast haar te zitten in de bus. Ze maakte verrassende dingen in me los.

Zij en Mark kwamen met een uiterst onverwacht verzoek. Of ik een stuk wilde schrijven om de Playroom in te wijden: niet noodzakelijk avondvullend, misschien als onderdeel van een dubbelprogramma? Ze hadden de slimme jonge eerstejaars Robert Farrar gevraagd om het andere stuk te schrijven. Voelde ik er wat voor?

Ik was gevleid, opgewonden en ontsteld, gretig om het te proberen, maar bang om te falen. Waarom dachten ze dat ik een *toneelstuk* zou kunnen schrijven? Ik had nog nooit in mijn leven iets geschreven wat daar maar bij in de buurt kwam. Gedichten voor mezelf en af en toe een artikel voor *Broadsheet*, dat was het wel zo'n beetje.

'Ga in de vakantie naar huis, ga ervoor zitten en concentreer je. Schrijf over wat je kent. Het wordt vast grandioos. Maar bedenk wel dat het een heel intiem theater is. Als je iets kunt schrijven waarvan de toeschouwers het gevoel krijgen dat het op hén betrekking heeft, zou dat perfect zijn.'

Het trimester liep ten einde en ik ging naar mijn ouders in Norfolk. 'Schrijf over wat je kent' is het meest gehoorde adagium van schrijvers, levend of dood. In mijn kamer met het William Morris-behang in de nok van ons huis zat ik aan mijn bureau en vroeg me af wat ik kende. Instituten. Ik kende scholen en ik kende de gevangenis. Dat was het wel zo'n beetje. 'Betrek het publiek erbij.' Hm...

Ik startte met het beschrijven van het begin van een les waarin een kostschoolleraar Latijn geeft, en de leerlingen met hyperbolisch dédain hun huiswerkschriften toegooit: 'Jongens die me tegen de haren in strijken, Elwyn-Jones, krijgen het hard te verduren...' dat soort werk. Het publiek is de klas. Dan verandert plots het licht, waardoor het tijdschema en de dramatische context veranderen, en valt de 'vierde wand' met een klap om. Een klop op de deur, een oudere leraar komt binnen, het verhaal ontvouwt zich. Ik schreef en schreef maar door, eerst met de hand, op een blocnote, daarna tikte ik elke scène op mijn gekoesterde Hermes 3000, een slagschipgrijs apparaat met jadegroene toetsen van onvergelijkelijke robuustheid en schoonheid. Ik draaide een kluchtig slot in elkaar, compleet met pedofilie, chantage en romantiek, dat verweven was met andere scènes in de klas waarbij ik het publiek zodanig betrok, hoopte ik, dat het stuk tegemoetkwam aan de eisen die Mark en Caroline hadden gesteld.

Ik tikte op de titelpagina:

Latin!
Or Tobacco and Boys

een Nieuw Toneelstuk door
Sue Denim

Sue Denim was natuurlijk een pseudoniem. Ik weet niet meer precies waarom ik besloot het stuk te presenteren onder een nom de plume – misschien hoopte ik dat als de toeschouwers dachten dat het door een vrouw was geschreven, ze het misschien zijn niet bepaald radicale milieu zouden vergeven.

Caroline en Mark leken ermee ingenomen, en een vriend van Queens', Simon Carry, nam de regie op zich. Een eerstejaars rechten, John Davies, speelde de oudere onderwijzer Herbert Brookshaw en ik speelde Dominic Clarke, de jonge held van het stuk, als held het juiste woord is.

De Playroom was alle drie dagen dat het stuk liep uitverkocht en omdat er dus vraag leek naar meer, speelden we *Latin!* nog een hele week in de collegezaal van Trinity Hall.

Ik was toneelschrijver! De eigenaardige, jubelende vreugde die over je komt als je iets hebt geschreven, is met niets te vergelijken. Bewondering en bijval voor acteursprestaties, juichende ovaties en oorverdovend applaus komen niet eens in de buurt van de bijzondere trots die je voelt als je uit losse woorden iets gemaakt hebt wat er eerder nog niet was.

Als schrijver werd ik benaderd door Emma Thompson, die me vroeg of ik een paar komische sketches wilde bijdragen voor een programma dat ze met een stel vriendinnen aan het opzetten was voor het ADC-theater. Het was bedoeld om vrouwelijk komisch talent onder de aandacht te brengen en zou *Women's Hour* gaan heten. Ik bedwong de neiging om te zeggen dat een voorstelling met die titel en een geheel vrouwelijke rolbezetting natuurlijk ook geschréven moest worden door vrouwen. Maar het was al bijzonder genoeg dat vrouwen eindelijk zelf een komisch programma opzetten – vijftig jaar daarvoor was het vrouwelijke studenten in Cambridge nog verboden om op de planken te staan. Sterker, pas tien jaar voor mijn geboorte werden ze tot alle geledingen van de universiteit toegelaten. Emma's medespelers in *Woman's Hour* waren de eerste vrouwelijke voorzitter van de Footlights, Jan Ravens, en een jonge Deense die Sandi Toksvig heette. Ik schreef een aantal sketches; de enige twee die me nog bijstaan zijn een parodie op een boekenprogramma en een monoloog voor Emma, waarin ze een in tweed gehuld manegetype speelt dat haar dochter bij een dressuurwedstrijd naar de overwinning probeert te brullen. Grensverleggend, revolutionair materiaal. De voorstelling was een groot succes, en het talent van Emma, Jan en Sandi kwam in elk geval duidelijk naar voren.

Vervolgens kwam Ben Blackshaw, een vriend van Mark McCrum, bij me met een stuk dat hij had geschreven, *Have You Seen the Yellow Book?*, waarin in levendige, korte scènes de opkomst en ondergang van Oscar Wilde werd geschetst. Hij wilde mij voor de rol van Oscar. Ben deed de regie en we voerden het op in de Playroom. Dat stuk leverde me mijn eerste recensie in een landelijke krant op. De criticus van *Gay News* vond mijn Ierse accent 'zangerig zonder plat te zijn'. Ik heb het flintertje papier met zijn bespreking nog jaren in mijn portefeuille bewaard.

Chariots 1

In Cambridge deed het gerucht de ronde dat een filmmaatschappij figuranten zocht onder de studenten. Ze hadden de voorzitters van de ADC, de Mummers en de Marlowe Society benaderd, die op hun beurt contact opnamen met de toneelwereld. Kim en ik wisten niet hoe snel we ons moesten inschrijven om een ingang te krijgen in het internationale sterrendom.

Een vriend van me in Oxford had me trots geschreven dat de grote regisseur Michael Cimino daar een film aan het draaien was, *Heaven's Gate*, en dat hij daar een figurantenrol in had. Nu belde ik hem op om hem te laten weten dat wij inmiddels ook aan film deden.

'O ja?' vroeg hij. 'Welke studio? Wij zitten bij United Artists.'

'Nou, ik geloof niet dat onze film een typisch Amerikaanse studiofilm wordt,' moest ik bekennen. 'Ik geloof dat hij gaat over een stel Britse atleten op de Olympische Spelen van 1924. Eentje is Joods en een andere is een steile christen die niet op zondag wil lopen of zoiets. Colin Welland heeft het oorspronkelijke toneelstuk geschreven. Het is... nou ja... eh...'

Terwijl ik de hoorn op de haak legde, kon ik nog net horen hoe mijn vriend in Oxoniaans hoongelach uitbarstte. Het was een beetje vernederend dat Cambridge werd uitverkoren voor zo'n kleine onbelangrijke film terwijl Oxford een grote belangrijke film met een enorm budget kreeg. Niemand van ons kon toen weten dat *Heaven's Gate* bijna zou leiden tot het faillissement van United Artists en voor altijd op de lijst van de grootste Hollywood-flops aller tijden stond, terwijl onze kleine film...

Hij heette *Chariots of Fire* en ik mocht een paar verdwaasd spannende dagen als figurant beleven. De eerste daarvan was in het Senate House voor een scène van de Freshers' Fair, waarin de hoofdrolspelers worden gerecruteerd door de University Athletics Club en de Gilbert and Sullivan Society. Helemaal licht in het hoofd van een gratis, maar heftige knipbeurt had ik nog voor het filmen begon al twee pond extra verdiend door mijn eigen gestreepte blazer en flanellen broek als filmkostuum te dragen. Ik zag eruit als een vreselijke sul terwijl ik bij de kraam van de tennisclub stond, met een bal op een racket stuiterde en deed alsof ik wel zin in een robbertje had. Iemand met de belangrijkere rol van aanvoerder van het Cambridge University Atletics Team, een van de echte sporthelden van Cambridge, stond vlak bij me: Derek Pringle, die later nog zou cricketen voor Essex en Engeland.

Ik was hoogst verbaasd toen een rekwisietenman, vlak voordat de camera zou gaan draaien, naar me toe kwam en me een stapeltje visitekaartjes gaf waarop gedrukt stond: 'Cambridge University Tennis Club' onder een afbeelding van twee gekruiste rackets. Ik moest goed turen om de kleine schrijfletters te ontcijferen – het leek absurd onwaarschijnlijk dat de camera die zou kunnen vastleggen. Ik vond het een verbijsterende verspilling van tijd en geld, maar ik wist natuurlijk niets van filmen en de noodzaak om op elke eventualiteit voorbereid te zijn. Hoe zorgvuldig alles ook van tevoren gepland en voorbereid is, omstandigheden als het weer, licht, lawaai, een kraan die het niet doet of een acteur of lid van de crew dat ziek wordt kunnen alles veranderen. Het was heel goed mogelijk dat de regisseur besloten had dat de scène die dag moest openen met een close-up van iemand die een kaartje van de tennisclub uit zijn zak haalt, en als dat kaartje er niet geweest was, perfect gedrukt, had het filmen vertraging opgelopen en zou het veel meer geld gekost hebben dan de prijs van het drukken van die paar visitekaartjes. Maar natuurlijk gebeurde niets van dat al; wat mij deed concluderen, en velen met mij, dat filmmakers imbeciele geldverspillers zijn. Nu ik zelf in het filmvak zit, weet ik dat het juist imbeciele krentenkakkers zijn.

De hele eerste dag nam ik aan dat de man die ons op onze plek zette, zei waarheen en wanneer we moesten lopen, schreeuwde dat het stil moest zijn en 'turn over' naar de camera riep, de regisseur moest zijn, van wie ik wist dat hij Hugh Hudson heette. Op een zeker moment wilde ik iets uitgelegd krijgen en begon ik een vraag met: 'Eh, mr. Hudson...' Hij schoot in de lach en wees naar een man die lusteloos in een stoel een krant zat te lezen. 'Ik ben de eerste assistent maar,' zei hij. 'Dat is de regisseur.'

Als een regisseur niet schreeuwend rondloopt en mensen vertelt wanneer ze moeten lopen en hoe ze hun rekwisieten moeten vasthouden en hoe ze moeten kijken, wat doet hij dan wel, vroeg ik me af. Het was één groot mysterie voor me.

Het gerucht ging in Cambridge, al na drie of vier dagen 'draaien', zoals wij insiders dat noemen, dat zekere autoriteiten van de universiteit het scenario hadden gelezen, het niet eens waren met bepaalde implicaties en de productiemaatschappij op staande voet hadden verboden om nog één meter film op te nemen. Het schijnt dat in het verhaal de Masters van Trinity en van Gonville and Caius, gespeeld door John Gielgud en Lindsay Anderson, werden neergezet als antisemitische snobs. Hun nakomelingen vonden dat zoiets niet getolereerd kon worden.

Nou ja, dachten we, dat was dat. Het was leuk zolang het duurde. Maar de producent van de film, David Puttnam, onstloeg ons niet, hetzij uit loyaliteit, hetzij om meer praktische redenen van financiële aard. Hij regelde snel Eton College als alternatieve locatie en we werden allemaal in bussen naar Berkshire gebracht, waar we de nabijgelegen Bray Studios als basis gebruikten. Op Eton werd een van de meest memorabele scènes van de film opgenomen, de Great Court Run waarin Harold Abrahams en lord Lindsay, gespeeld door Ben Cross en Nigel Havers, een compleet rondje lopen over de buitenbaan van Trinity Great Court in de ruwweg drieënveertig seconden (afhankelijk van wanneer hij voor het laatst opgewonden is) dat de klok twaalf slaat, een prestatie die Sebastian Coe in 1988 op het nippertje niet kon evenaren. De School Yard op Eton heeft maar een kwart van de afmetingen van Trinity Great Court, maar de camerastandpunten wisten meesterlijk te maskeren dat zelfs ik dat rondje waarschijnlijk binnen drieënveertig seconden had kunnen lopen. Mijn rol in die scène, net als die van zo'n beetje iedereen, was juichen en mijn strohoed enthousiast in de lucht gooien.

Het filmen van de scène kostte onwaarschijnlijk veel tijd. Ik kon er niet bij dat alles zo lang duurde: iedereen was blijkbaar ontstellend knullig bezig en het had allemaal veel sneller en efficiënter gekund. Ik weet nu dat alle draaidagen met voorbeeldige orde en snelheid georganiseerd waren. Voor een buitenstaander ziet filmen er altijd onuitstaanbaar saai en ongelooflijk ongeorganiseerd uit. Als je niet weet hoe iets werkt is het misschien logisch dat je allerlei vragen en twijfels hebt. In latere jaren, toen – zoals zo vaak gebeurt – een voorbijganger bij een straatopname waarbij ik betrokken was verwijtend vroeg wat 'al die mensen' daar deden en uitriep: 'de meesten hangen alleen maar doelloos rond', en vervolgens opperde dat het 'allemaal de schuld was van de vakbonden', dwong ik mezelf mijn verontwaardiging over zo veel lompheid in te slikken en terug te denken aan mijn eigen scepsis als figurant in *Chariots of Fire*. Die scepsis werd door velen gedeeld, en de meesten van hen raakten zo verveeld en voelden zich zo gebruikt dat ze een ministaking organiseerden. Ze gingen in de School Yard op de grond zitten en riepen dat ze meer geld wilden. Ik ben nu nog onthutst als ik me realiseer hoe hebzuchtig en grof we moeten zijn overgekomen, en ik kan tot mijn genoegen zeggen dat Kim en ik niet bij de opstandige factie hoorden. Puttnam kwam naar ons toe en ging sportief, en zonder ook maar één spoor van ergernis of teleurstelling, akkoord met een extra gage van twee pond per persoon. Ons gejuich klonk luider dan op het moment dat ons gevraagd werd de deelnemers aan de wedstrijd toe te juichen.

Als je toevallig eens *Chariots of Fire* ziet en wilt weten in welke scènes ik zit, om redenen die ik verder niet hoef te weten, dan is het operetteske amusement na het inwijdingsdiner de scène die je moet hebben. Ik zit ergens verstopt op de achtergrond te meesmuilen. Dat is een van de wreedste vloeken die de natuur over me heeft uitgestort. Hoe innerlijk bewogen, lief en bescheiden ik ook probeer over te komen, mijn gelaatstrekken herschikken zich altijd tot een uitdrukking van uiterste zelfgenoegzaamheid, verwatenheid en eigendunk. Zo oneerlijk.

Terug in Cambridge hernam het leven zijn heerlijke loop. Simon Cherry, die *Latin!* had geregisseerd, werd door BATS gekozen om de productie van May Week 1980 te regisseren. Hij koos mij voor de oude koning in *All's Well That Ends Well*. Emma Thompson speelde Helena, Kim had een rits rollen en Barry Taylor speelde Parolles.

Barry, wiens Macbeth zo'n grote indruk op me had gemaakt, was een bijzondere man en iemand die me, zonder dat het zijn bedoeling was, schuldig en beschaamd deed voelen. Hij was de intelligentste, scherpzinnigste, wijste, meest erudiete, meest penvaardige en meest academisch begenadigde mens die ik ooit gekend heb, maar voor Cambridge en het leven in de wereld daarbuiten had hij één enorme tekortkoming, één ontstellend gebrek. Hij was eerlijk. Hij was integer. Eerlijkheid en integriteit zijn mooie deugden, maar ze zijn dodelijk als het op tentamens afleggen aankomt. Hij zat in het jaar boven mij, dus dit was zijn laatste trimester in Cambridge, en de examens kwamen eraan. Als iemand recht had op een cum laude en had moeten blijven om onderzoek te doen en een gewaardeerd docent en academicus te worden, was het Barry wel. Maar zijn dodelijke gebrek betekende dat hij in de examenzaal zat en het vel papier omdraaide met de vraag die hij *zou proberen te beantwoorden.* Hij zat daar en dacht erover na. Hij woog diverse benaderingen af. Hij begon, streepte door wat hij had geschreven, dacht nog eens na en vertrouwde alleen zijn meest overwogen meningen, waardeoordelen en conclusies toe aan het papier. Tegen de tijd dat de bel ging om het einde van de drie uur aan te geven waarin drie vragen beantwoord en drie betogen geschreven moesten worden, leverde Barry één essay in dat volmaakt was en een half essay dat zeer goed was, waarbij hij de derde vraag onbeantwoord liet. Dat had hij het jaar ervoor ook gedaan en hij wist dat hij hetzelfde zou doen bij het kandidaatsexamen, dat met rasse schreden naderbij kwam. Hij schreef geacheveerd en stijlvol, en zijn literaire inzichten en morele, sociale en esthetische opvattingen waren veel waardevoller en gefundeerder dan die van mij, maar hij beheerste simpelweg niet de kunst om de tijd in de gaten te houden of compromissen te sluiten om de examinatoren te geven wat ze wilden. Hij kwam uit een arbeidersmilieu ten zuidoosten van Londen. Hij vertelde dat bij de zeldzame keren dat jongens van de kostschool in de bus stapten in Southend of Isle of Dogs en met hun bekakte stemmen om een kaartje vroegen, hij en zijn vriendjes achter in de bus hen nadeden. Niet vervelend of agressief, maar omdat ze die klanken zo raar vonden. Ze konden nauwelijks geloven dat iemand, zeker iemand van hun leeftijd, echt zo kon praten. Toen kwam Barry in Cambridge aan en merkte hij dat híj degene was die een raar accent had, en dat het rah-rah van de kostschool de norm was. Het duurde een tijdje voor hij kon geloven dat iemand met zo'n accent niet per se een stompzinnige, kinloze rariteit was.

Ik weet niet hoe Barry moet hebben aangekeken tegen iemand als ik, gehaaid en onbetrouwbaar genoeg om examenvragen te beantwoorden zodat het beste resultaat bereikt werd met de minste inspanning, maar niettemin begiftigd met genoeg geheugen en kennis om te doen alsof het ging om een authentieke academische prestatie. Als je daar mijn kostschoolmanieren en schijnbare zelf-verzekerdheid bij optelt, vermoed ik dat ik precies het type was dat iedereen met een beetje spirit zou verachten.

Cambridge had kunnen betogen, als het zich daartoe geroepen had gevoeld, dat zijn examensysteem perfect is toegesneden op de echte wereld. Succes in de politiek, de journalistiek, de ambtenarij, de reclame, de diplomatie, de City en de meer verheven vormen van beroepsuitoefening stoelt op het vermogen om snel te kunnen samenvatten, materiaal aan je wil te onderwerpen, te presenteren, te promoten en op te leuken, om feiten en cijfers te manipuleren en dat alles te doen met vaart, souplesse, gemak en zelfvertrouwen. Het kandidaatsexamen schift de langzamen, de eerlijken, de zorg-vuldigen, de weloverwogenen en de extreem waarheidslievenden eruit – al diegenen die waarschijnlijk volstrekt ongeschikt zijn voor het openbare leven of een carrière in de schijnwerpers.

Mijn cynisme en zelfkritiek doen misschien verkrampt en over-dreven aan, maar toch denk ik niet dat ik erg overdrijf. In elk geval blijft het verschil tussen Barry Taylors noeste integriteit en mijn eigen indolente techniek symbolisch voor iets wat fout zit in het onderwijs en de manier van examineren. Dat gezegd zijnde, was Cambridge niet zo dwaas om de kwaliteit van Barry niet te door-zien, en hij heeft wel degelijk een academische carrière gekregen, hoewel hij niet de kwalificatie 'cum laude' kreeg waarmee een be-ter examensysteem hem ongetwijfeld zou hebben beloond. Aan de andere kant, als *éducation permanente* in mijn tijd had bestaan, en als er meer nadruk had gelegen op geschreven werk en onderzoek en minder op de worsteling om in een examenzaal tegen de klok essays te produceren, was ik er binnen een paar maanden uit ge-schopt. Misschien zijn er twee stromingen van examineren nodig:

één voor geloofwaardige charlatans als ik en één voor authentieke geesten als Barry.

Caledonia 2

Mijn tweede Edinburgh Fringe Festival kwam eraan. Ditmaal trad ik alleen op met de Cambridge Mummers, het gezelschap waarmee ik een jaar eerder *Artaud at Rodez* had gespeeld. Hoewel dat gezelschap vooral bekendstond om zijn vooruitstrevende programmering en een voorkeur voor modern, radicaal en avant-garde, vroegen ze ook toestemming om mijn *Latin!* te programmeren. Verder had Caroline Oulton een stuk geschreven over de Zwitserse kinetische beeldhouwer Jean Tinguely, had een vriend – Oscar Moore – een stuk geschreven waarvan ik de titel ben vergeten – ik weet alleen nog dat het vol zat met zwarte humor over het plaatsje Dunstable – en Simon McBurney en Simon Cherry werkten aan een monoloog waarin McBurney Charles Bukowski speelde. Er werd ook een kindervoorstelling voorbereid, en de hoofdattractie moest een zelden opgevoerde zeventiende-eeuwse komedie van Middleton en Dekker worden, *The Roaring Girl*, onder regie van Brigid Larmour met Annabelle Arden in de titelrol. Annabelle en Brigid hadden samen de regie gedaan van *Travesties*, waarin ik Emma Thompson voor het eerst had gezien. Al die stukken zouden weer twee weken lang worden opgevoerd in dat kleine maar historische zaaltje van Riddle's Court, vlak bij de Royal Mile.

Toen het studiejaar erop zat en ik mijn zomerlessen op Cundall Manor weer had gegeven, gingen we twee weken repeteren in Cambridge. Ik zat toen op kamers in Magdalene College (Queens' was die zomer voor een conferentie aan het bedrijfsleven verhuurd om geld in het laatje te brengen) samen met Ben Blackshaw en Mark McCrum. Met wat in de grotemensenwereld 'gezonde ondernemerszin' heet, waren die twee een handeltje begonnen dat ze 'Picknick Punts' noemden: elke ochtend togen ze getooid in streepjescolbert, witte broek en platte strohoed naar een steiger tegenover Queens' College, waar ze een punter hadden liggen. Ze hadden het vaartuig voorzien van een dwarsplank met een wit tafelkleed eroverheen bij wijze van tafel, een slingergrammofoon, een ijsemmer en alle benodigdheden om een high tea met aardbeien en champagne te serveren, en Mark ging met een handgeschreven en geïllustreerd bord (hij kon goed kalligraferen en tekenen) op de Silver Street Bridge staan om reclame te maken voor hun boottocht over de Cam in het gezelschap van 'echte studenten'.

Ben was een mooie, dromerige, blonde jongen en Mark was kwajongensachtig en had een soort mediterrane knapheid. Ze zagen er zo beeldig uit in hun klassiek Engelse witte outfit dat ze onweerstaanbaar waren voor Amerikaanse toeristen, matrones op een dagtochtje en gay schoolmeesters. Als ik tussen de repetities door over een brug snelde, hoorde ik soms een Gershwin-deuntje weergalmen van de stenen van de Bridge of Sighs, of zo'n slepende en dan weer versnellende foxtrot van Benny Goodman die kwam aanwaaien van over het grasveld tegenover King's College, en dan moest ik lachen als ik de punterende Ben en Mark zag, die met een uitgestreken gezicht idiote en onwaarschijnlijke verhalen ophingen over Byron of Darwin, ter lering van hun bewonderende en alles voor zoete koek slikkende passagiers. Als ik aan het eind van de dag thuiskwam van mijn repetities, kwamen zij met stijve spieren en bekaf van het oeverloze geklets thuis met hun dagopbrengst in het tafelkleed gewikkeld. Dan stortten ze het geld uit op de keukentafel en namen het vervolgens tot de laatste cent mee naar de kruidenier in Jesus Lane, waar het opging aan vlees, pasta en wijn voor die avond, en champagne en spullen voor de high tea in de boot. Ik geloof niet dat Mark en Ben ooit een cent winst hebben gemaakt, maar het hield hen fit, ze konden er goed van eten en drinken en ze hebben onbedoeld de aanzet gegeven voor de trend van 'authentiek boottochtje met student' die vandaag de dag nog steeds wordt uitgemolken door gewiekstere ondernemers met een beter zakeninstinct. Ze hebben me destijds niet één keer om een bijdrage voor de proviand gevraagd, terwijl ik toch volop mee at en dronk van het eten en de wijn die ze met hun boottochtjes bekostigden. Die twee hadden een charmante onbekommerdheid waarnaast ik me log, burgerlijk en veel te serieus voelde.

Ik deed mee in *The Roaring Girl* en nam ook de rol van Dominic Clark in *Latin!* weer op me, met John Davies wederom als Herbert Brookshaw. Simon Cherry zou het nogmaals regisseren en had een affiche laten maken door David Lewis, een student kunstgeschiedenis met wie hij op Queens' College een kamer deelde. Met schitterend resultaat: een tekening in de stijl van een vooroorlogs kinderboek, van een jongen in schooluniform en een jongeman in leraarstenue die elkaar zoenen tegen de achtergrond van een cricketwedstrijd. Het was verbluffend mooi gedaan: de belettering, het kleurenpalet, alles was helemaal in stijl. Schokkend maar ook grappig, smaakvol en charmant – alles waar ik met mijn stuk ook naar had gestreefd.

De producenten van de Mummers, Jo en David, stuurden na aankomst in Edinburgh meteen een heel legertje vrijwilligers (met andere woorden: ons, de spelers) de stad in om waar we maar konden affiches voor de voorstellingen aan te plakken. Al snel bleek het affiche voor *Latin!* bijzonder in trek. Je had het nog niet opgehangen of het werd al gejat, zelfs als je er uit voorzorg een scheur in had gemaakt om het minder aantrekkelijk te maken. Op ons hoofdkwartier in Riddle's Court begonnen berichten binnen te stromen waarin geld werd geboden voor overtollige exemplaren. Het was een verzamelobject geworden. In een zeldzame opwelling van ondernemerschap belde ik de *Scotsman* met het verhaal dat ik me geen raad wist omdat alle affiches die we aanplakten meteen werden gestolen. En ja hoor, dat leverde ons een artikeltje op met een foto van het affiche en de kop: 'Is dit het meest gestolen affiche in Edinburgh?' De kaartverkoop schoot omhoog en *Latin!* was de volle twee weken uitverkocht.

Latin! speelden we in de middag, maar de hoofdattractie was onze avondvoorstelling van *The Roaring Girl*. Een van de medespelers was een knappe en grappige student van Trinity Hall, Tony Slattery, die het voorkomen van de jonge Charles Boyer combineerde met de manieren van een matig afgerichte maar aanhankelijke pup. Hij studeerde moderne en middeleeuwse talen, met Frans en Spaans als specialisatie. Als tiener was hij nationaal jeugdkampioen judo geweest en voor Groot-Brittannië uitgekomen op internationale toernooien. Hij kon zingen en gitaarspelen en vreselijk grappig zijn. In het stuk speelde hij een fatterige lord en stak hij elke avond een grotere pluim in zijn hoed. Aan het eind van de eerste week streek die pluim al langs het plafond. Alle spelers, ook Annabelle Arden in de hoofdrol als Moll Cutpurse, begonnen onbedaarlijk te giechelen zodra bij een diepe buiging van hem zijn enorme pluim boven ons hoofd wiebelde of in ons gezicht sloeg. Soms kan het publiek een schmierende acteur wel waarderen, maar als hij te ver gaat leidt het meestal tot onrust, gemompel en gesis, en zo ging het ook die avond. Het was uitermate onprofessioneel – maar de vrijheid om uitermate onprofessioneel te zijn was juist een van de heerlijke kanten van het bestaan als student en... nou ja, niet-professioneel acteur.

We hadden een overnachtingsplek gevonden in New Town, waar

we in slaapzakken op de vloer sliepen en zelfs nog ruimte wisten te maken voor mijn zus Jo, die ons daar bezocht en het met een aantal leden van ons gezelschap wel héél goed kon vinden. Het was een heerlijke tijd. Al onze opvoeringen hadden op hun eigen manier succes, en we trokken vrij veel publiek. De feestvreugde werd nog verhoogd door de goede recensies. Nicholas de Jong, berucht om zijn kritische blik, was bijna gênant complimenteus: 'Stephen Fry is een naam waar ik in de toekomst op zal letten, en dat is meer dan gezegd kan worden van de meeste schrijvers en acteurs van het Fringe-festival,' schreef hij. Mijn verdere carrière moet voor De Jong een bittere teleurstelling zijn geweest, maar die eerste kennismaking verliep in elk geval heel harmonieus. Nog mooier nieuws was dat de *Scotsman* ons bekroonde met de Fringe First, de prijs die iedereen destijds begeerde.

We hadden weinig tijd om andere voorstellingen te bezoeken. In *Electric Voodoo*, de Footlights-revue van dat jaar, zaten heel andere acteurs dan het jaar ervoor. Hugh Laurie, die lange slungel met de hoogrode veeg op beide wangen, speelde niet meer mee, net zomin als Emma en Simon McBurney. Emma kwam wel naar Riddle's Court om *Latin!* te zien, en ze troonde Laurie ook mee.

'Hullo,' zei hij toen ze hem na afloop mijn kant op duwde om ons kennis te laten maken.

'Hullo,' zei ik.

'Het was heel mooi,' zei hij. 'Ik heb er echt van genoten.'

'Dank je,' zei ik. 'Aardig van je.'

De driehoeken op zijn wangen werden nog dieper rood dan normaal en weg was hij weer. Ik was er verder niet zo mee bezig. Die avond hadden we een feestje om de toekenning van de Fringe First te vieren. Wat zie ik er op de foto lang en ernstig uit.

Closet

Eind september 1980 begon ik in Cambridge aan mijn laatste studiejaar. Kim en ik hadden allebei een eenpersoonskamer kunnen krijgen, maar we wilden bij elkaar blijven en kregen A2 in de middeleeuwse toren van het Old Court toegewezen, de mooiste studentenaccommodatie van Queens' College. Veel promovendi en zelfs veel docenten hadden het stukken minder getroffen dan wij. A2 kon bogen op schitterende ingebouwde boekenkasten, een deftige open haard, een voortreffelijk keukentje en prima slaapkamers. Aan één kant keken we uit op het Old Court en aan de andere kant op de Master's Lodge van St. Catharine's College, het onderkomen van de grote wiskundige, professor Sir Peter Swinnerton-Dyer, die dat jaar de functie van Vice-Chancellor bekleedde. Het mooiste meubelstuk dat we zelf inbrachten was een vernuftige mahoniehouten tafel die je kon ombouwen tot lessenaar. Ik had die ooit van Trinity College geleend voor een lunchbijeenkomst waarop ik gedichten van Ernst Jandl had voorgedragen, en op de een of andere manier was het er nooit van gekomen om hem terug te brengen. Kim had zijn schaakset van Jacques, zijn Bang & Olufsen, zijn Sony Trinitron-televisie en zijn La Cafetière. Het grote tijdperk van de designermerken was nog lang niet aangebroken, maar merknamen begonnen wel aan betekenis en begeerlijkheid te winnen. Ik had een pistachekleurig Calvin Klein-overhemd waarvan ik het verlies nog steeds betreur, en olijfgroene Kickers waarbij ik het niet droog houd als ik eraan denk.

Op de begane grond onder aan de trap had het College een paar kleinere kamertjes laten verbouwen tot een schitterende vreemde noviteit: een damestoilet. De voorste ruimte was voorzien van een grote kaptafel en een spiegel met een lijst van gloeilampen. Op de kaptafel stonden dozen met gekleurde tissues, een glazen pot met wattenstaafjes en een fraaie beschilderde porseleinen schaal vol pastelblauwe, lichtroze en zachtgele watten. Een glanzend wit gelakte stoel met rieten zitting was onder de gebloemde chintz ruche van het tafelkleedje geschoven. Aan de roze geverfde muren hingen drie verschillende muntapparaten voor maandverband en tampons. In de wc zelf stond naast de pot een ingewikkelde verbrander voor de gebruikte exemplaren, en aan de binnenkant van de deur hing een hele rits bruine Lil-lets-afvalzakjes. Dat hele toilet schreeuwde uit: 'Je bent een vrouw. Waag het niet om dat te vergeten.'

Na 532 jaar lang uitsluitend mannen te hebben toegelaten, had Queens' College nu besloten zich ook voor vrouwen open te stellen. Dat jaar traden de eerste vrouwelijke studenten op het college aan.

Ik kan me voorstellen hoe dat op de vergadering van de Fellows gegaan moet zijn. De voorzitter kucht om aandacht te vragen.

'Heren! Zoals u weet hebben we er twee jaar geleden voor gestemd om vrouwen...'

'Ik niet!'

'Ik ook niet!'

'Eh, ja, dank u, dr. Bantrey, professor Threllfall. De meerderheid van de Fellows heeft gestemd vóór het toelaten van vrouwen. Zoals u weet treden volgend jaar dus de eerste vrouwelijke studenten aan...'

'Eten ze dan met ons mee?'

'Maar natuurlijk, dr. Kemp, waarom zouden ze in hemelsnaam niet met ons mee-eten?'

'Nou ik dacht dat ze... anders aten.'

'Anders?'

'Ze pakken hun eten toch met de mond van hun bord? Of ben ik nou in de war met katten?'

'Dr. Kemp, hebt u wel eens een vrouw ontmóét?'

'Eh... nou, niet dat ik... mijn moeder was een vrouw. Ben aan haar voorgesteld toen ik zeven was. Zag haar wel eens bij het avondeten. Telt dat?'

'En at zij normaal?'

'Eens even denken... Nu u het zegt, ja, toch wel, ja. Heel normaal.'

'Nou dan. Wat wel een probleem is, zijn de sanitaire voorzieningen. Vrouwen hebben op het gebied van de hygiëne natuurlijk bepaalde behoeften die nogal... *sui generis* zijn.'

'O ja? In welk opzicht?'

'Ehm... nou, eerlijk gezegd weet ik er zelf ook het fijne niet van. Maar ik geloof dat ze af en toe even flink moeten snauwen en een man een klap in zijn gezicht geven, om vervolgens in huilen uit te barsten, en eh... dan moeten ze hun neus snuiten of zo. En hun haar doen. Iets in die trant. Dat doet zich met vaste regelmaat eens per maand voor, heb ik begrepen. Dus daar zullen we een aparte ruimte voor moeten inrichten.'

'Ik wist wel dat hier niks dan ellende van zou komen.'

'Spijker op de kop!'

'Toe nou, heren! Kunnen we misschien...'

'En waar hangen ze 's avonds hun borsten op? Vertel me dat eens.'

'Pardon?'

'Vrouwen hebben overtollige vleesbergen die ze met ijzerdraad en een soort zijden harnasjes aan hun tors bevestigen. Dat weet ik toevallig wel. De vraag is waar ze die 's avonds moeten hangen. Hm? Snapt u wel? U hebt dit gewoon helemaal niet doordacht, hè?'

Enzovoort... tot de vergadering in chaos eindigde.

Die schitterende toiletten daargelaten bleek de komst van De Vrouwen helemaal niets bijzonders. Als snel kon je je nauwelijks nog voorstellen dat ze er nooit eerder waren geweest. Ik weet niet precies waar ze zich vooral op stortten: de nadrukkelijk aardse organisaties zoals de Kangaroos, de sportclub van het college, of de Cherubs, waarvan ik nu senior lid was. Aangezien al die nieuwe vrouwen per definitie eerstejaars waren (en wat zullen termen als 'studentinnetjes' hun snel de keel hebben uitgehangen), kwamen ze niet in Old Court te wonen en werd van het glimmende damestoilet onder aan de trap dus geen gebruikgemaakt. Dat werd dan ook ons eigen privépoeppaleisje. Zodoende ken ik het opschrift op het afvalzakje uit mijn hoofd: 'Lil-lets vormt zich zijwaarts naar de vorm van je lichaam. Voor vragen kun je schrijven naar zuster Marion...'

Kim en ik waren inmiddels minnaars, en dat was een prettige situatie om in te verkeren. Hij schaakte, las Thucydides, Aristoteles en Cicero, en liet Wagner over het Old Court schallen, verzoet met nu en dan een flinke dot Verdi of Puccini. Ik leerde mijn toneelteksten, tikte af en toe een essay op mijn Hermes-schrijfmachine, las, rookte en kletste. Vrienden kwamen de trappen op om lange middagen bij ons aan de toast, de koffie en vervolgens de wijn te zitten. Vooral met Rob Wyke gingen we veel om, een promovendus van St. Catharine's die al aan de universiteit lesgaf en aan zijn proefschrift werkte. Hij had Gonzago gespeeld in *The Tempest*. Hij en Paul Hartell, ook een promovendus aan St. Catharine's, vormden met nog een derde woeste en wonderbare promovendus, Nigel Huckstep, een driemanschap in wiens gezelschap Kim en ik graag verkeerden. Hun belezenheid was immens, maar ze sloegen je er niet mee om de oren. Als we een avond vrij hadden, gingen we 'draaj' (volgens Nigel, die talen oppikte zoals een klein kind infecties oploopt, was dat het Zuid-Afrikaanse woord voor kuieren) langs King's College, door Trinity Street naar de Baron of de Beef Pub in Bridge Street, waar alle roddels van Cambridge over tafel gingen.

Commissies

In mijn derde jaar zat ik in tal van commissies. Ik was niet alleen voorzitter van het May Ball, senior lid van de Cherubs ('ik zie je lid, senior lid!' was daar natuurlijk het refrein) en voorzitter van BATS, ik zat ook in het bestuur van de ADC, de Mummers en diverse andere toneelgezelschappen. Dat betekende dat ik aan het begin van het studiejaar van bijeenkomst naar bijeenkomst holde om te luisteren naar regisseurs die hun 'pitch' kwamen geven, zoals we dat tegenwoordig noemen.

Dat ging dan zo. Stel, je bent regisseur of je wilt regisseur worden. Dan kies je een toneelstuk – nieuw of klassiek – en je bedenkt hoe je dat wilt opvoeren, je bereidt een praatje voor over je 'concept', je stelt een haalbare begroting op en je meldt jezelf aan bij de verschillende toneelgezelschappen om je idee te verkopen. Tegenwoordig zal dit allemaal wel gebeuren met behulp van presentatie- en spreadsheetsoftware, maar destijds was het een kwestie van velletjes papier en mooie praatjes.

Bij de ADC diende zich een eerstejaars aan die overliep van zelfvertrouwen. Hij had de gepijnigde uitstraling van een teergevoelige socialist met de kraag omhoog omdat hij zich van alle kanten belaagd wist door onderdrukking en geweld.

'Ik ben héél erg geïnteresseerd in het werk van Grotowski en Brook,' zei hij. 'In mijn productie van *Serjeant Musgrave's Dance* wil ik uitgaan van hun theorieën, in combinatie met elementen van het brechtiaanse episch theater. De hele cast moet gekleed gaan in rood en wit. Het decor moet bestaan uit steigers.'

We hoorden nog een paar kandidaten aan en daarna snelde ik naar Trinity Hall, waar we zo'n zelfde bijeenkomst hadden voor de Mummers. Blijkt de derde kandidaat die daar zijn concept komt verkopen diezelfde gedreven eerstejaars te zijn die ook al bij de ADC was. Hij gaat zitten.

'Ik ben héél erg geïnteresseerd in het werk van Grotowski en Brook,' zegt hij. 'In mijn productie van *'Tis Pity She's a Whore* wil ik uitgaan van hun theorieën, in combinatie met elementen van het brechtiaanse episch theater...' Hij valt stil en kijkt mij weifelend aan. Kent hij mij niet ergens van? Hij schudt zijn hoofd en gaat verder. 'De hele cast moet gekleed gaan in rood en wit. Het decor moet bestaan uit steigers.'

Er volgen nog wat kandidaten, en dan ga ik naar Queens' College voor de bijeenkomst van BATS. En ja hoor, daar is hij weer. Hij laat werkelijk geen mogelijkheid onbenut.

'Ik ben héél erg geïnteresseerd in het werk van Grotowski en Brook. In mijn productie van *The Importance of Being Earnest* wil ik uitgaan van hun theorieën...'

'In combinatie met elementen van het brechtiaanse episch theater?' vraag ik. 'Kleding rood en wit misschien. Steigers?'

'Ehm...'

Die eerstejaars is nu een succesvol *homme de théâtre* en regisseur van naam. Ik weet niet in hoeveel van zijn producties de acteurs in rood en wit gekleed gaan, maar met zijn in een decor van steigers geplaatste *My Fair Lady*, sterk leunend op de theorieën van Grotowski en Brook (in combinatie, zo is me verteld, met elementen van het brechtiaanse episch theater) kreeg hij vorige zomer in Margate de zaal plat. Nee, stil jullie.

Ik had toen al net zo'n bloedhekel aan vergaderen als nu. Mijn hele leven is één lange strijd om me er zo veel mogelijk aan te onttrekken. Een strijd die ik verlies. Laat mij maar dingen doen in plaats van praten over wat we gaan doen. De wereld wordt natuurlijk geregeerd aan de vergadertafel, en dat is allemaal leuk en aardig als vergaderen je lust en je leven is – maar de mensen die de wereld regeren, hebben zo weinig tijd om in de wereld rond te rennen en te lachen en te spelen.

Het was dan ook een hele verademing om Volpone te mogen spelen voor de ADC. Een tweedejaars van Caius College, Simon Beale, speelde sir Politic Would-Be en stal de show met zijn verbluffende fysieke humor en schandalige geschmier. Op een gegeven moment in het tweede bedrijf voerde hij een gesprek met mij waarbij hij met zijn rug naar het publiek stond. Mijn tekst kwam er altijd heel fraai uit, maar ik vroeg me steeds af waarom er zo hard om werd gelachen. Je raakt van je à propos als je niet snapt waarom het publiek lacht. Tot ik erachter kwam dat Simon Beale gedurende die hele scène aan zijn kont stond te krabben. Daar zou ik me misschien kwaad over hebben gemaakt als hij niet zo'n begaafde acteur en innemende man was geweest. Hij kon ook prachtig zingen en had een absoluut gehoor. In het stuk zit een scène op de markt waarin werd gezongen – niet door mij natuurlijk, maar door de rest van de cast. Iedereen kwam dan in de coulissen om Simon heen staan en hij gaf de toonhoogte aan. Na afloop van de voorstelling trakteerde hij mij altijd nog op een vertolking van 'Dalla sua pace' of 'Un'aura amorosa', en dan smolt ik helemaal weg.

Een van de voorstellingen werd bijgewoond door de eerbiedwaardige Shakespeare-kenner emeritus professor L.C. Knight, Elsie voor vrienden. Na afloop liet hij bij de ingang van de kleedkamers een briefje afgeven waarin hij schreef dat hij mijn Volpone nog beter vond dan die van Paul Scofield. 'Beter spel, betere articulatie, en geloofwaardiger. De beste die ik ooit heb gezien.' Typisch dat ik me dat nog woord voor woord kan herinneren. Die ouwe rakker was natuurlijk al bijna tachtig, en ongetwijfeld doof en seniel, maar toch was ik apetrots. Zo trots dat ik het briefje alleen aan Kim en de regisseur liet lezen. Ik was namelijk nog veel trotser op het feit dat ik mezelf nooit op de borst klopte of zelfingenomen was dan op eventuele daadwerkelijke prestaties. Soms streden die twee verschillende soorten trots in mij om voorrang, maar meestal zegevierde de eerste, wat dan ten onrechte als bescheidenheid werd gezien.

In de week dat *Volpone* werd opgevoerd, struikelde ik op een avond achter de coulissen over een stapel dozen. Die waren daar gedumpt door de drukker, en ze bevatten het programma voor de ADC-productie van de volgende week: *Serjeant Musgrave's Dance* van de Grotowski/Brook-fanaat, die bij de ADC uiteindelijk zijn kans had gekregen. Ik bladerde in zijn programmaboekje:

Arbeid. Discipline. Kameraadschap. Arbeid en discipline en kameraadschap. Alleen met die drie kwaliteiten kunnen we tot een waarlijk socialistisch theater komen.

Ik nam de dozen mee naar mijn kleedkamer en zocht een pen. Een uur later lagen de programma's weer in de doos. De tekst luidde nu:

Arbeid. Discipline. Kameraadschap. Arbeid en discipline en kameraadschap. Alleen met die drie kwaliteiten kunnen we tot een waarlijk [nationaal-] socialistisch theater komen.

Toen ik later die avond zijn furieuze, wit weggetrokken gezicht zag, voelde ik me wel een smeerlap. Maar werkelijk hoor. Allemachtig. Noemde Shakespeare zijn acteurs 'arbeiders' of 'spelers'?

Cyclus

Een week later verraste Kim me met een weekje weg van Cambridge. Hij had kaartjes gekocht voor de Ring-cyclus van Götz Friedrich in het Royal Opera House in Londen. Maandag *Das Rheingold*, dinsdag *Die Walküre*, woensdag pauze, donderdag *Siegfried*, vrijdag vrij en zaterdag *Götterdämmerung*. Een week vol Walküren en Nibelungen en goden en helden en reuzen en Nornen. Het was de eerste keer dat ik naar Covent Garden ging en de eerste keer dat ik Wagner live hoorde. Maar niet de laatste keer. Sterker nog, ik typ dit op een dinsdag. Drie dagen geleden ben ik nog naar *Götterdämmerung* geweest. Het gaat je in het bloed zitten. Nou ja, bij mij althans. Bij u allicht niet. Wagnerianen zijn maar al te bekend met het verschijnsel van mensen die glazig beginnen te kijken zodra je over je obsessie vertelt. Ik laat het dus maar bij wat waarschijnlijk al overduidelijk is: dat het een verpletterende ervaring was, en een week die mijn leven diepgaand heeft veranderd.

Comedy-collega, Compagnon en Compadre

Een moment dat mijn leven nog diepgaander heeft veranderd, en een ervaring die zo mogelijk nog verpletterender was, doemde nu aan de horizon op.

Een van de vrienden die ons in A2 vaak bezochten was Emma Thompson. Ze was een jaartje met Footlights gestopt, maar was voor haar laatste jaar terug bij de club als vicevoorzitter. Op een avond kwam ze binnen en plofte neer op onze voortreffelijke sofa.

'Herinner je je Hugh Laurie nog?'

'Eh… help me even.'

Ongeduldig gooide ze een kussen naar mijn hoofd. 'Je weet heel goed wie ik bedoel. Hij zat in *Nightcap*.'

'O, die lange knul met die rooie wangen en die grote blauwe ogen?'

'Precies. Die is dit jaar voorzitter van de Footlights.'

'Zo.'

'Ja, en hij zoekt iemand om sketches mee te schrijven. Hij wil dat ik jou meeneem naar Selwyn, waar hij op kamers zit.'

'Mij? Maar ik ken hem niet… hoe… wat?'

'Je kent hem best!' Ze gooide twee kussens achter elkaar. 'Ik heb jullie in Edinburgh aan elkaar voorgesteld.'

'Echt waar?'

Er waren geen kussens meer over, dus wierp ze me een veelzeggende blik toe. Misschien wel de meest veelzeggende blik die dat jaar in Cambridge werd geworpen. 'Voor iemand met zo'n goed geheugen,' zei ze, 'heb je een waardeloos geheugen.'

Kim, Emma en ik liepen over Sidgwick Avenue naar Selwyn College. Het was een koude novemberavond en er hing een kruitlucht van vuurwerk dat ergens in de buurt van de Fen Causeway werd afgestoken. We kwamen bij een victoriaans gebouw aan de kant van Grange Road waar het rugbyveld ligt, niet ver van het nieuwste college van Cambridge, Robinson.

Emma ging ons voor door de openstaande buitendeur en liep een paar treden op. Ze klopte op een deur aan het einde van de gang. Een stem bromde dat we binnen mochten komen.

Hij zat op de rand van zijn bed met een gitaar op zijn knie. Aan de andere kant van de kamer zat zijn vriendin, Katie Kelly, die ik vaag kende. Ze studeerde Engels op Newnham, net als Emma. Ze was heel knap en had lang blond haar en een betoverende glimlach.

Hij stond onhandig op, de blossen op zijn wangen duidelijker afgetekend dan ooit. 'Hullo,' zei hij.

'Hullo,' zei ik.

We waren allebei mensen die 'hullo' zeiden in plaats van 'hallo'.

'Rode of witte wijn?' vroeg Katie.

'Ik heb een liedje geschreven,' zei hij en hij begon op zijn gitaar te tokkelen. Het was een soort ballade vanuit het perspectief van een Amerikaanse aanhanger van de IRA.

U wilt dat ik de IRA geld doneer?
Maar graag, meneer, dat is een hele eer
Iedereen vecht graag voor de goede zaak

Het accent klopte precies en hij zong fantastisch. Ik vond het een perfect liedje.

'Woolworths,' zei hij terwijl hij de gitaar neerlegde. 'Ik leen gitaren die tien keer zoveel kosten, maar daar kan ik niks mee.'

Katie kwam met de wijn. 'Nou, ga je het hem vertellen?'

'O ja. Nou, het zit zo. Footlights. Ik ben voorzitter, weet je.'

'Ik heb je in *Nightcap* gezien je was geweldig het was prachtig,' zei ik in één adem.

'O. Gut. Nou. Nee. Echt? Nou eh... *Latin!* Klasse. Absolute klasse.'

'Onzin, hou op.'

'Zonder meer.'

Nu de ondraaglijke gruwel van de wederzijdse bewondering achter de rug was, zwegen we allebei, onzeker hoe we verder moesten.

'Vooruit, vertel,' zei Emma.

'Ja. Dus. Er zijn nog twee Smokers dit trimester, maar het belangrijkste is kerst.'

'Kerst?'

'Yup. De kerstmusical. Twee jaar geleden hebben we *Aladdin* gedaan.'

'Hugh was de keizer van China,' zei Katie.

'Ik ben bang dat ik die niet gezien heb,' zei ik.

'Terecht. Ik was ook niet gegaan als ik er niet zelf in had gezeten. Hoe dan ook, dit jaar doen we *De Sneeuwkoningin*.'

'Van Hans Christian Andersen?'

'Yup. Katie en ik zijn al aan het schrijven. Dit hebben we nu...'

Hij liet me een stuk script zien.

Vijf minuten later zaten Hugh en ik samen een scène te schrijven alsof we ons hele leven nooit anders hadden gedaan.

Je leest wel over mensen die plotseling als een blok voor elkaar vallen, over romantische bliksemflitsen in combinatie met kletterende cimbalen, ijl trillende violen en galmende akkoorden, en je leest over blikken die elkaar in een kamer kruisen onder het snorrende geluid van Cupido's pijl, maar je leest minder vaak over samenwerkingsliefde op het eerste gezicht, over mensen die van het ene moment op het andere ontdekken dat ze geboren zijn om samen te werken of vanzelfsprekende en volmaakte vrienden te zijn.

Zodra Hugh Laurie en ik ideeën begonnen uit te wisselen, was het meteen kristalhelder dat we helemaal op één lijn zaten in ons gevoel voor humor en in onze bedenkingen, onze smaak en onze afkeer van wat we onorigineel, goedkoop, voor de hand liggend of stilistisch onaanvaardbaar vonden. Wat niet wil zeggen dat we in alles hetzelfde waren. Als de wereld vol zit met potjes op zoek naar een dekseltje en dekseltjes op zoek naar een potje, zoals de platonische allegorie van de liefde globaal gesproken suggereert, dan is het overduidelijk dat wij ieder afzonderlijk precies die kwaliteiten en tekorten leken te hebben waar het de ander het meest aan ontbrak. Hugh was muzikaal en ik totaal niet. Hij kon op een innemende manier de dwaze clown uithangen. Hij bewoog, duikelde en sprong als een atleet. Hij had gezag, overtuigingskracht en waardigheid. Ik had... tja, wat had ik eigenlijk? Ik was vlot van de tongriem gesneden, denk ik. Verbaal begaafd. Erudiet. Hugh zei altijd dat ik ook *gravitas* meegaf aan wat we deden. Hij had zelf op het toneel ook veel autoriteit, maar ik denk dat ik bij het spelen van oudere gezagsfiguren een streepje voor had. Ik schreef ook. Dat wil zeggen, ik schreef echt letterlijk tekst op, met pen en papier of een typemachine. Hugh sloeg de zinnen en de grote lijn van zijn monologen en liedjes in zijn hoofd op en schreef alles pas op, of dicteerde het, als er een script nodig was voor de productie of voor administratieve doeleinden.

Hugh vond dat de Footlights beslist een volwassen indruk moest maken maar nooit zelfingenomen moest zijn of, godbetert, 'cool'. We hadden allebei een gruwelijke hekel aan cool doen. Een zonnebril dragen als er geen zon is of de gepijnigde, gekwelde, emotioneel verscheurde figuur uithangen, met een snuivende sneer van 'Hè..!? Wát!?' de neus ophalen voor zaken die je niet begrijpt of beneden je stand vindt. Aan dat soort verveeld, egocentrisch narcisme hadden we een hekel. Nog liever een naïeve sukkel lijken dan blasé, mat of levensmoe. 'We zijn goddomme studenten,' was ons credo. 'Andere mensen maken ons bed op en poetsen onze kamer. We wonen in gelambriseerde, middeleeuwse kamers. We hebben theaters, drukpersen, eersteklas cricketvelden, een rivier, boten, bibliotheken en alle tijd van de wereld om ons te vermaken en plezier te hebben. Welk recht hebben wij om hier met een gekweld gezicht te gaan lopen klagen en zagen?'

Gelukkig werd in die tijd nog niet door jongelui aan stand-up-comedy gedaan. De gedachte – en ik ben bang dat het sindsdien realiteit is geworden – aan gepijnigde emo-studenten die lamlendig en gefrustreerd op een microfoonstandaard hangen en jeremiëren dat het leven zo zwaar is, hadden wij allebei onverdraaglijk gevonden. We waren allergisch voor pretenties, esthetische wanklanken en hypocrisie. Jongeren kunnen zo pedant zijn. Ik hoop dat we tegenwoordig een stuk toleranter zijn.

Bijna niemand met wie we ooit hebben gewerkt, in Cambridge of later, leek onze esthetica (als ik dat woord mag gebruiken) te delen of zelfs maar te begrijpen. Onze comedycarrière heeft waarschijnlijk geleden onder onze angst om niet origineel genoeg te zijn, verwaand te lijken, het er te dik op te leggen of de weg van de minste weerstand te kiezen. Diezelfde angst kan ons ook hebben opgestuwd tot enkele van onze beste prestaties, dus we hoeven geen spijt te hebben van onze kieskeurigheid en veeleisendheid. We raakten al snel vertrouwd met de verbaasde uitdrukking op het gezicht van mensen die iets voorstelden wat indruiste tegen ons instinctieve gevoel voor wat grappig, juist of passend was. Ik geloof niet dat we ooit agressief of onvriendelijk deden, in elk geval niet expres, maar als twee mensen qua principes en opvattingen volstrekt op één lijn zitten, moeten anderen zich erg buitengesloten voelen, en twee elitaire lange kerels zoals wij zullen wel een afschrikwekkende en onbenaderbare indruk hebben gemaakt. Vanbinnen voelden we ons natuurlijk helemaal niet zo. Ik wil niet de indruk wekken dat we ernstige, dogmatische ideologen waren, de Frank en Queenie Leavis van de humor. We hebben altijd veel gelachen. Bij het minste of geringste kregen we de slappe lach als een stelletje bakvissen, en die leeftijd waren we natuurlijk ook nog maar amper ontgroeid.

Hugh kwam van Eton, waar hij op internationaal niveau had geroeid en samen met zijn schoolvriend James Palmer goud had gehaald op de twee zonder stuurman bij de Olympische Spelen voor junioren en in de Henley-regatta. Zijn vader had in de jaren dertig met de acht van Cambridge drie jaar op rij gewonnen van Oxford, en had deel uitgemaakt van de Britse acht op de Olympische Spelen in Berlijn in 1936 en van de twee zonder stuurman op de Spelen in Londen van 1948, waar hij samen met zijn partner Jack Wilson goud won. Als Hugh niet de ziekte van Pfeiffer had gekregen, was hij ongetwijfeld meteen als roeier uitgekomen voor de universiteit, maar omdat die ziekte hem in zijn eerste jaar uit het roeiteam hield, ging hij op zoek naar een andere bezigheid en kreeg hij een rol in *Aladdin*, en twee trimesters later in *Nightcap*. In zijn tweede jaar stopte hij met de Footlights en deed hij waarvoor hij naar Cambridge was gekomen, namelijk die roeiboot door het water stuwen. Om vijf of zes uur 's ochtends de rivier op, een paar slopende uren roeien, vervolgens looptraining, fitness en dan weer de rivier op. Zo roeide hij in 1980 voor Cambridge in een race die door Oxford met anderhalve meter werd gewonnen, het kleinste verschil ooit. Je kunt je de teleurstelling voorstellen. Hoe vaak zal hij niet in gedachten elke meter van die race opnieuw hebben geroeid. Eén slag meer per minuut, die bocht net iets scherper aansnijden, twee procent meer inspanning bij Hammersmith... het moet hartverscheurend zijn geweest er zo dichtbij te hebben gezeten. Ik probeerde hem te vertellen dat ik zelf had verloren van Merton in de finale van *University Challenge* en dat ik dus precies begreep hoe hij zich voelde. De blik die hij me toewierp zou een neushoorn hebben geveld.

Het jaar daarop, zijn laatste studiejaar, moest hij kiezen: blijven roeien of terugkeren bij Footlights. Voorzitter van de roeivereniging van Cambridge of voorzitter van de Footlights? Hij beweert dat hij erom heeft getost en dat het lot op de Footlights viel. Hij had in Edinburgh *Latin!* gezien en bedacht dat ik misschien een goede aanwinst voor zijn gezelschap zou zijn. Van de lichting van het eerste jaar waren alleen hij en Emma over, en hij zat om vers bloed verlegen. Kim werd in de commissie opgenomen als juniorpenningmeester, Katie werd secretaris en Emma vicevoorzitter; Paul Shearer, een computerwetenschapper van St. John's, een grappige, lugubere acteur met bijna even grote ogen als Hugh, was al valkenier van de vereniging. Die merkwaardige functie stamde uit de dagen dat de Footlights in Falcon Yard waren gevestigd. Ik geloof niet dat er enige verplichting aan die functie verbonden was, maar het klonk goed en ik voelde een bittere en laakbare afgunst voor Pauls titel.

Continuïteit en Clublokaal

Er is wellicht één doorslaggevende reden waarom de Footlights zo'n verbluffend aantal figuren heeft voortgebracht die het ver hebben geschopt, en die reden is continuïteit. De Footlights heeft een traditie van meer dan honderd jaar. Die traditie inspireert veel mensen met een hang naar humor om voor Cambridge te kiezen. De programmering van Footlights is elk jaar hetzelfde: in het eerste trimester een kerstmusical, in het tweede trimester een Late Night Revue in de ADC, en tot slot de May Week Revue in het Arts Theatre, die vervolgens op tournee gaat naar Oxford en andere steden en tot besluit naar het Edinburgh Fringe Festival in augustus. Daarnaast zijn er het hele jaar door pittige Smokers. Dat woord is afgeleid van Smoking Concert. Ik neem aan dat roken bij deze publieke evenementen niet langer is toegestaan, maar de naam is gebleven. In onze tijd vonden de Smokers plaats in het clublokaal. Het feit dat de club zijn eigen kleine podium had, is ook een van de grote voordelen van de Footlights ten opzichte van de comedygroepen van andere universiteiten. Als ik een vergelijking met de buitenwereld moet maken, denk ik dat een open podium nog het dichtst bij een Smoker komt, al vond er in onze tijd wel een zekere schifting plaats, zodat 'open' niet helemaal het juiste woord is. Studenten die een sketch of een grap, een liedje of een monoloog wilden opvoeren, kwamen de dag ervoor naar het clublokaal om hun kunsten te vertonen. Het commissielid dat de Smoker organiseerde, keurde al die nummers. Wat hij goed genoeg vond, werd toegevoegd aan de lijst; de audities gingen door tot er genoeg materiaal was voor een avondvullend programma. Het grote voordeel van dit systeem was dat we tegen de tijd van de May Week Revue konden kiezen uit een hoop materiaal en artiesten, die allemaal al met publiek waren uitgeprobeerd. Bij de meeste andere universiteiten hebben ze niet zo'n soort aanvoersysteem. Josh en Mary uit Warwick of Sussex zeggen misschien: 'Hé, we zijn grappig, weet je wat, we schrijven een show en gaan ermee naar Edinburgh! Nick en Simon en Bernice en Louisa kunnen ook meedoen, en Baz kan de liedjes schrijven.' Ze zijn waarschijnlijk allemaal grappig en getalenteerd, maar ze hebben niet het jaar training en ervaring, of de kast vol uitgetest materiaal waar een Footlights-show uit kan putten. Volgens mij is dat in wezen waarom de club het jaar na jaar zo goed blijft doen. Daarom zijn hun tournees altijd uitverkocht en daarom zijn mensen met gevoel voor comedy zo vaak geneigd om op het aanmeldingsformulier voor de universiteit een vinkje bij Cambridge te zetten.

Het clublokaal van de Footlights was een langwerpige, lage ruimte onder de discussiezaal van de Union en had een klein podium met aan de ene kant een lichtinstallatie en een piano, en aan de andere kant een soort bar. Aan de muren hingen ingelijste affiches van eerdere revues en foto's van voormalige Footlighters. Met hun houtje-touwtjejassen, zwarte coltruien, tweedjasjes of windjacks, met geleerde brillen met zwart montuur op hun neus en een sigaret met een askegel tussen de lippen, leken ze allemaal veel ouder dan wij, veel slimmer, veel talentvoller en oneindig meer sophisticated.

Ze deden eerder denken aan Parijse intellectuelen of avant-gardistische jazzmusici dan aan leden van een studentencabaret. Peter Cook, Jonathan Miller, Bill Oddie, Graeme Garden, John Cleese, David Frost, John Bird, John Fortune, Eleanor Bron, Miriam Margolyes, Douglas Adams, Germaine Greer, Clive James, Jonathan Lynn, Tim Brooke-Taylor, Eric Idle, Graham Chapman, Griff Rhys Jones, Clive Anderson...

'Hier stopt de traditie,' mompelden Hugh en ik altijd als we ter inspiratie omhoogkeken en onze blikken de hunne ontmoetten. Zo'n traditie, zo'n rijke geschiedenis als die van de Footlights was enerzijds een inspiratie en aanmoediging, maar aan de andere kant ook een onneembare hindernis en een ondraaglijke last.

Hugh noch ikzelf dacht ook maar één moment serieus dat we carrière zouden maken in de humor, op het toneel of in welke tak van de showbusiness dan ook. Als het me zou lukken om met hoge cijfers af te studeren, zou ik waarschijnlijk in Cambridge blijven, een doctoraalscriptie schrijven en kijken wat ik de wetenschap te bieden had. Diep vanbinnen hoopte ik toneelstukken en boeken te kunnen schrijven naast, boven of onder de universitaire aanstelling die mij ten deel zou vallen. Hugh beweerde dat hij zijn zinnen had gezet op een functie bij de politie van Hongkong. In de kroonkolonie hadden zich een paar corruptieschandalen voorgedaan, en ik denk dat hij zichzelf graag als een soort Serpico-figuur zag, in keurig in de vouw geperste shorts, een eenzame eerlijke diender die een vuil, smerig karweitje opknapt... Emma zou haar bestemming als wereldster wel vinden, daar twijfelde niemand van ons aan. Een agent had ze al: de afschrikwekkend imposante Richard Armitage, die in een Bentley reed, sigaren rookte en een oude Eton-stropdas droeg, had haar ingeschreven bij zijn impresariaat, Noel Gay Artists. Hij vertegenwoordigde ook Rowan Atkinson. Emma's toekomst zat gebeiteld.

Waarmee allerminst is gezegd dat het Hugh en mij aan ambitie ontbrak. Wij hadden patent op een merkwaardig soort negatieve ambitie: de ambitie om onszelf niet voor schut te zetten. De ambitie om niet de slechtste Footlights-show in jaren te maken. De ambitie om niet te worden beschimpt en bespot in de bladen van het college en de universiteit. De ambitie om niet de indruk te wekken dat we onszelf semiprofessionele showbizzsterren waanden. De ambitie om niet te falen.

Binnen twee weken na onze ontmoeting hadden we het script voor *De Sneeuwkoningin* af. Samen met Emma schreef ik ook een monoloog voor haar rol als krankzinnige, knorrige en onwelriekende Wijze Oude Vrouw. Katie speelde de heldin Gerda, en Kim, die de traditionele travestierol op zich nam alsof hij ervoor geboren was, speelde haar verbluffend Les Dawson-achtige moeder. Ik speelde de stompzinnige Engelsman Montmorency Fotherington-Fitzwell, negende graaf van Dubieus, die gelukkig niet zong. De uit Australië afkomstige Adam Stone van St. Catharine's College speelde Kay, het vriendje van Gerda, Annabelle Arden had de titelrol van de Sneeuwkoningin, en een bijzonder grappige eerstejaars, Paul Simpkin, speelde een soort nar met een blotebillengezicht. We hadden ook nog een talentvolle jongeman, Charles Hart, die meedeed met de dansers. Hij heeft later roem en een behoorlijk flink fortuin vergaard als tekstschrijver van Andrew Lloyd-Webbers *Phantom of the Opera* en *Aspects of Love*. Greg Snow, een oergeestige vriend van Corpus Christi, danste ook mee en wist Hugh afwisselend te amuseren en te ergeren met zijn enorme camp-gedrag en zijn talent om van het debiteren van hatelijkheden bijna een kunst te maken.

Hugh had enige bemoeienis met de muziek en ik had een piepklein aandeel in de songteksten, maar de composities en arrangementen waren toch voornamelijk het werk van medestudent Steve

Edis, wiens vriendin Cathie Bell ook in de voorstelling danste en zong als een uitzinnige cancandanseres, ondanks haar soms verwoestend zware astma-aanvallen.

De voorstelling was aardig succesvol, en tegen het derde trimester waren Hugh en ik al bezig met het schrijven van materiaal voor de Late Night Revue, door Hugh *Memoirs of a Fox* gedoopt. Het irriteerde hem dat niemand de verwijzing naar Siegfried Sassoon leek op te pikken, maar ook als je die niet wist was het een mooie titel. Je komt er al snel achter dat titels er volstrekt niet toe doen. Je kunt zo'n revue de naam geven van het eerste wat je ziet als je uit het raam kijkt, zoals indianen vroeger geacht werden met hun pasgeboren baby's te doen: Rennende Stier, Lange Wolk of Geparkeerde Auto. Je zou hem zelfs Het Eerste Wat Je Ziet Als Je Uit Het Raam Kijkt kunnen noemen. Dat vind ik eigenlijk wel een aardige titel. Op een middag vond ik een oud, beduimeld lesboek in het clublokaal van de Footlights. Op de omslag stond gekrabbeld: 'Titelsuggesties voor de May Week Revue'. Generaties lang hadden leden ideeën opgeschreven voor titels van shows. Mijn favoriet was *Captain Fellatio Hornblower*. Ik heb altijd het vermoeden gehad dat hier de jonge Eric Idle achter zat. Jaren later heb hem dat eens gevraagd. Hij kon het zich niet herinneren maar was met me eens dat het helemaal zijn stijl was en wilde best de eer opstrijken, zeker als hem dat ook royalty's zou opleveren.

Min of meer tegenover Caius College was een restaurant dat de Whim heette. Al generaties lang was dit gemoedelijke, pretentieloze etablissement een geliefd trefpunt waar studenten terecht konden voor een goede en goedkope avondmaaltijd en lange, lome brunches op zondag. Op een dag was het ineens gesloten en dichtgebouwd met steigers. Twee weken later ging het weer open als iets wat ik nog nooit eerder had gezien of ervaren: een fastfoodburgertent. Het heette nog steeds de Whim, maar nu werd er de nieuwe

Whimbo Burger geserveerd, twee schijven rundvlees gesmoord in een zurig zoete, romige saus en met plakjes augurk erop, tussen een in drie lagen gesneden sesambroodje en geserveerd op een polystyreenbordje met frites erbij die 'fries' werden genoemd, en opgeklopt ijs dat 'milkshake' werd genoemd. De kassa's waren voorzien van voorgeprogrammeerde knoppen die de met parmantige papieren petjes getooide baliemedewerkers maar hoefden in te drukken om bijvoorbeeld een Whimbo aan te slaan, of een milkshake of 'fries', waarna alle prijzen automatisch correct werden opgeteld. Het was alsof je een buitenaards ruimteschip betrad, en ik moet tot mijn schande bekennen dat ik er helemaal weg van was.

We kregen een vast ritueel. Nadat Hugh, Katie, Kim en ik het grootste deel van de middag op onze kamer hadden zitten schaken, kletsen en roken, liepen we van Queens' over King's Parade naar Trinity Street en wipten langs bij de Whim, waarna we onze weg naar het clublokaal van de Footlights vervolgden met onze buit: twee vrolijk zwaaiende plastic tasjes propvol dampende Whimwaar. Ik kon met gemak twee Whimbo's, een normale portie frites en een bananenmilkshake op. Hugh verorberde doorgaans drie Whimbo's, twee grote porties frites, een chocolademilkshake, plus alles wat de tengere Katie en Kim niet op konden. Al die jaren roeien en de enorme hoeveelheid calorieën die hij daarbij verbruikte, hadden Hugh een kolossale eetlust bezorgd, en een eetsnelheid die nog steeds iedereen die er getuige van is versteld doet staan. Ik kan zonder overdrijven zeggen dat hij een complete biefstuk van ruim zes ons naar binnen werkt in de tijd die het mij zou kosten om twee stukjes af te snijden en op te eten, terwijl ik toch ook heel wat sneller dan gemiddeld eet. Als hij in het jaar van zijn Varsity terugkwam van een dag trainen op het water, maakte Katie alleen voor hem een lamspastei klaar naar een recept voor zes personen, waar ze nog eens vier gebakken eieren bovenop legde. En die had hij dan al achter de kiezen voordat zij goed en wel aan haar soep en salade was begonnen.

Ik was nogal gefascineerd door de conditie die Hugh voor de Boat Race had opgebouwd. Die race is een heel stuk langer dan een standaardrace en vereist enorme kracht, uithoudingsvermogen en volharding.

Ik weet nog dat ik ooit tegen hem zei: 'Het moet in de periode dat je daarvoor oefende in elk geval een heerlijk gevoel zijn geweest om zo fit te zijn.'

'Hmm,' zei Hugh, 'allereerst wil ik erop wijzen dat wij het liever hebben over "trainen" dan over "oefenen", en daarnaast moet ik zeggen dat je je eigenlijk nooit echt fit voelt. Je traint zo hard dat je voortdurend in een wezenloze toestand van doffe apathie verkeert. Op het water verman je je en zweep je jezelf op en zet je de schouders eronder, maar zodra je klaar bent, verval je weer in die apathie. In feite is het allemaal één grote zinloze kwelling.'

'En daarom,' zei ik, 'kun je roeien ook maar beter overlaten aan dwangarbeiders en galeislaven.'

Toch zou ik maar wat trots zijn geweest als ik ooit iets had gepresteerd wat zo ongemeen veeleisend, zo loodzwaar en zo ontstellend extreem was als trainen voor en meedoen aan die roeiwedstrijd aller roeiwedstrijden.

Als de laatste sporen Whimbo en milkshake waren weggewerkt, nam Hugh in het clublokaal plaats achter de piano en keek ik toe, met een mengsel van bewondering en afgunst. Hij is zo iemand met zo'n feilloos oor voor muziek dat hij alles kan spelen, volledig in harmonie, zonder bladmuziek nodig te hebben. Hij kan niet eens echt noten lezen. Gitaar, piano, mondharmonica, saxofoon, drums – ik heb hem ze allemaal horen spelen en ik heb hem horen zingen met een bluesstem waar ik mijn benen voor zou geven. Ik zou stikjaloers moeten zijn, maar in feite ben ik juist krankzinnig trots op hem.

Het is wel heel prettig dat hoe knap Hugh ook is, hoe getalenteerd hij ook is, hoe grappig en charmant en slim hij ook is, ik nooit enige erotische kriebel voor hem heb gevoeld. Hoe rampzalig zou dat zijn geweest, hoe pijnlijk gênant, hoe noodlottig voor mijn geluk, voor zijn gemoedsrust en voor onze latere samenwerking in de comedywereld. Nee, de sympathie en genegenheid die we vanaf het eerste moment voor elkaar voelden, heeft zich gewoon ontwikkeld tot een diepe, rijke en volmaakte wederzijdse liefde die de afgelopen dertig jaar alleen maar sterker is geworden. De beste en meest wijze man die ik ooit heb gekend, zoals Watson over Holmes schrijft. Ik hou maar op voordat ik echt huilerig word en ga raaskallen.

Comedy-credits

In het clublokaal organiseerde ik mijn eerste Smoker, koortsachtig het meeste materiaal zelf schrijvend, als de dood dat er te weinig voor een hele avond zou zijn. In die tijd was er nog veel ophef over het spionageschandaal rond de oud-Cambridge-student Anthony Blunt, dus ik schreef onder meer een sketch over een docent (ikzelf) die een student (Kim) rekruteert voor de geheime dienst. Ik schreef ook een reeks korte grappen, voornamelijk met tekstloze beeldhumor. Alles leek die avond wonderbaarlijk goed uit te pakken, ik was helemaal in mijn nopjes en vol van een nieuw, gesterkt zelfvertrouwen, alsof ik een nieuw stel spieren had ontdekt waarvan ik nooit had geweten dat ik ze had.

Een paar dagen later kreeg ik een brief van een assistent van het nieuwe, succesvolle sketchprogramma van de BBC, *Not the Nine*

O'Clock News, dat de doorbraak betekende voor Rowan Atkinson en zijn medesterren. Een van de producers van het programma, de ex-Footlighter John Lloyd, had in het publiek van mijn Smoker gezeten en een grap gezien die hem wel geschikt leek voor *Not*. Of ze die konden kopen.

Koortsachtig typte ik hem uit:

Een man is klaar met plassen in een urinoir. Hij loopt naar de wastafel, wast zijn handen en zoekt een handdoek. Er hangt niets. Hij kijkt rond of er iets anders is om zijn handen mee af te drogen. Niets. Hij ziet een man bij de muur staan. Hij loopt naar hem toe en geeft hem een knietje. De man slaat dubbel van de pijn en stoot daarbij een hete luchtstroom uit waaraan onze held tevreden zijn handen kan drogen.

Ja, ik weet het. Op papier stelt het weinig voor, maar die avond had de sketch bij het Smoker-publiek goed gewerkt, en hij werkte ook toen Mel Smith en Griff Rhys Jones hem een maand later in *Not the Nine O'Clock News* deden. Door de jaren heen is hij vaak herhaald en opgenomen in compilaties van hoogtepunten. Tot wel tien jaar later bleef ik cheques van de BBC ontvangen voor steeds weer andere absurde bedragen. 'Aan Stephen Fry te betalen de som van £ 1,07' enzovoort. Het laagste bedrag was 14 pence voor verkoop aan Roemenië en Bulgarije.

Ik had net die uitgeschreven versie op de post gedaan toen Hugh mijn kamer binnenkwam voor zijn gebruikelijke potje schaak, kletsen en koffieleuten. Trots vertelde ik hem dat ik nu voor de televisie schreef. Zijn gezicht betrok.

'Dat betekent dus dat wíj hem niet meer kunnen doen,' zei hij, en zijn ogen vulden de zin aan die hij uit beleefdheid achterwege liet: 'Stomme oen.'

Papa.
Mama.

Opa.

Mijn zusje Jo, ik, mijn broer Roger.

Tragisch haar. Tragische tijd. Ergens tussen school en de jeugdgevangenis.

Tussen papa en mama met rechts een nogal langharige Roger.

De Sugar Puffs-junk is overgestapt op Scott's Porage Oats.

University Challenge.

Kim met zijn Half Blue.

De Cherubs. Ik weet dat we een stel eikels lijken, maar dat waren we niet.
Echt niet.

Kim Harris. Heeft wel iets van een jonge Richard Burton.

Emma Thompsons haar groeit alweer aardig aan.

Te arm voor een buitenboordmotor moeten Hugh Laurie en zijn vrienden zich op eigen kracht door het water sleuren.

Als de koning in *All's Well That Ends Well*, BATS May Week productie 1980, in de Cloister Court van Queens College.

Kabeltrui, deel 1.

De doorschijnende
oren van
Hugh Laurie,
heer van stand.

Kabeltrui, deel 2.

'O. O ja, daar had ik niet aan gedacht. Natuurlijk. Barst. Verdorie. Bil.'

Ik vond het zo fantastisch dat ik materiaal aan de televisie kon verkopen dat ik er helemaal niet bij had stilgestaan dat we het dan zelf niet meer konden gebruiken. Niet denken is een van de dingen waar ik het best in ben. Toch was ik, toen ik mijn naam zag op de aftiteling van de aflevering met mijn grap erin, als een kind zo gelukkig.

Toen de Late Night Revue *Memoirs of a Fox* in de ADC in première ging, bestond de cast uit Emma, Kim, Paul, Hugh en mijzelf, plus de lange, blonde, tengere en bijzonder talentvolle Tilda Swinton, een meisje dat Hugh erbij had gehaald. Ze maakte niet echt deel uit van de comedy-scene van Cambridge, of wat daarvoor door moest gaan, maar ze kon geweldig acteren en was met haar rustige uitstraling de ideale rechter in een Amerikaanse rechtszaalsketch, bedacht door Hugh met een heel klein beetje hulp van mij.

Het is eigenlijk prachtig om te bedenken dat die twee al in hun studietijd Amerikaanse personages speelden. We hadden je voor gek verklaard als je toen had voorspeld dat Hugh ooit nog eens Golden Globes zou winnen voor het spelen van een Amerikaan in een televisieserie en dat Tilda een Oscar zou krijgen voor een rol als Amerikaanse in een speelfilm.

Cooke

In het tweede trimester had Jo Wade, de secretaris van de Mummers, mijn aandacht gevestigd op het feit dat de club, die in 1931 was opgericht door de jonge Alistair Cooke, tijdens het volgende trimester vijftig jaar bestond.

'Dat moeten we vieren,' zei Jo. 'En we moeten hem uitnodigen.' Alistair was bekend van zijn dertiendelige documentaire en zijn boek *A Personal History of the United States*, en van zijn langlopende en zeer geliefde radioserie *Letter from America*. We schreven hem per adres BBC, New York City, VS, met de vraag of hij de komende paar maanden misschien plannen had om naar Groot-Brittannië te komen en zo ja, of hij eventueel genegen was onze gast te zijn bij een diner ter gelegenheid van het vijftigjarig bestaan van de toneelvereniging die hij, zoals hij zich wellicht nog herinnerde, had opgericht. Een toneelvereniging, zo voegden we eraan toe, die sterker en vitaler was dan ooit, en die meer Fringe First-prijzen in Edinburgh had vergaard dan enige andere universitaire toneelvereniging in het land.

Hij schreef terug dat hij geen plannen had om naar Groot-Brittannië te komen. 'Maar plannen kunnen worden veranderd. Ik was zo opgetogen over jullie brief dat ik alsnog overkom om erbij te zijn.'

In de eetzaal van Trinity Hall zat hij tussen mij en Jo en vertelde prachtige verhalen over de tijd, eind jaren twintig en begin jaren dertig, dat hij op Jesus College zat. Hij vertelde over Jacob Bronowski, die de kamers boven hem had: 'Hij nodigde me uit voor een potje schaak en toen we wilden beginnen vroeg hij: "Speel je klassiek schaak of hypermodern?"' Hij vertelde over zijn vriendschap met Michael Redgrave, die Cooke was opgevolgd als redacteur van *Granta*, het intelligentste studentenblad van Cambridge. Onder het vertellen schreef hij wat woorden op zijn servet. Toen het tijd was om een toost uit te brengen op de Mummers en hun volgende vijftig jaar, stond hij op en hield aan de hand van die drie of vier neergekrabbelde woorden een toespraak van vijfendertig minuten in perfecte *Letter from America*-stijl.

Het irriteerde Michael Redgrave en mij mateloos dat vrouwen niet mochten meespelen in toneelstukken in Cambridge. We hadden schoon genoeg van al die mooie Eton-studentjes van King's die Ophelia speelden. We vonden het hoog tijd om daar eens verandering in te brengen. Ik ging naar de Mistresses van Girton en Newnham en stelde voor een serieuze nieuwe toneelvereniging op te richten waarin de vrouwenrollen door vrouwen mochten worden gespeeld. De Mistress van Girton, zo meen ik me te herinneren, was de tante van P.G. Wodehouse, of zijn nicht of zoiets, en ze was angstaanjagend maar wel aardig. Toen zij en de Mistress van Newnham zich ervan hadden vergewist dat onze motieven zuiver, esthetisch en eerzaam waren, wat natuurlijk maar gedeeltelijk het geval was, beloofden ze dat hun studentes mee mochten doen, en zo zijn de Mummers ontstaan. Zodra bekend werd dat er een nieuwe club was waar ook vrouwen bij mochten spelen, werd ik bestormd door honderden studenten die me smeekten in onze eerste productie te mogen meespelen. De audities herinner ik me nog goed. Een student van Peterhouse College droeg een toespraak uit *Julius Caesar* voor. 'Vertel eens,' zei ik zo vriendelijk mogelijk, 'wat studeer je eigenlijk?' 'Architectuur,' antwoordde hij. 'Nou, ga daar dan maar mee door,' zei ik. 'Ik weet zeker dat je een prima architect wordt.' Hij studeerde inderdaad cum laude af in de architectuur, maar als ik James Mason nu nog tegenkom zegt hij altijd: 'Verdomme, ik had je raad moeten opvolgen en architect moeten worden.'

Cooke sprak zo vlot, onderhoudend en voor de vuist weg dat de hele zaal aan zijn lippen hing. Hij was zo iemand die voorbestemd lijkt om getuige te zijn van grote gebeurtenissen. Beroemd is natuurlijk het feit dat hij in 1968 in het Ambassador Hotel in Los Angeles was toen enkele meters van hem vandaan Robert Kennedy werd neergeschoten. Hij vertelde ons over een andere keer dat hij in aanraking was gekomen met de wereldgeschiedenis, een voorval dat had plaatsgevonden tijdens een lange vakantie in de zomer nadat hij de Mummers had opgericht.

Ik ging met een vriend op wandelvakantie in Duitsland. Dat deed je in die tijd. Met je in een riem gebonden boeken over je schouder struinde je door de weiden van Frankenland, en hier en daar bleef je bij een herberg of pension hangen. Eén keer kwamen we laat in de ochtend aan in een klein Beiers dal en zagen daar een volmaakte biertuin bij een mooie oude, met geraniums en lobelia's overdekte herberg. Terwijl we van onze bierpullen nipten, werden in de tuin rijen stoelen klaargezet. Kennelijk was er een concert of zoiets ophanden. Even later stopten er twee ambulances. De chauffeurs en brancardiers stapten uit, gaapten, staken een sigaret op en stonden bij het geopende achterportier van hun voertuig alsof het de normaalste zaak van de wereld was. Er begonnen mensen binnen te druppelen, en algauw was elke stoel in de biertuin bezet. De tientallen mensen die geen zitplaats meer konden vinden, stonden achteraan of zaten in kleermakerszit op het gras voor het kleine, tijdelijke podium. We hadden geen idee wat er te gebeuren stond. Een enthousiaste menigte maar geen muzikanten, en wat nog het vreemdst was: die ambulancechauffeurs en brancardiers. Uiteindelijk arriveerden er twee enorme open Mercedes-bussen, die als een Keystone Kops-auto waren volgepropt met meer geüniformeerde figuren dan er eigenlijk in pasten. Ze sprongen er allemaal uit, en een van hen, een kleine man in een lange leren jas, marcheerde naar het podium en begon te spreken. Mijn Duits was niet zo goed en ik verstond er dus niet veel van, behalve één steeds herhaalde zin: '*Fünf Minuten bis Mitternacht! Fünf Minuten bis Mitternacht!*' Vijf voor twaalf! Heel eigenaardig allemaal. Het duurde niet lang of enkele vrouwen in de menigte raakten zo in vervoering dat ze flauwvielen, en dan kwamen de brancardiers naar voren om hen weg te dragen. Wat was dit voor spreker die gegarandeerd mensen kon laten flauwvallen met zijn woorden, zodat er al bij voorbaat ambulances werden klaargezet? Toen de man klaar was met zijn toespraak, schreed hij door het middenpad weg; zijn elleboog stootte tegen mijn schouder toen ik naar voren boog om zijn vertrek te zien, en hij botste achteruitlopend tegen me aan omdat hij nog naar de applaudisserende menigte wuifde. Hij greep me bij mijn schouder om te voorkomen dat ik viel en zei: *'Entschuldigen Sie, mein Herr!'* Als hij in de jaren daarna, toen zijn faam begon te groeien, in het bioscoopjournaal verscheen, zei ik altijd tegen het meisje naast me: 'Hitler heeft mij ooit nog zijn excuses aangeboden. Hij zei meneer tegen me.'

Na afloop van de avond gaf Alistair Cooke me een stevige handdruk en zei: 'De hand die je nu schudt heeft ooit Bertrand Russell de hand geschud.'

'Wauw!' zei ik, oprecht onder de indruk.

'Nee nee,' zei Cooke. 'Het gaat nog verder. Bertrand Russell heeft Robert Browning nog gekend. De tante van Bertrand Russell heeft nog met Napoleon gedanst. Zo dicht staan we allemaal bij de geschiedenis. We zijn er maar een paar handdrukken vandaan. Vergeet dat nooit.'

Bij het weggaan stopte hij een envelop in mijn zak. Het was een cheque van tweeduizend pond, uitgeschreven op naam van de Cambridge Mummers. In een begeleidend briefje had hij geschreven: 'Een klein deel te besteden aan producties, de rest aan wijn en nutteloos geslemp.'

Chariots 2

Op een ochtend in februari kwam Hugh onze kamer binnen, zwaaiend met een brief.

'Jullie zaten toch in die film die ze hier gedraaid hebben?' zei hij tegen mij en Kim.

'*Chariots of Fire* bedoel je?'

'Nou, eind maart is er een soort première, met een feest in het Dorchester Hotel, en ze willen dat de Footlights daar het entertainment verzorgen. Wat vinden jullie?'

'Het zou wel handig zijn om eerst de film te zien. Dan kunnen we er een sketch over maken, of er in elk geval op de een of andere manier naar verwijzen.'

Hugh bestudeerde de brief. 'Hun voorstel is dat wij op de ochtend van de dertigste naar Londen gaan, de persvertoning bijwonen die 's middags wordt gegeven, repeteren in de balzaal van het hotel en dan optreden na het diner.'

De dag voordat we de trein naar Londen namen, belde ik mijn moeder om te vertellen wat we gingen doen.

'O, het Dorchester,' zei ze. 'Ik ben in geen jaren in het Dorchester geweest. Maar de laatste keer herinner ik me nog goed. Je vader en ik waren daar in 1963 op een bal dat voortijdig werd afgebroken toen het bericht kwam dat Kennedy was vermoord. Toen had niemand nog zin om door te gaan.'

Op de afgesproken dag nam het kernteam van de Footlights plaats in een lege bioscoopzaal voor de vertoning van de film. We hadden ons ingesteld op zo'n deprimerende goedkope Britse flutfilm. Toen we naar buiten kwamen, veegde ik een traan van mijn wang en zei: 'Of ik ben in een heel rare bui, of dat was behoorlijk fantastisch.'

Iedereen leek het daarmee eens te zijn.

We draaiden snel een openingssketch in elkaar waarin we in slow motion het podium op renden. Steve Edis, even muzikaal als Hugh, had goed naar de karakteristieke filmtune van Vangelis geluisterd en kon die op de piano naspelen.

Na urenlang wachten in een klein eetzaaltje, bestemd voor sommeliers in rode livrei en wat vroeger 'hoger bedienend personeel' werd genoemd, waren we eindelijk aan de beurt.

'Mijne dames en heren,' zei de ceremoniemeester in zijn microfoon, 'ze sprankelen al vijftig jaar en staan nog steeds startklaar: hier zijn de Cambridge University Footlights!'

Onze slow motion-race over het podium, begeleid door Steves gepassioneerde vertolking van de filmmuziek, sloeg meteen aan, en na dat eerste gelach en applaus konden we vol zelfvertrouwen verder met ons materiaal. Op zeker moment merkten we echter dat we het publiek begonnen kwijt te raken. Er was geritsel, gemompel, geschuif van stoelen en gefluister. Mannen in smoking en vrouwen in avondjurk liepen op een holletje door de balzaal en… nou ja, om eerlijk te zijn… ze vertrokken.

Zó slecht waren we toch niet? Niet alleen hadden we dit al in Cambridge opgevoerd, we hadden ook opgetreden in de Riverside Studios in Hammersmith. Ik wilde best aannemen dat onze grappen niet bij iedereen in de smaak vielen, maar als je publiek zo massaal wegliep, leek het wel een voorgekookte belediging. Ik zag de blik van Hugh, de verwilderde, paniekerige ogen van een gazelle die door een luipaard tegen de grond wordt gewerkt. Ik vermoed dat in mijn ogen dezelfde blik lag.

Terwijl we bezweet van het podium af sjokten en Paul voor zijn monoloog naar voren liep met de dappere tred van een aristocraat op weg naar de guillotine, fluisterde Emma ons toe: 'Ronald Reagan is neergeschoten!'

'Wat?'

'Alle bonzen van Twentieth Century Fox zijn weggelopen om te bellen…'

Die avond belde ik mijn moeder.

'Nou, dat is het dan, schat,' zei ze. 'Van deze familie gaat nooit meer iemand naar een evenement in het Dorchester. Dat kunnen we Amerika niet aandoen.'

Creatief met Clausen

Brigid Larmour regisseerde dat trimester de productie van de Marlowe Society, *Love's Labour's Lost*. Dit was de serieuze tegenhanger van de May Week Revue van de Footlights, een productie met een (naar alle maatstaven) groot budget die werd opgevoerd in het Arts Theatre, een prachtig professioneel theater met de onheilspellende zaalcapaciteit van exact 666 plaatsen. Met een combinatie van mijn overtuigende welsprekendheid en Brigids natuurlijke charme wisten we Hugh over te halen zijn eerste Shakespeare-rol te spelen, die van de koning van Navarra. Ik speelde de rol die misschien wel de mooiste omschrijving heeft van alle *dramatis personae* bij Shakespeare: 'Don Adriano de Armado, een extravagante Spanjaard'. Alleen was ik geen extravagante Spanjaard. Als ik Spaans probeer te klinken, wordt het om de een of andere reden altijd Russisch of Italiaans, of een mengelmoesje van die twee. Een Mexicaans accent lukt me nog enigszins, dus werd mijn Armado een onbegrijpelijk extravagante Mexicaan. De hoofdrol van Berowne werd gespeeld door een goede tweedejaars, Paul Schlesinger, een neef van de grote filmregisseur John Schlesinger.

Het stuk begint met een lange toespraak waarin de koning aankondigt dat hij en de belangrijkste leden van zijn hofhouding drie jaar lang het gezelschap van vrouwen afzweren om zich aan kunst en wetenschap te wijden. Hugh en Paul hadden het probleem dat ze om elkaar moesten lachen. Ze hoefden elkaar op het toneel maar aan te kijken of ze stikten zowat van het lachen. De eerste paar repetities was dat nog niet zo erg, maar na een poosje zag ik dat Brigid zich zorgen begon te maken. Tegen de tijd dat de generale repetitie voor de deur stond, was het duidelijk dat Hugh de woorden van de openingstoespraak eenvoudigweg niet uit zijn strot zou krijgen: ofwel Paul moest van het toneel verdwijnen, waardoor er niets meer van het verhaal klopte, ofwel we moesten een andere creatieve oplossing bedenken. Dreigementen en scheldkanonnades waren nutteloos gebleken.

'Het spijt me,' zeiden ze allebei. 'We doen ons best om niet te lachen, het is iets chemisch. Een soort allergie.'

Brigid kwam op het lumineuze idee om de openingszinnen te laten uitspreken door iedereen die in die scène op het toneel staat: de koning, Berowne, Dumain, Longaville en bedienden, allemaal samen als een soort koor. Op de een of andere manier werkte dit en kwam er een eind aan het gegiechel.

Op het premièrefeest hoorde ik dat Brigid door een docent en eminent Shakespeare-kenner gecomplimenteerd werd met haar idee om de openingstoespraak als een soort gemeenschappelijke eed te laten voordragen. 'Een voortreffelijk concept. Het bracht de hele scène tot leven. Echt briljant.'

'Dank u, professor,' zei Brigid zonder blikken of blozen. 'Het leek me een goed idee.'

Ze zocht mijn ogen en straalde.

Van Cellar Tapes naar Carrière

Het laatste trimester brak aan. Weer een May Ball. De laatste examens. De May Week Revue zelf. Afstuderen. Vaarwel Cambridge, hullo wereld.

Bij de laatste Smoker voordat we aan de grote show begonnen te werken, schakelde ik mijn oude vriend Tony Slattery in, die naadloos in de voorstelling paste. Hij kreeg de zaal plat met gitaarliedjes en schitterende zelfgeschreven monologen; volgens de fatalistische conciërge die het gebouw schoonhield, had één meisje het zelfs in haar broek gedaan.

'Je kunt ook té grappig zijn,' zei hij terwijl hij een bus Vim op de vochtige zitting uitschudde.

Ik probeerde Simon Beale over te halen ook mee te doen, maar die had zijn agenda al vol met zang- en toneeloptredens. Ik denk dat hij zich niet echt thuis voelde in cabaret. We kregen versterking van Penny Dwyer, met wie ik had samengewerkt in producties van de Mummers en die kon zingen en dansen en grappig zijn, die eigenlijk gewoon alles kon, en zo hadden we samen met mij, Hugh, Emma en Paul Shearer een goede cast voor het grote werk: de May Week Revue, die ook naar Oxford en vervolgens naar Edinburgh zou gaan.

Ik schreef een monoloog voor mezelf gebaseerd op Bram Stokers *Dracula*, en een parodie voor twee acteurs van *The Barretts of Wimpole Street*, met Emma in de rol van Elizabeth, een aan bed gekluisterde invalide, en ik als Robert, die haar vurig het hof maakt. Hugh en ik hadden ons allebei bescheurd om de Shakespeare-masterclass van John Barton op tv, waarin hij Ian McKellen en David Suchet tergend langzaam door de tekst van één enkele monoloog leidt. We schreven een sketch waarin ik dat met Hugh deed. Onze tekstanalyse was zo gedetailleerd dat we nooit verder kwamen dan het eerste woord, 'Tijd'.

Hugh vroeg de voorzitter van het afgelopen jaar, Jan Ravens, ons te regisseren, en we begonnen in het clublokaal te repeteren. Ter afsluiting schreven we een sketch voor het hele ensemble over een afgrijselijk soort Alan Ayckbourn-gezin dat Hints speelt, wat uitmondt in onmin, onthullingen en wanorde.

Op een gegeven moment moeten we onze eindtentamens hebben gedaan, en op een ander moment moet ik twee scripties hebben voltooid, een over *Don Juan* van Byron, de andere over aspecten van E.M. Forster. Van geen van beide staat me ook nog maar iets bij, ik heb ze in twee krankzinnige avonden in elkaar geflanst: vijftienduizend woorden in sneltreinvaart getypt gezwatel.

Toen ik hoorde dat de examenuitslagen binnen waren, liep ik naar het Senate House, waar enorme mededelingenborden in houten lijsten op de muur waren gehangen. Ik drong me door de menigte hysterische studenten en vond mijn naam iets boven de middenmoot. Ik had een saaie, waardige en weinig opwindende 2:1 gescoord, een zevenenhalf, zeg maar.

Peter Holland, een docent van Trinity Hall die me les had gegeven in close reading en zeventiende-eeuwse literatuur, probeerde me te troosten.

'Ze hebben je werk twee keer gelezen om te zien of er geen cum laude in zat,' zei hij. 'Je zat er dichtbij. Al je essays kregen goede cijfers, dat over Shakespeare was weer uitstekend. Maar je Forsterscriptie vonden ze niet meer dan redelijk en die over Byron maar matig. Daarom konden ze er echt niet meer van maken. Pech gehad.'

Ik was meer gekrenkt in mijn trots dan gedwarsboomd in mijn plannen. Als ik eerlijk ben had Cambridge gelijk: met een werkstuk dat onder tijdsdruk moet worden geschreven had ik geen moeite, maar het serieuze werk van een scriptie vereiste het soort originaliteit, vlijt en eruditie dat ik niet bezat of niet kon opbrengen, zodat ik op dat punt werd ontmaskerd als de gewiekste schurk die ik was.

Hugh studeerde archeologie en antropologie en zijn studieresultaten waren een stuk amusanter en sympathieker. Hij had welgeteld één hoorcollege bijgewoond, waar hij stof had opgedaan voor een werkelijk schitterende monoloog over een Bantoe-hut, maar verder had hij nooit een van zijn professoren lastiggevallen, essays geschreven of een stap in de faculteitsbibliotheek gezet. Ik denk dat hij de eerste zou zijn om toe te geven dat iedereen meer van archeologie en antropologie weet dan hij.

De eerste avond van onze May Week Revue brak aan. De naam van de show was *The Cellar Tapes*, een verwijzing naar het clublokaal van de Footlights, de kelder waar de voorstelling was ontstaan, alsmede naar Bob Dylans *Basement Tapes*, en een woordspeling op sellotape.

Hugh ging als eerste het toneel op om de show te openen. 'Goedenavond, dames en heren. Welkom bij de May Week Revue. We hebben voor u een avond vol entertainment, vol – ik ben trouwens met de hakken over de sloot geslaagd – vol sketches, muziek en…'

En daar gingen we dan. Het Arts Theatre heeft een van de beste zalen voor comedy die ik ken. Met een in leer gebonden boek op schoot in de spotlights mijn Dracula-monoloog afsteken, met Hugh op het toneel de Shakespeare-masterclass houden, neerknielen aan het bed van de doodzieke Emma, thee inschenken voor Paul Shearer in het rekruteringsgesprek voor de geheime dienst – het was allemaal nog fijner en spannender in dat theater, op die avond en voor dat enthousiaste publiek dan alles wat ik daarvoor had gedaan.

Nadat het doek was gevallen keken Hugh en ik elkaar aan. Wat er verder ook mocht gebeuren, we wisten dat we de naam van de

Footlights niet te schande hadden gemaakt.

In de twee weken dat de show liep, werd op een avond achter de coulissen gefluisterd dat Rowan Atkinson in het publiek was gesignaleerd. Prompt brak ik met mijn levenslange (en dus nog niet zo oude) gewoonte om nooit door het gordijn de zaal in te gluren. Daar zat hij, geen twijfel mogelijk. Hij heeft nu eenmaal niet het meest onopvallende hoofd ter wereld. We deden er die avond allemaal een schepje bovenop, wat de show misschien beter maakte, maar er misschien ook een hysterisch tintje aan gaf – zelf was ik te opgewonden om dat te kunnen beoordelen. De grote Rowan Atkinson die naar ons optreden keek. Nog maar anderhalf jaar geleden had ik bijna overgegeven van het lachen bij zijn optreden in Edinburgh. Daarna was hij dankzij *Not the Nine O'Clock News* een grote tv-ster geworden.

Hij kwam naar de kleedkamer om ons een hand te geven, een genereus en vriendelijk gebaar voor een zo verlegen en bescheiden man. Ik was zo volledig van de kaart dat ik geen woord heb gehoord van wat hij zei, maar Hugh en de anderen vertelden me achteraf dat hij heel charmant en complimenteus was geweest over de show.

Twee avonden daarna kwam Emma's agent Richard Armitage kijken.

'Zien jullie jezelf dit nou ook professioneel doen?' vroeg hij na afloop. 'Dat je er je beroep van maakt?'

Het was allemaal zo plotseling, zo vreemd en overweldigend. Een paar trimesters eerder had ik nog innig tevreden als bejaarde soldaat of knoestige oude koning over het toneel gesjokt in opvoeringen van Tsjechov en Shakespeare. Ik had de meer serieuze acteurs horen praten over hun inschrijving op de Webber Douglas Academy, de weg die Ian McKellen na Cambridge had bewandeld. Nadat ik Hugh had leren kennen en sketches was gaan schrijven, zowel samen met hem als alleen, begon ik de hoop te koesteren ooit bij de BBC te kunnen solliciteren als scriptschrijver of productieassistent of zoiets. Maar over een toekomst als komiek had ik mijn twijfels. Die meesterlijke mimiek, het stille spel, de komische capriolen en de onverstoorbare zelfverzekerdheid die Hugh en Emma op het toneel en bij repetities tentoonspreidden, gingen mij veel minder makkelijk af. Ik was een stem en woorden. Mijn gezicht en mijn lijf waren nog altijd een bron van schaamte, onzekerheid en gêne. Dat deze Richard Armitage bereid was, gretig zelfs, om mij aan te nemen en me werkelijk een echte loopbaan in te loodsen, leek me een verbijsterend staaltje mazzel.

Later ontdekte ik dat die sluwe oude vos van een Richard zijn jongste beschermeling vooruit had gestuurd om naar ons te gaan kijken en zijn mening te geven. Dat verklaarde de aanwezigheid van Rowan. Kennelijk was diens commentaar positief genoeg geweest om Richard zelf de tocht naar Cambridge te laten ondernemen en, nu hij onze show had gezien, zijn aanbod te doen.

Ik zei natuurlijk ja. Hugh en Paul ook.

'Het is natuurlijk wel zo,' zei Hugh, toen we na afloop over straat liepen, 'dat dit op zich nog niets betekent. Zo haalt hij waarschijnlijk tientallen artiesten per jaar binnen.'

'Ik weet het,' zei ik. 'Maar toch: ik heb een agent!'

Ik bleef staan om een parkeermeter het heuglijke nieuws mee te delen: 'Ik heb een agent!'

Het silhouet van King's College tekende zich af tegen de avondhemel. 'Ik heb een agent!' riep ik het toe. Het was niet onder de indruk.

Cheerio Cambridge

Mijn laatste May Ball, mijn laatste Cherubs Summer Party in de Grove van Queens' College. Overal in Cambridge May Week-feesten, nieuwe niveaus van dronkenschap, broek omlaag trekken, rondzwalken, janken en kotsen. Kim en ik gaven ons eigen feestje op de Scholars' Lawn van St. Johns', en de kratten Taittinger die Kims ouders zo gul hadden gestuurd, gingen tot de laatste fles op. Mijn familie kwam naar de afstudeerceremonie: honderden in identiek ingetogen grijs gestoken kersverse afgestudeerden bij elkaar op het grasveld voor het Senate House, allemaal ineens heel volwassen en verweesd, zoals ze met een geforceerde glimlach voor fotograferende ouders poseerden en afscheid namen van hun vrienden-voor-drie-jaar. Ineens viel de slagschaduw van de buitenwereld over ons heen en leken die drie studiejaren weg te slinken als de afgeworpen huid van een slang, te verschrompeld om nog rond die schitterende voorbije jaren te passen.

Kims ouders woonden in Manchester, maar ze hadden ook een huis in de rijke Londense voorstad Hadley Wood, een forse tippel vanaf de metrostations High Barnet en Cockfoster, en dat stond Kim en mij geheel en al ter beschikking. Het was een absurd mooie en luxe manier om aan het leven buiten de universiteit te beginnen. Daar zag ik op tv hoe Australië de Ashes werd ontfutseld door Ian Botham, en ik voelde me de gelukkigste man in het heelal.

Bijna meteen daarna ging *The Cellar Tapes* naar Oxford, waar het een week lang in het Playhouse Theatre werd opgevoerd. Na het onvolprezen Cambridge Arts leek het Playhouse met zijn smalle, langwerpige zaal als van een kegelbaan volkomen ongeschikt voor comedy, en we vonden dat ons materiaal er totaal niet tot zijn recht kwam. Het management en de technici waren niet bepaald hartelijk, en we beleefden een benarde, onaangename week waarin we de vijandige blikken van de toneelknechten en lichttechnici probeerden te ontlopen, heen en weer werden geslingerd tussen somber gejammer en hysterisch gelach, en samenklitten om troost en steun bij elkaar te vinden. Het was een verbijsterende ontnuchtering. Hugh was zo kwaad over de onvriendelijke bejegening dat hij de manager een brief schreef, die hij me liet lezen voordat hij hem op de post deed. Nog nooit had ik kille woede zo vakkundig verwoord gezien in beleefd maar vernietigend proza.

Van Oxford trokken we naar het theater van Uppingham School, waar we door Chris Richardson werden verwelkomd, zoals hij twee jaar geleden al had voorspeld. In Oxford waren we ervan overtuigd geraakt dat onze show een zootje was en dat Edinburgh een ramp zou worden, maar in Uppingham wisten we het moreel weer enigszins op te krikken: het personeel en de scholieren vormden een stimulerend en enthousiast publiek, en het theater – waar ik in 1970 voor het allereerst op de planken had gestaan als heks in *Macbeth*[†] – was een perfecte locatie om ons zelfvertrouwen weer op te vijzelen. Christopher was een uiterst hartelijke en attente gastheer die voor ons allemaal uitstekende accommodatie regelde, inclusief een klein flesje maltwhisky op het nachtkastje.

Van de grote William Goldman is de beroemde uitspraak afkomstig dat in Hollywood 'niemand iets weet', een wijsheid die evenzeer opgaat voor het theater. Ik kreeg een brief van iemand die in Oxford naar *The Cellar Tapes* was geweest en het de beste show in zijn soort vond die hij ooit had gezien. Zelf kon ik me van de hele reeks voorstellingen in Oxford geen enkel moment voor de geest te halen dat in mijn ogen goed was gegaan. Maar ik realiseerde me dat het publiek eigenlijk best gelachen had, en dat er aan het eind altijd aanhoudend en enthousiast applaus had geklonken. Waarschijnlijk hadden de lompheid van het theaterpersoneel en de vorm van de zaal zo'n sterk contrast gevormd met de perfectie van Cambridge, dat die hele ervaring ons daardoor inktzwart en hopeloos was voorgekomen.

Caledonia 3

Niet veel later arriveerden we in Edinburgh, waar we St. Mary's Hall bleken te delen met de Oxford Theatre Group, wier show vlak voor de onze geprogrammeerd stond. Het waren vriendelijke, bescheiden en charmante mensen. St. Mary's had een grote zaal met hoge tijdelijke tribunes. Het bleek perfect voor onze show. We kregen positieve kritieken en waren de volle twee weken uitverkocht.

We deden twee sketches voor een radioprogramma van de BBC over de Fringe, gepresenteerd door Brian Matthew, die ons daarna interviewde. Het was de eerste keer dat ik op de radio kwam: de sketch ging prima, maar zodra ik voor mezelf moest praten werd mijn keel dichtgeschroefd, mijn mond droog en mijn hoofd leeg. Dat zou nog jaren zo blijven. Alleen in mijn slaapkamer kon ik tegen een denkbeeldige interviewer vlotte, geestige en zelfverzekerde opmerkingen debiteren. Zodra de groene opnamelamp aansprong, verstijfde ik.

Op een avond had Richard Armitage een briefje achtergelaten waarop stond dat er iemand van de BBC in de zaal zou zitten die ons graag wilde spreken. Twee dagen later zei hij dat we na de show twee mensen van Granada Television te woord moesten staan. De avond daarop werd onze show ook bezocht door Martin Bergman, die in het jaar 1977-1978 voorzitter van de Footlights was geweest en die ik in *Nightcap* had gezien. Ze deden allemaal aanbiedingen die ons deden duizelen van verbazing.

De man van de BBC vroeg of we bereid waren *The Cellar Tapes* voor tv op te nemen. De twee mensen van Granada, een zwierige Schot genaamd Sandy en een bijdehante Engelsman genaamd Jon, vroegen zich af of we misschien een sketchshow voor hen wilden ontwikkelen. Martin Bergman zei dat hij een tournee door Australië aan het regelen was. Van september tot december, Perth, Adelaide, Melbourne, Sydney, Canberra en Brisbane. Leek ons dat wat?

Op de voorlaatste avond in Edinburgh maakten we nog een laatste buiging voor het publiek toen opeens het gejuich weer begon aan te zwellen. Dat was fijn, maar ook nogal vreemd. Hugh gaf me een por: vanuit de coulissen was achter ons een man het toneel op gekomen. Hij liep naar voren en hief zijn hand om stilte te vragen. Het was Rowan Atkinson. Heel even dacht ik dat hij gek was geworden. Zijn verlegenheid was inmiddels legendarisch. Het sloeg nergens op dat hij daar stond.

'Ehm, dames en heren. Vergeef me dat ik er zo tussen kom,' zei hij. 'U vindt dat vast heel raar.'

Deze onschuldige opmerking ontlokte het publiek een harder geschater dan ons de hele avond was gegund. Terwijl ik die vreemde onderbreking verbijsterd en gefascineerd gadesloeg, weet ik nog dat ik dacht: dat is de kracht van de roem. Al kon Rowan natuurlijk ook woorden als 'raar' op zo'n manier uitspreken dat het onweerstaanbaar komisch werd.

'U weet wellicht,' ging hij verder, 'dat er dit jaar een prijs is ingesteld voor de beste comedyshow van het Fringe Festival. Hij wordt gesponsord door Perrier... die lui van de bubbels.'

Nog meer gelach. Niemand kan het woord 'bubbels' uitspreken zoals Rowan Atkinson dat doet. Mijn hart ging inmiddels als een gek tekeer. Hugh en ik keken elkaar aan. We hadden gehoord van de nieuwe Perrier Award, en één ding wisten we absoluut zeker...

'De organisatoren en de juryleden van deze prijs, die bedoeld is om nieuw talent en nieuwe trends in comedy te stimuleren, wisten één ding absoluut zeker,' ging Rowan verder, bevestigend wat we zelf al dachten. 'Wie de prijs ook wint, in elk geval niet die verdomde Footlights uit Cambridge.'

Het publiek viel hem bij met voetgeroffel, en ik was bang dat de provisorische tribunes waarop ze zaten het niet zouden houden.

'Met een mengeling van tegenzin en bewondering hebben ze echter unaniem besloten dat The Cellar Tapes de winnaar moest worden...'

In de zaal barstte het applaus los en Nica Burns, organisator van de prijs (wat ze dertig jaar later nog steeds is; sterker nog, toen er geen sponsorgelden meer binnenkwamen is ze hem zelf gaan financieren), trad naar voren met de trofee, die Rowan aan Hugh overhandigde.

Het moment waarop de Vice-Chancellor me een vel papier had overhandigd waarop ik officieel tot BA (Honours) werd verklaard, viel hierbij in het niet.

Het was ons gelukt. We hadden een show opgevoerd waarmee we onszelf niet voor schut hadden gezet. Ja, we hadden zelfs wel wat meer gepresteerd.

Later die avond slenterden we na een diner met Rowan en Nica en de pr-mensen van Perrier dronken en wel terug naar onze kamers.

Ik heb bijna die hele nacht wakker gelegen. Ik romantiseer dat niet. Ik weet nog heel goed hoe ik wakker lag en waar mijn gedachten heen gingen.

Anderhalf jaar eerder zat ik nog in mijn proeftijd na mijn veroordeling. Bijna mijn hele jeugd en puberteit had ik rondgedoold in de dichte duisternis van een dreigend woud vol doornstruiken, verraderlijk kreupelhout en vijandige wezens die ik zelf had geschapen.

Op de een of andere manier had ik een pad gevonden of aange-

reikt gekregen dat het woud uit leidde, en was ik op een open, zon-
verlichte weide beland. Dat zou op zich al fijn genoeg zijn geweest
na een leven lang struikelen over gemene wortels en mezelf open-
halen aan wrede stekels, maar nu was ik niet alleen op open terrein,
ik liep over een breed en gemakkelijk begaanbaar pad dat me naar
een paleis van goud leek te voeren. Ik had een geweldige, lieve en
slimme partner in de liefde en een geweldige, lieve en slimme partner in mijn werk. De nachtmerrie van het woud leek opeens heel
ver achter me.

Ik huilde en huilde tot ik ten slotte in een diepe slaap viel.

2.

Comedy

De jaren tachtig zijn al zo lang voorbij dat we het inmiddels wel eens zijn over hun identiteit, kleur, stijl en gevoel. Sloane Rangers, geboetseerde kapsels, Dire Straits, tafeltjes met donkerbruin rookglas, vierkante jasjes, New Romantics, schoudervullingen, nouvelle cuisine, yuppies... tv-programma's te over die ons beelden uit dat verleden voorschotelen alsof díe dingen het decennium kenmerkten.

Heel toevallig, hoezeer ik clichés ook probeer te vermijden, komen mijn jaren tachtig precies overeen met die oppervlakkige beschrijvingen. Toen ik in 1981 uit Cambridge vertrok en in het volle leven terechtkwam, ging Ronald Reagan zijn zesde maand als president in en moest Margaret Thatcher de vernedering van een recessie ondergaan; Brixton en Toxteth stonden in lichterlaaie, wekelijks ontploften er IRA-bommen in Londen, Bobby Sands bezweek aan zijn hongerstaking, de liberalen en de sociaaldemocraten hadden tot samenwerking besloten, Arthur Scargill stond op het punt het leiderschap van de mijnwerkersvakbond op zich te nemen, en het huwelijk van lady Diana Spencer en prins Charles zou de volgende maand plaatsvinden. Niets van dat alles leek destijds uiteraard heel bijzonder en je had ook niet het gevoel dat je in het beeldarchief van een televisieresearcher vertoefde.

Op het moment dat ik de universiteit vaarwel zei, was ik een lange, slanke, zelfverzekerd ogende jonge academicus, voor wie alles nieuw en spannend leek, zij het van zeer tijdelijke aard. Vroeg of laat, dat wist ik zeker, zouden ze me doorhebben; de deuren van de showbusiness zouden voor mijn neus dichtgesmeten worden en ik zou mijn ware roeping moeten volgen als leraar van het een of ander. Maar voorlopig kon ik niet ontkennen dat het leuk en lekker was om mee te drijven op deze vergankelijke wolk van roem.

Cabareteske Capriolen

Het binnenhalen van de Perrier Award leidde ertoe dat onze Footlights-show in Londen ging lopen. Nou, laten we niet overdrijven. 'In Londen ging lopen' suggereert iets van allure, maar eigenlijk waren we weinig meer dan een laatste afzakkertje in een gerenoveerd mortuarium in Hampstead, New End geheten – vele postcodes verwijderd van het glitterende neon van Shaftesbury Avenue. Niet dat we ons beklaagden. Voor ons was New End even geweldig als het West End. Het theatertje was zeven jaar eerder opgezet in een leegstaand ziekenhuismortuarium en had zich onder de bezielende leiding van pionier Buddy Dalton ontwikkeld tot een belangrijk centrum voor alternatief theater. Voor ons had het dezelfde glamour als het Palladium of het Theatre Royal Drury Lane.

Ons stuk, *The Cellar Tapes*, werd een week lang opgevoerd na de hoofdmoot van de avond, *Decadence* van Steven Berkoff, met in de hoofdrol Linda Marlowe en natuurlijk de briljante en imposante acteur/auteur zelf. Het onvoorstelbare genoegen te weten dat Berkoff onze kleedkamers binnensloop om onze sigaretten te jatten, was bijna even gelukzalig als de keer dat we hem met grote hanenpoten 'lul, lul, lul, lul, lul' zagen schrijven op een recensie van zijn stuk door Nicholas de Jong in de *Evening Standard* en die uitdagend in de lobby van het theater ophing. Berkoff had iets hards, iets rusteloos dreigends dat hij twee jaar later pas echt ten volle zou benutten bij zijn vertolking van Victor Maitland, de gemene schurk en coke- en kunsthandelaar in *Beverly Hills Cop*. Gezien zijn geduchte reputatie is het eigenlijk een wonder dat een stelletje fatjes uit Cambridge als wij ontsnapten aan zijn, op zijn minst verbale, agressie, maar ondanks zijn manier van doen geldt Berkoffs loyaliteit eerst en vooral het theater en acteurs. Zelfs pas afgestudeerde revue-artiestjes in tweedcolbert mogen het Pantheon betreden. Zijn toorn, agressie en beledigingen bewaarde hij voor recensenten, producenten en managers.

Na New End volgde Australië. Als hommage aan Ian Bothams historische zomer van glorie noemden wij onze revue *Botham, the Musical*. Het komt niet vaak voor dat er genoeg Brits zout is om in een voldoende grote Australische wond te strooien, dus we vonden dat wel een geslaagde en pakkende naam voor de show.

Het Australië van de vroege jaren tachtig was een openbaring voor me. Ik had een achtergebleven gebied verwacht: winkels met geel cellofaan voor een etalage met oranje stretchtopjes en tien jaar oude transistorradio's, dronken homofobe anti-Britse Aussies, Edna Everages met vlinderbrillen en een zure sfeer van culturele pluimstrijkerij, uit minderwaardigheidscomplexen voortspruitende grootspraak en de rancune van de geslaagde jongens. Zelfs de grootste Australofiel moet toegeven dat die elementen hebben bestaan en nog bestaan, maar ze waren, en zijn, absoluut niet dominant. Ik ontdekte dat Australië een land is van ongeëvenaard hoogstaande en tegelijk laaggeprijsde maaltijden en wijnen, een land dat gonsde van optimistische welvaart en daarmee het tegenovergestelde was van de Engelse treurnis van recessie, rellen en IRA-bommen. De welvaart en het zelfvertrouwen verbluften me. Het zonovergoten buitenklimaat leek zich te weerspiegelen in de Australische gemoedsgesteldheid, net zoals het grijze, kille pessimisme van Engeland zo perfect paste bij het hopeloos onverteerbare weer. Ik kon toen nog niet bevroeden dat de stemming in Engeland weldra zou omslaan.

Botham, the Musical beleefde zijn première in Perth, en van daaruit trokken we dwars over het continent, waarbij we ons inkomen grotendeels weer uitgaven in restaurants. In Australië heb ik rivierkreeft en oesters leren eten – rauwe oesters, oesters Rockefeller, oesters Kilpatrick en oesters Casino. In Doyle's Seafood Restaurant, dat ik nog elke keer bezoek als ik in Sydney ben, heb ik barramunda ontdekt, en die wonderlijke, kreeftachtige schepsels die ze daar de Moreton Bay en de Balmain Bug noemen. Daar zag ik ook voor het eerst hoe de wijn per variëteit werd verkocht en dat het etiket de druivensoort vermeldde in plaats van het château, de streek of de wijngaard van herkomst. Dit is inmiddels zo algemeen dat het niet meer het vermelden waard is. Alleen in Europa houden ze nog vast aan namen als Bordeaux, Moezel of Barolo; overal elders zie je direct dat de druif van dienst een pinot noir, een cabernet sauvignon, een tempranillo of een riesling is. Dat gezegd hebbende moet ik constateren dat we dertig jaar later in Groot-Brittannië nog steeds niet helemaal vertrouwd zijn met die verschillende druivensoorten. Ik zag laatst een aflevering van *The Weakest Link* waarbij de kandidaat op de vraag 'Wat zijn Merlot, Shiraz en Chardonnay?' antwoordde: 'Voetbalvrouwen?'

Perth, Adelaide, Melbourne, Canberra, Sydney, Brisbane, Hobart, Launceston, Burnie en Albury Wodonga werden allemaal op het reisprogramma afgestreept, en toen brak december aan en was het weer tijd om naar het besneeuwde Engeland terug te reizen. We onderbraken de reis in Singapore en verbleven daar twee nachten in het Raffles Hotel, waar we ons van ons laatste geld ontdeden.

Een Clash van Culturen

Ik ben weer terug in Londen. Ik neem de metro en houd me vast aan de metalen stang om op de been te blijven. Het contrast tussen mijn gebruinde knuist en de roomblanke Engelse hand ernaast is frappant. Ik ben op weg naar een flat in Pembroke Place, Notting Hill, voor een bijeenkomst die mijn hele leven zal veranderen.

Over het geheel genomen had Australië ons soort komedie wel weten te waarderen. We waren maar een stel studenten die in achterafzaaltjes optraden, en een overdonderend succes was het nergens geweest, maar ook nergens een vernederende afgang. Ons materiaal was nu bijna een jaar oud: de Dracula-monoloog, de Shakespeare-masterclass, de Robert Browning- en Elizabeth Barrett-sketch, liedjes, korte acts en vluggertjes die we van achteren naar voren kenden. Ik hoor Martin nog zeggen dat we ze over tien jaar nóg zouden opvoeren. Met het schaamrood op de kaken moet ik bekennen dat ik nog geen drie maanden geleden Dracula heb opgevoerd tijdens een benefietshow in Winchester, ruim negenentwintig jaar nadat ik hem had geschreven. Maar áls – en dat was een 'als' van Sydney tot Londen – áls we van humor ons beroep gingen maken, dan zouden we nieuw materiaal moeten schrijven en een plekje moeten veroveren in een heel nieuwe comedywereld.

In 1981 ontstond er een groot schisma in de vrolijke wereld van het humoristische amusement. Ik weet niet meer wanneer ik voor het eerst de woorden 'alternatieve humor' heb gehoord, maar ik weet nog precies dat ik in mijn laatste jaar in Cambridge Alexei Sayle op tv zag. Sayle, houterig en spastisch als een marionet, en à la Tommy Cooper in een veel te krap dubbelknoops jasje gestoken, trok, de lucht tussen zijn tanden naar binnen zuigend, op briljante wijze van leer tegen liberale middle class poseurs. Ik hoorde later dat zijn beste teksten afkomstig waren van de aartsburgerlijke, op een kostschool opgegroeide jurist en voormalig Footlights-lid Clive Anderson, maar dat doet geen afbreuk aan de impact die hij had. De eindeloze, surrealistische tirades, uitgesproken met een Liverpools accent waarmee je kaas kon raspen, in combinatie met het uiterlijk van een getaande boef uit een jarentwintigfilm, maakten hem even grappig als beangstigend, en biologerend, met het anarchistische van John Belushi, al was Sayle Litouws, Joods en afstotelijk en Belushi Albanees, orthodox en knuffelbaar. Toen ik Sayle voor het eerst ontmoette, was ik me pijnlijk bewust dat ik alles vertegenwoordigde waar hij juist het meest op neerkeek: kostschool, Cambridge en – door dat air waarvan ik me nooit heb kunnen ontdoen – kak. Vooringenomenheid en snobisme in die richting wordt blijkbaar legitiem gevonden: als ik hem had veracht omdat hij als zoon van een communistische spoorwegarbeider uit de lagere klasse kwam, zou ik afgemaakt zijn, en terecht. In die tijd was je juist trots op je arbeidersafkomst en schaamde je je als je bij de burgerij hoorde. Ik koesterde de ijdele trots bij geen enkele klasse te horen, *déclassé* en *déraciné* te zijn, deel uit te maken van de klasse der bohemiens, de eeuwige studenten, de kunstenaars. Maar in feite stond ik daar mijlenver vandaan; tot de dag van vandaag ruik ik meer naar de Garrick Club dan naar de Groucho Club, maar dat heeft me niet verhinderd om op mijn eigen, tot mislukken ge- doemde, futiele en zinloze wijze te proberen vrij te zijn. We hebben allemaal onze eigen manier om het leven aan te kunnen – of niet. Ik ga al jaren heel beleefd en bijna vriendschappelijk met Alexei en zijn vrouw Linda om, maar ik vrees dat ik hem nooit echt zijn agressieve getreiter van Ben Elton heb vergeven. Eind jaren tachtig en de hele jaren negentig liet hij geen gelegenheid onbenut om Ben aan te vallen en hem er ten onrechte van te betichten dat hij niet authentiek was, een na-aper, en de labels komiek of alternatief onwaardig. Maar goed, dat kwam allemaal later en inmiddels heeft hij wel ingebonden. Waar het om gaat, is dat Sayle een paar jaar lang gold als het meest zichtbare symbool van de nieuwe trend, en toen wij uit Australië terugkwamen, leken hij en de zijnen de wereld in pacht te hebben.

Ik ben niet pessimistisch van aard, maar ik vroeg me wel af of de tijd voor ons type komieken voorbij was. Humor is zoals bekend een kwestie van timing, en ik ben bang dat waar het onze carrière betrof onze timing er hopeloos naast zat. *Not the Nine O'Clock News* met drie Oxbridge-acteurs, ex-Footlighter John Lloyd als regisseur en Richard Curtis, ook uit Oxford, als voornaamste tekstschrijver, was vast de laatste gloriedaad van onze soort geweest. Weg ermee, zei de wereld. Wat punk voor de muziek had gedaan, deden de alternatieve humoristen voor de humor. De klassieke sketch 'Zo Perkins, kom binnen, pak een stoel' werd met de schooltrommels en -dassen bij het grofvuil gezet. Zo dachten we tenminste op onze pessimistischer momenten. Ik besef nu iets wat u natuurlijk allang wist, maar waarvan ik me toen hooguit vaag bewust was: dat de mens zo gemakkelijk gelooft dat de gebeurtenissen, de geschiedenis en de omstandigheden het uitsluitend op hem gemunt hebben. Terwijl wij onze vrezen vreesden, stonden intussen hele horden komieken in de coulissen klaar die heel andere dingen aan hun hoofd hadden. Zij zagen een bbc die werd beheerst door voormalige Oxbridge-studenten die blijkbaar allemaal dezelfde boeken en kranten lazen, met hetzelfde accent spraken, naar hetzelfde kleine wereldje verwezen en dezelfde smaak hadden. Er was toen nog geen Channel 4, geen kabel, geen satelliet, alleen bbc1, bbc2 en bbc Radio. Er was één commercieel itv-kanaal met variété en de laatste helden van de grote music hall-traditie, zoals Benny Hill, Morecambe en Wise, en Tommy Cooper, naast sitcoms die, *Ri-*

sing Damp daargelaten, allemaal even onmemorabel, onorigineel en oninspirerend waren. Als je niet uit de wereld van het variété of uit Oxbridge kwam, snap ik best dat het omroepfort BBC onneembaar leek. Vanuit dat standpunt moeten Emma, Hugh en ik eruit hebben gezien als verwende noblesse voor wie de ophaalbrug eerbiedig werd neergelaten, de vlag werd gehesen en de haard in de grote hal werd aangestoken. Het is misschien ongepast om te benadrukken hoe bezijden de waarheid wij dat beeld zelf vonden, maar ongepaste nadruk is vergeeflijk. Margaret Thatcher maakte van ongepaste nadruk haar oratorische handelsmerk, en het hele decennium maakte zich op voor hoge jukbeenderen, getoupeerd haar, schoudervullingen, politieke verdeeldheid en compulsief consumentisme, en dat alles werd nog eens op zo ongepast mogelijke wijze benadrukt. Ongepaste nadruk hing in de lucht en nergens duidelijker dan onder de monkelende komieken die buiten de kasteelmuren samendromden.

Peter Rosengard, verkoper van levensverzekeringen met een voorliefde voor sigaren en het ontbijt in Claridge's, was naar de Comedy Store in Amerika geweest, en in 1979 had hij samen met Don Ward, een cabaretier gespecialiseerd in het opwarmen van rock-'n-rollpubliek, in een kamertje boven een topless bar in Walkers Court in Soho, de London Comedy Store opgericht. Al in 1981 stond de Comedy Store voor die hele *nouvelle vague* in de humor – een beweging die samenviel met de messcherpe stijl van het weekblad *Time Out* en zijn pijnlijk linksige afsplitsing en rivaal *City Limits*, een beweging die inhaakte op de ontevredenheid en het verlangen naar verandering bij een generatie studenten die opdoemde in een boos en bezorgd Engeland met zijn recessie en zijn conservatieve regering. Hele horden middle class revolutionairen draaiden *London Calling* grijs, spraken de taal van genderpolitiek, en liepen mee in de protestmarsen van de CND en Rock Against Racism. Geen wonder dat ze niets meer hadden met de humor van *Are You Being Served?*, *The Russ Abbott Madhouse* en *Never the Twain*.

De wereld van het amusement bestond uit twee families: de traditionele tak met Dick Emery, Mike Yarwood, de twee Ronnies, Bruce Forsyth en de al genoemde onsterfelijke Morecambe en Wise, Benny Hill en Tommy Cooper, en de academisch gevormde tak, een dynastie die was begonnen bij Peter Cook, tot volle wasdom kwam onder Monty Python, en nu ten einde liep, althans, dat dachten we, met het *Not the Nine O'Clock News*-team van John Lloyd, Rowan Atkinson, Richard Curtis, Mel Smith en Griff Rhys Jones, allen Oxbridgers. Was de nieuwe humor die vertegenwoordigd werd door Alexei Sayles, Ben Elton, French en Saunders, Rik Mayall, Ade Edmondson, Keith Allen en al die andere alternatievelingen verwant aan de eerste familie of aan de tweede? Welnu, meer aan de tweede, ondanks de modieuze onderstroom die volhield dat alles klassenstrijd was. Alexei Sayle had in Chelsea op de kunstacademie gezeten en was de meest Monty Python-achtige met zijn absurdistisch surrealisme en zijn bewust ondoorgrondelijke referentiekader. French en Saunders hadden elkaar op de toneelschool leren kennen. Elton, Edmondson en Mayall hadden samen in Manchester gestudeerd. In feite konden maar heel weinig komieken uit die eerste alternatieve golf beweren dat ze gevormd waren door de straat en door de harde school des levens; je zou zelfs kunnen zeggen dat een oude knar als ik de authentiekste en hardste van allemaal was, en dat bespottelijke idee laat zien dat het beeld van komieken uit de arbeidersklasse die Burcht Kakkenstein belaagden onterecht was. Alle komieken kwamen uit dezelfde mix van achtergronden als altijd, en er werd nog steeds ruimschoots flauwe humor van de oude school gebezigd, ook onder de boze, felle *stand-ups*. Het is waar dat er een alternatief publiek bestond dat toe was aan iets nieuws, en die vraag naar het nieuwe maakte als het ware de energie vrij die nu 'alternatief' werd genoemd. Een paar jaar later zou Barry Cryer de beste definitie van de alternatieve komiek geven die ik ooit heb gehoord. 'Ze zijn precies hetzelfde, alleen spelen ze geen golf.'

Als dat de tijdgeest was, dan was het een des te groter wonder dat onze Cambridge Footlight Show de *Perrier Award* had gewonnen en dat ik nu uit de metro stapte op weg naar dat adres in Pembroke Place.

Ik belde aan en er werd van boven opengedaan. Hugh, Emma en Paul Shearer waren er al. Jon Plowman, de bewoner van de flat, was met koffiekopjes in de weer. Hij was die brutale jonge Engelsman van Granada Television die we in Edinburgh hadden ontmoet. Sandy Ross, de rozewangige regisseur die die avond bij hem was, stelde me voor aan een donkerharige, brildragende jongeman met een ernstig gezicht.

'Dit is Ben Elton, net afgestudeerd in Manchester.'

Sandy schetste zijn plan: de aanwezigen zouden een team vormen van tekstschrijvers/acteurs om een nieuw komisch programma voor Granada te maken. We zouden hier in Londen schrijven en repeteren, en dan voor de opnamen naar de studio's in Manchester verkassen. Ben werkte al samen met zijn vriend uit zijn studententijd, Rik Mayall, en diens vriendin Lise Mayer. Samen schreven ze een nieuwe serie voor de BBC, een soort anti-sitcom die als werktitel *The Young Ones* had. Wij hadden ook onze verplichtingen jegens de BBC, niet voor een serie, maar om *The Cellar Tapes* op te nemen voor eenmalige uitzending.

Het idee achter de nieuwe show voor Granada, zo legde Sandy Ross uit, was een combinatie van de traditionele wereld van Cambridge-achtige sketches en de anarchistische, scherpe stijl van Ben, zijn kornuiten en alles waar zij voor stonden. Omdat wij met z'n vieren waren en hij maar alleen was, was het plan om er Nog

Iemand Anders bij te vragen, iemand die niet door Cambridge besmet was. De namen van Chris Langham, Nick le Prevost en Alfred Molina kwamen voorbij en misschien nog een paar die me ontschoten zijn. Er was ook nog een vrouw nodig. Even bestond de mogelijkheid dat het de Schotse dichteres en toneelschrijfster Liz Lochhead zou worden. Ze kwam op een repetitie, zo staat me bij, maar was duidelijk niet onder de indruk van wat ze zag en bedankte voor verdere deelname. In haar plaats vonden Sandy en Jon een parmantige jonge actrice, ook Schots, met de schone naam Siobhan Redmond. Mettertijd zou het gros van de heren in de productie als een blok voor haar vallen, inclusief ikzelf op mijn eigen, aparte manier.

Voorlopig kregen we de opdracht heen te gaan en te schrijven.

Als ik nu terugkijk op die periode in mijn leven, verkleurd, vervormd en bekrast door tijd en ondervinding, en de verwoesting die mijn arme lichaam en geest sindsdien hebben ondergaan, lijkt het allemaal zo onwaarschijnlijk, en om onduidelijke redenen ook heel, heel triest. Dat was het natuurlijk niet; het was een beetje eng, maar ook geweldig spannend.

Zonder het ooit bewust en berekenend te hebben gezegd, denk ik dat Hugh en ik aanvoelden dat wij een soort team waren. Niet in de zin van een theaterduo, maar onontkoombaar en voor altijd verbonden. Mijn grootste zorg, die ik overigens niet aan Hugh, Emma, Kim of wie dan ook durfde te vertellen, was of ik eigenlijk wel grappig was. Ik denk dat ik wel vond dat ik geestig was, zelfverzekerd, welbespraakt en verbaal vaardig met een pen in mijn hand of een toetsenbord onder mijn vingers, maar tussen grappig en geestig liggen hele werelden…

Ik dacht dat grappig zijn, mensen kunnen laten lachen door je gezichtsuitdrukking, je houding en dat mysterieuze, tastbare, fysieke iets dat sommigen gegeven is en anderen niet, een gave was, net als sportiviteit, muzikaliteit of sexappeal. Met andere woorden: het had iets te maken met een vertrouwen in je lichaam dat ik nooit had gehad, een zelfvertrouwen dat fysieke ontspanning en losheid mogelijk maakt, en daardoor nog meer zelfvertrouwen genereert. Dat lag aan de wortel van al mijn problemen. Angst voor het sportveld, angst voor de dansvloer, a-sportiviteit, seksuele schuchterheid, gebrek aan coördinatie en gratie, afkeer van mijn lichaam en mijn uiterlijk. Dat was allemaal te herleiden tot de Bewegen op Muziek-momenten op de kleuterschool: 'Allemaal in een kring gaan zitten, in kleermakerszit.' Zelfs dat kon ik niet, ik kon niet eens mijn benen over elkaar slaan zonder er als een idioot uit te zien. Mijn knieën staken de hoogte in en mijn zelfvertrouwen duikelde omlaag.

Twintig jaar van mijn leven had ik de overtuiging gekoesterd dat mijn lijf de vijand was en dat mijn enige pluspunten mijn hersens, mijn rappe tong en mijn lichtvoetige omgang met de taal waren, eigenschappen die evenzeer te bewonderen als te verguizen zijn. Die eigenschappen waren adequaat voor mijn specifieke vorm van theaterwerk. Verbaal gewiekste monologen en sketches van eigen hand kon ik met vertrouwen en genoegen opvoeren. Maar ik leefde, zoals ik al heb gezegd, in voortdurende angst voor de essentiele technieken die de komiek dient te beheersen, zoals vertraagde reactie, smeulende woede, op je gat vallen… allemaal dingen die voor mij even beangstigend, onbegrijpelijk en vervreemdend waren als danspassen of tennisslagen. Ik weet hoe dom en kinderachtig die angsten klinken, maar bij komedie is zelfvertrouwen van het allergrootste belang. Is een speler onzeker, dan raakt het publiek ook gespannen en wordt de lach in de kiem gesmoord. Bij Hugh, Emma, Tony en anderen zag ik de instinctieve fysieke gaven die ik niet had en ook nooit zou krijgen. En ze konden ook nog eens allemaal zingen en dansen. Hoe wil je een carrière in de showbusiness beginnen als je niet muzikaal bent? Alle groten konden zingen. Zelfs Peter Cook was muzikaler dan ik. 's Nachts lag ik wakker, ervan overtuigd dat Sandy Ross en Jon Plowman mijn tekortkomingen direct in de gaten zouden hebben en me geruisloos uit de cast zouden verwijderen. In het gunstigste geval zouden ze me vragen als tekstschrijver aan te blijven. Misschien zou ik dat niet echt erg vinden, maar het zou wel een vernedering zijn en niet eentje waar ik naar uitkeek. Iets in me – ik moet het kwijt, hoe stom, infantiel en goedkoop het ook mag klinken – hunkerde naar het sterrendom. Ik wilde beroemd zijn, bewonderd, nagestaard, herkend, toegejuicht en bemind.

Zo, het is eruit. Het kan geen al te grote verrassing zijn, komend van een acteur, maar het is niet echt *done* om zo'n laag-bij-degrondse ambitie publiekelijk te erkennen. Dat Emma beroemd zou worden, stond buiten kijf. Ik wist dat het Hugh ook zou lukken, maar mijn constante zorg was dat ik aan de kant zou blijven staan, als het laatste kind dat bij gymles gekozen wordt. In Cambridge had ik geleerd dat ik een publiek aan het lachen kon maken, maar toen had ik de luxe dat ik het op mijn voorwaarden kon laten lachen. Maar nu we in de grote wijde wereld waren, die een punkiger soort humor verwachtte, leek het me onvermijdelijk dat ik zou afvallen als degene die het nét niet had. Misschien wat tekstschrijven, wat radiowerk, maar zeker niet het sterrenbestaan dat gloorde voor Hugh en Emma en die vriend van Ben Elton over wie ik steeds vaker hoorde, de verbluffende Rik Mayall.

Dat explosieve stuk komisch genie had precies waar het mij aan ontbrak: fysiek charisma, een verpletterend zelfvertrouwen en een adembenemende aantrekkingskracht die als een nucleaire schokgolf naar het publiek uitstraalde. Hij kon grappig zijn, charmant, kinderachtig, ijdel en bot op een manier die je totaal en hopeloos inpakte. Je vroeg niet hoe het kon, je analyseerde het niet, bewonderde de intelligentie ervan niet, waardeerde het niet om zijn sociale belang of de inspanning die eraan vooraf was gegaan, je keek alleen ademloos toe, als naar een prachtig natuurverschijnsel. Naast de zijne staken mijn povere gaven schriel, bleek en onderontwikkeld af. Onder de douche van de nieuwe humor was ik degene met het kleinste pikkie en dat deed pijn. Was de volwassen wereld precies hetzelfde als school? Het had er huiveringwekkend veel van weg.

Maar intussen kon ik me tenminste koesteren in de laatste glorie van de Cambridge Footlights.

Hugh, Emma, Tony, Paul, Penny en ik kwamen bij de BBC voor de opnamen van *The Cellar Tapes* op hetzelfde moment dat Ben Elton, Lise Mayer en Rik Mayall de laatste hand legden aan de scripts voor *The Young Ones*, en Peter Richardson, Ade Edmondson, Rik, Dawn French, Jenny Saunders en Robbie Coltrane zich opmaakten voor het opnemen van de Comic Strip-film *Five Go Mad in Dorset*. Geen wonder dat wij ons lichtelijk voelden als de New Seekers in het voorprogramma van de Sex Pistols.

We daalden nog dieper af in het rijk van de oude doos toen we de producer ontmoetten die ons door de BBC was toebedacht. Het was een magere, ongedurige man van midden of eind vijftig die gehuld ging in een bedwelmende walm van whisky en filterloze Senior Service-sigaretten. Wat niet verwonderlijk is, want hij nam niets anders tot zich. Toen hij zich voorstelde, deed zijn naam in de verte een dof belletje rinkelen.

'Hallo, Dennis Main Wilson.'

Dennis Main Wilson – waarom kwam die naam ons zo bekend voor? Dennis Main Wilson. Het klonk zo perfect. Het klonk als Chorlton-cum-Hardy, Amy Semple McPherson, Ella Wheeler Wilcox, of Ortega y Gasset, zo'n drietrapsnaam die van je tong rolt alsof je hem altijd hebt gekend, terwijl je nooit echt precies weet waar hij op duidt.

Dennis Main Wilson was dus de grootste komische regisseur van zijn generatie, misschien wel van alle generaties. Bij de radio had hij de eerste twee series van *The Goon Show* en de eerste vier series van *Hancock's Half Hour* geregisseerd; alleen al daarvoor moet zijn graf voor eeuwig met bloemen bezaaid zijn en zijn nagedachtenis tot in lengte van dagen gekoesterd. Op televisie heeft hij ons kennis laten maken met *The Rag Trade, Till Death Do Us Part, Marty* met de grote Marty Feldman, en *Sykes* met de al even grote Eric Sykes. Maar zijn belangrijkste bijdrage aan de televisiehistorie was het geduld jegens en de ontvankelijkheid voor nieuwe ideeën – zo zeldzaam onder gevestigde, grote programmamakers – dat hij toonde door te beloven een script te lezen dat hem door een nederige toneelknecht bij de BBC in handen werd gedrukt. De meeste bobo's in de omroepwereld weten hoe ze aangeboden materiaal discreet kunnen weigeren. Dennis was daar te aardig voor en nam het bedeesd aangeboden manuscript met zijn karakteristieke stralende enthousiasme aan. De naam van die toneelknecht was John Sullivan en zijn script heette *Citizen Smith*. Het werd een klinkend succes en zette de acteur Robert Lindsay op de kaart. Sullivans volgende geesteskind was *Only Fools and Horses*, dat met recht de populairste comedy in de Britse geschiedenis genoemd mag worden.

Spike Milligan had Dennis Main Wilson met de bijnaam Dennis Main Drain bedacht, vanwege zijn liefde voor sterkedrank, en hij was inderdaad een dankbaar doelwit voor grappen. Zijn tweed jasjes, de Brylcreem in zijn haar, zijn magere nek en zijn nicotinebruine vingers behoorden tot een ander tijdperk, een tijd ver verwijderd van de spanning van de alternatieve humor en het jongerenamusement dat het aanstaande Channel 4 de wereld wilde bieden. Als liefhebber van radiokomedie zou ik hem ongeacht zijn karakter al bewonderd hebben, maar nu aanbad ik hem. Wij allemaal. Eerst voorzichtig, maar daarna met groeiende overtuiging. Algauw bleek echter dat er iets nodig was om met Dennis Main Wilson te kunnen werken. Hoezeer hij er ook op hamerde dat we elkaar de volgende middag zouden treffen om twaalf, een, twee, drie of vier uur, wij moesten ervoor zorgen dat het om negen, tien of elf uur 's morgens was. Het was gewoon een kwestie van productiviteit, of productieve tijd. De afdeling komedie van het Television Centre lag op de zesde verdieping, recht tegenover de BBC Club, die in wezen een bar was. Elke morgen om halftwaalf maakte hij de zes meter lange tocht van zijn werkkamer naar de Club. Omgeven door de dunne rookslierten van zijn eeuwige Senior Service-sigaret, en met een glas whisky en een pint bier vóór hem op de bar, amuseerde hij ons met fascinerende verhalen over Hattie Jacques, Peter Sellers en Sid James. Maar naarmate de ochtend vorderde, nam zijn vermogen om zich op onze show te concentreren af en werd de met rasse schreden naderende opnamedatum steeds onzekerder, tot we ons uiteindelijk nerveus afvroegen of er wel een studio geboekt was, of er rekwisieten geregeld waren en of er wel cameramensen beschikbaar waren voor de afgesproken avond. Maar trof je Dennis 's morgens om negen uur, dan was hij één brok energie. Zijn broodmagere lijf trok en schokte, zijn vingers prikten bij elke ingeving in de lucht, en zijn rokerslachje, zwanger van tabak, stak ons allen aan met heerlijk zelfvertrouwen. Hij gaf ons het gevoel dat we voor hem van dezelfde orde waren als Spike Milligan en Tony Hancock. Zo veel aandacht en respect van zo'n kopstuk deed ons vanbinnen gloeien. Daartegenover stond zijn totale gebrek aan kennis van of zelfs interesse in de nieuwe trend die aan de poort rammelde. Een klein, vals, onzeker stemmetje in me vroeg zich af of het niet net zoiets was – om een muziekmetafoor uit een ander tijdperk te gebruiken – alsof de manager van Bobby Darin hem verzekerde dat rock-'nroll maar een voorbijgaand modeverschijnsel was. Dennis zag ons als eerbiedige erfgenamen van de gouden eeuw van de komedie, en de nieuwe alternatieve komieken als vandalen en indringers die hij geen blik waardig keurde. Maar omdat ik nu eenmaal zo ben – deels wanhopig behaagzieke stroopsmeerder, deels uitslover, deels echte bewonderaar – praatte ik hem naar de mond met eindeloze verhalen over Mabel Constanduros, Sandy Powell, Gert en Daisy, Mr. Flotsam en Mr. Jetsam, en andere coryfeeën van mijn geliefde radiovariété.

We repeteerden in het bbc-blok dat in de wandelgangen het North Acton Hilton werd genoemd. Elke verdieping van dat saaie, onpersoonlijke kantoorgebouw, verstopt in een saaie, onpersoonlijke buitenwijk, telde twee sets speciaal ingerichte repetitielokalen en productieruimtes. Ik wist het toen nog niet, maar dat zinloze sick-building gebouw, met zijn druipende, bladderende, bouwvallige gevel vanbuiten en flakkerende neonverlichting en stinkende liften binnenin, zou de volgende acht jaar mijn tweede thuis worden in het kader van diverse reeksen *Blackadder* en *A Bit of Fry and Laurie*. Ik was er weg van. Ik was weg van de kantine waar je Nicholas Lyndhurst en David Jason, de kinderen uit *Grange Hill* of de dansers van *Top of the Pops* kon toeknikken. In het repetitielokaal was ik weg van de palen op sokkels die je kon verzetten om deuren en ingangen te suggereren. Ik was weg van het bontgekleurde isolatietape op de vloer waarmee kamers en cameraposities werden afgetekend als velden in een sportzaal. Ik was weg van het uitzicht over de trieste daken van West Londen en de wetenschap dat ik hier werkte, bij de bbc, met *All Creatures Great and Small* naast ons en *Doctor Who* een etage hoger.

Tijdens die repetities voor *The Cellar Tapes* kon ik natuurlijk nog niet weten dat er in dat gebouw vele jaren en series voor me waren weggelegd, en evenmin wist ik dat het gebruikelijk is de technische repetitie in stilte te laten verlopen. Dat zal ik even uitleggen.

Humor die met publiek wordt opgenomen in een multicamera-studio is een zeldzaamheid geworden sinds een paar jaar geleden het filmen met één camera op locatie ingang heeft gevonden. Maar vroeger was het wel de geijkte manier. Buitenscènes werden op 16 mm-film opgenomen, binnen werd gefilmd met studiocamera's die op zwenkwieltjes rondgereden werden en die Terry Nation inspireerden tot zijn geniale creatie, de Daleks. Als je nu naar *Fawlty Towers* of andere comedy's uit de jaren zeventig kijkt, zie je het bijna absurd grote verschil tussen de korrelige structuur van de buitenopnamen en de glasheldere video uit de studio. Maar niemand vond dat toen erg, misschien omdat de resolutie en de tv-ontvangst van toen sowieso minder waren, of misschien omdat we genoegen namen met de status-quo.

Het opnameschema verliep als volgt: je ging op pad en filmde de buitenopnamen die het script aangaf. Dan ging je een week naar North Acton om de rest te repeteren, het studiosegment. Traditioneel werd de show op zondag opgenomen, waarschijnlijk omdat de drukbezette acteurs de andere avonden vaak in theaters optraden. Op vrijdagmorgen werd de technische doorloop gehouden. De cameraploeg, de geluidsmensen, de mensen van decor, productiemensen en kostuums, kap en grime kwamen allemaal kijken terwijl wij de hele show doornamen. En zo kwam het dat onze ego's in maart 1982 de ergste klap te verwerken kregen die we ooit hadden gehad.

Stilte.

Stilte, de aartsvijand van de komiek.

We deden de ene sketch na de andere, het ene zangnummer na het andere. Niet eens een glimlach. Niets dan over elkaar geslagen armen, door de tanden naar binnen gezogen lucht, en misschien af en toe een aantekening die op het script werd gekrabbeld.

Toen we het laatste nummer achter de rug hadden en de technici de ruimte verlieten, trokken we ons op een angstig kluitje in een hoekje terug terwijl de lichtregisseur en de eerste cameraman achterbleven om John Kilby, de regisseur, een paar vragen te stellen. Toen ze eindelijk weg waren, kwam Dennis op ons af gestuiterd.

'Glaasje?'

'O Dennis,' zeiden wij. 'Gaat het nog wel door?'

'Hoe bedoel je?'

'Het was een ramp. Eén grote ramp. Geen lachje, geen grinnik, niets. Ze vonden ons afschuwelijk.'

Dennis wierp ons een lange, brede lach toe en het slijm onder in zijn longen begon te sissen, borrelen en bruisen als een melkstomer in een koffiebar, en hij hoestte een luide lach.

'Ze zijn met hun werk bezig, lieverds,' zei hij. 'Niemand, zelfs de geluidstechnici niet, luisterde naar jullie. Ze moeten zien waar de camera's moeten staan, waar het beeldkader precies moet vallen, duizend verschillende details. Haha! Jullie dachten dat ze een oordeel hadden. Dat is grappig, haha.' Dennis' ogen traanden, hij verslikte zich van het lachen en stikte bijna tot in het diepst van zijn longen.

Op zondag deden we de show voor een echt publiek. Dat werd opgewarmd door Clive Anderson, een jurist die ook bij Footlights had gezeten en niet kon beslissen of hij toch liever de showbusiness in wilde. De opnamen leken goed te gaan, maar ons eigenlijke publiek was niet dat in de studio, maar de televisiekijkers thuis, en of zíj het leuk vonden zouden we pas maanden later weten.

Inmiddels eiste de show voor Granada onze aandacht op.

Chelsea, Coleherne Clones en Complexen

Kim en ik verhuisden van Hadley Wood naar een etage in Draycott Place, vlak bij Sloane Square in Chelsea, waar de vriendinnen van de zojuist verkoninklijkte lady Diana heen en weer flitsten tussen het warenhuis Peter Jones, de General Trading Company en de delicatessenzaak Partridge's, stuk voor stuk gehuld in groene gewatteerde Husky-jasjes en hoge Laura Ashley-kraagjes. Hun vriendjes bestuurden Golf GTI-cabriolets, waarvan er zo veel in SW3 rondreden dat ze 'aambeien' werden genoemd ('vroeg of laat heeft iedereen er een onder zijn kont'). Kakkineuze City-jongens bedronken zich balkend en brallend in de nieuwe *wine bars*, terwijl hun jongere broertjes zijden chokers om hun nek knoopten in de hoop er even innemend maar gedoemd uit te zien als Anthony Andrews in *Brideshead Revisited*. In de pubs hoorde je louter het geratel en geping van Space Invaders, terwijl door de open deuren van kapsalons het verkeerslawaai van King's Road nog werd versterkt met de pompende pop van 'Goody Two Shoes' van Adam and the Ants, 'Come on Eileen' van Dexy's Midnight Runners en 'Do You Really Want to Hurt Me?' van Culture Club. Iemand had de knop met 'jaren tachtig' ontdekt en het volume voluit gezet.

Net om de hoek van Draycott Place, in Tryon Street, was er toen, en is er nog, een safe, brave en bijzonder Chelsea-eske nichtenclub, The Queen's Head. Daar aan de bar hoorde ik voor het eerst over iets wat GRID werd genoemd: Gay Related Immune Deficiency. Het klonk allemaal uiterst merkwaardig. Homo's in Amerika gingen eraan dood. 'Let maar op,' zei de barman, 'het komt ook deze kant op.'

De homowereld deed inmiddels frank en vrij van zich spreken. *Faggots* van Larry Kramer was het boek van de dag. Het toonde een wereld van excessen op Fire Island in New York, waar blije hedonisten zich door eindeloze drugsfeesten frotten, schuurden en pompten, zich onderwerpend (en zich letterlijk onder werpend) aan intense fysieke verzadiging, in verbazingwekkende taferelen van nietsontziende en nonchalante gedetailleerdheid. Hun levensstijl was vrij van morele, persoonlijke of medische consequenties. Het was de totale bandeloosheid, behalve het leren soort dat van het plafond hing en waarmee zich onvoorstelbare activiteiten afspeelden. Mij wond het evenveel op als een Tupperware-party. Het was een vreemd gevoel om bij een minderheid binnen een minderheid te horen. De meeste homo's streefden ernaar – of deden alsof ze ernaar streefden – deel uit te maken van die hele scene en van de Village-types die haar haar identiteit verleenden, met name het ruige type met zijn houthakkersbloes en snor dat de Clone werd genoemd. Hele horden in niets verhullende spijkerbroek en werkmanskistjes stonden in de Coleherne Arms in Earls Court tegen elkaar aan te rijden. Ik vond de mannelijkheid, humorloosheid en fysieke urgentie die die lui en zulke plekken als goedkope muskus uitwasemden verontrustend en deprimerend. Ik voelde me hoegenaamd niet aangetrokken door die belachelijke Tom of Finland-karikaturen met hun strakke hemdjes, leren petten en vreugdeloze ogen. Mijn droompartner was een vriendelijke, dromerige, grappige jongeman, met wie ik kon wandelen, praten, lachen, knuffelen en spelen. Toch ging ik naar gelegenheden als de Coleherne Arms en de pas geopende Heaven, die zichzelf afficheerde als de grootste disco van Europa. Ik ging omdat... tja, omdat je dat destijds nu eenmaal deed als je homo was en in de twintig. Om honderd ogen mijn kant op te zien kijken en in één tel afgewezen te worden was vernederend en beschamend, en het deed me denken aan de monsterende blikken in de doucheruimte op school. Afwijzing, minachting en gebrek aan interesse in één wrede en onmiskenbare oogopslag. De dreunende muziek, het snuiven van poppers, het woeste dansen, en die eindeloos speurende, vragende, hunkerende ogen maakten elk beetje plezier of conversatie onmogelijk. Ik was er totaal niet op uit om iemand te versieren of zelf versierd te worden, en in dansen had ik al helemaal geen zin, maar ik dacht waarschijnlijk dat ik het, als ik maar vaak genoeg ging, vanzelf leuk zou gaan vinden, net zoals ik opeens thee zonder suiker had leren drinken. Mijn doorbraak in de *gay scene* heeft nooit plaatsgevonden. Ik heb de disco's, de bars en alles waar ze voor stonden leren haten. Ik weet niet zeker of ik kan stellen dat het morele afkeer was die mijn haat voedde; ik denk dat het de niet-aflatende aanslagen op mijn gevoel van eigenwaarde, mijn ego, waren.

Problemen met mijn fysieke identiteit staan centraal in het verhaal van mijn leven, dat hebt u waarschijnlijk al gemerkt. Het roekeloze vervullen van mijn fysieke behoeften enerzijds en anderzijds de treurige aversie tegen mijn uiterlijk werden beide geregeerd door een pathologische persoonlijke theologie die me vrijwel mijn hele leven echte gemoedsrust heeft onthouden. Ik wil niet zielig lijken of doen alsof ik extreem gevoelig of ontvankelijk ben voor dat soort verdriet, maar er is praktisch geen moment dat ik me niet schuldig voel over alles wat ik fout doe. Te veel koffie, me niet concentreren, e-mails niet snel genoeg beantwoorden. Geen contact houden met mensen aan wie ik beloofd had contact te zullen houden. Niet genoeg sporten. Te veel eten. Te veel drinken. Uitnodigingen afslaan om bij benefietdiners te spreken. Veel te traag zijn met het lezen van ongevraagd toegestuurde scripts, laat staan ze van commentaar voorzien. Dat zijn onbeduidende fouten, microscopische deeltjes plankton in de diepe oceaan van de zonde, maar mijn gevoel erover is net zo vaag, beschaamd en opbiechterig als dat van de meest zelfvernederende calvinist in zijn orgie van berouw. Ik geloof niet in een god of een dag des oordeels of een reddende verlosser, maar toch voel ik dezelfde schaamte, angst en zelfkastijding als de meest vrome en hysterische asceet, zonder de goedkope belofte van vergeving en een goddelijke knuffel.

Goeie help, ik weet hoe dit klinkt. Dit gezwatel van een oververwende, overbetaalde, overbewierookte, overgepamperde celebrity moet niet te harden zijn. Ik wentel me in de luxe van het kunnen tobben over zoiets onbenulligs terwijl zoveel mensen in de wereld met de trauma's en de ellende van armoede, honger, ziekte en oorlog zitten. Zelfs in de westerse wereld zijn er mensen te over die genoeg financiële en persoonlijke problemen hebben om op zijn minst onsympathiek tegenover mijn problemen te staan. Ik wéét het. Mijn god, denkt u dat ik niet weet hoe wanstaltig genotzuchtig, narcistisch en kinderachtig ik moet klinken? Dat is het nu net. Mijn hele misnoegen is met mijn misnoegen. Hoe durf ik zo ontevreden te zijn? Hoe durf ik? Of: als ik zo ontevreden ben, waarom kan ik er dan tenminste niet mijn kop over houden?

Ik weet dat geld, macht, prestige en roem geen geluk brengen. Als er iets is wat de geschiedenis ons leert, is dat het wel. Dat is algemeen bekend. Iedereen weet dat dit zo'n aperte waarheid is dat het niet hoeft te worden herhaald. Wat ik nu zo vreemd vind, is dat de hele wereld het weet, maar dat niemand het wíl weten en dat iedereen bijna altijd doet alsof het niet waar is. De wereld hoort niet graag dat mensen die een goed leven hebben, een benijdenswaardig leven, een bevoorrecht leven, meestal even ongelukkig zijn als ieder ander, al is dat natuurlijk zo duidelijk als wat, gegeven de wetenschap dat geld en roem niet gelukkig maken. De wereld koestert liever de gedachte dat rijkdom en roem je afschermen en vrijwaren van verdriet, en heeft liever dat we onze mond houden als we het tegendeel willen beweren. Ik ben daar helemaal vóór. Negentig procent van de tijd geef ik glimlachend toe dat ik een geluksvogel ben en zo blij als een bij in een bloementuin. Negentig procent van de tijd. Maar niet als ik een boek als dit aan het schrijven ben. Niet als het de bedoeling is dat ik zo eerlijk mogelijk ben. Als ik over anderen schrijf, dat heb ik al eens gezegd, mag ik mooipraten en huichelen, maar wie een autobiografie schrijft, moet op zijn minst proberen zichzelf in alle eerlijkheid bloot te geven. En dus moet ik bekennen dat ik, hoe dom het ook klinkt, een groot deel van mijn leven gekluisterd ben door een meedogenloos, onredelijk geweten dat me kwelt en me geluk ontzegt. In hoeverre dat een kwestie van geweten is en in hoeverre een gevolg van cyclothymie, die speciale vorm van bipolariteit die bij mij is vastgesteld is en waarover we het (hoera!) in dit boek verder niet zullen hebben, weet ik niet. Ik zwalk gewoon heen en weer tussen alle morele, psychologische, mythische, spirituele, neurologische, hormonale, genetische, en diëtistische verklaringen voor de vraag waarom iemand ongelukkig is.

Vergeef me dus mijn niet-verrassende onthulling dat ik me vaak gekweld en ongelukkig voel. Dat ongelukkig zijn lijkt voort te komen uit mijn fysieke zelf, dat ofwel afstotelijk is door zijn gebrek aan aantrekkelijkheid, ofwel inhalig door zijn vraag naar calorieën en andere schadelijke substanties. In het licht daarvan wil ik even terug naar wat ik hierboven zei over de Coleherne Arms en aanverwante horreurs van de jaren tachtig.

De homoseksuele identiteit, als u me die tenenkrommende term wilt vergeven, was in die tijd meer gericht op het fysieke, denk ik, dan tegenwoordig. De hemel (beide varianten: het adres in wolken en de Heaven onder de bogen van Charing Cross) weet dat er nog steeds heel wat lichaamsfascisme rondwaart, maar het lijkt me correct, en niet alleen barmhartig, om te stellen dat de homogemeenschap volwassener is geworden. Maar als je dertig jaar geleden homo was, ging het voornamelijk om dansen, *cruisen*, narcisme en anonieme seks. Ik was homo en daarom werd er van mij verwacht dat ik dat ook deed, en leuk vond. Mijn probleem was tweeledig. Ten eerste voelde niemand zich ook maar in het minst tot me aangetrokken en ten tweede was ik helemaal niet geïnteresseerd in masculien hossen op de dansvloer en erotische onenightstands.

Zou het anders zijn geweest als die begerige argusogen waren gesmolten als ik het pand betrad? Had ik dan ook de dans van de seks gedanst? Had ik alleen zo'n gloeiende hekel aan mijn eigen gezicht en lijf omdat ik dacht dat anderen dat hadden? Of was het alleen omdat ik me al bij voorbaat indekte, zoals kinderen die zeggen dat schaken of geschiedenis of tennis saai is, enkel omdat ze het nog niet kunnen?

Blaise Pascal zei dat als de neus van Cleopatra iets kleiner was geweest, de hele wereldgeschiedenis anders zou zijn verlopen. Als de mijne wat schattiger was geweest, wie weet had ik me dan in een leven van vleselijke overgave gestort, precies op het moment in de geschiedenis dat seks om biljarden microscopische redenen het gevaarlijkste aller spelletjes was geworden. Misschien is het dus maar goed dat ik zo onaantrekkelijk was.

Als het u irriteert of ontrieft dat ik mezelf zo beschrijf, laat het dan duidelijk zijn dat ik heel goed besef dat, hoewel ik mezelf toentertijd niet knap vond, er meer dan genoeg minder knappe mannen waren die seks bij de vleet kregen. Mijn zelfbeeld had er veel mee van doen, maar er was niets overdreven aan de pijn die veroorzaakt werd door de harde blikken die mijn lichaam scanden als ik door de deur naar binnen stapte, één verzengende seconde lang, om dan misprijzend naar de volgende binnenkomer te schieten. Natuurlijk weet ik dat die star starende homo's even onzeker waren als ik, of misschien nog onzekerder. Ook zij dekten zich bij voorbaat in. Maar wie denkt dat zo'n koude, keurende blik sexy is... Ik ben trots en blij homo te zijn, maar ik zou liegen als ik zou ontkennen dat de wereld waarin homo's zich in die tijd bewogen me tegenstond, ziek maakte en beangstigde.

Wat me nog het meest stak, was dat ik afgewezen werd terwijl ze me niet kenden. Zonder het breed uit te meten was het gedrag dat volgens mij niet ver afstond van racisme, seksisme of welk soort vooroordeel of snobisme dan ook. 'Je ziet er niet leuk uit, dus hoef ik je niet te kennen,' was voor mij bijna hetzelfde als: 'Je bent homo, dus moet ik je niet,' of: 'Je bent Joods, dus moet ik je niet,' of, nu ik eraan denk: 'Je hebt in Cambridge gestudeerd, dus moet ik je niet.' Iedereen die zich het slachtoffer voelt van dat soort discriminatie moet daar natuurlijk wel zeker van zijn. Je moet eerst de zorgwekkende mogelijkheid uitsluiten dat de werkelijke interpretatie van andermans antipathie zou kunnen zijn: 'Je bent een ouwehoer, dus moet ik je niet,' een oordeel waar deze 'je' eigenlijk niet aan ontkomt.

Kim genoot meer van de homowereld dan ik. Hij liet zich er natuurlijk niet door in het ootje nemen, maar ik denk dat hij zich er meer in op zijn gemak voelde dan ik ooit zou kunnen. Hij had ook meer gelegenheid dan ik om erin te vertoeven, want ik begon het zo druk te krijgen met mijn werk dat dingen als clubs en pubs voor mij naar de achtergrond verdwenen. De nieuwe serie voor Granada zou me lange perioden achtereen uit Londen wegvoeren.

Colonel en Coltrane

Je móést Manchester wel leuk vinden. Ze spraken je daar aan met *love* of *chuck* of zelfs *daft barmcake*, en dat vertedert natuurlijk de zuiderling die de eenzaamheid en de koele liefdeloosheid van Londen en het zuidoosten des lands gewend is. Granada had het grote, luxe Midland Hotel voor ons geregeld en betaalde een astronomisch bedrag per dag in kleine bruine envelopjes. Nooit in mijn leven had ik zo veel contant geld gehad. We hadden drie maanden de tijd gekregen om te schrijven en nu moesten we schiften, selecteren en opnemen.

Hugh en ik waren – wat is het woord? ontzet? perplex? verbijsterd? beschaamd? een combinatie van dat alles misschien – te merken dat ons trage, treurige en onzekere schrijfproces overtroefd en overlopen was door die eenmanstornado van vlijt, creativiteit en begenadigdheid genaamd Benjamin Charles Elton. Voor elke pagina aarzelend en onzeker materiaal voor een sketch van ons produceerde Ben er vijftig. Waar onze vorm van humor kwijnend, stijf en schutterig was, was die van hem uitbundig, energiek, kleurrijk en trefzeker op het aanmatigende af. Waar wij onze teksten met een bedeesd kuchje voorlazen en er telkens excuserende aanhalingstekens bij gebaarden, acteerde Ben de zijne, waarbij hij met onverholen genoegen en dolle pret alle rollen speelde. Ondanks ons gevoel van totale vernedering en mislukking lachten we wel, en bewonderden we zijn ongelooflijke talent en het tomeloze enthousiasme waarmee hij zich in zijn spel stortte.

Ben had direct het acteertalent van Emma Thompson herkend en hij genoot van de hopeloosheid die Hugh in zijn personages kon projecteren en van zijn autoriteit en brede bereik. In mij zag hij een gramstorig relict van het Britse koninkrijk, en zo schiep hij een personage voor me dat hij Colonel Sodom noemde, min of meer een ruw geschetste voorloper van generaal Melchett in *Blackadder Goes Forth*. Een ander aspect van mijn beperkte acteursvaardigheden waar hij wel iets in zag, leidde tot Doctor de Quincey, een grofstoffelijke huisarts die geen tegenspraak duldde en die een paar jaar later zou terugkeren in Bens serie *Happy Families*.

Het leek wel of Ben eigenhandig alle afleveringen had geschreven van de serie, die, na verhitte discussies, *There's Nothing to Worry About* ging heten. De opnamen vonden plaats in en rond Manchester. De regisseur, Stuart Orme, gebruikte het nieuwste van het nieuwste systeem, Electronic News Gathering: lichtgewicht videocamera's die door hun flexibiliteit geldbesparend waren omdat er weinig decors nodig waren, al ging dat ten koste van de beeldkwaliteit en het geluid. Hugh en ik persten er een paar sketches uit die de opnamen haalden, als pleister op ons gewonde eergevoel, vermoedden we. Eén daarvan was een lange scène tussen twee personages, Alan en Bernard, die ook waren voorgekomen in de Footlights Charade-sketch en die later opnieuw zouden opduiken als Gordon en Stewart in *A Bit of Fry and Laurie*. Maar al met al en eerlijk is eerlijk: eigenlijk was het Bens show.

Het is niet onredelijk om te zeggen dat het resultaat nogal onevenwichtig was. Richard Armitage, de agent die mij, Hugh en Emma onder zijn vleugels had genomen, stak zijn ontsteltenis, afschuw en afkeuring niet onder stoelen of banken. Hij vond vooral het exploderende achterwerk van Colonel Sodom stuitend. De kolonel hield van hete kerrieschotels en in een reeks shots zag je mij door de straten van Didsbury stevenen, bijna voortgestuwd door pyrotechnische scheten. Volgens mij was er zelfs een close-up waarin de achternaad van mijn krijtstreep broek met een flitsende knal openbarst. Richard mopperde er weken over. Hij vond dat de stijlvolle, intelligente, academische humor waarmee wij naar hij hoopte naam zouden maken, al bij de geboorte verminkt werd door een vuilbekkend, schunnig Londens schooiertje, en daar moest hij niets van hebben. Wie weet wat voor morrende intriges er achter de schermen plaatsvonden. Het is zelfs mogelijk dat Richard geprobeerd heeft ons contract te laten schrappen. Steve Morrison, de uitvoerend producent, en Sandy Ross bleven loyaal aan Ben, zich terecht bewust van diens rauwe en vruchtbare talent. Ze zagen echter ook in dat *There's Nothing to Worry About* zijn zwaktes had, en hun oplossing was om er een nieuwe acteur bij te halen. Paul Shearer vertrok, buiten zijn schuld. Omdat hij nog minder schreef dan Hugh en ik, was het niet onlogisch dat hij vervangbaar werd geacht. De plaats van Paul werd ingenomen door de kort daarvoor in Glasgow afgestudeerde kunstacademiestudent Anthony McMillan, die net zijn naam had veranderd in Robbie Coltrane.

Robbie was breed, luidruchtig en ontzettend grappig. Zijn stijl was een combinatie van een buschauffeur uit Brooklyn, een rock-'n-roller uit de jaren vijftig, een automonteur en een gangster uit de Gorbals. Die pasten allemaal naadloos in elkaar en vormden één hecht personage. Ik was als de dood voor hem, en mijn enige manier om dat te compenseren was door net te doen of ik hem woest aantrekkelijk vond en kreunend van passie mijn benen tegen hem aan te schurken.

'Brutaal ettertje' noemde hij me dan en hij sloeg me niet eens weg.

Robbie zou jaren later in een interview zeggen dat hij Hugh en mij arrogant vond, nare, zelfvoldane kakkertjes die vanuit onze bevoorrechte hoogte neerkeken op zijn flamboyante en vulgaire aanwezigheid, als volbloedpaarden die hun flanken laten rillen als er een onwelkome ezel in hun stal wordt gezet. Ik citeer hem hier niet letterlijk, maar daar kwam het wel op neer. Of hij dat nu verzon om een saai interview op te leuken of dat hij het echt geloofde en het zich zo herinnert, kan ik niet zeggen. Tegenwoordig ga ik vriendelijk, zelfs vriendschappelijk met Robbie om tijdens de weinige gelegenheden waarop ik hem nog tegenkom, maar dat interview heb ik nooit ter sprake durven brengen. En dat voert me weer terug naar dat eindeloze en wellicht zinloze probleem van uiterlijk en indruk, de vraag hoe we op anderen overkomen, ongeacht hoe we ons vanbinnen voelen. Alle anderen zijn gewapend met sociale honkbal-knuppels, terwijl wij achter onze rug een zielig wattenstaafje verborgen houden. Ik weet hoezeer Hugh en ik ons tekort voelden schieten, hoe slecht we ons op onze plek voelden en hoe we ons schaamden voor onze vermaledijde achtergrond van kostschool en Cambridge. Ik weet ook dat we te trots en te welopgevoed waren, ik tenminste wel, om met een zielig gezicht rond te hangen en te bedelen om sympathie en medelijden. Het is zelfs mogelijk dat we ons gevoel van nietswaardigheid zo goed verborgen dat Robbie in alle eerlijkheid kon volhouden dat wij overkwamen als nichterige, aanstellerige eikels, maar dat acht ik eerlijk gezegd niet waarschijnlijk. Misschien zag Robbie zichzelf graag als een automonteur van lage komaf, van nature begiftigd met een naturel *streetwise* talent, gedwongen te vertoeven in een wereld van flets snobisme en gemaniëreerde middle class privileges. Terwijl Robbie natuurlijk eigenlijk een dokterszoontje is en op Glenalmond College heeft gezeten, misschien wel het meest elitaire onderwijsinstituut van heel Schotland en onderwerp van de uitstekende documentaire *Pride and Privilege* uit 2008. De dertiende hertog van Argyll, de markiezin van Lothian, prins Georg Friedrich van Pruisen en de negende graaf van Elgin, onderkoning van India behoren tot de alumni. Dat hij als Anthony Robert McMillan en met het accent van prins Charles de Glasgow School of Art binnenkwam, en er als Robbie Coltrane met het accent van Jimmy Boyle weer uitkwam, is geen geringe prestatie. Soms denk ik: dat had ik ook moeten doen.

There's Nothing to Worry About werd in juni 1982 uitgezonden, met mijn exploderende achterwerk en al, maar alleen binnen het uitzendbereik van Granada. We gingen terug naar Londen om in juli, augustus en september te gaan schrijven aan onze nieuwe serie, die *Alfresco* zou gaan heten.

Computer 1

Op een vrije middag was ik in Manchester naar het Arndale Shopping Centre gewandeld. Slenterend van de ene winkel naar de andere viel mijn verbaasde oog op een groep tieners in een filiaal van Lasky's die rond een demonstratiestalletje stonden. Ik liep erheen en keek over hun schouders mee...

Een halfuur later pielde ik aan de achterkant van de televisie in mijn kamer in het Midland Hotel. Na tien frustrerende en irritante minuten verscheen de volgende Teletekst-achtige boodschap op het scherm:

BBC Computer 32K

BASIC

Dat was het begin van een liefdesrelatie die een leven lang zou duren en waarvan de details u vreselijk zouden vervelen. Ik zal er dus niet te lang over dooremmeren, maar die relatie was en is te belangrijk voor me om in een enkel zinnetje af te doen. Ik bracht bijna al mijn vrije uren door met dat mystiek mooie apparaat (vond ik), een Acorn BBC Micro B-computer. Toentertijd hadden microcomputers twee huishoudelijke apparaten nodig om te kunnen werken: een televisietoestel als monitor en een cassetterecorder om programma's op te nemen en te laden. De verkoper van Lasky's had me het programma Wordwise aangepraat, dat op een ROM-chip zat die je in een van de vier sleufjes in de printplaat stak. De andere sleufjes dienden voor het besturingssysteem en de programmeertaal BASIC. Als je Wordwise in de eerste sleuf stak, startte de computer als bij toverslag op als een tekstverwerker. Ik kon hem met een brede parallelle connectieband op mijn Brotherschrijfmachine aansluiten, die daarmee een soort printer werd. Ik kan mijn fascinatie en vreugde niet echt verklaren. Ik was in de wolken als ik mijn vrienden mijn computer liet zien, de programma's die ik erop had geschreven en de print-out die ik had gemaakt. Gehoorzaam slaakten ze bewonderende geluiden, maar ik had wel in de gaten dat ze niet even aangedaan waren als ik. Ik begreep niet hoe het kon dat ik zo geboeid was door deze nieuwe wereld terwijl anderen er niet warm of koud van werden. Natuurlijk was het een slim systeem, je kon er opmerkelijke dingen mee doen, en de meeste mensen waren onder de indruk, in de zin van: 'Jeetje, wat ze tegenwoordig al niet verzinnen!' Maar mijn opwinding gold meer dan alleen de functie. Ik probeer al lang niet meer die niet-aflatende obsessie te begrijpen die al snel de aanblik, vorm en eigenschappen van een klassieke verslaving aannam. De weinige vrije tijd die ik had bracht ik voornamelijk door met mijn neus in tijdschriften over microcomputers, of in Tottenham Court Road op zoek naar nieuwe randapparatuur. Ik zat tot drie, vier, vijf uur 's nachts nutteloze programmaatjes te schrijven of zinloze technieken te verwerven. Binnen de kortste keren had ik mijn hoek van de flat in Chelsea gevuld met een margrietprinter, een plotter, een speciale RGB-monitor en een los apparaat voor een extra processor en floppy's. Mijn eeuwigdurende strijd om de kabels te bedwingen was begonnen. Alle snoeren die ik ooit bezeten heb, zouden tot de maan en weer terug reiken. Maar ook weer niet, want je kon ze niet op elkaar aansluiten. Iedereen kan een geloofwaardig verhaal schrijven waarin mensen zich kunnen teletransporteren, in de tijd reizen en zich onzichtbaar maken. Een toekomst waarin kabels compatibel waren, dat zou pas echt sciencefiction zijn.

Snoeren, monitors, printers, boeken, tijdschriften, schijfjes, alles kostte geld. Geld dat ik niet had.

Richard Armitage had me eens met een brede zwaai van zijn besigaarde hand gezegd dat als ik ooit op zwart zaad kwam te zitten, zijn secretaresse Lorraine Hamilton wel een cheque zou sturen, bij wijze van voorschot op latere inkomsten. Ondanks Kims relatieve rijkdom en genereuze inborst had ik in augustus 1982 bij Richard al een schuld van enkele duizenden ponden, en ik begon me zorgen te maken of ik ooit genoeg zou verdienen om hem terug te kunnen betalen.

Commercial

Op een ochtend belde Lorraine me thuis in mijn flat in Chelsea. Ik weet dat het daar was, want als je in die dagen iemand opbelde, wist je altijd waar hij was. Het apparaat dat het dichtst in de buurt van een mobieltje kwam, was een telefoon met een extra lang snoer. Lorraine verordonneerde me naar een kantoor in Fitzrovia, waar ik ene Paul Weiland zou ontmoeten, die iemand zocht voor een biercommercial.

Een biercommercial? Ik? Een platte, vulgaire commercial voor een topartiest als ik? Wat een onvoorstelbare belediging. Ik spoedde me naar de afgesproken plek.

De gouden eeuw van het Engelse reclamewezen liep juist op zijn eind. De belangrijkste sterren die dat decennium waren verrezen, waren Ridley en Tony Scott, Hugh Hudson, David Puttnam en Alan Parker, en die maakten nu allemaal speelfilms. Paul Weiland, van de volgende generatie, was zijn carrière begonnen als theejongen bij het productiebedrijf waar de meeste van die grote namen hadden gewerkt, en zou een van dé reclameregisseurs van de jaren tachtig en negentig worden. Sterker, hij staat nog steeds aan de top.

Hij gaf me een script dat eigenlijk meer weg had van een gefotokopieerd storyboard. Het liet een victoriaanse aristocraat zien, compleet met monocle, in een reeks onwaarschijnlijke poses.

'Er is geen dialoog,' zei Paul. 'De hele commercial wordt op een soundtrack opgenomen. Het nummer *Abdul Abulbul Amir*.' Of ik dat kende.

Ik moest bekennen van niet.

'Maakt niet uit. Je pakt deze bierpul. Je drinkt het bier. Het is Whitbread Best Bitter. Jij bent graaf Ivan Skavinsky Skavar, en ik ben Abdul. Kijk me maar hooghartig aan. Hooghartiger! Alsof hij de rups in je sla of de stront aan je schoen is.'

Tien minuten lang deed ik alsof ik hooghartig Whitbread dronk terwijl op de achtergrond een uiterst merkwaardig nummer klonk. Ik weet niet of ik me ooit dieper heb gegeneerd en me ooit ongemakkelijker en incompetenter heb gevoeld. Toen het achter de rug was, maakte ik me met een diepe blos van schaamte uit de voeten.

'Nou, Stephen,' zei ik tegen mezelf, 'daar hoor je nooit meer wat van. En misschien is dat maar goed ook. Misschien deed ik het zo slecht omdat mijn innerlijkste ziel in opstand kwam tegen de groezelige koopmansgeest van het hele gebeuren. Ja, dat zal het zijn.'

De volgende dag belde Lorraine of ik naar het kantoor van Noel Gay aan Denmark Street kon komen. Richard zat achter zijn enorme bureau te stralen achter een dikke wolk Villiger sigarenrook.

'Ze willen jou voor de Whitbread-commercial hebben,' zei hij. 'Maar ze doen helaas irritant lastig over het geld.'

Ach nou ja, dacht ik. Vijf- of zeshonderd pond zou me goed uitkomen. Zo veel zou het toch zeker wel zijn.

'Ze bieden twintig,' zei Richard, 'en ik kan ze maar niet boven de vijfentwintig krijgen. Als je dat een belediging vindt, kunnen we ons altijd terugtrekken.'

'Voor hoeveel uur werk?'

Richard keek in zijn aantekeningen. 'Drie dagen.'

'Jeetje,' zei ik en ik probeerde niet al te teleurgesteld te kijken. 'Dat is niet veel.'

Nee,' zei Richard. 'Het komt neer op iets meer dan achtduizend per dag, maar ja, als je vindt…'

Duizend! Ik slikte met droge keel en moest mijn adamsappel wegduwen over een obstakel dat mijn luchtpijp verstopte. *Vijfentwintigduizend pond.* Voor drie dagen werk.

'Nee, nee…' stamelde ik. 'Ik bedoel… Nee, dat is prima. Ik zal…'

'Paul Weiland staat heel hoog aangeschreven. Het is een leerzame ervaring voor je. Maandag beginnen de opnamen in de Shepperton Studios. Morgen om drie uur moet je bij Bermans and Nathans zijn om kostuums te passen. Uitstekend. Ik zal ze bellen.'

De rest van de ochtend wankelde ik als in een droom door Londen.

Ik kon al mijn schuld aan Noel Gay Artists terugbetalen en dan was ik nog steeds rijk. Rijker dan een gierigaard in zijn gierigste dromen. Nou, dat niet, natuurlijk. Daar is meer voor nodig dan 25.000 pond min 15 procent commissie, min belasting en btw, min mijn 3500 pond schuld. Maar mij was het rijk genoeg.

U hebt alle recht me te haten, lezer, als ik u vertel dat ik sinds die dag nooit meer echte geldzorgen heb gehad. Niet het soort geldzorgen waar zo veel mensen 's nachts met een steen in hun maag van wakker liggen, als ze hun oplopende schulden optellen en ze geen enkele mogelijkheid zien om hun financiën op orde te krijgen. Die aanvallen van paniek en angst die je over geld kunt hebben, zijn mij bespaard gebleven. Ik heb dat gevoel wel over andere dingen, maar ik weet dat veel mensen van alles zouden willen ruilen voor het stootkussen van klinkende munt dat mij nu al dertig jaar omringt. Ik wist niet, toen ik die dag langs de Londense etalages liep, dat er tweeënhalf jaar later nog veel meer geld zou binnenstromen.

De drie opnamedagen in de Shepperton Studios verliepen in zweterige zorgelijkheid, verwarring en gêne. Ik had geen idee waarom alles zo lang moest duren, wat ik aan het doen was, wie iedereen was of waar de commercial over ging. Tim McInnerny, die ik twee jaar later weer zou tegenkomen in de cast van *Blackadder II*, moest een luit spelende minstreel voorstellen. Abdul werd gespeeld door de acteur Tony Cosmo, die er overtuigend Levantijns en dreigend uitzag. Ikzelf was naar mijn eigen oordeel allesbehalve overtuigend. Als ik de commercial nu op YouTube bekijk (zoeken op 'Whitbread Best Bitter 1982 Ad' of zoiets) snap ik er nog steeds bar weinig van, en ik weet zeker dat mijn ongemakkelijkheid als graaf Ivan na tientallen jaren nog steeds zichtbaar is. Ik denk dat ze me destijds eerder gekozen hebben om mijn puntige kin dan op basis van enige merkbare vaardigheid of talent.

Paul Weiland was alleraardigst en gemoedelijk. Vanwege mijn herinnering aan de buitengewoon ontspannen Hugh Hudson op de set van *Chariots of Fire* verwachtte ik dat de regisseur poeslief zou zijn en dat de assistenten zouden blaffen. En zo ging het ook. Ik heb die drie dagen voornamelijk op een linnen klapstoel doorgebracht met kopjes thee, terwijl de vogels pikten en krijsten in de stellages boven ons hoofd. Er zijn hele generaties duiven, mussen en vinken grootgebracht en heengegaan in het gebint van de grote studio's van Pinewood en Shepperton. Ze hebben hun poepjes laten vallen op de onsterfelijkste scènes van de Britse cinema, en met hun gekrijs hebben ze dialogen van Dirk Bogarde, John Mills, Kenneth Williams, Roger Moore en duizend anderen verstoord. Maar voornamelijk zijn ze getuige geweest van de minder spectaculaire opnamen van de reclamefilmpjes en popvideo's die het dagelijks brood vormen van studiopersoneel, filmploeg en blije, overbetaalde acteurs. Ik weet dat ik me hoor te schamen dat ik reclamefilms doe, en dat ik het beneden mijn waardigheid moet vinden, maar ik kan er werkelijk geen sorry voor zeggen of spijt van hebben. Orson Welles zei altijd met hooghartig dedain: 'Als het goed genoeg was voor Toulouse Lautrec en John Everett Millais, dan is het goed genoeg voor mij,' maar ik vind niet dat ik er grote namen uit het verleden bij hoef te slepen; ik vind het gewoon leuk.

Creëer!

In oktober waren we weer terug in Manchester voor de opnamen van *Alfresco*, dat, in tegenstelling tot *There's Nothing to Worry About*, landelijk zou worden uitgezonden. Ben had voor ons een fictieve wereld gecreëerd die hij De Namaakpub noemde. Het concept kon met enige welwillendheid omschreven worden als speels, metatekstueel postmodernistisch. Maar de meerderheid stond er niet welwillend tegenover en zag het als onbegrijpelijke, genotzuchtige flauwekul, al vermoed ik dat dat meestal voor metatekstueel postmodernisme geldt. We speelden uitvergrote versies van onszelf in een duidelijke namaak-studiopub. Ik was Stezzer, Hugh was Huzzer, Robbie Bobzer, Ben Bezzer, Emma Ezzer en Siobhan was Shizzer. We noemen elkaar nog steeds vaak zo, al noemt Ben me, om redenen die niet meer te achterhalen zijn, meestal Bing.

In de eerste aflevering kom ik bedekt met piepschuim sneeuwvlokken op en begroet ik Robbie met de woorden: 'Nee maar, namaakherbergier Bobzer, er is daar buiten een krankzinnig *special effect* gaande...' We speelden onze sketches voornamelijk voor een zwijgend en niet-begrijpend publiek. We troostten ons met de gedachte dat we onze tijd ver vooruit waren. Ik denk dat het probleem vooral was dat we ons voortdurend zo van onszelf bewust waren. Deels omdat hij er rechtstreeks bij betrokken was geweest, wist Ben heel goed waar zijn tijdgenoten in de alternatieve humor mee bezig waren, en Hugh en ik waren ons pijnlijk bewust van wat onze traditie had bereikt op het gebied van sketchhumor, van Pete en Dud tot *Monty Python* en *Not the Nine O'Clock News*. Dat maakte – zo zie ik achteraf zonneklaar – dat we alles veel te ingewikkeld maakten omdat we bang waren als imitators en als onorigineel te worden gezien. We schuwden parodieën van het soort 'Aha, kom binnen Perkins, doe de deur dicht en pak een stoel' omdat *Python* en *Not* dat al hadden gedaan. Surrealisme en anarchistische mafheid konden ook niet, want die markt was al in handen van Rik, Ade en Alexei. Dus deden we maar wat, zonder visie en zonder het zelfvertrouwen om te doen waar we het best in waren. Het publiek, weet ik nu (en dat had natuurlijk altijd al overduidelijk moeten zijn), redeneert niet volgens die principes. Iets nieuws, iets origineels, ontstaat niet door het uitvinden van nieuwe genres of nieuwe modaliteiten. Het ontstaat uit het hoe en het wie, niet uit het wat. En ik hoef nauwelijks uit te leggen dat je nooit iets bereikt tenzij je doet waar je het best in bent, en we weten allemaal diep in het diepste van ons hart waar we het best in zijn.

Intussen hield Steve Morrison, onze Schotse uitvoerend producent, ons voor dat we niet moesten zeuren. 'Schiet op en creëer wat, man!' riep hij me van de andere kant van de tafel toe tijdens een stormachtige sessie waarbij ik me nog pedanter, sceptischer of in elk geval irritanter dan anders gedroeg. Hij stond op en wees naar de deur. 'Ik wil Ayckbourn, maar dan met venijn,' brieste hij. 'Ga weg en kom terug met Ayckbourn met venijn.' Eh, juist.

Ons werd overduidelijk te verstaan gegeven dat de hoge heren bij Granada een probleem met onze schrijfsels hadden. In Bens geval was het misschien zijn overproductiviteit en gebrek aan zelfcensuur; in het geval van Hugh en mij was het het tegenovergestelde:

verlammende constipatie en een verontschuldigende schaamte die buitengewoon irritant moet zijn geweest. Een verschrikkelijke week lang werden we onderworpen aan een soort masterclass comedyschrijven met Bernie Sahlins, een van de regisseurs van de Second City-revue en -televisieshow. Bernie was de broer van de antropoloog Marshall Sahlins en kwam uit een traditie van improvisatie uit de tijd van Mike Nichols en Elaine May, een traditie die was doorgedrongen tot de televisie en meer recentelijk ook tot de film, met de *Saturday Night Live*-generatie van Aykroyd, Chase, Murray, Belushi en Radner. Ben schreef in zijn eentje en was totaal niet geïnteresseerd in de stijlen en technieken van de Amerikaanse improvisatie. Ook Hugh en ik huiverden bij het idee dat je een scène moest 'opbouwen' door middel van geïmproviseerde dialoog, zoals dat in Amerika ging. Als we samen aan het schrijven waren, improviseerden we soms wel, in die zin dat we een sketch hardop uitprobeerden voordat we hem op papier zetten. Ik denk dat als men ons van improviseren had beschuldigd, we ter plekke zouden zijn dichtgeklapt en het bijltje erbij neer hadden gegooid. De culturele kloof tussen onze methode en die van Bernie Sahlins moet hem hebben verbijsterd en zelfs beledigd, maar hoe dan ook, de kloof was onoverbrugbaar en Sahlins vertrok vijf dagen later uit Manchester zonder iets bij ons te hebben bereikt. Wat hij ons wel leerde, was dat als we in Amerika waren geboren, we nooit in de comedybusiness terecht zouden zijn gekomen, en wij leerden hem wellicht dat het Britse volk koppig en verlegen is en beheerst wordt door één emotie, gevoel, gebrek, kenmerk, ziekte, noem het wat je wilt: gêne. Ben bleef op zijn manier het ene na het andere script ophoesten, en wij hoestten op onze manier weinig tot niets op.

Behalve Steve Morrison, Sandy Ross, Robbie en Siobhan hadden we nu nog een vijfde Schot aan boord in de vorm van een producer, John G. Temple. Hugh vertrouwde me toe dat Temple hem een keer had aangesproken toen we ons aan het verkleden waren voor een opnamedag en hem had gevraagd welke drugs ik gebruikte.

'Geen,' had Hugh geantwoord. 'Stephen is gewoon zo.'

Toen hij me dat vertelde, was ik diep geschokt. Wat had ik dat een vreemde onmiddellijk tot de conclusie kwam dat ik aan de drugs moest zijn? Hugh legde me uit, met alle tact die hij kon aanslepen, dat het mogelijk kwam door mijn extreme energie in de vroege ochtend. Ik was altijd al vanaf het krieken van de dag luidruchtig en verbaal uitbundig, maar het was nooit bij me opgekomen dat ik manisch genoeg overkwam om de suggestie te wekken dat ik aan de drugs was. De anderen waren mijn vaak overdreven joligheid en uitgelatenheid wel gewend, maar voor een nieuweling als John was het blijkbaar vreemd genoeg om tot de wildste speculaties te leiden.

Misschien had het een waarschuwing voor me moeten zijn en had ik mijn gemoedstoestand wat beter in de gaten moeten houden, maar als je jong bent, zie je je excentriciteiten, stemmingen en gedragingen makkelijk over het hoofd, of je lacht ze weg. Je kunt dan nog zoveel meer hebben. Je kunt meebuigen met alle krinkels en kronkels die het leven, of de capriolen van je eigen geest, op je weg leggen. Als je de veertig bent gepasseerd, wordt het natuurlijk een ander verhaal. Wat ooit soepel meeboog, breekt nu als een verdorde tak. Veel van wat in je jeugd charmant, apart, uitdagend en curieus is, wordt tragisch, eenzaam, pathologisch, saai en rampzalig als je de middelbare leeftijd bereikt. Een gekwetste of gekwelde geest heeft akelig veel weg van de levensloop van een alcoholist. Een twintiger die te veel drinkt is een gezellige gast; soms loopt hij misschien wat rood aan en soms is hij te duf om op tijd te komen, maar meestal is hij (of zij natuurlijk) beminnelijk en plooibaar genoeg om het leven door te komen. Wanneer precies de gesprongen adertjes, de sponzige neus, de humorloze, bloeddoorlopen ogen en de vreselijke verandering van persoonlijkheid inzet, is moeilijk te zeggen. Maar er komt een dag dat iedereen merkt dat hun innemende vriend niet meer grappig en charmant is; hij is een probleem geworden, een blok aan hun been, een zeurpiet. Ik heb hetzelfde gezien en meegemaakt, bij eigenaardigheidjes en hebbelijkheden die bij mensen in hun jonge jaren acceptabel, amusant en schijnbaar onschadelijk zijn, maar die later destructief blijken tot verslaving, degeneratie, ellende, zelfverwonding en suïcide aan toe. Bij het schrijven van dit boek waren er momenten dat ik terugkeek op bijna al mijn vrienden en tijdgenoten (en mezelf, natuurlijk), van wie er zoveel gezegend zijn met talent, hersens, genialiteit en geluk, en ik moest constateren dat we allemaal ergens gefaald hebben in het leven. Of dat het leven voor ons gefaald heeft. Nu we in de vijftig zijn, is de fysieke achteruitgang die je nu eenmaal mag verwachten niets vergeleken bij onze teleurstelling, bitterheid, wanhoop, geestelijke instabiliteit en het gevoel gefaald te hebben.

Maar dan geef ik mezelf een draai om de oren en zeg dat ik niet zo hysterisch en dramatisch moet doen. Maar toch, het verhaal van mijn rijbewijs zou door sommige artsen kunnen worden uitgelegd als een typische episode van hypomane grootheidswaan.

Carnet

De zesde Schot van de *Alfresco*-club was Dave McNiven, onze vaste muziekregisseur en componist. Ik zag hem uiteraard maar zelden. Eén keer had zijn gevoelige oor mij horen mimen en sindsdien hebben onze wegen elkaar nooit meer gekruist. U vraagt zich misschien af hoe hij me kon hóren mimen, maar het is echt een bewijs van het niveau van a-muzikaliteit waartoe ik kon zinken. Het is heel moeilijk om in een koor te zingen en te playbacken zonder dat je heel af en toe per ongeluk je stembanden laat horen. Een muzikaal oor pikt een dissonant meteen op, hoeveel stemmen er ook zingen en hoe zachtjes en terloops het geluid ook gemaakt wordt. Nooit zal ik de geschokte blik van Dave vergeten toen hij zich in mijn richting draaide. Ik had zo'n blik wel eerder gezien en zou die nog vele malen op me gericht weten. Het was de speciale blik van ontzetting op het gezicht van iemand die nog kort tevoren met grote stelligheid en vertrouwen had gezegd: 'Welnee, iederéén kan zingen!' Mijn bestaan op deze planeet dient enkel en alleen om zulke misleide optimisten hun dwaling hunner wegen te doen inzien.

De middagen van de muziekrepetities vulde ik met rijles. Ik had er in mijn tijd op Cundal Manor al een paar gehad. Destijds, toen ik hortend en stotend de Austin Metro door de hoofdstraat van Thirsk stuurde, was me met typisch Yorkshirese minachting medegedeeld: 'Je schakelen is knudde en je stuurkunst is even waardeloos als een theepot van chocola…' De instructeur in Manchester vier jaar later was een stuk aardiger, zoals vaak het geval is in het westen van het land, of mijn chauffeurskwaliteiten waren er in de tussentijd beter op geworden. De man zat stilletjes te neuriën en keek geïnteresseerd uit het raam naar wat er op straat gebeurde; blijkbaar had hij zo veel vertrouwen in mijn rijkunst dat hij zich geen zorgen hoefde te maken over wat ik deed terwijl ik de Escort-leswagen langs zijn favoriete route laveerde, voorbij de studentenflats in Rusholme en Fallowfield, de Kingsway af, naar de doolhof van de woonerven van Cheadle Hulme. Op een middag, heel onverwacht, verklaarde hij dat ik klaar was voor het rijexamen en dat hij me voor de volgende week genoteerd had.

'Als je dat goedvindt?'

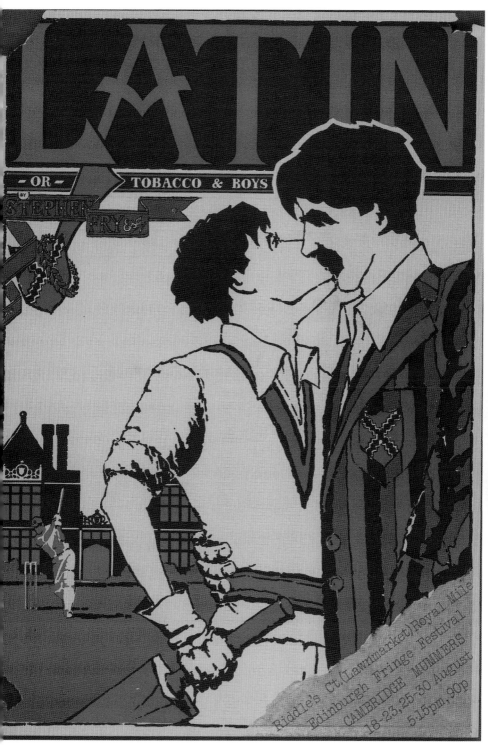

Latin! De meest gestolen poster van de Edinburgh Fringe van 1980.

Ernstig maar triomfaal op de groepsfoto ter ere van onze Fringe First Award.

Even later, reagerend op Tony Slattery en met onafscheidelijke sigaret.

The Snow Queen, 1980. Mijn eerste optreden bij de Footlights.

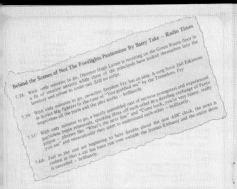

THE ADC THEATRE

England's oldest university playhouse is administered and maintained by the University of Cambridge.

Chairman of Management Committee	Dr. T.D. Kellaway
Secretary	Dr. H.A. Chase
Manager and Licensee	Howard Oldham
Resident Stage Manager	Claude Manley
Resident Steward	Albert Bishop

The Bar will open before and after this performance. Save time and fuss: order your interval drinks in advance. Ticket-holders may buy drinks until 11.15 p.m. every night. Drinks must not be taken into the auditorium. Smoking is strictly forbidden in the auditorium.

THE PENTAGON

CHRISTMAS FARE 1980 1st-24th DECEMBER

6 SAINT EDWARDS PASSAGE CAMBRIDGE

THE CAST

In Order of Appearance

Magician	Hugh Laurie
Semolina	Katie Kelly
Mayor's Aide	Richard Kirk
Mayor	Will Osborne
Runner	Steve Edis
Gerda	Sal Littlewood
Montmorency Fotherington- Fitzwell, Ninth Earl of Doubtfulworth	Stephen Fry
Dame Tibo	Kim Harris
Fagend	Dave Meek
Lenny	Greg Brenman
Bruce	Dave Urquhart
Kay	Adam Stone
Snow Queen	Annabel Arden
Her Maid, Snowdrop	Sheila Hyde
Her Minion	Felicity Read
Crow	Paul Shearer
Wise Old Woman	Emma Thompson

Chorus

Cathy Bell	Charles Hart
Nicola Bradley	Mark Jolly
Clare Brown	Henry Singer
Gill Crone	Adam Singfield
Rosanna Nissen	Greg Snow

THE BAND

Piano	Steve Edis
Flute	Mark Batey
Saxophonist	Sean Allan
Drums	Simon Arridge
Clarinet	Jeremy Markwick-Smith
	Stephen Mulvey
Bassoon	Jack Percy

and the HAPPY VIK Brass Band

PRODUCTION

Written By	Stephen Fry
	Kim Harris
	Katie Kelly
	Hugh Laurie
	Emma Thompson
Music Written By	Mark Batey
	Steve Edis
	Hugh Laurie
Director	Hugh Laurie
Assisted by	Katie Kelly
Musical Director	Steve Edis
Designer	John Williams
Technical Director	Steve Vaughan
Lighting Designer	Roger Hazelden
Choreographer	Jenny Arnold
Sound	Simon Andrews
Production Managers	Emma Brown
	Hilary Lang
Costume Design and Production	Julia Hawkins
	Jo Lorenz
	Susan Mitchel
	Claire Morrison
Stage Manager	Andrew Templeton
Deputy Stage Manager	Anne Howard
Props Manager	Carol Morley
Props	Francesca Allen
	Christiane Galea
	Henriette van Gelder
	Kate Henry
Make-Up	Alex White
Poster	Simon Andrewes
Chief Electrician	Jon Warbrick
Flyman	Graham Louth
Set Painters	Henry Ricketts
Chief Fitter	Andrew Briggs
Transport Manager	Howard Oldham
Lens Polisher	Tony Roper
Launch Pad Supervisor	Nick Holt
Chief Carpenter	Mark Bestley
Audio-Visual Consultant	Claude Manley
Office Manager	Gary Ernest
Shop Steward	Charlie Young
Stage Hand	Nigel Bragg
Director of Machinery	Elwyn Davies
Scaffolding	Giles Gummer
Plumber	Mike Wilmott-Dear
Plumber's Mate	Nick Safford
Teddy Bears by	Graham Bates
Programming Advisor	John Wilkes
Pyrotechnics	Pam Donovan
Dog Handler	Julian Molyneux
Safety Helmets by	Phil Davies
Flying Wire by	Frank Knight

Thanks to Henrietta Brunt and Beetle

Met Kim buiten Cambridge Senate House, na onze Tripos-uitslag.
Ik was waanzinnig verliefd op die das van Cerruti.

In kamer A2, Queens'. Afstudeerdag: met zusje Jo.

'We waren niet bepaald het fraaiste kwartet dat ooit het televisiepubliek tegemoet getreden is.' *University Challenge.*

The Young Ones. Komische helden.

Rowan Atkinson overhandigt Hugh de cheque van de
Perrier-prijs. Edinburgh, 1981.

Het slotlied van *The Cellar Tapes*. Ik vrees dat we ons daar schuldig
maken aan gênante en schijnheilige 'satire'.
Vandaar de vreugdeloze blikken.

Een halfuur later stond ik in een BMW-showroom de hand van de dealer te schudden. Ik heb geen idee welke bloedstuwing mijn brein hiertoe aangestuurd had, maar toen ik de showroom verliet, was het te laat om er nog iets aan te doen. Ik had mijn bank gebeld en de financiering geregeld en was nu de wettige eigenaar van een tweedehands metallic groene 323i. Schuifdak, Blaupunkt-stereo en 16.000 mijl op de teller.

Die avond – ik had Hugh niet durven vertellen dat ik zoiets onversneden stoms en roekeloos had gedaan als de goden verzoeken door een auto te kopen voordat ik überhaupt mijn rijexamen had gehaald – zaten we met ons allen in mijn kamer in het Midland Hotel. Ik liet wijn, bier en chips aanrukken en we keken naar een herhaling van de oorspronkelijke uitzending van onze Footlights Show uit mei. Twee dagen later zaten we er weer met ons allen, met nog meer wijn, bier en chips ter ere van de lancering van de nieuwe televisiezender Channel 4 en de uitzending van *Comic Strip Presents... Five Go Mad in Dorset*, waarin Robbie twee rollen speelde. Het was het eerste nieuwe kanaal op de Britse televisie sinds de komst van BBC2 in 1954.

Ik slaagde voor mijn rijexamen, racete langs verzekeringsmaatschappijen en keerde terug naar de showroom met alle paperassen die me mobiel zouden maken. Ik had geflirt met het noodlot en was ermee weggekomen. Als ik gezakt was, wat zou ik dan met de auto gedaan hebben? Gewoon daar laten staan, vermoed ik.

Challenge 2

Weer een week later zaten we ten derden male in mijn hotelkamer, omgeven door alle wijn, bier en chips die het personeel van het Midland Hotel kon aanslepen, ditmaal voor de eerste aflevering van *The Young Ones*, waarvan Ben de coauteur was en waarin hij ook meespeelde.

Zo hadden binnen een week twee gigantische schokken onze wereld op zijn kop gezet. De glanzende blokjes in primaire kleuren die zich tot het cijfer 4 vormden, leken met hun gelikte, computergegenereerde bewegingen een nieuwe wereld in te luiden. En toen Ade Edmondson alias Vyvyan zich in de eerste vijf minuten van *The Young Ones* dwars door de muur heen een weg naar de keuken bokste, was het alsof een nieuwe generatie zich het Britse culturele leven binnen bokste, en niets zou ooit nog hetzelfde zijn.

The Young Ones was direct een succes, zoals *Alfresco*, waarvan de eerste reeks halverwege 1983 werd uitgezonden, dat direct níét was. Vooral de ster van Rik Mayall rees spectaculair; hij werd de King of Comedy met het briljante, kinderachtige personage van Rick in *The Young Ones*, een Cliff Richard-adept met een spwaakgebwek die te pas en te onpas in puberaal gegiechel uitbarst. Die vertolking bezegelde een reputatie die was gegroeid vanuit Riks oorspronkelijke 20th Century Coyote Act met Ade Edmondson en zijn sublieme optreden als Kevin Turvey, de Chic Murray van Kidderminster in *A Kick Up the Eighties*.

Ik was me pijnlijk bewust van het enorme verschil tussen die gloeiende lavastroom van nieuw talent en de geconstipeerde, conventionele en inteeltachtige traditie waar ik uit voortkwam en waarover ik het – dat bent u vast met me eens – al genoeg heb gehad. Dertig jaar na dato lijkt het nogal genotzuchtig en paranoïde om erover te blijven zeuren, maar dat verschil leidde destijds in elk geval wel tot vruchtbare conversaties in de bar van het Midland Hotel, in januari 1983. Ben, Rik en Lise waren al bezig met een tweede reeks van *The Young Ones*, en ik had iets bedacht. In mijn lange tijd in Granadaland had ik de horden studenten gezien die tussen de verschillende ronden van *University Challenge* in de kantine aanschoven. Misschien konden Rick, Vyvyan, Neil en Mike, die tenslotte ook een studentenkwartet vormden, zich voor de quiz opgeven, met, zoals de *Radio Times* het zou noemen, hilarisch gevolg. Ik opperde mijn idee aan Ben, die meteen enthousiast was. Samen met de anderen zou hij de aflevering 'Bambi' maken, waarin de Young Ones het als team van Scumbag University opnemen tegen Footlights College, Oxbridge, in de hooghartige, upper class personen van Hugh, Emma, Ben en mij. Mijn personage was lord Snot, een waanzinnig kakkineuze gladjanus gemodelleerd naar lord Snooty uit *Beano*.

Ben herinnert zich het ontstaan van dat programma misschien anders. Het is een eeuwige waarheid in de genese van humor dat een goed idee ontelbaar veel verwekkers heeft, terwijl een stom idee eeuwig verweesd blijft. Maar hoe of dankzij wie het idee ook ter wereld is gekomen, de aflevering werd ongeveer een jaar later opgenomen met Griff Rhys Jones als Bamber Gascoigne en Mel Smith als een beveiligingsman van Granada TV. Die aflevering wordt nog steeds beschouwd als een van de hoogtepunten van *The Young Ones*, deels omdat het een sterk, samenhangend verhaal had en deels omdat de broedermoordachtige wraak van het jonge en radicale op het oude en reactionaire zo letterlijk en bevredigend werd uitgebeeld. Footlights College wordt met de grond gelijkgemaakt, zowel in fictie als in werkelijkheid, zo voelden we het.

Ik heb al gezegd dat we allemaal – Hugh en ik zelfs fataal – gebukt gingen onder gebrek aan zelfvertrouwen en de dwaze wens om alles wat al eerder was gedaan te vermijden. Maar hadden we dan een theorie over komedie, een vlag die we wilden hijsen?

Het was me wel duidelijk dat Hugh een uitgebreider assortiment aan komisch materiaal in zijn la had dan de schamele verzameling plastic theelepeltjes en archaïsche messen met benen heften waar ik over meende te kunnen beschikken. Zoals ik al heb gezegd, was ik me er zonder afgunst, zij het wel met enig pathetisch zelfmedelijden, van bewust dat Hugh over drie ontzettend belangrijke komische zaken beschikte waaraan het mij juist in gênante mate ontbrak. Een daarvan was muziek. Hij kon elk instrument dat hij te pakken kreeg bespelen, en hij kon zingen. Ten tweede had hij lichamelijke controle. Als een geboren atleet kon hij vallen, rollen, springen en dansen, met groot komisch effect. Hij had een grappig, vertederend gezicht dat hem tot een geboren clown maakte. Grote, droevige ogen, een guitige kin en een hilarische bovenlip. En ik? Ik kon verbaal vaardig zijn, ik kon pompeuze, autoritaire personages neerzetten en ik… eh… nou ja, dat dus. Zou ik ooit een echt acteur kunnen zijn, of had mijn keuze voor comedy die weg al afgesneden? In de wereld van de humor had ik geen sociaal of politiek statement om te maken, geen nieuwe stijl om te lanceren. Ik hield van de ouderwetse sketchcomedy, terwijl de rest van de wereld er snel op uitgekeken leek te raken.

Ik was bang dat ik voornamelijk tot tekstschrijven gedoemd was. Waarom bang, vraagt u zich misschien af. Wel, het is een fantastisch gevoel als je een sketch geschreven hebt, maar tijdens het schrijven ga je door een diep dal. Daarmee is schrijven afschuwelijk terwijl je het doet, maar geweldig achteraf, precies het tegenovergestelde van seks. Het enige dat je gaande houdt, is de wetenschap dat je je lekker voelt als het achter de rug is. Zoals alle schrijvers wist ik dat de mensen die de sketch uitvoeren het veel makkelijker hebben. Zij flaneren lekker rond en worden bewonderd, gefêteerd, geprezen hoe geweldig ze wel niet zijn en over hoeveel energie, begaafdheid en kracht ze beschikken om onder zo'n druk te kunnen leven. Puh. Ze werken alleen bij de repetities, op het toneel of op de set; de rest van de tijd kunnen ze uitslapen, luieren en lanterfanten. Schrijvers daarentegen verkeren voortdurend in een eindexamencrisis. De deadlines cirkelen omineus krassend boven hun hoofd, producers, regisseurs, uitgevers en acteurs zeuren aan hun kop om een nieuwe versie of aanpassingen. Als ze even niets doen, lijkt het of ze spijbelen of lui zijn. Geen ogenblik mag of kun je je veroorloven niet achter je bureau te zitten. Het is een wanhopig eenzaam beroep.

Er zijn compensaties. Je hoeft een toneelstuk maar één keer te schrijven en dan kun je achteroverleunen en het geld zien binnenstromen, terwijl de acteurs zes maanden lang acht keer per week aan de bak moeten om hun loon te verdienen.

Hugh en ik waren auteurs/acteurs – we schreven iets en voerden dat zelf uit. Ik wist niet of we daardoor van twee walletjes aten of juist van geen van beide. Wel mag het duidelijk zijn dat het je kans op betaald werk verdubbelt. Wat ik te kort kwam aan de fysieke eigenschappen van de geboren clown, scheen ik goed te maken door gewicht, of *gravitas*, zoals Hugh het uitdrukte. Men had blijkbaar vertrouwen in mijn capaciteiten als auteur, hoewel ik tot dan toe weinig meer had geproduceerd dan *Latin!* en samen met Hugh het materiaal voor *The Cellar Tapes* en het handjevol *Alfresco*-sketches dat daadwerkelijk was opgenomen.

Nu gebeurden er vier dingen zo snel achter elkaar dat ze eigenlijk gelijktijdig gebeurden, en die mijn gevoel van eigenwaarde opbouwden dat de ervaring met *Alfresco* steen voor steen afbrak.

Cinema

In de nazomer van 1982 werd ik naar een afspraak met Don Boyd en Jilly Gutteridge gestuurd. Boyd had de filmversie van Alan Clarkes *Scum* geregisseerd (de originele televisieversie van de BBC uit 1977 was door de puriteinse bemoeienis van Mary Whitehouse van het tv-scherm gehaald), *Tempest* van Derek Jarman, en *The Great Rock 'n' Roll Swindle* van Julien Temple. Nu ging hij zijn eerste grote bioscoopfilm maken, die *Gossip* moest gaan heten. Hij had een Britse mix van *The Sweet Smell of Succes* en *La Dolce Vita* voor ogen, doordesemd met de geest en de sfeer van Evelyn Waughs *Vile Bodies*. Het zou een film worden die een nieuwe, nare kant van het Engeland van Margaret Thatcher zou laten zien: de zelfingenomen, arrogante, patjepeeërige wereld rond Sloane Square waarin narcistische nachtclubbezoekers, trustfundgeboefte en doorgesnoven dubbele namen goede sier maakten met de nieuwe iconen van de wereld van geld, mode en roem. Een zielloos, smerig, waardenvrij milieu dat zichzelf zag als de stijlvolle happy few aan de top van de sociale ladder waar het simpele volkje uit de lagere rangen in ademloze adoratie naar opkeek.

De gebroeders Michael en Stephen Tolkin hadden een scenario geschreven. Hoewel ze de tv-versie in Engeland lieten spelen, vond Don dat de twee Amerikaanse auteurs de Londense 'society' van de vroege jaren tachtig niet helemaal hadden weten te vatten, en hij was op zoek naar iemand die het stuk in een authentieker Engels idioom kon omwerken. Jilly Gutteridge, die locatiemanager en productieassistent zou zijn, was meteen heerlijk positief en enthousiast over mijn capaciteiten, en ik vertrok met de opdracht om het scenario te herschrijven voor de vorstelijke som van duizend pond. Ik had er drie weken de tijd voor. De hoofdrol, een roddelrubriekschrijfster uit de beau monde, zou worden vertolkt door Anne Louise Lambert. Anthony Higgins, die haar tegenspeler was geweest in Peter Greenaways *The Draughtman's Contract*, zou de man spelen op wie ze verliefd wordt en die haar uiteindelijk redt uit de foute kringen waarin ze verkeert. Simon Callow en Gary Oldman deden ook mee. Voor Oldman zou het zijn eerste speelfilmrol zijn.

Ik herschreef het stuk in een roes van geestdrift en Don leek tevreden met het resultaat. Hij was al een eind gevorderd met de voorbereidingen van wat hij weldra zou leren benoemen als de 'grote lijnen van het cameradraaiboek'. Intussen, opperde hij, zou ik het misschien leuk vinden om kennis te maken met Michael Tolkin, die toevallig in Londen was. Tolkin was een van de twee oorspronkelijke auteurs; hij had mijn Angelsaksische bewerking met interesse gelezen en had misschien nog een paar nuttige suggesties…

Ik stemde toe en Tolkin en ik ontmoetten elkaar in een Italiaans restaurant, Villa Puccini, een paar stappen van onze etage in Draycott Place.

'Villa Puccini…' zei Kim. 'Zeker genoemd naar de beroemde componist Villa-Lobos.' De lunch werd helaas niet het feest van de rede en de eenheid der zielen waar P.G. Wodehouse en Alexander Pope zo lovend over schreven. Tolkin had geen goed woord voor wat ik met zijn geliefde verhaal had gedaan. Hij was met name woedend omdat ik de scène in de synagoge had geschrapt.

'Het kernpunt van het verhaal. De spil waar de hele film om draait. De hoeksteen. Het emotionele hart. De hele film stelt niets voor zonder die scène. Zonder die scène ís er geen film. Zag je dat niet?'

Ik probeerde uit te leggen waarom ik die scène fout en niet overtuigend vond.

'En dat einde van jou…'

Misschien had hij wel gelijk over mijn einde aan het verhaal. Als ik me goed herinner liet ik Claire, de hoofdpersoon, vluchten in de armen van een universitair docent in Cambridge, een einde dat noch Fellini- noch Waugh-achtig was, en waarschijnlijk even sentimenteel als de door mij versmade scène in de synagoge. Toch probeerde ik het te verdedigen.

'Het is wel duidelijk,' zei Tolkin, 'dat we er totaal anders over denken en dat er geen basis is voor verdere discussie.' Hij verliet het restaurant nog voordat de *primi piatti* arriveerden. Sindsdien heeft hij een succesvolle carrière opgebouwd met titels als *The Player*, *Deep Impact* en *Nine*. Misschien had hij gelijk. Misschien had ik *Gossip* verruïneerd met mijn Britse, cynische ongeloof in de mogelijkheid van een emotionele ommekeer en met mijn halfslachtige afloop. Hoe dan ook, de film is er nooit gekomen. Waarom niet is een ingewikkeld verhaal, maar het heeft gelukkig niets te maken met mijn scenario, hoe goed of slecht het ook geweest moge zijn.

Naar het schijnt hadden twee geloofwaardige heren Don Boyd een rad voor ogen gedraaid door te zeggen dat ze van de Martini Foundation waren. Die stichting, rijk geworden met de verkoop van vermouth, wilde zich op het terrein van de filmfinanciering begeven. Ze spiegelden Don een bijdrage van 20 miljoen pond voor een hele reeks speelfilms voor. In de tussentijd kon hij *Gossip* financieren door geld te lenen op basis van 'depositocertificaten' die bij een bank in Nederland waren vastgezet. In ruil voor hun investering zouden de mensen van Martini vijftig procent van de recette krijgen en £ 600.000 vooraf.

Don liet in de studio's in Twickenham een grote nachtclub nabouwen, een ontwerp van Andrew McAlpine, en startte eind oktober met draaien. Daarvoor gebruikte hij geld dat weer voor een derde was voorgeschoten in afwachting van de depositocertificaten uit

Nederland. Hugh Laurie, John Sessions en anderen zouden er ook in meespelen. Er was al een vijfde van de film opgenomen toen de vreselijke waarheid aan het licht kwam dat de depositocertificaten niet bestonden en dat de twee heren met hun flat in Mayfair en hun jacht in Cannes geen enkele connectie hadden met Martini Rosso of met enig vermouthvermogen. Don was op schandalige wijze opgelicht. De heren dachten waarschijnlijk dat ze hun £ 600.000 vindersloon konden opstrijken en dan de benen konden nemen. Gelukkig stortte het hele kaartenhuis in voordat ze de vruchten van hun bedrog konden plukken, maar dat was een schrale troost. Het filmproject was ter ziele. De vakbond van technici en acteurs, Equity, wilde bloed zien. De salarissen van crew en cast, en een groot deel van de productiekosten waren nog niet betaald (de Tolkins en ik toevallig wel), en alom heersten ellende, haat en nijd. Uiteindelijk werd de arme Don, een alleraardigst en capabel man, door toedoen van de vakbonden op de zwarte lijst gezet en kreeg hij een verbod voor drie jaar op medewerking aan filmproducties. En zelfs daarmee was de kous nog niet af, want toen Don uiteindelijk weer kon gaan produceren, eisten de vakbonden een percentage van zijn toch al verwaarloosbaar lage inkomen. In 1992 zat hij financieel aan de grond. Als hij zich failliet had laten verklaren op het moment dat het noodlot toesloeg, had hij misschien zijn huis en zijn bezittingen kunnen redden. Maar hij verkocht bijna alles wat hij had om zijn schulden te kunnen afbetalen, omdat zijn eer hem dat gebood.

Don Boyd is door velen in de Britse filmindustrie belasterd, met de nek aangekeken en verguisd; ze beschuldigden hem van domme naïviteit of – nog erger – van betrokkenheid bij de vage en vuige praktijken van de niet-bestaande Martini Foundation. Knappere en wijzere koppen dan hij hadden hem verzekerd dat de financiële constructie gezond was en dat hij er zeker mee in zee moest gaan. Het was een catastrofale fout dat hij aan de slag ging zonder die depositocertificaten te hebben gezien, maar een zo getalenteerd, idealistisch en toegewijd filmmaker had de smaad en de status van paria die zo lang om hem heen bleef hangen niet verdiend. Voor mij was het in elk geval een heel nare manier om in het troebele diepe van de filmindustrie te worden gegooid.

Church en Tsjechov

Enkele maanden na de consternatie rond *Gossip* werd ik opgebeld door een theaterproducent, Richard Jackson, die me op zijn kantoor in Knightsbridge ontbood. Hij had in Edinburgh *Latin!* gezien en wilde het stuk in het Lyric Theatre in Hammersmith produceren, met de toen nog heel jonge Nicholas Broadhurst als regisseur. Ik maakte duidelijk dat mijn verplichtingen bij *Alfresco* het onmogelijk maakten om Dominic te spelen, de rol die ik op mezelf had geschreven, maar dat vond Jackson geen probleem. Ik was daar buitengewoon blij mee. Je zou denken dat mijn eergevoel als acteur een deuk opliep omdat een producent zo luchtig over het feit heen stapte dat ik niet kon meedoen, maar mijn eergevoel als schrijver was juist opgekrikt door de gedachte dat een producent mijn stuk zo goed vond dat het ook zonder mijn inbreng kon overleven.

Maanden eerder had ik een gesprek gehad met een televisieregisseur, Geoffrey Sax, die een televisieversie van *Latin!* wilde maken. Ik onderging de nerveuze opwinding van een telefoongesprek met de grote Michael Hordern, die belangstelling had voor de rol van Herbert Brookshaw en die kalm en welwillend mijn onbezonnen plannen voor de bewerking aanhoorde. Daar is nooit iets van gekomen, hoewel ik Geoffrey Sax acht jaar later weer sprak toen hij een aflevering van *The New Statesman* regisseerde waarin ik een gastrol vervulde, en nog eens twintig jaar later weer, toen hij me regisseerde in een bijrol in de film *Stormbreaker*. Er zijn maar weinig mensen die echt uit je leven verdwijnen. Ze komen telkens weer terug, net als de personages in de romans van Simon Raven. Alsof het Lot een filmproducer is die niet als maar nieuwe personages in het script mag opvoeren, maar uit iedere acteur zo veel mogelijk scènes moet zien te halen.

Nicholas en Richard waren vol vertrouwen dat ze *Latin!* goed op poten konden zetten, maar iemand vinden voor de rol van Dominic bleek moeilijker dan ze hadden verwacht. Terwijl ik in Manchester zat voor de tweede reeks van *Alfresco*, lieten ze tientallen jonge acteurs auditie doen, van wie niemand echt voldeed. Op bezoek bij Richard in diens kantoor deed ik nerveus een voorstel.

'Luister, ik weet hoe knullig het klinkt, maar ik weet iemand, een jaargenoot van me. Die is heel goed en ontzettend grappig.'

'O ja?'

Richard en Nicholas bleven beleefd, maar er zijn weinig zinnetjes die een regisseur meer doen huiveren dan 'een vriend van me… hij is ontzettend goed…'

Ik ging door. 'Hij is van Cambridge af, maar zit nu op de Guildhall School of Music and Drama. Hij zou operazanger worden. Maar ik heb gehoord dat hij nu naar theater is overgestapt.'

'O ja?'

Een week later belde Richard.

'Ik moet bekennen dat we ten einde raad zijn. Hoe heette die vriend van jou bij RADA?'

'Guildhall, niet RADA. En hij heet Simon Beale.'

'Nou, ik zal er niet omheen draaien, we zijn wanhopig. Hij mag langskomen.'

Twee dagen later belde Nicholas in extase op. 'Mijn god, hij is geweldig. Perfect. Helemaal perfect.'

Dat wist ik wel. Sinds ik samen met hem op de planken had gestaan en hij als sir Politic Would-Be in *Volpone* aan zijn kont stond te krabben, wist ik dat Simon Beale het helemaal had.

Er werd een addertje onder het gras voorzien. Zou de Guildhall hem toestemming geven om te rol te spelen? Hij was daar nog student en zat midden in zijn studiejaar, en behalve dat de opvoeringen een deel van zijn dag zouden opslokken (het zou een matinee in het Lyric Theatre worden), waren er ook nog de repetities. De net benoemde directeur van de Guildhall was Tony Church, acteur en medeoprichter van de Royal Shakespeare Company, en men verzocht hem om toestemming.

Zijn antwoord was een magistraal voorbeeld van zijn geaffecteerdheid en de absurde zelfverheerlijking des acteurs.

'Ik kan me voorstellen dat dit een engagement is dat Simon bijzonder graag zou accepteren,' zei hij. 'De rol is heel geschikt voor hem en bovendien is hij erdoor verzekerd van een voorlopige Equity Card…' In die tijd was het verkrijgen van het lidmaatschap van Equity Card een levensvoorwaarde voor iedere acteur. De Britse toneelwereld kende die wurgende Catch-22-clausule die alle elitaire organisaties hanteren: alleen leden van Equity konden een rol krijgen, en je kon alleen lid van Equity worden als je een rol als acteur had. Hugh en ik hadden onze Equity Card in de wacht gesleept omdat we een contract met Granada TV hadden en omdat we als acteurs/auteurs konden aantonen dat geen bestaande Equity-leden onze plaats konden innemen. Met andere woorden, Tony Church had prima in de gaten dat Simon Beale hiermee een heel goed aanbod kreeg. 'Tja,' zei hij. 'Ik wil hem niet in de weg staan. Maar…'

Nicholas en Richard (ik was er niet bij) trokken wit weg.

'Maar,' vervolgde Church, 'in de periode dat hij weg is voor repetities en uitvoeringen mist hij precies de drie weken waarin we karakterisering en uitvoering bij Tsjechov behandelen. Ik ben dus verplicht, verplícht om Simon te waarschuwen dat hij, als hij dat stuk aanneemt, met een grote lacune in zijn Tsjechov-techniek komt te zitten.'

Tony Church was een goed mens, begiftigd met een groot gevoel voor humor, dus hopelijk zou hij het niet erg hebben gevonden dat ik dit aanhaal. Het idee, het idéé dat een acteur schade zou oplopen door drie weken les in Tsjechov te missen is zo absurd, zelfs zo krankzinnig dat je gewoon niet weet waar je moet beginnen. Als aanstormende jonge acteurs, of hun ouders, me vragen of ze al dan niet naar de toneelschool moeten gaan, doet de herinnering aan Tony Church en diens vrees voor Simons techniek me bijna zeggen dat ze die nutteloze paleizen vol grootheidswaan en eigenbelang moeten mijden als de pest. Ik zeg natuurlijk dat de acteurs in spe hun hart moeten volgen en dat soort hoogdravende, onschadelijke riedels, maar je vraagt het je af, werkelijk waar.

Simon Beale, bij Equity ingeschreven als Simon Russell Beale, wordt vrijwel unaniem beschouwd als de beste toneelacteur van zijn generatie. Velen zien zijn interpretaties van – hoe kan het ook anders – personages van Tsjechov als het hoogtepunt van zijn toneelcarrière. Zijn adembenemende vertolking in *The Seagull* met de Royal Shakespeare Company, *Uncle Vanya* met het Donmar Warehouse (waarvoor hij een Olivier Award kreeg), en *The Cherry Orchard* bij de Old Vic en in New York zijn universeel bejubeld. Ik vraag me af of zijn studiegenoten bij de Guildhall, degenen die het geluk hadden wél de essentiële lessen in Tsjechov-techniek te hebben gevolgd, ook zo veel succes hebben gehad met Tsjechov…

De productie van *Latin!* gold op haar eigen bescheiden manier als een succes. Simon was magistraal, en een lovende recensie van de grote Harold Hobson deed me gloeien van trots.

Cockney-capriolen

Het weekend na de kortstondige looptijd van *Latin!* logeerde ik bij Richard Armitage in diens huis in Essex. Het heette Stebbing Park en was een prachtig oud landhuis in vele hectaren glooiend landschap. Het dorpje Stebbing ligt dicht bij Dunmow in een stuk Essex dat de wat sneue en ongerechtvaardigde reputatie van die provincie logenstraft.

Het hoogtepunt van het leven op Stebbing Park was als Richard in de zomer een cricketfestival hield. David Frost, een van zijn eerste cliënten, was wicketkeeper, Russell Harty vlijde zich tegen de boundary en bewonderde de spieren van Michael Praed en andere knappe jonge acteurs, Andrew Lloyd Webber werd per helikopter ingevlogen, en de financiële top van BBC1 en BBC2 hokte in een hoekje met Bill Cotton en de directeur-generaal. Het leek wel alsof Richard iedereen van belang uit de Britse film- en toneelwereld om zich heen wist te verzamelen. Rowan Atkinson, Emma Thompson, Hugh, Tony Slattery, Tilda Swinton, Howard Goodall en ik kwamen elk jaar, net als tientallen andere klantjes van Noel Gay, zoals Richard Stilgoe, Chris Barrie, Hinge and Bracket, Dollar, de Cambridge Buskers, Jan Leeming, Manuel and the Music of the Mountains, de King's Singers, Geoff Love – kortom, een bijzonder gezelschap.

Deze keer was ik echter alleen met Richard en Lorraine Hamilton, die lieve, verlegen jonge vrouw die zowel zijn levensgezel als zijn assistente was. We hadden Richards butler Ken voor ons alleen.

Na een uitstekend diner op vrijdagavond serveerde Ken koffie in de salon. Tot mijn grote verrassing begon Richard over zijn vader te praten. Reginald Armitage was de zoon van een dropmaker uit zuidelijk Yorkshire. Hij had op de Queen Elizabeth Grammar School in Wakefield gezeten en was daarna naar het Royal College of Music en Christ College in Cambridge gegaan. Dankzij zijn muzikale gaven schopte hij het al vroeg tot muzikaal directeur en organist in de St. Anne in Soho. De ragtime, jazz en swing die toen in dat deel van Londen hoogtij vierden, moeten Reginald in het bloed zijn gekropen, want hij ontdekte algauw dat hij een bijzonder talent had voor luchtige, vrolijke, makkelijk in het oor liggende wijsjes. Omdat hij zijn deftige ouders in Yorkshire en de kerk die zijn broodheer was niet voor het hoofd wilde stoten, componeerde hij zijn liedjes onder het pseudoniem Noel Gay. Dat klinkt nu als een nogal ongelukkig gekozen naam, maar eind jaren twintig riep het de olijke, vrolijke wereld op die je weerspiegeld ziet in de glas-in-loodramen en radiomodellen uit die periode. Als er één nummer is dat dat beeld perfect weergeeft, is het zijn nummer 'The Sun Has got His Hat On'.

Als componist werd Noel Gay een gigantisch succes. Op een gegeven moment liepen er vier musicals van hem in het West End, een prestatie die alleen Andrew Lloyd Webber hem heeft nagedaan. Zijn bekendste liedje, 'The Lambeth Walk', is het enige nummer waaraan ooit een hoofdartikel in de *Times* is gewijd. Het heeft Noel Gay ook, vertelde Richard me, een plaatsje opgeleverd in het legendarische zwartboek met namen van mensen die na de Duitse invasie het eerst tegen de muur gezet moesten worden. Hitler, zei men, was niet blij met een nieuwsfilmpje dat in oorlogstijd heel populair was in de Britse bioscopen, waarin de Führer een kader ss'ers salueert die in ganzenpas lopen op de maat van 'The Lambeth Walk'.

Ik wist hier nauwelijks iets van en was geroerd dat Richard dacht dat ik geïnteresseerd zou zijn in de heldendaden van zijn beroemde vader.

'Zijn grootste succes,' zei Richard, 'was natuurlijk de musical waarin "The Lambeth Walk" voorkwam: *Me and My Girl.*'

'O ja,' zei ik, ten onrechte denkend aan de evergreen van Gene Kelly en Judy Garland, 'The bells are ringing, for me and my gal...' Maar dat was toch een Amerikaans nummer?

'Uiteraard niet te verwarren,' vervolgde Richard, 'met dat nummer van Edgar Leslie, "For me and my Gal".'

'Uiteraard,' zei ik, geschokt bij de gedachte dat iemand zo dom zou kunnen zijn.

'*Me and My Girl,*' ging Richard door, 'was een van de succesvolste Britse musicals uit zijn tijd. Hij is pas recentelijk ingehaald door *Cats.*'

Richard bezat de vertederende eigenschap, die veel voorkomt bij impresario's, producenten en magnaten in het algemeen, dat hij alles en iedereen die hij kende beschouwde als het belangrijkste, succesvolste en hoogst geachte voorbeeld van zijn soort, waar dan ook: 'zonder twijfel de belangrijkste choreograaf van zijn generatie', 'de beste wijninkoper van Engeland', 'ontegenzeggelijk de meest geprezen kok van heel Azië' – in die trant. Mensen als Richard hebben altijd de allerbeste huisarts van Londen, de beroemdste tandarts van Europa, die bij iedereen geliefd is en die altijd wordt opgevoerd zodra iemand van een sprankje kiespijn gewag maakt, en 'de beste rugspecialist ter wereld'. Ik kende dat trekje van Richard wel, dus ik wist niet zeker in hoeverre wat hij over *Me and My Girl* zei waar was en in hoeverre het een mengeling was van zijn aangeboren overdrijving en begrijpelijke kinderlijke trots. Want ik had eerlijk gezegd nog nooit van die musical gehoord, noch van de titelsong. 'The Lambeth Walk' kende ik natuurlijk wel; het is een van de beroemdste wijsjes ter wereld, een *Ohrwurm*, zeggen ze in het Duits: een deuntje dat zich via je oren in je hoofd nestelt en daar niet meer uit te krijgen is. Ik had altijd gedacht dat het een folkloristisch liedje was, gebaseerd op een oud wijsje dat van generatie op generatie was overgeleverd. Het was in elk geval nooit bij me opgekomen dat het in de jaren dertig door een kerkorganist kon zijn gecomponeerd.

Noel Gay had zijn zoon Richard naar Eton gestuurd, van waaruit hij het spoor van zijn vader naar Cambridge was gevolgd. In 1950 richtte de jonge Richard Armitage een impresariaat op, Noel Gay Artists, met het oogmerk zijn vaders muziekuitgeverij te stimuleren door zangers te leveren die het materiaal van Noel Gay op hun repertoire hadden. Zes of zeven jaar later, toen het genre van de satire doorbrak, begaf Richard zich op het nieuwe terrein van de academische humor en schuimde hij elk jaar Cambridge af op zoek naar nieuw komisch talent. Algauw had hij David Frost gestrikt, gevolgd door John Cleese en anderen. Eind jaren zeventig, in een woeste, anarchistische aanval van originaliteit, trok hij naar het westen en plukte hij Rowan Atkinson en Howard Goodall weg uit Oxford. In 1981 was hij weer terug in Cambridge en breidde hij zijn stal uit met Emma Thompson, Hugh Laurie, Paul Shearer, Tony Slattery en ondergetekende.

Nu hij zelf in de vijftig was, zei Richard, merkte hij dat hij steeds vaker terugdacht aan hoe het allemaal was begonnen. Het was een ontzettend interessant verhaal, en ik was geroerd dat iemand die meestal zo kortaf, ouderwets en gesloten over persoonlijke zaken was, me het echte verhaal achter zijn vader en de oprichting van Noel Gay Artists toevertrouwde. Om beurten knikte en schudde ik mijn hoofd ten teken dat ik me bewust was van de eer die hij me bewees, en toen begon ik subtiele geeuw-onderdrukkende gebaren te maken om aan te geven dat ik toe was aan bad, bed en boek.

'Dat brengt me,' zei Richard, mijn hint negerend, 'op mijn voorstel.'

'Voorstel?'

Richards hand verdween in zijn oude leren aktetas. 'Hier.'

Hij gaf me een dik pak papier op folioformaat. Folio, dit even voor de lezertjes onder de veertig, was het standaardformaat schrijfmachinepapier voordat het nu alomtegenwoordige A4 in zwang raakte.

Ik keek naar het pak papier. Er zaten roestvlekken van de ordner op het titelblad, maar de titel, tweemaal onderstreept, was duidelijk genoeg. 'O,' zei ik. '*Me and My Girl*! Is dit het originele script?'

'Nou,' zei Richard, 'dit is het exemplaar dat van de lord Chamberlain is teruggekomen. Er is ook een acteurseditie van French, maar wat jij daar hebt, is voor zover ik weet de versie die het dichtst staat bij de originele tekst zoals die in het Victoria Palace is opgevoerd. Ik wil graag dat je het leest. En of je wilt overwegen het te herschrijven.'

Ik wankelde naar boven en las het foliodocument die nacht in bed. Er was geen touw aan vast te knopen. De held was een cockney-straatventer genaamd Bill Snibson die erfgenaam bleek te zijn van een grafelijke titel. Tot zover kon ik het nog volgen. Bill kwam aan bij Hareford Hall, het voorouderlijk huis, om zijn positie in de familie in te nemen, waarna hij in een reeks mysterieuze scènes achtereenvolgens werd verleid door een adellijke vamp, op de hoogte werd gebracht van de familiehistorie, en werd belaagd door zijn sukkelige makkers die hem geld probeerden af te troggelen. Door dit alles heen liep de draad van zijn pogingen om Sally, de *girl* uit de titel, niet te verliezen. Zij was een goudeerlijke cockney met een nobel hart, en *au fond* was hij dat ook.

Ik zeg 'geen touw aan vast te knopen' en ik noem de scènes mysterieus vanwege het curieuze woordje 'bus' dat op bijna elke regel van de met uitroeptekens gelardeerde dialoog volgde.

BILL:	Wat moet je toch, meid? (bus)
SALLY:	Dat weet je best! (bus)
BILL:	Kom hier! (bus)

Of:

| SIR JOHN: | (pakt boek) Hier! Geef hier! (bus) |
| BILL: | Hé! (bus) |

Enzovoort. Daarnaast was het hele script gelardeerd met opmerkingen in blauw potlood, met vaste hand geschreven: *Nee! Absoluut niet. Herschrijven. Totaal onacceptabel!* En andere woeste uitingen van afkeuring.

De volgende morgen aan het ontbijt wilde Richard meteen weten wat ik ervan vond.

'Nou,' zei ik. 'Nogal gedateerd.'

'Precies! Daarom moet het aangepast worden aan het publiek van de jaren tachtig.'

'En al dat cockney-*slang* doet een beetje... nou ja, oubollig aan.'

Er was een scène bij van enkele bladzijden lang waarin Bill de familie uitvoerig onderrichtte in de principes van het *slang*.

'Ja, maar het gaat erom dat *Me and my Girl* het Britse theaterpubliek met dat *slang* heeft laten kennismaken,' wierp Richard tegen. 'Voor die tijd was het buiten het Londense East End totaal onbekend.'

'Juist, nu snap ik het. Maar zeg eens, waarom koesterde de eerste producer zo'n haat tegen het script?'

'Hoe bedoel je?'

'Al dat commentaar. "Onacceptabel." "Schrappen." Dat soort dingen. Wat bedoelde hij daarmee?'

'Dat zei ik toch?' zei Richard. 'Dit was het exemplaar van de lord Chamberlain.'

Mijn lege blik getuigde van de stuitende omvang van mijn onwetendheid.

'Tot 1968 moest elk stuk dat in Londen werd opgevoerd goedgekeurd worden door de lord Chamberlain.'

'O, dus hij was de censor?'

'In de praktijk wel. Het exemplaar dat jij hebt, laat zien wat volgens hem, of volgens zijn bureau, geschrapt moest worden om *Me and My Girl* in 1937 goedgekeurd te krijgen. Je ziet bijvoorbeeld dat ze woorden als *cissy* eruit wilden hebben.'

'Blauw potlood bij wijze van rood potlood dus.'

'Precies. Maar wat vond je er verder van?'

'Tja, het is geweldig, maar… eh… ik snap niet helemaal wat die bus daar steeds moet.'

'Die bus?'

'Ik dacht dat het misschien een ouderwets woord voor *kus* zou kunnen zijn. Maar ze kunnen elkaar toch niet de hele tijd blijven kussen? En bovendien staat er ook vaak een bus in scènes tussen twee mannen.'

Even was Richard perplex, toen verscheen er een brede glimlach op zijn gezicht. 'Ha!' Zijn lachen begon altijd als een soort zweepslag: 'Ha!' en ging dan over in een gesis dat het midden hield tussen het Amerikaanse 'sheesh!' en een zacht falset 'sisss'.

Ik had het script aan Lorraine Hamilton gegeven en priemde nu met mijn vinger naar een 'bus'. 'Daar,' zei ik. 'Begrijp jij het?'

'Nou,' zei Lorraine. 'Ik weet niet… het klinkt een beetje vreemd. Misschien… mmm, nee, ik zou het ook niet weten.'

Richard keek ons om beurten met stijgende pret aan. '*Business*, stelletje sukkels.'

'Sorry?'

'*Bus* staat voor *business*.'

Ik denk niet dat we oogden alsof het muntje was gevallen.

'Bill werd gespeeld door Lupino Lane. Lupino Lane stamde uit een geslacht van variétéartiesten. Hij was de beste fysieke komiek van zijn tijd. Hij had zijn succes voornamelijk te danken aan zijn gooi- en smijtacts. Zijn truc met de cape in *Me and My Girl* werd een van de hoogstandjes van het Londense theater.'

Ik zal u niet vervelen met de details van hoe de musical van Noel Gay werd omgewerkt tot een musical voor de jaren tachtig. Richard, die als producent fungeerde, regelde Mike Ockrent als regisseur. Als coproducent bracht hij David Aukin in, de eigenaar van het Theatre Royal in Leicester, waar de show zou gaan lopen. Als het stuk daar een succes was, zou het ook in het Londense West End worden uitgebracht. Er was sprake van Robert Lindsay als Bill en Leslie Ash als Sally. Intussen was het mijn taak het script te herschrijven op basis van het exemplaar van de lord Chamberlain.

'Tussen haakjes,' zei Richard, 'je hebt alle vrijheid om er andere nummers van mijn vader in te verwerken als je die geschikt vindt.'

Het script van een musical bestaat uit drie secties: muziek, songteksten en 'boek'. Het 'boek' is dan alles wat niet muziek of songteksten is: de dialoog en het verhaal dus. Niemand gaat naar een musical voor het verhaal; daarvoor ga je naar een gewoon toneelstuk. Maar het verhaal is wel de ruggengraat van een musical. Net als een echte ruggengraat valt die pas op als er iets scheef zit en wederom net als een echte ruggengraat ondersteunt het verhaal het hele skelet en geeft het de signalen, boodschappen en impulsen door die het lichaam in staat stellen te voelen, te bewegen en zich uit te drukken. De grote musicalcomponisten, Sondheim, Rogers, Porter en de rest, hebben altijd gezegd – en dat is een van de grote clichés van het muziektheater geworden – dat alles begint met het verhaal. Het publiek zingt het verhaal niet, niemand klapt en zucht van genoegen om het verhaal, maar zonder het verhaal is er niets. Dat is overigens niet als klacht bedoeld. Er zijn heel veel essentiële klussen die niet of amper in het oog lopen, en het 'boek' van de musical schrijven hoort tot de minst zware en best betaalde daarvan.

In 1983 kon ik nog geen 'boek' van een *ball-change* of zwijmelnummer onderscheiden. Ik wist eigenlijk niets van musicals. Ik was halverwege de twintig en anderhalf jaar student-af. Ik kon de hele dag onzin uitkramen over Shakespeare, Ibsen, Beckett of Tennessee Williams. Ik wist het nodige van de geschiedenis en de helden van de radio- en televisiehumor, wat per slot van rekening mijn beroep was, ondanks de schamele ontvangst van *Alfresco*. Ik had een redelijke kennis van de cinema, met name de Warner Brothersfilms van de jaren dertig en veertig en de Britse cinema van de jaren veertig en vijftig. Mijn kennis van klassieke muziek en opera was redelijk en het repertoire van Porter, Kern en Gershwin kende ik op mijn duimpje. Maar van de musicals waarvoor die nummers waren geschreven, had ik er maar heel weinig gezien. Eigenlijk keek ik stiekem een beetje op het genre neer. Ik maakte een uitzondering voor *Cabaret*, *My Fair Lady*, *West Side Story* en *Guys and Dolls*, die ik alleen van het witte doek kende en... ja, dat was het eigenlijk, op een zondagmiddagfilm met Fred Astaire of Gene Kelly op BBC2 na. *Cats* liep al anderhalf jaar in het West End, maar ik had het nog niet gezien. Nog steeds niet trouwens. Moet ik toch eens doen. Hetzelfde geldt voor *Les Misérables*, *The Phantom of the Opera*, *Miss Saigon* en alle andere die gekomen, gegaan en weer teruggekomen zijn. Ik heb mezelf er ongetwijfeld mee.

De regisseur, Mike Ockrent, die naam had gemaakt met het nieuwe theater, meestal in obscure zaaltjes in het alternatieve circuit van Engeland en Schotland, kende de wereld van de musical nog minder dan ik. Maar al werkend aan het script van *Me and My Girl* ontdekten we algauw dat het een project was dat niets te maken had met Broadway- of Hollywood-musicals, en alles met oer-Britse music hall. Of onze bewerking zou slagen of falen zou afhangen van de tolerantie bij het publiek van nu voor de slapstick, de meligheid en de springerige vrijmoedigheid die de late music hall vertegenwoordigde.

Terwijl ik me van de ene voorlopige versie naar de volgende sleepte, leerde David Aukin me een waardevolle les. Hij had jarenlang de scepter gezwaaid over het Hampstead Theatre, waar hij het legendarische *Abigail's Party* had neergezet, plus nieuwe stukken van Dennis Potter, Michael Frayn, Harold Pinter en vele anderen. Toen hij mijn eerste voorlopige versie zag, vers uit de margrietprinter, glimlachte hij.

'Je moet proberen jezelf overbodig te maken. Hoe minder er tussen de muzikale nummers zit, hoe beter.'

'Zit er te veel dialoog tussen?' zei ik.

'Veel te veel.'

Uiteindelijk schrapte ik alleen nog maar. Op iemands aanraden las ik *The Street Where I Live*, de prachtige memoires van Alan Jay Lerner over zijn leven als Broadway-songtekstschrijver en auteur. Als het tijd wordt voor een emotionele of verhalende verandering in de actie van een musical, stelt Lerner, moet dat moment niet in gesproken tekst worden weergegeven, maar in een muzieknummer of in dans; waarvoor maak je anders een musical? In een goede musical wordt de actie niet opgeschort voor een muzieknummer – de muzieknummers *zijn* de actie. Ik knoopte dit advies in mijn oren, bekeek wat ik tot dusver had geschreven, en realiseerde me dat ik gewoon een stop/start-stuk had geschreven waarin alle belangrijke dingen gebeurden in scènes met gesproken dialoog, af en toe onderbroken door een muziek- en dansnummer. Douglas Furber en Arthur Rose, die het oorspronkelijke verhaal en de liedteksten hadden geschreven, waren van vóór de tijd van Lerners manifest. De theatertechniek uit die tijd liet alleen toe dat de dansgroep voor het doek heen en weer schuifelde terwijl het decor erachter werd gewijzigd. Het moderne theater vroeg echter om zichtbare changementen waarbij de decorstukken reden, zweefden en vlogen middels allerlei geautomatiseerde technieken. Mike Ockrent was in dit opzicht een enorme steun. Hij had natuurkunde gestudeerd, was een blauwe maandag uitvinder geweest en dacht als een ingenieur.

'Schrijf maar de extravagantste en idiootste changementen die je kunt bedenken,' zei hij. 'Wij zorgen wel dat het kan. Maar niet met de hand op de knip schrijven. De decorontwerper en ik zorgen dat het er komt.'

In mijn volgende versie ging ik dus enthousiast door de bocht. Het stuk opende met een nummer dat 'A weekend at Hareford' heette. Ik had de tekst een beetje aangepast en schreef toneelaanwijzingen die op het eerste gezicht absurd waren. Ik liet het nummer zingen door mensen die een weekend naar een buitenhuis op het platteland rijden, in cabriolets met chauffeur, langs het hek van Hareford Hall, tot aan de gevel, die vervolgens omgekeerd wordt en een interieur toont waar de gasten binnenkomen om door het huispersoneel te worden ontvangen. Makkelijk voor mij om op te schrijven; laat Martin Johns, de toneelontwerper, en Mike Ockrent er maar iets van maken.

Ik snoeide er zo veel mogelijk dialoog uit. Het idee was om, zoals David Aukin me had aangeraden, met zo weinig mogelijk dialoog van het ene nummer in het andere over te gaan. Maar bepaalde komische scènes – zoals de Lupino Lane-truc met de cape waar Richard het over had gehad, en een verleidingsscène met kussens en een sofa – moest ik onaangetast laten. Ik voegde twee andere bekende nummers van Noel Gay toe, 'The Sun Has Got His Hat On' en 'Leaning on a Lamp-post'.

Mike kwam me in Chichester opzoeken om samen zijn aantekeningen bij deze voorlopige versie door te nemen. Hij genoot van elke ambitieuze, absurde en onmogelijke eis die ik aan zijn vindingrijkheid stelde.

'Meer, meer,' zei hij. 'We gaan nog veel verder!'

Maar waarom, wilt u natuurlijk weten, was ik in Chichester?

Chichester 1

Begin 1982 nam Richard Armitage mij en Hugh mee uit lunchen in l'Escargot in Greek Street.

'Om een idee te krijgen hoe ik jullie toekomst het best vorm kan geven,' zei hij, 'moeten jullie me allebei vertellen wiens carrière je het meest bewondert en wie je grote voorbeeld is.'

Hugh vroeg zich af of er iemand was die het midden hield tussen Peter Ustinov en Clint Eastwood. Als het kon ook nog met een snufje Mick Jagger.

Richard knikte, maakte een aantekening in zijn zwartleren Smythson-notitieboekje en keek naar mij.

'Alan Bennett,' zei ik. 'Absoluut. Alan Bennett.'

Ik was te jong om Bennets televisieblijspel *On the Margin* gezien te kunnen hebben, waarvan de BBC binnen twee weken na uitzending zo schandelijk de tapes had gewist, zoals toen gebruikelijk was. Maar ik had een geluidsopname van de hoogtepunten en die kende ik uit mijn hoofd, net als de preek in *Beyond the Fringe* en zijn cottage-sketch uit *The Secret Policeman's Other Ball*. Ik had zijn stuk *Habeas Corpus* wel gelezen maar niet gezien, en ik had ooit een cassettebandje met *Forty Years On* bezeten en verloren, waarin hij een leraar speelde die Tempest heette. Dat was voor mij al genoeg om hem tot mijn held te maken. *Talking Heads, A Private Function,*

An Englishman Abroad, The Madness of George iii en *The History Boys* lagen nog ver in het verschiet.

'Zo, Alan Bennett?'

Was ik paranoïde of voelde ik terecht aan dat Richard mijn antwoord vond tegenvallen? Peter Cook en John Cleese waren grotere sterren met hun bijna rock-'n-rollachtige status en charisma, maar het miniaturisme van Alan Bennett, zijn kwetsbaarheid in combinatie met zijn verbale souplesse, en zijn literaire, bijna academische referentiekader trok mij meer aan als rolmodel. De geschiedenis heeft natuurlijk uitgewezen dat zijn carrière voor mij net zo onbereikbaar was als die van Cook en Cleese, maar een mens moet verder reiken dan hij kan; waar dient de hemel anders voor?

Een jaar na die lunch, ongeveer toen *Gossip* in de financiële problemen raakte en ik aan de eerste versie van *Me and My Girl* bezig was, en tussendoor in bezwete episodes almaar niet met nieuw materiaal voor *Alfresco 2* op de proppen wist te komen, belde Richard me op.

'Ha!' zei hij. 'Dit ga je leuk vinden. Zorg dat je donderdagmiddag om halfvier in het Garrick Theatre bent om auditie te doen voor Patrick Garland en John Gale. Bereid de rol van Tempest in *Forty Years On* voor.'

'W… w… w…'

'Het is voor het Chichester Festival in april.'

'B… b… b…'

'Succes.'

De rol van Alan Bennett zelf! Onder regie van dezelfde man die de oorspronkelijke productie had geregisseerd in negentien-zoveel-en-zestig. Ik ijlde naar de boekenkast. Ik wist dat ik ergens een exemplaar had, maar dat zat zeker in een doos in mijn ouderlijk huis in Norfolk, of in dat vage voorgeborchte waar je verloren tienerspullen zich ophouden: al je lievelingsplaten, -posters en -truien die je nooit meer terug zult zien. Ik holde naar John Sandoe, de boekwinkel, waar de verkoper zeker wist dat ze een exemplaar hadden, als hij het maar kon vinden, even denken, even denken… Ik krijste bijna van ongeduld terwijl hij opgewekt en met alle tijd van de wereld weg slofte.

'Kijk eens aan. Ons enige exemplaar. Een beetje beduimeld, ben ik bang – u mag het voor één pond hebben.'

De uren daarna maakte ik opnieuw kennis met het eerste avondvullende theaterstuk van Alan Bennett. *Forty Years On* speelt zich af op een fictieve middelbare school die Albion House heet en waar het jaarlijkse toneelstuk wordt voorbereid, ditmaal een speciaal ontworpen spektakelstuk, 'Speak for England, Arthur', uitgevoerd door leerlingen en leraren. Dit toneelstuk in een toneelstuk volgt een gezin door twee wereldoorlogen in een duizelingwekkende reeks sketches, monologen en parodieën die, zoals alleen Alan Bennett dat kan, een perfecte combinatie vormen van het sprankelend komische en het stil tragische. De oorspronkelijke uitvoering, waarin John Gielgud de directeur speelde, Paul Eddington de oudere leraar en Alan Bennett de sullige jongere leraar Tempest, was van meet af aan een enorm succes. De naam van de school, Albion House, liet het publiek vermoeden – maar niet meer dan dat – dat het misschien een metafoor voor heel Engeland was.

Ik leerde de scène 'Confirmation Class' uit mijn hoofd, waarin Tempest probeert de leerlingen over de bloemetjes en de bijtjes te onderwijzen.

TEMPEST: Dat heet 'je edele delen', Foster. En als er ooit iemand aan zit, moet je zeggen: 'Dat zijn mijn edele delen en daar mag niemand aan zitten.'

FOSTER: Dat zijn mijn edele delen en daar mag niemand aan zitten.

TEMPEST: Dat moet je niet tegen mij zeggen, Foster! Niet tegen mij!

Ik leerde ook een monoloog uit mijn hoofd waarin Tempest een geaffecteerde en vergane literaire grootheid speelt die terugkijkt op de hoogtijdagen van de Bloomsbury Group.

Met die twee en nog een paar andere scènes veilig in mijn geheugen begaf ik me per bus en metro naar het Garrick Theatre aan Charing Cross Road. Bij de artiesteningang werd ik opgevangen door een vriendelijke jongeman, die me achter het toneel naar een klein groen kamertje bracht.

'Ik ben Michael,' zei hij. 'Je bent ietsje te vroeg, dus misschien kun je hier even wachten terwijl we een paar andere mensen ontvangen.'

Ik keek op mijn horloge en zag dat het tien voor drie was. Misschien was het aantal minuten dat ik te vroeg was een goed voorteken.

Veertig minuten later liep ik zenuwachtig het toneel op, met een hand voor mijn ogen om in de zaal te kunnen kijken.

'Hallo,' zei een keurige, vriendelijke en zacht afgemeten stem. 'Ik ben Patrick, en dat is John Gale van het Chichester Festival Theatre.'

'Hallo,' klonk een warme bariton vanuit het donker.

'En dit,' ging Patrick verder, 'is Alan Bennett.'

Een hoge tenor met een licht en vrolijk Yorkshire-accent kwam vanuit de zaal tot mijn ongelovige oren. *Alan Bennett?* Hier! Bij de auditie! Elke vezel van mijn lichaam gilde het uit. Mijn oren begonnen te bonzen en mijn knieën werden pap. *Alan Bennett?*

Ik herinner me geen minuut of seconde meer van het halfuur dat erop volgde. Ik weet dat ik een paar scènes moet hebben opgezegd of voorgelezen en ik herinner me in elk geval dat ik daarna in uiterste wanhoop en teleurstelling door de straten van Londen strompelde, dus ik moet afscheid hebben genomen en op de een of andere manier het theater uit gekomen zijn.

Die avond belde Richard Armitage me thuis op. 'Hoe ging het, jochie?'

'O, Richard, het was verschrikkelijk. Ik was vreselijk. Ontzettend. Waanzinnig slecht. Onbeschrijflijk. *Alan Bennett was er!* In de zaal.'

'Vast. Is dat zo erg?'

'Ik had geen moment bedacht dat hij er zou zijn. Geen moment. Ik kreeg geen woord uit mijn mond, ik was met stomheid geslagen. Ik kon amper praten van de zenuwen. O god, ik was waardeloos.'

'Zo erg zal het vast niet geweest zijn…' Hij maakte van die sussende en tuttende geluidjes die impresario's bij de hand hebben om hysterische cliënten te kalmeren. Maar mij troostten ze niet.

De volgende dag belde Lorraine. 'Schat, kun je morgen om drie uur nog eens naar het Garrick gaan voor een herretje?'

'Een herretje?'

'Dat betekent dat ze je nog eens willen horen en zien.'

'Hebben ze me dan nog niet afgeschreven?'

Ik arriveerde stipt op tijd bij het Garrick Theatre, vastbesloten om ditmaal mijn zenuwen de baas te blijven. Michael begroette me als een oude vriend en bracht me meteen naar het toneel. De lichten in de zaal waren aan en ik zag Patrick Garland en John Gale zitten, maar ditmaal geen Alan Bennett. Een golf van opluchting overspoelde me.

'Nogmaals hallo,' riep Patrick vrolijk. 'Kunnen we nu misschien de Bloomsbury-monoloog horen?'

Ik ging zitten en sprak.

'Dankjewel!' zei Patrick. 'Dankjewel… Ik denk…' Hij overlegde even met John Gale, knikte en keek naar de grond alsof hij daar inspiratie hoopte te vinden. Vanwaar ik stond leek het alsof hij tegen het tapijt fluisterde. 'Eh, ja…' mompelde hij. 'Volgens mij ook.' Toen keek hij met een glimlach naar me op en zei, nu luider: 'Stephen, John en ik hebben het genoegen je te vragen de rol van

Tempest in onze productie te spelen. Zou je dat willen?'

'Zou ik… Zou ik dat willen? O, zeker, zeker!' stamelde ik. 'Ontzettend, ontzettend bedankt!'

'Dat is fijn om te horen,' zei Patrick. 'Daar zijn we heel blij mee. Ja toch?' voegde hij eraan toe tegen het tapijt.

Er volgde wat geschuifel en gerommel, en een gestalte dook op van achter de stoelen, waar hij zich verborgen had gehouden. Het lange, lijzige lijf van Alan Bennett ontvouwde zich met een verontschuldigend kuchje. 'O ja,' zei hij, het stof van zijn grijze flanellen broek slaand. 'Heel blij.'

Patrick zag hoe beduusd ik was. 'Je agent was zo aardig om ons te laten weten dat de aanwezigheid van Alan je wat nerveus had gemaakt, dus het leek hem beter om zich ditmaal te verstoppen.'

Zoveel zorgzaamheid van mijn held was bijna meer dan ik kon verdragen. En natuurlijk, omdat ik nu eenmaal zo'n lul ben, liet ik mijn dankbaarheid blijken door niets van mijn dankbaarheid te laten blijken. Ik vrees zelfs dat ik Alan tot op de dag van vandaag niet heb bedankt voor zijn attente en beminnelijke gebaar die middag.

Crisis de Coeur

Alan Bennett heeft het grote voordeel ten opzichte van de meeste mensen dat iedereen weet dat hij verlegen is en daar rekening mee houdt; het is zelfs een van zijn meest bewonderde eigenschappen. Het bewijst zijn authenticiteit, zijn bescheidenheid en de chique afstand die hij van nature houdt tussen hem en de luide, zelfgenoegzame, oppervlakkige, zelfingenomen mediatypes waartoe ik helaas ook behoor, en waar de rest van de mensheid zo'n terechte hekel aan heeft. Van mij gelooft niemand dat ik verlegen ben, of niemand gelooft me als ik dat zeg. Ik kan het ze niet kwalijk nemen. Ik lijk met veel gemak door de wereld te bewegen. Daar moest ik gistermiddag nog aan denken. Ik was te gast bij *The Late Late Show with Craig Ferguson* op CBS. Craig is de Schot die volgens velen, inclusief mijzelf, de beste talkshowgastheer van Amerika is. Aan het begin van het interview vertelde hij dat hij me in de jaren tachtig, toen hij een trouw bezoeker van het comedycircuit was, altijd had beschouwd als bijna onnatuurlijk kalm, beheerst en competent, zozeer dat hij een soort jaloerse bewondering voor me koesterde. Ik zou dat inmiddels gewend moeten zijn, maar het bracht me toch weer even van mijn stuk. Ik kan me niet heugen dat ik me ooit, op geen enkel moment in mijn leven, zelfverzekerd, beheerst of op mijn gemak heb gevoeld. Hoe langer ik leef, hoe meer één waarheid naar voren springt. Mensen stellen zelden het beeld bij dat ze van iemand willen hebben, ongeacht elk bewijs van het tegendeel. Ik ben Engels. Tweedjasjestype. Van stand. Zelfbewust. Rechts. Zelfverzekerd. De baas. Zo ziet men me graag, al is dat nog zo bezijden de waarheid. Misschien ben ik wel een joods vuilnisbakkenras met een verslavingsgevoelige zelfvernietigingsdrang die ik pas na jaren heb weten te onderdrukken. Misschien zijn mijn stemmingswisselingen wel zo erg dat ik soms suïcidaal ben en ik me geregeld wanhopig voel en verteerd word door zelfhaat en walging. Misschien word ik chronisch wel beheerst door een gevoel van falen, van niks presteren en de verschrikkelijke wetenschap dat ik de talenten waarmee de natuur me heeft bedeeld heb verraden, misbruikt of verwaarloosd. Misschien denk ik wel dat ik nooit in staat zal zijn om gelukkig te zijn. Misschien vrees ik wel voor mijn geestelijke gezondheid, mijn morele basis en mijn toekomst. Dat kan ik allemaal aanvoeren, en ik kan zo vaak als ik wil zeggen dat het waar is, maar dat zal mijn 'imago' nog geen pixel wijzigen. Ik had dat imago al voordat ik bekend was. Dat imago leidde ertoe dat een afvaardiging van mijn mede-eerstejaars me kwam opzoeken om te vragen wat mijn 'geheim' was. Het imago dat sommige mensen geruststelt en imponeert, anderen kwaad maakt en ongetwijfeld weer anderen verveelt, provoceert of irriteert. Ik zou wel erg tragisch zijn als ik nog steeds niet met die persona had leren leven. Zoals zo veel maskers is dit glimlachende, bedaarde mombakkes zo strak komen te zitten dat je zou kunnen zeggen dat het het gezicht dat er ooit achter kermde overschreven heeft, ware het niet dat het maar een masker is en dat de gevoelens eronder nog steeds dezelfde zijn.

Wat ik eigenlijk met al dit gezeur wil zeggen, is dat ik van u geen begrip of medelijden verwacht (hoewel ik geen van beide uit bed zou gooien), maar dat ik misschien juist degene ben die begrip en medelijden aanbiedt. Want ik moet wel geloven dat alle gevoelens die ik daarnet beschreef niet uniek voor mij zijn, maar bij iedereen voorkomen. Dat gevoel van falen, die vrees voor eindeloos ongeluk, die onzekerheid, droefheid, zelfwalging en het vreselijke besef van het eigen tekortkomen, hebt u dat nou nooit? Ik mag het hopen. Anders zou ik mezelf wel een erg merkwaardig sujet voelen. Toegegeven, mijn momenten van 'suïcidale gedachten' en stemmingswisselingen zijn waarschijnlijk extremer en pathologischer dan die van de doorsnee mens, maar verder beschrijf ik toch niets anders dan de zorgen, angsten en neurosen die we allemaal hebben? Nee? Meer dan dat of minder? *Mutatis mutandis*? *Ceteris paribus*? O, alstublieft, zeg ja.

Dit is een probleem waar veel schrijvers en komieken mee zitten: we zijn zo arrogant te geloven dat onze inzichten, fixaties en gewoonten algemeen gedeelde kenmerken zijn waarvan alleen wij de moed, het inzicht en de openheid van geest hebben om ze te tonen en te benoemen. Als een stand-up comedian vertelt dat hij onder de douche in zijn neus peutert, of plast, of wat dan ook, kunnen we onze lach interpreteren als een 'dat doe ik ook'-respons, die op zichzelf weer nieuw gelach voortbrengt: we lachen nogmaals omdat onze eerste lach en die van onze buurman bewijzen zijn van onze medeplichtigheid en van een gedeeld schuldgevoel. Dat is allemaal zo logisch als wat en een van de wetten van de observatiehumor. Daarbij komt dan het bewuste spel dat humoristen spelen, waarin ze heen en weer gaan tussen die algemeen gedeelde angsten en hun allereigenste angsten. Dan lachen we, denk ik, om hoe ánders we zelf zijn. Hoe gelijk, maar anders. Hoezeer de komiek uit onze naam een extremer leven van neurosen en angsten leidt. Een lach van 'goddank, zo gek ben ik nog niet' is dan het resultaat. Heeft een humorist of schrijver zich geloofwaardig gemaakt door te onthullen hoezeer wat hij voelt ook iets is wat wij doen of voelen, dan kan hij een stap verder gaan en diepten van activiteit of gevoel tonen die wij misschien niet delen, en die afschuw opwekken; of misschien delen we ze wel, maar willen we ze liever niet voor de dag gehaald zien. En humoristen, omdat het humoristen zijn, begrijpen dat heel goed.

Iedereen kent dit soort komische act: 'Hebt u dat ook, lieve dames en heren, hebt u dat ook dat u tv zit te kijken en dat u uw vinger in uw gat steekt en even flink heen en weer poert?... Nee? O, oké, dan ben ik zeker de enige. Sorry, hoor. Oeps... Verder dan maar...' Welnu, bij de gemiddelde stand-up comedian die het heeft over fysieke zaken zoals plassen onder de douche of neuspeuteren of kontkrabben, is het makkelijk genoeg om het verschil te zien tussen wat algemeen wordt gedeeld en wat individueel is. Maar dat zijn aparte, herkenbare handelingen waaraan je je al dan niet 'schuldig' maakt. Sommige mensen plassen onder de douche, anderen niet. Ik moet bekennen dat ik het wel doe. Ik probeer me te gedragen en doe het niet onder andermans douche, maar verder voel ik me niet schuldig over iets wat voor mij een logische, redelijke en hygiënisch toelaatbare handeling is. Ik peuter trouwens ook in mijn neus. Goed, ik stop maar met opbiechten, voordat ik u of mezelf met nog meer schande overlaad. U mag beslissen of u nu het boek neerlegt en voor u uit prevelt: 'Ik peuter ook in mijn neus en plas onder de douche.' Hele volksstammen doen geen van beide. Maar naar ik hoop zijn ze wel in staat de rest van de mensheid te vergeven die er wat minder nette gewoonten op nahoudt. Maar in beide gevallen is of ze het nu wel of niet doen geen kwestie van interpretatie. Gevoelens daarentegen... Ik weet waarschijnlijk wel of ik al dan niet in mijn neus peuter, maar weet ik werkelijk of ik mezelf al dan niet een mislukkeling vind? Ik ben me er misschien van bewust dat ik me vaak somber en ongelukkig voel, of vervuld van een onbenoembare angst, maar heb ik gelijk als ik die gevoelens interpreteer als een gevoel van moreel falen of persoonlijk tekortschieten of zoiets? Aan dat gevoel ligt immers misschien alleen een hormonale disbalans ten grondslag, of maagzuur, een plotseling getriggerde onbewuste herinnering, te weinig zon, een nachtmerrie, van alles. Net als kleurgevoel of gevoeligheid voor pijn weten we nooit of wat wij voelen hetzelfde is als wat iemand anders voelt. Misschien ben ik gewoon een grote aansteller en zijn mijn zorgen en kwellingen niets vergeleken bij de uwe. Of misschien ben ik de moedigste man op de planeet en zou u het uitgillen als u maar een tiende moest verdragen van wat ik dagelijks te verduren heb. Maar net zoals we het er allemaal over eens kunnen zijn wat rood is, ook al zullen we nooit weten of we het op dezelfde manier zien, zo kunnen we het er ook allemaal over eens zijn – ja toch? – dat hoe zelfverzekerd we ook op anderen overkomen, we vanbinnen allemaal snikken, en vaak bang en onzeker zijn. Of misschien ben ik de enige.

O god, misschien bén ik inderdaad de enige.

Eigenlijk doet dat er niet toe, welbeschouwd. Als ik de enige ben, dan leest u dit als het verhaal van een of andere rare zonderling.

Het staat u vrij dit boek te zien als sciencefiction, fantasy of exotische reisliteratuur. Bestaan er echt mensen als Stephen Fry op deze planeet? Jeetje, wat zijn sommige mensen raar. En als ik níét de enige ben, dan bent u dat ook niet en kunnen we ons hand in hand verbazen over de vreemdheid van de menselijke soort.

Celebrity

Afgezien van *University Challenge* was de uitzending door de BBC van *The Cellar Tapes* de eerste keer dat ik op de landelijke televisie verscheen. *There's Nothing to Worry About* tel ik dan niet mee, want dat was alleen de ITV-kijkers in het noordwesten opgedrongen.

De ochtend na de uitzending van *The Cellar Tapes* op BBC2 maakte ik een ommetje over King's Road. Hoe moest ik de mensen die me aanspraken tegemoet treden? Ik zette een vriendelijk, minzaam lachje op en oefende een soort 'Wat... ik?' gebaar dat vergezeld ging van een snelle blik achterom, waarna ik ongelovig vragend op mijn eigen nederige borst wees. Ik zorgde ervoor, alvorens me op straat te begeven, dat ik een pen op zak had en wat pseudowillekeurige stukjes papier voor handtekeningen. Zou ik daarop zetten 'Met vriendelijke groet' of 'Beste wensen'? Ik besloot beide een paar keer te proberen en dan te kijken wat beter stond.

De eerste mensen die ik tegenkwam, nog op Bracklands Terrace, was een ouder echtpaar dat me straal voorbijliep. Waarschijnlijk buitenlanders, of van die Chelsea-lieden die dachten dat het bon ton was om geen tv te hebben. Een jonge vrouw kwam me tegemoet met een West Highland-terriër aan de lijn. Ik voegde nog tien procent zoetsappige bescheidenheid toe aan mijn vriendelijke, minzame lachje en wachtte op haar gekir. Zij en de terriër passeerden me zonder enige blijk van herkenning. Merkwaardig. Ik ging linksaf King's Road op, liep het warenhuis Peter Jones voorbij en deed twee rondjes Sloane Square. Niet één wandelaar hield me staande, gunde me een zijwaartse blik van bewonderende herkenning of vereerde me met die weifelende blik van 'ik ken je ergens van, maar waarvan dan?' Er kwam gewoon geen enkele reactie van wie dan ook, waar dan ook. Ik kuierde W.H. Smith's binnen en hing wat rond bij de tijdschriftenafdeling, naast de radio- en televisiegidsen. Als iemand de *Radio Times* wilde hebben, moesten ze me vragen opzij te gaan; natuurlijk en per definitie moesten dat televisiekijkers geweest zijn, maar mijn gezicht, nu verstard in een verbeten, wanhopige grijns, deed geen enkel belletje rinkelen. Uiterst merkwaardig. Televisie brengt, dat weet iedereen, onmiddellijke roem. Op een ochtend presenteer je het weerbericht en de volgende dag word je bij de kassa in de supermarkt belaagd. Ik daarentegen was de volgende dag nog even anoniem. Ik was nog steeds slechts een van de vele gezichten in de Londense massa. Misschien had maar een enkeling de Footlights-show gezien? Of misschien hadden miljoenen mensen gekeken, maar had ik zo'n saai, makkelijk te vergeten gezicht dat ik gedoemd was nooit herkend te worden. Nee toch? Ik had mijn gezicht in het verleden geregeld harde en meedogenloze woorden toegevoegd, maar nooit dat het saai en makkelijk te vergeten was.

Om me te troosten nam ik de BBC *Micro* uit het schap en vertrok. Terwijl ik me teleurgesteld terug naar huis sleepte, hoorde ik een stem achter me.

'Meneer, meneer!'

Ik draaide me om en zag een opgewonden meisje. Eindelijk. 'Ja?'

'U was uw wisselgeld vergeten.'

Dit zijn de eerste regels van *Love's Labour's Lost*:

Laat Roem, bij leven nagejaagd door allen,
Geëtst op onze koperen tombe staan
En ons dan sieren in de ontsierende dood.

Het zijn de eerste woorden van de rede van de koning van Navarra, waar Hugh zo'n moeite mee had toen de Marlowe Society het stuk in 1981 opvoerde. Het is een nobele gedachte, maar niets staat haakser op hoe de wereld van vandaag in elkaar zit. Weliswaar wordt roem nog steeds door iedereen nagejaagd, maar hoeveel mensen vinden het prima als die pas in de vorm van een tekst op een grafsteen verschijnt? Ze willen het nu. En zo wilde ik het ook. Al zo lang als ik me kan herinneren heb ik beroemd willen zijn. Ik weet hoe gênant die bekentenis is. Ik kan het in mooiere bewoordingen proberen te gieten, het toeschrijven aan ingewikkelde psychologische processen, er beweegredenen uit de ontwikkelingspsychologie aan toevoegen om het tot een syndroom te maken, maar het heeft geen zin het mooier voor te stellen dan het is. Vanaf het eerste moment dat ik me ervan bewust was dat zulke mensen bestaan, heb ik een beroemdheid willen zijn. We houden ons altijd voor dat we in een cultuur leven die geobsedeerd is door roem; dagelijks worden vele handen gewrongen om het feit dat uiterlijk belangrijker is dan prestatie, dat status hoger staat dan inhoud, en imago zwaarder telt dan ijver. Roem begeren is het bewijs van een oppervlakkige, misleide kijk op de wereld. Dat weten we allemaal. Maar al zijn we zo slim om te zien dat roem een valstrik en zinsbegoocheling is, we zien even duidelijk dat van jaar tot jaar meer jongeren in de westerse wereld in die valstrik worden gelokt en door die zinsbegoocheling worden misleid.

We zien allemaal die duizenden hoopvolle stakkers voor ons die auditie doen voor talentenjachten op tv en die altijd met hun neus in de glamourbladen gedoken zitten. We voelen medelijden en minachting voor de schamelheid van hun bestaan. We hekelen een maatschappij die alleen naar uiterlijk en imago kijkt. Vooral tienermeisjes, suggereren we, zijn slaaf van lichaamsimago en modegrillen – verslaafd aan de drug van de roem. Hoe kan onze cultuur zo kapot en zo ziek zijn, vragen we ons af, dat ze ons als object van verering een massa talentloze nullen aanbiedt die geen greintje morele, spirituele of intellectuele waarde vertegenwoordigen en geen zichtbare gaven bezitten behalve overhygiënische erotiek en niet-bedreigende fotogeniekheid?

Ik zou daar het gebruikelijke weerwoord op geven. Ten eerste is het verschijnsel niet zo nieuw als iedereen denkt. Dat er meer uitingsmogelijkheden zijn, meer informatiebronnen, kanalen en methodes om nieuws en beelden te versturen en te ontvangen is duidelijk, maar lees elke willekeurige roman uit het begin van de twintigste eeuw erop na en je komt leeghoofdige vrouwelijke personages tegen die op hun vrije momenten van filmsterren, tennisspelers, ontdekkingsreizigers, coureurs en halsbrekende piloten dromen. Je komt dagdromende winkeljuffrouwen en met hun hoofd in de wolken lopende dienstmeisjes tegen bij Evelyn Waugh, Agatha Christie, P.G. Wodehouse en alle genres daartussenin. De neiging tot heldenverering is dus niet nieuw. Ook niet nieuw is de minachting van degenen die denken dat zij de enigen zijn die het onderscheid weten tussen valse en ware goden. In het verhaal van de Tien Geboden heb ik altijd aan Aarons kant gestaan. Ik mocht zijn gouden kalf wel. Op Bijbelse kleurenplaten werd het altijd behangen met bloemenslingers afgebeeld, omringd door feestende en dansende aanbidders die op cimbalen sloegen en elkaar in wilde overgave omhelsden. De muziek en de omhelzingen waren voor de victoriaanse illustratoren een klinkend bewijs (vooral de cimbalen) dat de volgelingen van Aaron verdorven, ontaard en decadent waren en gedoemd tot eeuwige verdoemenis. Terwijl het feest nog in volle gang is, komt Mozes terug met die stompzinnige stenen tafelen onder zijn arm, smijt ze nukkig op de grond, smelt het gouden kalf om en vermaalt het tot een poeder dat hij in een drankje doet waarvan hij alle Israëlieten laat drinken. Vervolgens jaagt hij, omdat hij zo'n Heilig Man des Heren is, drieduizend man over de kling alvorens zijn rechtschapen toges weer de berg Sinaï op te hijsen voor een nieuwe portie geboden. Ik denk dat we ons gelukkig mogen prijzen dat we nu in een cultuur leven die, gemankeerd of niet, meteen ziet dat Aaron weliswaar een zwakke wellusteling is, maar dat zijn broer een gevaarlijke fundamentalist is. Liever een goddeloze boel dan godsvruchtige bullshit, hoe je het ook beziet. Wij mensen zijn van nature geneigd goden en helden te aanbidden, pantheons en walhalla's op te richten. Ik zie die impuls liever gericht op de aanbidding van domme zangers, botte voetballers en hersenvrije filmacteurs dan op de verering van dogmatische fanaten, bezeten predikers, polariserende politici en rabiate cultuurcritici.

Ten tweede, is het niet een stelregel dat niemand echt zo stom is als we graag zouden denken? Zegslieden van de andere kant van de politieke kloof die ons scheidt zijn slimmer dan we zouden wensen, geschifte imams en doorgedraaide nationalisten zijn lang niet zo dom als we zouden willen. Filmproducenten, hitserige presentators, oproerkraaiers, journalisten, Amerikaanse militairen − allerhande volk dat we in alle redelijkheid als mentaal te verwaarlozen zouden afschrijven, hebben meer verstand, inzicht en intellect dan we prettig vinden. Die ongemakkelijke waarheid geldt ook voor degenen op wie we ons hautaine medelijden richten. Als de sociale netwerkdiensten van het digitale tijdperk ons iets leren, is het dat alleen een gek de intelligentie, intuïtie en cognitieve vaardigheden van de 'grote massa' zou onderschatten. Daarmee bedoel ik meer dan de 'wijsheid van de menigte'. Als je verder kijkt dan flauwigheden als het merkwaardige onvermogen van het gros der mensheid om het verschil te zien tussen *your* en *you're, its* en *it's*, en *there, they're* en *their* (een onderscheid dat niets te maken heeft met taal, maar alleen met grammatica en spellingsafspraken: logica en consistentie zouden immers eisen dat er een genitiefapostrof moet staan in het bezittelijk voornaamwoord *its*, maar de afspraak is nu eenmaal, misschien om verwarring te voorkomen met de weglating bij *it is*, om daar geen komma te zetten), kortom, als je verder kijkt dan zulke mierenneukerige pedanterie, zie je dat het heel goed mogelijk is om liefhebber te zijn van reality-tv, talentenjachten en puberpop en toch hersens te hebben. Mensen weten donders goed hoe raar en camp en triviaal hun verering is. Ze nemen hun hersens niet mee als ze een *fansite* bezoeken. Hun oordelend vermogen is niet met de muziek mee, noch hun gezond verstand. Waarmee ik maar wil zeggen dat ik me afvraag of de heldenverering van onze popcultuur echt zo schadelijk is voor de psyche en voor onze cognitieve vaardigheden, zo verderfelijk voor onze ziel als ons vaak voorgehouden wordt.

Ten derde, kijk eens naar de mensen die het hardst roepen hoe kinderachtig en goedkoop de *celebrity*-cultuur is. Wilt u echt aan de kant staan van dat soort apoplectische en bombastische zanikpotten? Ik kan het weten, want ik betrap mezelf er vaak op dat ik ook zo ben, en dat is niet leuk. Ik zal altijd de absolute waarde van Mozart boven die van Miley Cyrus verdedigen, uiteraard, maar we moeten op onze hoede zijn voor valse schisma's. Je hoeft niet te kiezen tussen het een of het ander. Het kan allebei. De jungle van de menselijke cultuur zou even gevarieerd en divers moeten zijn als het regenwoud van de Amazone. Biodiversiteit verrijkt ons. We mogen vinden dat een poema meer waard is dan een rups, maar we zullen het er toch over eens zijn dat ons leefklimaat erbij gebaat is beide te kunnen accommoderen. Monoculturen zijn onbewoonbaar saai en worden uiteindelijk woestijnen.

Aan de andere kant zou je kunnen zeggen dat het hem niet zit in onschadelijke heldenverering. Het probleem, zouden sommigen zeggen, is niet dat iedereen roem vereert, maar dat ze roem voor zichzelf willen. Online blogs en de opkomst van reality-tv en talentenjachten hebben een generatie voortgebracht voor wie het niet genoeg is om door tijdschriften te bladeren; ze willen zelf een gooi naar het sterrendom doen. Ze willen bovendien via de kortste weg roem en rijkdom verwerven, en saaie zaken als hard werken en talent overslaan. Tja, we weten allemaal hoe bevredigend het is om de tekortkomingen en de oppervlakkigheid van de ander breed uit te meten – vooral als die geld en erkenning heeft en wij niet. Dat is tenminste een stuk plezieriger dan onze eigen tekortkomingen onder de loep nemen. We leven in een tijdperk van goedkoopte, een tijdperk waarin wat waardevol zou moeten zijn laag en wat van weinig waarde is te hoog wordt ingeschat, maar wie denkt ook maar één tel dat dit een nieuw verschijnsel is? Iedereen die bekend is met Aristofanes, Martialis, Catullus, Shakespeare, Jonson, Dryden, Johnson, Pope, Swift… Ik bedoel maar. Het is *altijd* zo geweest, al sinds de mens zijn gedachten leerde optekenen, dat de 'verkeerde mensen' op de hoogste posities terechtkomen. Keizers, koningen, aristocraten, de heersende klasse en de adel, arrivisten, parvenu's en nouveaux riches, financiers, handelsmagnaten en industriëlen, kunstenaars, ontwerpers, de literaire en culturele elite, acteurs, sporters, tv-sterren, popzangers en presentators: ze zijn allemaal op een voetstuk gezet dat ze niet verdienen. 'In een rechtvaardige, goed-geordende wereld,' zo jammeren we gramstorig, 'zou ík daar ook moeten staan, maar ik ben te trots om het te zeggen, dus ik ga zaniken en zeuren en tirades afsteken om mijn minachting voor de hele zooi te uiten. Maar diep vanbinnen wil ik erkenning. Ik wil gewoon meetellen.'

Zo was ik in mijn tiener- en vroege twintigerjaren. Dolgraag beroemd willen zijn, maar uiterst bereid, mocht dat niet lukken, om mijn verachting te uiten voor wie daar wel in slaagde. Ik ben van mening dat mensen zoals ik, die naar roem en erkenning hunkeren, veel zeldzamer zijn dan algemeen wordt aangenomen. Ik zie mijn broer Roger en zijn gezin als mijn toetssteen voor alles wat gezond, verstandig en fatsoenlijk is. Zij zijn net zo modern en werelds als de rest van mijn kennissenkring. Ik herinner me, met de helderheid van een HD 3D-scherm, een kindervoorstelling toen ik zeven was en Roger negen. Een van de spelers kwam op en vroeg of er jongens en meisjes waren die bij hem op het toneel wilden komen. Roger zakte weg in zijn stoel en probeerde zich zo onzichtbaar mogelijk te maken. Hij moest er niet aan denken om daar voor het voetlicht te staan, voor een hele zaal vol mensen. Intussen wipte ik op en neer op mijn stoel en stak smekend mijn arm op, letterlijk smékend om gevraagd te worden. Twee jongens, anderhalf jaar verschil in leeftijd, in dezelfde omstandigheden en door dezelfde ouders opgevoed. Er zijn, godlof, veel meer Rogers op deze wereld dan Stephens.

Misschien staat die kinderlijke hang naar aandacht van toen gelijk met mijn kinderlijke hang naar zoetigheid. De wens beroemd te zijn is infantiel, en de mensheid heeft nooit een tijd gekend waarin infantilisme meer toegestaan en aangemoedigd werd dan nu. Infantiel eten als chips, patat, 'frisdrank' – feitelijk suikerwater – en slappe hamburgers of hotdogs gesmoord in mierzoete sauzen is voor miljoenen volwassenen dagelijks voedsel. Alcoholische dranken vermomd als milkshakes en prik zijn bedacht voor degenen wier smaakpapillen nog niet ontwikkeld genoeg zijn voor het aroma van alcohol. En in de bredere cultuur is het precies hetzelfde. Alles wat scherp, hartig, pikant, complex, ambigu of moeilijk is, wordt vermeden ten gunste van het kleurige, zoete, holle en simpele. Ik weet dat roem voor mij als kind zoiets was als suikerspin. Het zag er magisch uit, het was groot, dramatisch en trok de aandacht. Het is verleidelijk om hier te schrijven dat roem net als suikerspin weinig meer bleek te zijn dan lucht op een stokje, en dat het weinige dat wel vaste vorm had, weeïg, misselijkmakend en ondermijnend was, maar ik zal zulke gedachten, als ik ze al koester, voor later bewaren. Ik ben tot dusverre in mijn verhaal nog helemaal niet beroemd en ik weet nog niet wat beroemdheid is – behalve dat het een status is waar ik naar hunker.

Sterker, ik denk dat weinig mensen zo geobsedeerd waren door beroemd zijn als ik. De meeste mensen huiveren bij de gedachte, kronkelen net als mijn broertje in hun stoel bij het idee van publieke aandacht. Ze denken er wel eens aan hoe het moet zijn om beroemd te zijn en voeren gedachten-experimenten uit waarin ze onder flitsende camera's over de rode loper schrijden, maar dat is gewoon het soort dagdroom dat je voor de nationale ploeg mag uitkomen of het winnende punt op Wimbledon maakt. Door de bank genomen is de mens uit op een rustig leven, ver van de publiciteit, en hebben ze vaak een zinnig idee van hoe vreemd roem eigenlijk moet zijn. Ze hebben genoeg gezond verstand om niet alle beroemdheden over één kam te scheren en genoeg beschaving om niet neer te kijken op mensen omdat die de misdaad hebben begaan popzanger, golfidool of politicus te zijn. De meeste mensen zijn tolerant, verstandig, vriendelijk en attent. Meestal. Mensen zoals ik, verteerd door ambitie, kokend van rancune, het ene moment brandend van *Sturm* en *Drang* en even later nors van frustratie en teleurstelling, wij zijn degenen die almaar bezig zijn met roem en status, en het enige dat het ons oplevert, is teleurstelling, ergernis en een zware dosis levensangst.

Dit is allemaal behoorlijk pijnlijk om te moeten erkennen. Mensen van mijn slag bekennen zulke vulgaire, goedkope, onwaardige verlangens niet. Het gaat om je werk. Als je werk toevallig, in tegenstelling tot verzekeringen, boekhouden of lesgeven, roem meebrengt, of rijkdom, het zij zo. Je jaagt slechts op de vogel van bekwaamheid; roem en fortuin zijn toevallig de veren waarmee hij vliegt. Ja, oké. We kennen die eerzame grondregels, ik beaam en onderschrijf ze. Maar het hunkerende kind dat zich in de man met het tweedjasje verscholen hield, schreeuwde om gevoed te worden, en het hunkerende kind wilde, zoals altijd, wat meteen bevredigde en meteen loonde, hoe oppervlakkig en onoprecht dat hem ook maakte. Oppervlakkig en onoprecht was wat ik was (en waarschijnlijk altijd zal zijn), en als u nu nog niet doorhebt hoe ontzettend oppervlakkig en ondubbelzinnig onoprecht ik ben, heb ik mijn werk niet goed gedaan.

Het werk kwam van alle kanten op me af. De musical, het toneelstuk, het filmscript, hele stapels ander schrijfwerk en een dik en divers pakket schrijf- en radio-opdrachten waar we het misschien zo over gaan hebben. Het lijdt geen twijfel dat ik voor tijdschrift- en dagbladredacteuren, radio-, film- en tv-producers, regisseurs, omroep-bobo's en castingbureaus, een gewild product was, een jonge snaak die voor alles en nog wat bruikbaar was. Maar beroemd was ik niet. De eerste uitnodigingen voor film- en theaterpremières begonnen binnen te druppelen, maar ik bleek zonder lastiggevallen te worden over de rode loper te kunnen lopen. Ik weet nog dat ik met Rowan Atkinson naar een of ander gebeuren ging, de persvoorstelling van een nieuw stuk geloof ik. Toen ik de fotografen zijn naam hoorde roepen en de menigte fans tegen de dranghekken zag duwen, riep dat een intense opwinding in me op, en tegelijk een gallige golf van woede en afgunst dat niemand, helemaal niemand, míj kende en van míj een foto wilde maken. O, Stephen. Ik heb die zin aangeklikt, geselecteerd, gewist, hersteld, weer gewist en weer hersteld. Een groot deel van me heeft liever niet dat u weet dat ik zo sneu, ijdel en dom ben, maar een nog groter deel weet dat dit nu eenmaal de afspraak is. Ik kan niet voor anderen spreken of hun innerlijk ter inspectie voor u ophouden, maar ik kan wel voor (en tegen) mezelf spreken. Misschien was ik de voorloper van een nieuw soort Brit: fanatiek over roem, snel verslaafd, oppervlakkig, geobsedeerd door gadgets en onverbeterlijk infantiel. Misschien, om er een vriendelijker draai aan te geven, was ik het levende bewijs dat je beroemd kon willen zijn én er hard voor wilde werken, dat je kon genieten van de rode loper én van nachtwerk tot in de kleine uurtjes, artikelen, scripts, sketches en scenario's ophoestend met een oprecht gevoel van genoegen en vervulling.

Commercials, Covent Garden, Compact discs, Cappuccino's en Croissants

Naast de grote projecten voor film en televisie kwamen er nog allerlei andere verzoeken voor werk binnen. Lo Hamilton van Noel Gay Artists verzamelde ze en stuurde ze door. Ik begreep geloof ik wel dat ik kon weigeren, afwijzen, of nadere informatie vragen, maar ik kan me niet herinneren dat ooit te hebben gedaan. Als ik op die tijd terugkijk, lijkt het een paradijs van pressievrije afwisseling en onbezorgd ontdekken. Alles was fantastisch nieuw, spannend, vleiend en leuk.

Soms samen en soms apart begaven Hugh en ik ons in de wereld van de reclame-voice-over. We misten beiden nog het vocale gewicht om het echte sexy gedeelte van het werk te kunnen doen, de 'uitsmijter'. Die was meestal voorbehouden aan zwaar rokende en drinkende vijftigers als de legendarische Bill Mitchell, wiens stembanden de diepe, gezaghebbende resonans hadden die de boodschap van de adverteerder deed doorkomen, of aan vocale goochelaars als Martin Jarvis, Ray Brooks, Enn Reitel en Michael Jayston, die zo in trek waren dat ze met een pieper aan hun riem rondliepen zodat hun agent ze zonder tijdverlies van de ene klus naar de andere kon sturen. Ik weet nog dat David Jason – ook zo'n drukbezet en getalenteerd stemkunstenaar – me liet zien hoe zo'n apparaat werkte. Het piepte alleen, ten teken dat hij zijn agent moest bellen, maar niettemin was ik diep onder de indruk. Ooit, zo beloofde ik mezelf, zou ik ook zo'n ding bezitten, en ik zou het altijd koesteren. Ergens heb ik een la met op zijn minst tien oude piepers in diverse stijlen en kleuren. Gekoesterd heb ik ze nooit; ik heb ze amper gebruikt.

Op ons niveau hoefden Hugh en ik meestal alleen maar flauwe komische tekstjes te zeggen voor radiospotjes, een nieuwe, opbloeiende industrie die profiteerde van de onafhankelijke radiozenders die begin jaren tachtig overal in Groot-Brittannië als paddenstoelen uit de grond rezen als gevolg van de nieuwe zendtijdregulering. Het is verleidelijk op het verleden terug te kijken en te denken dat je toen gelukkig was, maar ik geloof ook echt dat we gelukkig waren. Het leven in de glazen geluidscabine was simpel, maar bood ook plezierige uitdagingen. Vaak drukte de geluidstechnicus of producer op de intercom en zei dan bijvoorbeeld: 'Oké, dat was twee seconden te lang. Kan het nog eens? Drie seconden eraf, maar niet sneller praten.' Zo'n schijnbaar absurd verzoek wordt na een tijdje logisch, en Hugh en ik schepten er eer in aan zulke vragen te voldoen. We kregen vanzelf een soort inwendige klok waardoor we binnen de kortste keren konden zeggen: 'Dat was precies goed, hè? Misschien een halve seconde te kort?' Of: 'Verdikke, vijfendertig op zijn minst, nog maar eens…' En als de technicus het met een stopwatch afspeelde, bleken we het precies goed te hebben. Een futiele vaardigheid, en zonde van een elitaire en peperdure opleiding, zou je kunnen zeggen. Maar ik weet – dat zei ik al – dat we gelukkig waren. Hoe ik dat weet? Nou, dat zeiden we. Ja, we durfden het hardop te zeggen.

De studio's waar we ons destijds onledig hielden, waren die van Angell Sound in Covent Garden, tegenover de artiesteningang van het Royal Opera House. Dan kwamen Hugh en ik na zo'n sessie naar buiten, knipperend tegen het felle zonlicht, zeiden 'shirt' en liepen in zuidwestelijke richting Floral Street uit. Ter hoogte van James Street staken we over, wat ons bij Paul Smith bracht. In die tijd was dat de enige vestiging van de grote ontwerper in Londen. Misschien had hij nog een zaak in Nottingham, waar hij vandaan kwam, maar die in Floral Street was in elk geval de enige in Londen. Net als David Jason is Paul Smith inmiddels geridderd, maar toen begon hij net naam te maken met zijn ontwerpen voor jonge heren die kort daarop yuppies genoemd zouden worden. Zijn reputatie is, in tegenstelling tot die van de yup, nooit bezoedeld door een associatie met liederlijke losbandigheid. Begin en midden jaren tachtig deden de nouveau riche, nouveau zelfverzekerde witteboordenboys van zich horen met hun roep om modieuze sokken, overhemden, croissants, schuimende koffie en – God sta ons bij – opvallende bretels. Ik vermoed dat Hugh en ik in een subgroep van die nieuwe categorie vielen.

Het staat me nog helder bij dat we op een ochtend bij het verlaten van de studio een gesprek hadden dat ongeveer als volgt verliep.

'Jezus man, wat een leventje.'

'Wat zijn wij een onversneden bofbipsen.'

'Twintig minuten in de studio, geen minuut langer.'

'Zo snel is geld nog nooit verdiend, noch… geldiger.'

'Eigenlijk moeten we een shirt kopen om het te vieren.'

'We moeten eigenlijk altíjd een shirt kopen om wat dan ook te vieren.'

'En dan een cd of twee.'

'En dan beslist een cd of twee.'

'Misschien gevolgd door koffie en een croissantje.'

'Zéker gevolgd door koffie en een croissantje.'

'Weet je, ik wed dat we hier later op terugkijken als de mooiste tijd van ons leven.'

'Als we dikke, ouwe, verzuurde en ongelukkige alcoholisten zijn, denken we terug aan de tijd dat we een voice-overstudio binnen kuierden, en weer naar buiten kuierden om een shirt en een cd te scoren en daarna een cappuccino en een croissantje te nemen.'

Tot dusverre zijn we nog geen alcoholist, en Hugh is nooit dik geweest. Ik weet niet of we verzuurd zijn, maar lichtelijk oud zijn we in elk geval wel, en ik denk dat we beiden zouden erkennen dat het besef dat we nooit meer zo gelukkig zouden zijn juist was. We kunnen werkelijk op die tijd terugkijken als volmaakt. Intense momenten van liefde, ouderschap en succes konden de een of de ander ten deel vallen, en deden dat ook, maar nooit meer zouden we een periode van zulk chronisch geluk beleven. Het ontbrak ons aan niets, we verwierven geleidelijk naam en geld, zonder gebukt te gaan onder roem en rijkdom. Het leven was goed. Het ongewone daaraan was dat we dat toen al beseften. Als je tegen schoolkinderen zegt dat ze wat ze nu meemaken later zullen zien als de mooiste tijd van hun leven, dan zullen ze zeggen – als ze je al meer dan een vernietigende blik waardig gunnen – dat je uit je nek lult.

Londen was een en al spannende begeestering voor mij. De cd's, cappuccino's en croissants waren voor mij het toppunt van verfijndheid en symbolisch voor de grote maatschappelijke en politieke omwenteling die eraan stond te komen. Het proces van yuppificatie dat de meer vervallen delen van Islington en Fulham een nieuw aanzicht aan het geven was, werd door mensen die het tij met angst en beven zagen keren 'croissantificatie' genoemd. De Falklandoorlog had Margaret Thatcher van de minst populaire premier in vijftig jaar tot de populairste premier sinds Churchill gemaakt. Een golf van patriottisme en zelfvertrouwen verhief zich in de politieke zee en zou algauw aanzwellen tot een tsunami van ostentatieve geldsmijterij door de gelukkigen die het tij mee hadden, en een vloedgolf van schulden en armoede voor de slachtoffers van 'de harde werkelijkheid van de markt', zoals Keith Joseph en de Friedman-aanhangers de nevenschade van het monetarisme plachten te noemen. Ik zou graag zeggen dat ik toentertijd politiek bewuster, kwader of geïnteresseerder was. Mijn van rook en drank doordesemde nachten met Ben Elton in de bar van het Midland Hotel hadden me al grotendeels van mijn instinctieve vrees voor en afkeer van de Labour Party af geholpen; de vulgariteit en de lompe kleinzieligheid van Margaret Thatcher en veel van haar ministers maakten het moeilijk om genegenheid of bewondering voor haar te koesteren, maar mijn blik was te veel gericht op mezelf en de kansen die op mijn weg kwamen om me ergens anders druk over te maken. Als ik mezelf te hard om de oren zou slaan voor zo'n normale en vergeeflijke tekortkoming in zo'n jong iemand, zou dat niet oprecht klinken. Na de tienerjaren die ik had doorgemaakt, vind ik het moeilijk mezelf te berispen voor het feit dat ik genoegen schiep in de vruchten die de wereld me nu in de schoot wierp.

Crystal Cube

Naast de incidentele opdrachten die op mijn pad waren gekomen – de musical, de film en mijn rol in *Forty Years On* – wilden Hugh en ik samen blijven schrijven en optreden. Ondanks de dreunen die ons zelfvertrouwen kreeg door Bens ongelofelijke productiviteit, hoopten we (en geloofden we ergens ook) dat er voor ons een toekomst in de humor was weggelegd. Vandaar dat Richard Armitage ons op gesprek bij de BBC stuurde.

De afdeling Amusement was destijds onderverdeeld in twee secties, Comedy en Variété. Sitcoms en sketchshows voeren onder de Comedy-vlag, terwijl programma's als *The Generation Game* en *The Paul Daniels Magic Show* tot Variété werden gerekend. Het hoofd van Amusement was een olijke, rood aangelopen man die niet zou misstaan als activiteitenbegeleider bij Butlin's of die model kon staan als echtgenoot met bierbuik op een lollige ansichtkaart. Zijn naam was Jim Moir, wat toevallig ook de echte naam is van Vic Reeves, hoewel Vic Reeves toen, ergens in 1983, nog naam moest maken. Hugh en ik hadden de grote baas van het spul voor het eerst ontmoet bij een cricketwedstrijd in Stebbing. Hij zei toen, met de rotsvaste timing van een variétékomiek: 'Dit is mijn vrouw. Niet lachen.'

Hugh en ik werden zijn werkkamer binnengelaten. Hij liet ons plaatsnemen op de bank tegenover zijn bureau en vroeg of we comedyplannen hadden. Alleen zal hij het niet zo rechttoe, rechtaan gezegd hebben, hij zei waarschijnlijk iets als: 'Uitkleden en je pik laten zien,' en dat was dan zijn manier om te zeggen: 'Waar wilden jullie het over hebben?' Jim gebruikte altijd kleurrijke en onthutsende metaforen van overrompelend seksuele aard. 'We rukken ons af, mixen ons kwakje en smeren 't over ons heen,' zou dan zijn manier zijn om te vragen: 'Zin in een gezamenlijk projectje?' Ik nam altijd aan dat hij alleen met mannen zo omging, maar nog niet zo lang geleden bevestigden Dawn French en Jennifer Saunders dat hij bij hen ook een woordkeus had waarvan je ogen gingen tranen. Ben Elton schreef en Mel Smith speelde in de comedy *Filthy Rich & Catflap* een fictieve directeur van Amusement gebaseerd op Jim Moir die Jumbo Whiffy heette. Ik hoop dat u geen verkeerde indruk van Moir hebt gekregen door mijn beschrijving van zijn taalgebruik. Mensen zoals hij worden vaak onderschat, maar ik heb niemand die met hem heeft gewerkt ooit een slecht woord over hem horen zeggen. In de afgelopen veertig jaar heeft de BBC geen slimmere, capabeler, loyalere, succesvoller en meer deugende baas gehad, en zeker niet een van zo'n verbaal meesterschap.

Hugh en ik kwamen zijn kantoor uit, perplex maar wel met een opdracht in onze zak. John Kilby, die *The Cellar Tapes* had geregisseerd, zou de proefaflevering die wij moesten gaan schrijven regisseren en produceren. We bedachten een serie die *The Crystal Cube* moest gaan heten, een zogenaamd serieus magazine waarin per aflevering een of ander fenomeen onderzocht zou worden: elke week gingen we 'door de kristallen kubus'. Hugh, Emma, Paul Shearer en ik waren de vaste kern en voor de andere rollen zouden we uit een cast van semireguliere gasten putten.

Weer terug in Manchester voor de opnamen van *Alfresco* togen we in onze vrije tijd aan het werk. Nu we niet meer geïntimideerd werden door de impotent makende productiviteit van Ben, leverden we een script in een tijd die voor ons heel snel was, maar voor Ben als een writer's block zou hebben gevoeld. Het was best goed. Ik vind dat ik dat wel kan zeggen, omdat de BBC besloot er geen serie van te maken: in het licht daarvan en van mijn archetypische Britse trots op mislukking, lijkt het me niet echt opscheppen als ik zeg dat ik er tevreden over was. Het staat nu ergens op YouTube, zoals bijna alles. Als u het weet op te duiken, zult u merken dat de eerste veertig seconden onverstaanbaar zijn, maar dat wordt gauw beter. Behalve de technische mankementen is er komisch ook het nodige mee mis. We waren onhandig, jong en vaak incompetent, maar er zitten toch een paar goede ideeën in die snakken naar lucht en licht. John Savident, nu bekend door zijn werk in *Coronation Street*, is een sublieme bisschop van Horley, Arthur Bostrom, die later agent Crabtree met het bizarre accent ('Good moaning') in *'Allo, 'Allo!* zou spelen, was te gast als een heerlijk onnozel proefkonijn, en Robbie Coltrane was zijn gebruikelijke smetteloze zelf in de gedaante van een belachelijke macho filmmaker.

Ik was misschien teleurgesteld, ontdaan en vernederd over de beslissing van de BBC om niet met *The Crystal Cube* door te gaan, maar ik was te trots om het te laten merken. Bovendien was er meer dan genoeg comedywerk en andere klussen om me bezig te houden. Een daarvan was een project samen met Rowan Atkinson, een filmscript voor David Puttnam. Het moest een soort Engelse versie van *Les Vacances de Monsieur Hulot* worden waarin Rowan, als onschuldige toerist in het buitenland, verward zou raken in criminele toestanden. Het personage was eigenlijk Mr. Bean, maar dan tien jaar voor dato.

Ik logeerde bij Rowan en zijn vriendin Leslie Ash tussen de ritten naar Manchester door waar we *Alfresco 2* aan het opnemen waren. Hun huis in Oxfordshire was, moet ik bekennen, voor mij een oogverblindend symbool van de beloning die comedy kon opleveren. De Aston Martin op de oprit, de blauweregen tegen de natuurstenen achttiende-eeuwse voorgevel, het tuinhuisje op het gazon, de tennisbaan, de grasvelden en boomgaarden tot aan de rivier – alles was zo groots, zo onmetelijk volwassen en buiten bereik.

Dan zaten we in het tuinhuisje en ik zat te tikken op de BBC Micro die ik had meegenomen. We schreven een scène waarin een Frans meisje Rowans personage een onuitsprekelijk Frans zinnetje leert. Dat ging zo: 'Dido dîna, dit-on, du dos dodu d'un dodu dindon.' Wat zoveel wil zeggen als: Dido, zegt men, dineerde van de enorme rug van een enorme kalkoen. Rowan oefende het Bean-achtige personage dat hierop ernstig zijn best doet. Door de hele film heen, besloten we, zou hij zijn 'doe-doe, doe-doe-doe' zinnetje oefenen, tot verbijstering van de omstanders. Dat is ongeveer het enige dat ik me herinner van die film, die een paar maanden later – zoals 99 procent van alle filmprojecten – als een nachtkaars uitging. Inmiddels nam de journalistiek me steeds meer in beslag.

Columnist

In de eerste helft van de jaren tachtig nam de tijdschriftindustrie een grote vlucht. *Tatler, Harper's & Queen* en het onlangs weer tot leven gewekte *Vanity Fair*, zeg maar de prinses Di-sector, voedde de publieke nieuwsgierigheid naar informatie over Sloane Rangers, de inrichting van hun keukens en hun landhuizen en de lijsten van genodigden voor hun feesten. *Vogue* en *Cosmopolitan* scoorden hoog bij de modebewuste en seksueel geëmancipeerde lezeres, *City Limits* en *Time Out* waren overal te koop en het blad van Nick Logan, *The Face*, gaf de toon aan in jongerenmode en trendy stijl toen het nog trendy was om het woord trendy te gebruiken. Enkele jaren later bewees Logan dat ook mannen glossy's lezen toen hij het blad *Arena* uitbracht, metroseksueel avant la lettre. Voor dat blad heb ik een aantal artikelen geschreven, net als literaire recensies voor het nu ter ziele gegane *Listener*, een weekblad van de BBC.

De hoofdredacteur van de *Listener* toen ik daar begon was Russell Twisk, een zo verduveld mooie achternaam dat ik voor hem geschreven zou hebben zelfs al had hij aan het roer gestaan van het *Maandblad voor de Satanische Kindermoordenaar*. Zijn literaire redacteur was Lynne Truss, die later beroemd zou worden als de auteur van *Eats, Shoots and Leaves*. Ik kan me niet heugen dat ik ooit het slachtoffer ben geweest van haar merkwaardige zero tolerance-beleid tegenover interpunctie; misschien corrigeerde ze mijn kopij zonder het me te laten weten.

Twisk werd enige tijd later vervangen door Alan Coren, die sinds zijn tijd als hoofdredacteur van *Punch* een van mijn helden was. Hij stelde voor dat ik mijn boekrecensies zou verruilen voor een vaste column, en zo leverde ik een jaar lang wekelijks een artikel over elk willekeurig onderwerp dat me voor de geest kwam.

Ik had inmiddels een faxapparaat aangeschaft. Het eerste jaar dat ik eigenaar was van dat nieuwe, betoverende stukje technologie, stond het ongebruikt en onbemind op mijn bureau. Ik kende niemand anders die er een had, dus het arme ding had niemand om mee te praten. De enige in je kennissenkring zijn met een faxapparaat is een beetje als de enige in je kennissenkring zijn met een tennisracket.

Cryptisch in Connecticut

Op een dag (ik spoel even snel door, maar dat klopt op deze plek in het verhaal) belde Mike Ockrent me. *Me and My Girl* liep op dat moment in het West End en iedereen was opgetogen omdat we hadden gehoord dat Stephen Sondheim en Hal Prince waren komen kijken en Mike een schriftelijk blijk van hun bewondering hadden gestuurd.

'Ik heb Sondheim verteld dat je een faxapparaat hebt,' zei Mike.

'O.' Ik wist niet goed wat ik met die mededeling moest. 'Juist… eh… Hoezo eigenlijk?'

'Hij vroeg of ik iemand wist die er een had,' zei Mike. 'Jij bent de enige die ik kon bedenken. Hij gaat je bellen. Goed?'

Het vooruitzicht dat Stephen Sondheim, de tekstdichter van *West Side Story* en componist van *Sunday in the Park with George, Merrily We Roll Along, Company, Sweeney Todd* en *A Little Night Music* mij ging bellen, ja, nou, prima, verzekerde ik Mike. 'Waar gaat het over?'

'O, dat vertelt hij je nog wel…'

Goeie genade, o allerliefste hemeltje. Hij wilde dat ik de tekst voor zijn volgende musical zou schrijven. Iets anders kon het toch niet zijn? O lieve deugd. Stephen Sondheim, de grootste songwriter en tekstdichter sinds Cole Porter, ging mij bellen. Vreemd dat het hem interesseerde of ik een faxapparaat bezat. Misschien was dat hoe hij zich onze samenwerking voorstelde. Ik faxte hem dialogen en verhaallijnen en hij faxte zijn ideeën en op- en aanmerkingen terug. Nu ik erover nadacht, leek het me een schitterend idee, een idee waardoor zich een volstrekt nieuwe denkwijze over samenwerking ontplooide.

Die avond ging de telefoon. Ik woonde in Dalston in een huis dat ik met Hugh en Katie deelde, en ik had ze gewaarschuwd dat ik de hele avond naast de telefoon ging zitten.

'Hallo, spreek ik met Stephen Fry?'

'S-s-spreekt u mee.'

'Met Stephen Sondheim.'

'Juist. Uiteraard, ja. Wow. Ja. Ik ben…heel…'

'Zeg, ik wou je nog complimenteren met wat je met de tekst van *Me and My Girl* hebt gedaan. Knap werk. Fantastische voorstelling.'

'Jeetje. Nou, dank u. Als iemand als u dat zegt, is dat…'

'Mooi. Zeg, ik begrijp dat jij een faxapparaat hebt?'

'Ja. Inderdaad. Absoluut. Ja, een Brother F120. Eh, niet dat het model er iets toe doet. Helemaal niets. Nee. Maar ja, ik heb er een. Klopt. Mm.'

'Ben je dit weekend thuis?'

'Eh, ja, volgens mij wel. Ja.'

'Ook 's avonds, 's avonds laat?'

'Ja.'

Het werd nu wel wat vreemd.

'Luister, het gaat om het volgende. Ik heb een buitenhuis en ik mag graag speurtochten en wedstrijdjes organiseren. Je weet wel, met verborgen aanwijzingen.'

'Eh, ja…'

'En nou leek het me zo leuk als een van de aanwijzingen een lang nummer zou zijn. Bijvoorbeeld jouw faxnummer. En als de mensen het antwoord hebben en het getal zien, dan bedenken ze misschien dat het een telefoonnummer is en dan bellen ze het en dan krijgen ze dat geluid. Je weet wel, het geluid dat een faxapparaat maakt.'

'Jaaa….'

'En dan horen ze dat en dan denken ze "Wat was dat nou?" Maar misschien is er dan eentje bij die weet dat het om een faxapparaat gaat. Omdat hij er een op zijn kantoor heeft of zo. En die zegt dan: "Hé, dat is een faxapparaat. Misschien moeten we een bericht sturen. Op een vel papier." En dan faxen ze jou.'

'En wat moet ik dan voor hen doen?'

'Nou, dat had ik zo gedacht. Ik heb jou van tevoren hun volgende aanwijzing gestuurd. Dus als ze jou faxen, stuur jij hun die aanwijzing terug. Snap je?'

'Ja, ik denk het wel. U stuurt me een fax en dat is de volgende aanwijzing. Dan zit ik zaterdagmiddag bij het apparaat...'

'Avond, laat. In Connecticut is het dan middag, maar in Londen is het dan negen, tien, misschien wel elf uur. Je gaat de deur niet uit?'

'Nee, nee.'

'Want het is van cruciáál belang dat je er de hele tijd bent en dat je naast het faxapparaat zit zodat je het hoort overgaan.'

'Zonder meer. Nee, ik zal er zijn. Goed, even zien of ik het goed begrepen heb: zaterdagavond houd ik de wacht bij het faxapparaat. Als ik een fax krijg waarin me een aanwijzing wordt gevraagd, stuur ik die naar uw faxnummer in Connecticut dat u me eerder hebt toegestuurd. Klopt dat?'

'Ja. Leuk toch? De eerste speurtocht per fax ooit. Maar je moet echt de hele zaterdagavond naast de telefoon zitten. Doe je dat?'

'Ja, dat zal ik doen. Erewoord.'

'Goed. Dan geef ik je mijn faxnummer. Het staat sowieso al boven aan de fax, maar geef ik het je voor alle zekerheid. En ik moet jouw faxnummer hebben.'

We wisselden nummers uit.

'Bedankt, Stephen.'

'Nee, jij bedankt, Stephen.'

Tussen dat telefoontje en zaterdagavond belde hij me nog vier of vijf keer om zich ervan te verzekeren dat ik mijn plannen niet had gewijzigd en nog altijd met plezier naast het faxapparaat wilde zitten in afwachting van wat er ging gebeuren. Zaterdagmiddag tegen vieren kwam er een fax binnen. Het was een ondoorgrondelijke grafiek waar een soort code naast stond geschreven.

Ik faxte een briefje terug dat ik zijn aanwijzing had gekregen en die zou faxen zodra ik daartoe een verzoek kreeg van zijn deelnemers aan de speurtocht.

De vijf uur daarna zat ik met een boek en gespitste oren naast het apparaat. Ik had de mogelijkheid dat Sondheim me zou vragen met hem aan zijn volgende musical te werken nog niet helemaal afgeschreven, maar toch kon ik de gedachte dat hij me louter nodig had vanwege mijn technische speeltje niet helemaal van me afzetten.

Tegen tien uur ging het faxapparaat over. Ik legde het boek weg. Het was *Atlas Shrugged* van Ayn Rand, dat staat me nog glashelder bij, en het was hypnotiserend slecht. Ik keek naar het faxapparaat, dat op het bellen reageerde. Zijn schrille kreet werd afgebroken. De beller had opgehangen. Voor mijn geestesoog zag ik een tuin in New England en een gezelschap dartele Sondheim-vrienden.

'Wat raar! Het maakte een afschuwelijk tjilpend geluid.'

'O! O! O! Ik weet wat dat is. Dat is een faxapparaat.'

'Een watte?'

'Je weet wel. Zo'n ding om documenten mee te versturen. Stephen heeft er een in zijn werkhok staan. Ik weet zeker dat ik het heb gezien. Kom, we gaan erheen. Jemig, wat een giller!'

Ik telde de minuten terwijl het gezelschap (in mijn verbeelding althans) op weg ging naar Stephens werkkamer, waar de Tony Awards elkaar op de schoorsteenmantel verdrongen. Op dezelfde vleugel waaraan hij 'Send in the Clowns' had gecomponeerd, zag ik in gedachten verzilverde lijstjes met gesigneerde foto's van Lenny Bernstein, Ethel Merman, Oscar Hammerstein en Noël Coward.

Net toen ik me begon af te vragen of ik me in het scenario had vergist, kwam mijn faxapparaat opnieuw snerpend tot leven. Ditmaal werden er over de oceaan heen handen geschud en tjoekte er een fax uit. Ik scheurde hem af en daar stond op het krullende thermopapier gekrabbeld: 'Hoi! Hebt u iets voor ons?'.

Zoals afgesproken laadde ik de fax die Sondheim me eerder had gestuurd in het apparaat, draaide zijn nummer en drukte op 'Verzenden'.

Een paar minuten later kwam er een opgewekt 'Bedankt!' terug.

Ik had geen idee hoeveel teams er aan het spel meededen en realiseerde me dat Stephen, met al zijn neurotische gebel om verzekerd te zijn van mijn waakzame aanwezigheid, me niet had verteld of het al dan niet om een eenmalige actie ging.

Om drie uur werd ik wakker met *Atlas Shrugged* op mijn schoot en een faxapparaat dat geen verdere betrekkingen had aangeknoopt.

Een week later werd er een kistje Haut-Batailley met een bedankbriefje van Stephen Sondheim bezorgd.

> De speurtocht was een groot succes, in niet geringe mate dankzij jouw attente bijdrage.
>
> Bedankt, Stephen.

Niets wat ook maar leek op een oproep tot samenwerking. Die zie ik nog altijd tegemoet.

Toen Alan Coren hoofdredacteur van de *Listener* werd, was het faxapparaat inmiddels het alomtegenwoordige kenmerk van die tijd, en het was de gewoonste zaak van de wereld dat ik Alan maand na maand kopij leverde zonder me lijfelijk te vertonen op de burelen in Marylebone High Street. De volgende strijd die ik leverde, een jaar of zeven, acht later, was die waarin ik kranten en omroepen zover probeerde te krijgen dat ze het internet op gingen en zich van e-mailadressen voorzagen, maar dat is een heel ander verhaal voor een heel ander boek voor een heel ander lezerspubliek.

Contorsionist

Misschien wel de meest stijlvolle en bekoorlijke figuur in de Londense tijdschriftenwereld van dat moment was de karikaturist, redacteur en flamboyante flaneur Mark Boxer. Onder het pseudoniem Marc maakte hij de illustraties voor de omslagen van *A Dance to the Music of Time*, waarvan ik alle twaalf delen naast elkaar op mijn boekenplank had staan, naast Simon Ravens reeks *Alms for Oblivion* (die mij veel liever was, en nog is). In de jaren zestig had Boxer leidinggegeven aan de lancering van Engelands eerste kleurenbijlage, die van *The Sunday Times*, en nu was hij hoofdredacteur van *Tatler*. Op een dag halverwege de tweede helft van de jaren tachtig schreef hij me een briefje waarin hij me vroeg hem op kantoor te bellen.

'O ja, Stephen Fry. Hoe is het? Ik wil je mee uit lunchen nemen. Morgen, bij Langan's?'

Ik had wel van Langan's Brasserie gehoord, maar was er nog nooit geweest. Het was opgezet door Peter Langan, Richard Shepherd en de acteur Michael Caine en had naam gemaakt als een van de meest chique en excentrieke restaurants van Londen. De glamour werd geleverd door de kunstcollectie, de door Patrick Procktor ontworpen menukaart en de dagelijkse aanwezigheid van filmsterren, aristocraten en miljonairs; de excentriciteit bestond uit de aanwezigheid van Peter Langan. Deze baanbrekende restaurateur, een Ier met een voorliefde voor sterke drank en een onberekenbaar humeur, was berucht om zijn beledigingen aan het adres van gasten jegens wie hij opeens een onvoorspelbare afkeer aan de dag kon leggen, waarbij hij de rekening versnipperde van wie het lef had te klagen, zijn sigaret in hun salade uitdrukte en hen zijn tent uit knikkerde. Met een fles Krug in de ene hand en een sigaar of sigaret in de andere zwalkte hij van tafel naar tafel, stralend en scheldend, grijnzend en grommend, knuffelend en kafferend. Het eten was er goed maar niet groots, de sfeer was magisch en de ervaring, wanneer Peter er was, onvergetelijk. Don Boyd vertelde me dat zijn vrouw Hilary een keer een slak in haar salade had aangetroffen. Toen Peter hikkend langs hun tafeltje laveerde, hield Don hem staande en wees hem op het ongewenste weekdier in het groen van zijn vrouw.

Peter boog vanuit de heup om het bord te bekijken.

'Nou, dankjewel,' zei hij en hij pakte de kronkelende, levende slak tussen duim en wijsvinger. 'Dank je zeer, schat.' Hij liet de slak in zijn glas Krug vallen, spoelde hem naar binnen en liet een boer. 'Net een heerlijke malse escargot, maar dan zonder het gepiel met een huisje. Verdomd lekker.'

Ik was er vroeg, zoals altijd als ik een afspraak heb, en werd naar boven gebracht. Mark arriveerde precies op tijd.

'Ik hoop dat je het niet erg vindt om boven te zitten,' zei hij. 'Het is hier rustiger, voor het geval Peter er is. Ken je hem?'

Ik bekende dat ik hem niet kende.

'Houden zo,' zei Mark.

Boxer was een aantrekkelijk ogende man van, ik schat, rond de vijftig, maar jeugdig op een twinkelende, bijna snaakse manier. Hij was getrouwd met Anna Ford, nieuwslezeres en medeoprichter van TV-AM. De eerste twee gangen was Mark charmant, grappig en ontspannen, alsof hij me puur voor de gezelligheid voor de lunch had uitgenodigd. Hij vermaakte me met verhalen over zijn studietijd in Cambridge.

'Het was toen in de mode om je voor te doen als homoseksueel. Ik droeg waanzinnig strakke witte broeken en zei tegen de rugbyers dat ze de zaligste schatten van de hele wereld waren. Het was eigenlijk raar als je het níét deed. In mijn kringen tenminste. Men verblikte niet als je je als een homo gedroeg. En het maakte natuurlijk dat de meisjes bij bosjes voor je vielen. Weet je dat ik de enige ben, behalve Shelley, die bij een universiteit is weggestuurd om mijn atheïsme?'

'Nee! Echt?'

'Nou ja, niet helemaal. Ik was hoofdredacteur van *Granta* en plaatste een gedicht van iemand dat volgens het universiteitsbestuur godslasterlijk was. Ze eisten dat ik, als hoofdredacteur, van de universiteit werd getrapt, maar E.M. Forster en Noel Annan en andere mensen sprongen voor me in de bres, dus werd het alleen een schorsing, die ze heel vals lieten samenvallen met May Week zodat ik het May Ball zou missen. Maar ze hadden even niet bedacht dat een bal na middernacht doorgaat. Dus klokslag middernacht kwam ik terug naar King's in mijn witte smoking en werd ik overal als een held rondgedragen. Grandioos!'

Ik kon bijna niet geloven dat deze man even oud was als mijn vader. Hij had de gave – als het een gave is – te maken dat ik me behoorlijk burgerlijk, gewoontjes en saai voelde.

'Zo, en nu ter zake,' zei hij toen de kaas werd geserveerd. '*Tatler*. Ik weet dat je al eens iets voor ons hebt geschreven. Schitterend stuk trouwens. Is het echt waar?'

Hij refereerde aan een artikel dat ik eerder dat jaar had geleverd en waar ik straks nog op terugkom. Ik bloosde hevig, zoals altijd wanneer dat artikel ter sprake kwam.

'Ja, volkomen waar.'

'Grote genade. Hoe dan ook... Het blad... Lees je het wel eens?'

'Soms... Ik bedoel, ik lees het niet expres níét, maar ik geloof niet dat ik het ooit gekocht heb. Behalve die keer dat mijn artikel erin stond.'

'Maakt niet uit,' zei hij. 'Dit is het nummer van volgende maand. We hebben tegenwoordig prachtige omslagen. Michael Roberts is onze art director en hij is onbeschrijfelijk goed.'

Ik nam het toegestoken exemplaar aan en bladerde erdoorheen.

'Het is prima, hoor,' zei hij. 'Niks mis mee. Alleen is er iets... er ontbreekt iets.'

'Wat dat ook mag zijn, niet de advertenties,' zei ik.

'Ha! Nee, dat loopt heel goed. Maar ik zoek iemand die elke maand langskomt om... aan het nummer te *ruiken* voordat het naar de drukker gaat.'

'Eraan te ruiken?'

'Mm, je weet wel. Om naar alle artikelen en spreads bij elkaar te kijken en te bedenken hoe het tot een geheel kan worden gesmeed. Om de aan de omslagtekst te werken en aan de rugregels.'

'Rugregels?'

'Regels op de rug.'

'Ach, natuurlijk. Rugregels.'

'Daarvoor moet ik iemand hebben die niet betrokken is bij het dagelijkse werk aan het blad. Die moet eraan ruiken en...'

Er ging een lichtje bij me op. 'Bedoelt u,' zei ik, 'dat u iemand wilt hebben voor de woordspelingen?'

Hij gaf een klap op de tafel. 'Ik wíst dat je het zou snappen.'

Sinds Tina Browns baanbrekende heerschappij aan het roer van *Tatler* was het blad berucht geworden, onder andere om de woordspelige koppen, onderkoppen en – nu wist ik hoe ze heetten – rugregels.

'Dat is dan geregeld. Jij wordt Chef Woordspelingen.' Duidelijk tevreden dronk hij zijn koffie op. 'O ja, onderweg hierheen bedacht ik nog iets. We krijgen allerlei boeken toegestuurd, voor het grootste deel dodelijk saaie verhandelingen over vliegvissen en memoires van vergetelijke gravinnen, maar soms zitten er best interessante titels tussen. We hebben geen boekrecensent. Als ik nou alle boeken die we krijgen eens in de week bij jou laat bezorgen en dan kun jij...'

'Eraan ruiken?'

'Precies. Ruiken en dan een column schrijven waarin je ze recenseert of gewoon commentaar geeft op het soort boeken dat tegenwoordig verschijnt. De tijdgeest, dat werk. Spreekt het je aan?'

Ik zei dat een riekend stuk tijdgeest me bijzonder aansprak.

'Mooi. Loop anders even mee naar Hanover Square. Dan stel ik je aan iedereen voor.'

'Moet ik vaak op de redactie komen?'

'Alleen zo af en toe om...'

'Te ruiken?'

'Om te ruiken. Precies.'

Het eerste nummer waarvoor ik als Geurzoeker Algemeen optrad was dat van juni. 'June Know Where You're Going' was de datumgrap. Op Michael Roberts voorkant stond een model in een dieprode jurk en daarnaast de kop RED DRESS THE BALANCE. Een artikel over een aristocratische katholieke familie had als ondertitel: 'The Smart Sect'. Goddank heeft de tijd de andere afgrijselijke verbale kronkels waaraan ik debet was uit mijn geheugen gewist, maar ik heb er minstens een dozijn bedacht voor elk nummer waaraan ik heb meegewerkt.

Critici en Citykoeriers

De boeken begonnen met dozen tegelijk binnen te komen. Liever dan onder mijn eigen naam te recenseren verzon ik voor mezelf een naamregel:

Williver Hendry, bezorger van *A Most Peculiar Friendship: The Correspondence of Lord Alfred Douglas and Jack Dempsey* en auteur van *To-*

wards the Brightening Dawn en *Notes From a Purple Distance: An Ischian Memoir*, werpt een minzaam oog op een aantal nieuwe titels...

Alleen was het helemaal geen minzaam oog. Ik verborg me lafhartig achter mijn *nom de guerre* en was schandalig onaardig jegens een baron De Massy, een neef van prins Rainier, die een autobiografie had geschreven vol aarsknijpend snobistisch Monegaskisch gezwam over Ferrari's, polospelers en snuivende tennissers. 'Hier zien we dat huwelijk tussen stijl en inhoud dat we in grote literatuur zoeken,' schreef ik, of liever Williver. 'Een verpletterend platvloers en waardeloos leven gevangen in verpletterend platvloers en waardeloos proza.'

Mijn loopbaan als boekrecensent duurde maar kort, maar lang genoeg om te beseffen dat het geen bezigheid voor mij was. Linksom of rechtsom (misschien wat voetballers een fiftyfifty bal noemen), ik kan er niet tegen mensen voor het hoofd te stoten. Misschien is het dichter bij de waarheid om te stellen dat ik er niet tegen kan dat er mensen zijn die ik voor het hoofd heb gestoten en die als gevolg daarvan lelijk over me denken. Mijn overweldigende behoefte om te behagen en aardig gevonden te worden is niet onopgemerkt gebleven. Soms verbeeld ik me hoopvol dat het een prettige en redelijk acceptabele karakterkronkel is, maar ik loop al lang genoeg op de aardbol rond om te weten dat het eerder afstoot dan aantrekt.

Het ligt voor de hand dat een criticus zijn mening geeft over een boek dat hem is toegestuurd. In je bestaan als recensent kun je erop wachten dat er een boek binnenkomt dat zo slecht is dat je niet anders kunt dan het neersabelen omdat het dat verdient. Je hekelt boek en schrijver, je bespot, ontmaskert, kraakt af en nagelt aan de schandpaal. Het is, heel even, uitermate bevredigend om de auteur om de oren te slaan en in bijtend proza diens onvolkomenheden te ridiculiseren en zijn pretentie onderuit te halen. Je was immers wekenlang verplicht romans, autobiografieën, kronieken, gidsen en bloemlezingen te lezen die voor het grootste deel – afschuwelijk woord – uitstékend zijn. Ze hebben voldoende kwaliteit om hun verschijnen te rechtvaardigen en bij de meeste vind je, als je zoals ik een laffe slijmjurk bent, altijd wel iets wat je aanspreekt. Maar onwillekeurig is het venijn je ziel binnengedrongen. Je gaat vanzelf schrijvers en uitgevers als de vijand zien. Ze bonzen dag en nacht op je deur en schreeuwen om aandacht. Het zijn er zoveel, en allemaal hebben ze zoveel te vertellen. Hun eigenaardigheden, tekortkominkjes en maniertjes beginnen je te ergeren, maar je houdt je zo goed mogelijk in. Je pot het allemaal op, en op een dag gaat de bel en daar staat een motorkoerier in de regen met een pak waarvoor je moet tekenen. Weer een lading nieuwe literaire werken om te worden gelezen en gewogen. Nadat de in leder gestoken bode van de binnenstad zijn gebruikelijke 'Mag ik misschien even naar het toilet' en 'O, kan ik even naar de zaak bellen' en 'Kunnen we nu meteen even seks hebben' heeft afgewerkt, blijf ik achter met zijn leverantie. En deze keer is het raak: een van de boeken is Het Gedrocht.

Tussen twee haakjes, iedereen die denkt dat een boekrecensent in elk geval het profijtelijke voordeel heeft elke maand honderden gratis boeken te krijgen, heeft waarschijnlijk geen weet van het bestaan van de ongecorrigeerde drukproef: een flodderig, haastig in elkaar geflanst voorverschijningsexemplaar dat wordt gestuurd naar recensenten en iedereen die mogelijk een pakkende uitspraak wil doen om op de omslag van de echte, later te drukken uitgave te zetten. 'Uitermate inzichtelijk, koel ironisch,' Wayne Rooney; 'Een duizelingwekkende, overdonderende, nagelbijtende rollercoaster,' Iris Murdoch; 'Met de billen bloot: Bukowski beurtelings genomen door Burroughs en Gibson en dit is zijn bastaardkind, Ann

Widdecombe' – dat soort teksten. Tegenwoordig is er een veiling-site voor de ingebonden drukproeven van bekende auteurs, maar halverwege de jaren tachtig was het gewoon een dik pak overtollig papier dat werd weggegooid zodra het was gelezen en gerecenseerd. Tegenwoordig maken e-mail, pdf, eBook en iPad korte metten met het tijdperk van de drukproef, net als met het tijdperk van de motorkoerier trouwens. In de jaren tachtig kwamen er in elk tele-foontje tussen uitgever en journalist, agent en cliënt, producer en tekstschrijver, advocaat en advocaat zinnetjes voor als: 'Ik stuur wel een koerier langs', 'Stuur maar een koerier, dan teken ik en gaat het meteen mee terug', en 'Is het klein genoeg voor op de motor, of laat ik een taxi komen?'. Halverwege de jaren tachtig zoemde en gromde het in Londen van de 550cc Honda's en Kawasaki 750's die om je heen zwierden en zwaaiden, je buitenspiegels eraf reden, stonden te loeien bij de stoplichten en als duivelse desperado's de burgerij de stuipen op het lijf joegen.

Ik wijk even af van mijn pad voor een onthullend verhaal dat een vriendin me rond die tijd vertelde. Haar tante was opgenomen in het Moorfields Eye Hospital, waar ze een hoornvliestransplantatie, staaroperatie of iets dergelijks zou ondergaan, geen heel bijzondere oogheelkundige ingreep, maar wel delicaat. Ze lag zich net af te vragen hoe het ervoor stond toen de specialist binnenkwam.

'Zo, Miss Tredway, hoe is het met u? Hebben ze u de operatie uitgelegd? We gaan het volgende doen: we halen die lelijke troebele oude lens eruit en zetten er een fonkelnieuwe donorlens voor in de plaats. Het punt is alleen dat we momenteel geen donorlens heb-ben.'

'O.'

'Maar maakt u zich geen zorgen, hoor.' Hij liep naar het raam en keek uit over de City Road. 'Het regent, dus dat is zo gepiept.'

Je weet dat er iets scheef zit als een arts je absoluut kan garanderen dat als de wegen glad zijn, ergens in de stad een motorkoerier met zekerheid een ongeluk zal krijgen en er even later een vers, gezond paar jonge ogen met spoed in een koelbox op weg is naar de operatiekamer. Met grote waarschijnlijkheid een koelbox achter op een motorfiets…

Goed, dat was het Londen van de jaren tachtig, vóór de fax en vóór internet. Koeriers en auto's deden het werk, en het was materie in de vorm van massieve atomen, en niet zozeer in de vorm van massaloze elektronen, die van A naar B moest worden vervoerd.

Maar ik zou u vertellen over Het Gedrocht. Het was onvermijdelijk dat er vroeg of laat een einde aan mijn carrière als literair criticus zou komen. Ik opende het pak van de koerier (hè jongens, toe zeg) en trof een boek aan waar niets goeds over te zeggen viel.

'Als je niks aardigs kunt zeggen, zeg dan niks,' is het adagium van menige moeder, en zoals altijd is hun raad het overdenken waard. Het probleem ontstaat wanneer, zoals eerder vermeld, het venijn de ziel is binnengedrongen en alle hartelijkheid, mededogen en medemenselijkheid heeft verjaagd.

Ik zal me onthouden van het noemen van namen en titels, maar Het Gedrocht was het boek dat een valse etter van me maakte. Ik scherpte mijn pen, doopte hem in het meest bijtende goedje dat voorhanden was en ging er eens goed voor zitten. Net zoals een mooi mens mooi is in alle onderdelen – haar, neus, enkels, wimpers en hals – zo lijkt een slechte schrijver slecht in alle onderdelen, van stijl en syntaxis tot morele insteek en geestelijke waarden. Er zullen mensen zijn die bij het lezen van dit boek tot dezelfde conclusie komen, hoewel ze het boek dan waarschijnlijk al walgend hebben neergegooid voordat ze tot hier waren gekomen. Tenzij ze het natuurlijk lezen om het te recenseren, in welk geval ik reden heb tot huiveren. Althans, mijn moeder, want ik lees geen recensies.

Ik had misschien kunnen hopen dat de naamloze schrijver van

het naamloze boek waar ik zo genadeloos op inhakte mijn recensie niet heeft gelezen, maar ik weet toevallig dat het wel zo is. O, zeker, mijn recensie was geestig, vernietigend en – voor iedereen die het stuk heeft gelezen – onaanvechtbaar overtuigend en onweerlegbaar terecht. Ik haalde tekstfragmenten aan waarmee ik de arme auteur met zijn of haar eigen woorden om de oren kon slaan, ik trok zijn of haar verstand, gevoel en intellect in twijfel. Ik 'bewees' dat het boek niet alleen slecht maar ook verdorven was, niet slechts onvolmaakt maar ook opportunistisch, eng en het spoor bijster. Dit alles meende ik oprecht. Het was echt een afschuwelijk product, dat boek. Was het onhandig en onbekwaam maar goed bedoeld en onberispelijk van karakter geweest, dan had ik het vast met rust gelaten. Maar omdat het Het Gedrocht was, kon niets het redden en liet ik me geheel gaan. Nu moet ik niet overdrijven. Er zijn die week namelijk nog veel slechtere kritieken over dat boek en andere boeken geschreven, er worden wekelijks nog veel venijniger en negatiever stukken over boeken geschreven. Desalniettemin zal mijn recensie iedereen die het las hebben doen huiveren en met de auteur doen medeleven. Waarom zaag ik zo door over dit boek en mijn recensie ervan?

In een lang leven waarin ik een heel oeuvre aan de kritische blikken van het publiek heb geoffreerd, heb ik zelf ook de nodige negatieve kritieken gehad. Ik lees ze niet meer, en mijn vrienden zijn zo verstandig om me niet te troosten (of een enkele keer te feliciteren) naar aanleiding van een recensie die ik nooit zal lezen. Maar al die jaren dat ik het niet kon laten om recensies van mijn werk te lezen, en ik me belaagd en verlaagd en compleet onderuitgehaald voelde door de onbeschaafdheden of wrede scherpzinnigheden aan mijn adres, heb ik me nog voor geen tiende zo chronisch ellendig gevoeld als in de weken na de publicatie van mijn aanval op Het Gedrocht. Ik lag 's nachts wakker en stelde me zijn of haar reactie voor. Mijn laffe inborst stelde zich voor dat ik op een dag, juist als ik het niet verwachtte, zou worden opgewacht door de nu geheel ontspoorde en nooddruftige ex-auteur en dat me een liter vitriool in het gezicht zou worden gegooid uit wraak voor de liter virtueel vitriool die ik over de auteur had uitgestort. Op minder egocentrische momenten stelde ik me zijn of haar ellende en vernedering voor en voelde ik me een ontzettend lompe hork. Waar haalde ik het recht vandaan iemand ongelukkig te maken? Waar bemoeide ik me mee, dat ik zijn of haar onhandige formuleringen of foute redeneringen tegen het licht dacht te kunnen houden? Waar, met andere woorden, was ik in godsnaam mee bezig?

Er zijn genoeg recensenten en critici die je zullen vertellen dat als iemand ervoor kiest een werk aan te bieden om eraan te verdienen, het publiek moet worden gewaarschuwd voordat het een uitgave doet die niet meer terug te draaien is. Als jullie, schrijvers en artiesten, daar niet tegen kunnen, moet je er niet aan beginnen. Waarom, vervolgen ze, soepel de zaak omdraaiend, zouden beoefenaars van toneel, literatuur, film, televisie of elke andere vorm van kunst gevrijwaard moeten zijn van een kritisch oordeel? Mogen ze slechts worden geloofd en geprezen, vertroeteld en verwend, bejubeld en bedankt?

Ik kan niets weerleggen van deze en andere overtuigende pleidooien die apologeten van kritiek uit hun mouw schudden. Er zijn allerlei reacties en attitudes die het ambacht en de praktijk van het recenseren rechtvaardigen, maar geen daarvan – maar dan ook niet één – houdt zich bezig met de vraag hoe je jezelf in de ogen kunt kijken als je verdorven vernuft, je schrandere inzichten en je minachtende meningen iemand hebben gekwetst, als ze maken dat iemand zich in slaap moet huilen. Of erger nog: hoe kun je jezelf in de ogen kijken wanneer je beseft dat je het soort mens bent geworden dat het niet eens iets kan schelen dat hij pijn, leed, desillusie en verlies van zelfrespect veroorzaakt bij mensen die alleen maar hun brood proberen te verdienen.

Het is zwak, het is slap, het is waarschijnlijk verraad aan alles waar het literaire ethos van Cambridge, van Leavis tot Kermode, voor staat, maar ik hecht minder aan artistieke normen, literaire waarden, esthetische echtheid en kritische oprechtheid dan aan andermans gevoelens. Of aan mijn eigen gevoelens, moet ik misschien zeggen, want ik kan niet tegen het gevoel dat ik iemand heb gekrenkt of dat ik vijanden heb. Het ís zwak, het ís slap, maar zo is het nu eenmaal. Om die reden was het een opluchting toen Alan Coren de *Listener* overnam en voorstelde dat ik het recenseren de rug zou toekeren en in plaats daarvan elke week een column zou bijdragen over algemene onderwerpen die me aanspraken. Vanaf toen heb ik alleen ingestemd met het recenseren van een boek, film of televisieprogramma als er aan één voorwaarde was voldaan, namelijk dat de uitgever die me dat vroeg begreep en accepteerde dat de recensie positief zou zijn, of dat het artikel niet doorging als het product zo slecht was dat zelfs ik er niets aardigs over kon schrijven. Zo fijngevoelig ben ik niet als het gaat om aardig zijn over digitale dingetjes, smartphones en randapparatuur voor de computer, maar daar zit meestal een bedrijf achter en geen persoon. Maar mocht ik ooit horen dat de ontwerpers van een camera of de schrijvers van een nieuw stuk software in huilen waren uitgebarsten omdat ik iets gemeens had gezegd, dan zou ik vermoedelijk ook meteen stoppen met mijn gadgetrecensies.

Vóór alles weiger ik iets onaardigs te zeggen over het werk van vrienden. Ik geef geen zier om mijn literaire integriteit, maar vriendschap is me heilig. Nu ik u dit vertel, geef ik u natuurlijk de kans – zo u dat wilt – om de flapteksten en -citaten van mijn hand op boeken van voor mij bekende schrijvers op te diepen en te speculeren dat ik met 'Geniaal, huiveringwekkend, steken-in-de-zij geestig' in feite misschien bedoelde 'Gruwelijk, horribel, aarslekkend incompetent'. U zult het nooit weten.

Een van Alan Corens favoriete universiteitsverhalen staat ook hoog op mijn lijstje. Het gaat over een don die vaak wordt aangezien voor sir Arthur Quiller-Couch, die grote besnorde edwardiaanse nestor der letteren, auteur van avonturenverhalen voor kinderen en als 'Q' verantwoordelijk voor de prachtige uitgaven van het *Oxford Book of Verse*. Volgens de anekdote verwelkomde hij een nieuwe Fellow in de Senior Combination Room op Jesus, het college in Cambridge waar hij de laatste dertig jaar van zijn leven bivakkeerde.

'We vinden het prachtig dat u hier bent,' zei hij en hij sloeg een arm om de schouder van de jongeman. 'Maar één advies: niet slim proberen te zijn. Dat zijn we hier allemaal. Probeer alleen maar aardig te zijn, een beetje aardig.'

Zoals bij al zulke universiteitsverhalen wordt ook dit aan verschillende mensen toegeschreven en is het waarschijnlijk nooit echt gebeurd. Maar zoals de Italianen zeggen: *se non è vero, è ben trovato* – als het niet waar is, is het toch goed bedacht.

Nog een jaar schreef ik een wekelijkse column voor de *Listener*. Mijn ruikwerk bij *Tatler* duurde maar een paar maanden; toen besloten Boxer en ik met wederzijdse instemming uiteen te gaan: de woordspelingen bedreigden mijn geestelijke gezondheid. Intussen rammelde ik voor elk blad dat het vroeg lustig door op mijn toetsenbord. Er leek een bijna onbeperkte vraag naar me te zijn en zolang ik mijn persoonlijke recensieregels niet hoefde te overtreden, was alles in orde.

Consequent Celibatair

Hoe is het allemaal begonnen? Waarom pikten de bladenmensen mij er überhaupt uit? Wat bracht Mark Boxer ertoe contact met me te zoeken? Waarom benaderde Russell Twisk me? Nou, het is mogelijk dat ik mijn journalistieke loopbaan, wat die ook voorstelt, te danken heb aan een man met de naam Jonathan Meades. Als u naar goede televisie kijkt, weet u wie ik bedoel. Hij draagt antracietgrijze pakken en een zonnebril en praat briljant over architectuur, eten en hoge en lage cultuur. Hij was jarenlang restaurantcriticus van *The Times* en velen vinden hem, met alle respect voor Giles Coren en diens generatie, op dat gebied onovertroffen. Halverwege de jaren tachtig had hij een functie bij *Tatler*, 'redacteur hoofdartikelen' heet het geloof ik. Op een of andere manier kreeg hij mijn telefoonnummer te pakken, misschien via Don Boyd, die iedereen kende.

'Neem me niet kwalijk dat ik je zomaar bel,' zei hij. 'Ik ben Jonathan Meades en werk voor *Tatler*. Het kan zijn dat ik je nummer heb gekregen van Don Boyd, die kent iedereen.'

'Hallo, wat kan ik voor je doen?'

'Ik ben bezig met een artikel waarin mensen schrijven over wat ze níét doen. Gavin Stamp vertelt ons bijvoorbeeld waarom hij geen auto rijdt, en Brian Sewell doet een stukje over nooit op vakantie gaan. Ik vroeg me af of jij misschien een bijdrage zou kunnen leveren.'

'Goh. Eh...'

'Is er iets wat jij niet doet?'

'Hmm.' Ik zocht koortsachtig in de uithoeken van mijn brein. 'Ik kan helaas niets bedenken. Nou ja, ik wurg geen jonge katjes en ik verkracht geen nonnen, maar ik neem aan dat het gaat om dingen die...'

'… om dingen die je níét doet die het gros van de mensheid wél doet. Niets?'

'Wacht!' Er schoot me opeens iets te binnen. 'Ik doe niet aan seks. Zou dat meetellen, denk je?'

Er volgde een stilte die me deed afvragen of de verbinding verbroken was.

'Hallo?… Jonathan?'

'Vrijdagmiddag, vierhonderd woorden. Ik kan je niet meer bieden dan tweehonderd pond. Afgesproken?'

Ik begrijp nog steeds niet goed waarom ik mijn lichaam zo lang een seksueel samengaan met een ander lichaam heb onthouden. Kim en ik waren in Cambridge en ongeveer een maand daarna partners in de volle en juiste betekenis van het woord geweest. Daarna was ik steeds minder in seks geïnteresseerd geraakt terwijl Kim een meer gangbare en volwaardige erotische ontwikkeling doormaakte en inmiddels een nieuwe partner had, Steve, een knappe Grieks-Amerikaan. Kim en ik hielden nog steeds van elkaar en woonden nog altijd samen in Chelsea. Hij had Steve en ik… ik had mijn werk.

Als ik al een verklaring heb voor mijn celibaat, dat in 1982 begon en pas in 1996 eindigde, luidt die dat werk in mijn leven de plaats van al het andere innam. Welk effect de veelvuldige verwijderingen van scholen, maatschappelijk en academisch falen en de ultieme vernedering van een gevangenisstraf ook op me mogen hebben gehad, ik denk dat mijn ontsnapping op het laatste nippertje naar Cambridge en de ontdekking dat er werk was dat ik aankon en goed deed me aanzette tot een orgie van geconcentreerd werken waarvan ik me niet kon en wilde laten afleiden, zelfs niet door het idee van bevrediging op seksueel of romantisch gebied. Waarschijnlijk waren carrière, concentreren, creëren en committeren mijn nieuwe drugs geworden.

Werk kan een verslaving zijn. De liefde ervoor kan gezinnen ont-wrichten, een obsessie worden die je omgeving verveelt, irriteert, beledigt en bezorgd maakt. We weten allemaal dat drugs, alcohol en tabak Slecht zijn, maar werk, zo leert onze opvoeding ons te ge-loven, is Goed. Het gevolg is dat de wereld wemelt van de gezinnen die kwaad zijn omdat ze worden verwaarloosd, en van de kostwin-ners die nog kwader zijn omdat de lange werkdagen die ze maken onvoldoende worden gewaardeerd. 'Ik doe het voor jullie!' roepen ze. Werk mag dan brood op de plank brengen, maar iedereen weet dat harde werkers het voor zichzelf doen. De meeste kinderen van workaholics hebben liever wat minder geld en wat meer aandacht van hun ouders.

Al binnen een jaar na Cambridge spraken familieleden en vrien-den over mijn onvermogen het woord 'nee' te gebruiken. Al snel hoorde ik mezelf omschreven worden als een workaholic. Kim gaf de voorkeur aan het woord 'ergomaan', deels omdat hij classicus is en deels, vermoed ik, omdat de term 'manisch' beter uitdrukking gaf aan de bezetenheid waarmee ik me op elke opdracht stortte. Tot op heden word ik er geregeld door mensen op gewezen dat ik niet overal ja op hoef te zeggen en dat er zoiets bestaat als vrije dagen. Ik geloof ze niet, natuurlijk niet, hoe vaak ze me ook verzekeren dat het echt zo is.

De vraag die zich, uiterst verontrustend, steeds weer opdringt, is of mijn productiviteit, mijn alomtegenwoordigheid en nou ja… mijn hoerige arbeidsverleden me hebben weerhouden alles eruit te halen wat er, zoals dat in de wereld van vaders, leraren en volwas-senen in het algemeen wordt genoemd, In Me Zit. Hugh en Emma, om mijn meest voor de hand liggende tijdgenoten te noemen, zijn nooit zo slordig, verkwistend en onbezonnen met hun talenten omgegaan als ik. Daarmee wil ik zeggen dat zij altijd meer aan-leiding hebben gehad om in hun talenten te geloven dan ik in de mijne. Maar ik wil ook zeggen dat ik meer lol heb gehad dan zij en dat:

Als de Grote Scoreteller Komt
En al je punten telt,
Noteert hij niet winst of verlies,
Maar je vreugde in het spel.

Dat is allemaal goed en wel, en ik wil dan wel alles zeggen, maar ik weet niet zeker of het ook per se waar is. Ik ga niet zo ver om te beweren dat ik elke avond bij het slapengaan mijn verspeelde mogelijkheden beween. 'Elke avond' zou overdreven zijn. Maar ik zie wel een vaak terugkerend beeld.

Ik drijf aan het oppervlak van een grote watervlakte: het verloop van mijn leven wordt uitgebeeld als een afdaling naar de zeebodem. Terwijl ik omlaag zink, klamp ik me vast aan en steek ik mijn handen uit naar vage maar verleidelijke beelden die de roeping van schrijver, acteur, komiek, filmregisseur, politicus of wetenschapper voorstellen, maar ze kronkelen en deinen flirterig buiten mijn bereik, of liever gezegd: ik ben eerder te bang om naar voren te schieten en een ervan aan mijn borst te drukken. Doordat ik bang ben om me op één ding vast te leggen, leg ik me nergens op vast en kom ik leeg en onbevredigd op de bodem aan. Het is een zelfverheerlijkende, treurige en absurde spijtfantasie, ik weet het, maar eentje die vaak opduikt. Ik klap het boek dicht dat ik op dat moment in bed lig te lezen, en dezelfde film ontrolt zich keer op keer in mijn hoofd voordat ik eindelijk inslaap. Ik weet dat ik de naam heb intelligent en uitgesproken te zijn, maar ik weet ook dat iedereen zich afvraagt waarom ik niet meer met mijn leven en mijn talenten heb gedaan. Twaalf ambachten en dertien ongelukken. Tijdens mijn opgewektere momenten ben ik innig tevreden, want ik weiger bij de bovenmeester op het matje te komen en diens wijze hoofdschudden en 'Stephen moet beter zijn best doen' te ondergaan. Zo'n houding is grotesk, onbeschaamd en irrelevant. 'Kan beter' is een loze conclusie. 'Kan gelukkiger' is de enige die telt. Ik heb vijfmaal meer kansen en ervaringen gehad dan de meesten gegund is, en als het resultaat voor het nageslacht een teleurstelling is, nou, dan kan het nageslacht me wat. Op mijn minder opgewekte momenten ben ik het natuurlijk geheel eens met de oordelen van de hoofdschudders en de opmerkingen op het schoolrapport. Wat een verspilling. Wat een stompzinnige, zelfzuchtige, indolente en schandelijke verspilling is mijn leven geweest.

Het is niet per se contra-intuïtief, maar misschien ligt het niet direct voor de hand erop te wijzen dat het heel wat hoogmoediger van me is mijn leven te bewenen als een verspilling dan min of meer tevreden te zijn met hoe het gelopen is. Spijt over het feit dat ik weinig heb bereikt, suggereert dat ik werkelijk geloof dat ik de capaciteiten had om, als ik me op één ding had toegelegd, een grote roman te schrijven of een groot acteur, regisseur, toneelschrijver, dichter of staatsman te worden, of wat ik verder ook in mijn mars had gehad. Of ik nu de capaciteiten heb een van die dingen te worden of niet, ik weet wel dat me de ambitie, het concentratievermogen, de focus en vooral de wíl ervoor ontbreken, en dan zijn zulke talenten even onbruikbaar als een motor zonder brandstof. Wat niet wil zeggen dat ik altijd lui of zonder ambitie ben. Je zou kunnen zeggen dat ik goed ben in tactiek maar beroerd in strategie, blij te kunnen zwoegen op wat ik voor mijn neus heb, maar niet in staat tot een visie voor de lange termijn, tot vooruit plannen en in de toekomst te kijken. Een goede golfer, zegt men, moet zijn slag voor ogen hebben voordat hij de bal richt om af te slaan. Mijn hele leven is een avontuur, afslaan en het beste ervan hopen.

Maar seks. Ja, ik vrees dat we naar de seks terug moeten. We hadden het over die opdracht voor *Tatler*. Ik schreef het artikel voor Jonathan Meades, schetste mijn afkeer van het feit dat ik door de natuur was gestraft met een hardnekkige aandrift tot gerommel in de 'klamme, duistere, vunze en weerzinwekkend begroeide delen van het menselijk lichaam die de hoofdschotel vormen van het banket der liefde' en mijn gevoel dat het maar een vernederend, walgelijk en vermoeiend gedoe was. Ik suggereerde dat een leven zonder seks en zonder de aanwezigheid van een partner tal van voordelen had. Een celibatair leven bood ruimte voor productiviteit, onafhankelijkheid en de opluchting vrij te zijn van de druk tegemoet te moeten komen aan andermans wil en verlangens; bevrijd van de vernederende verplichtingen van het erotisch samenzijn kon je een nieuw en beter leven leiden. Seks was overschat gehannes. 'Bovendien,' zo bekende ik aan het slot van het artikel, 'ben ik er, vrees ik, niet erg goed in.'

Het stuk werd in diverse kranten in zijn geheel of gedeeltelijk geciteerd en overgenomen, en in de twaalf jaar daarna kwam het maar zelden voor dat dit specifieke C-woord niet met mij in verband werd gebracht, net als het woord macrobiotisch met Gwyneth Paltrow en tantrisch met Sting. Met Cliff Richard en Morrissey werd ik een van de zonderlinge uithangborden van het celibaat. Gedragsdeskundigen, presentatoren van praatprogramma's en interviewers zouden me de jaren daarna geregeld vragen of ik ermee omhoog zat, haha, of ik seksuele onthouding als levenswijze zou aanraden en hoe ik de eenzaamheid van het single-zijn bestreed. Ik had met dit artikel een stok geproduceerd om mezelf te slaan, maar toch heb ik er nooit spijt van gehad. Het was min of meer, voor zover die dingen dat ooit zijn, echt waar. Ik vónd de kwestie 'eros' lastig en gênant. Ik genóót van de onafhankelijkheid en de vrijheid die ik kreeg door ongebonden te zijn en ik wás bang dat ik niet erg goed in seks was. Moet ik mijn grote angst voor afwijzing of mijn lage gevoel van fysieke eigenwaarde dan ontkennen?

Met elk jaar dat verstreek werd de kans dat ik ooit een volwaardige relatie zou krijgen kleiner. Ik voelde mijn geringe bedrevenheid in de liefde steeds verder tanen en had er steeds minder vertrouwen in dat ik ooit nog een partner zou vinden, gesteld dat ik er een zou willen. Er was gewoon zoveel te doen. Ik was in Londen aan het repeteren, zou dan naar Chichester te gaan om aan *Forty Years On* te beginnen, ik werkte aan *Me and My Girl,* ik timmerde journalistiek aan de weg en zette enthousiaste schreden in nog weer een ander medium: de radio.

Causerieën en de Corporation

Al zolang ik me kan herinneren ben ik dol op radio, vooral het soort praatradio dat alleen de BBC Home Service, later Radio 4 biedt. Mijn hele slapeloze jeugd door luisterde ik de hele dag tot aan het volkslied, waarna ik afstemde op de BBC World Service. 'Engeland heeft me gemaakt,' zegt Anthony Farrant tegen zichzelf in de roman van Graham Greene. Engeland heeft ook mij gemaakt, maar dan een Engeland dat werd uitgezonden op de lange golf 1500-meterband.

Ik schreef het volgende als begin van een artikel over de World Service voor het blad *Arena.*

BBC World Service. Het nieuws, gelezen door Roger Collinge... De warme, bruine tonen sijpelen uit Bush House als honing uit een pot: vol en sonoor op de lange en middengolf voor de binnenlandse luisteraars of helder en sissend op de korte golf voor honderd miljoen Engelssprekende luisteraars elders ter wereld voor wier genoegen het signaal door de ether van steunzender naar steunzender wordt gekaatst, dwars door ionosfere stormen en het lomp voordringende verkeer van honderd-duizend opdringerige buitenlandse zenders, om knisperend fris op de tropische veranda te belanden. De World Service, de bakelieten toegang tot de wereld van Sidney Box, Charters en Caldicott, Mazzawattee-thee, Kennedy's Latin Primer en donkere, glimmende straten. Een Engeland dat nooit heeft bestaan, de lucht in getoverd met niets meer dan accenten, marsmuziek en een meiotische, quasi-verontschuldigende stijl die in zijn onoprechtheid verwaander en onbeschaamder is dan Disney-land. Een Mary Poppins-zender, smaakvol in zijn saaie gestrengheid, vrolijk in zijn strakke routine en onuitputtelijke vindingrijkheid: een twinkelende bulderbas die onze diepste fantasie vervult door simpel-weg te blijven, ook al waait er reeds lang een andere wind. O, ik ben er dol op…

Ik wist toentertijd vast wat ik bedoelde met de 'onoprechtheid' van de World Service, maar toch adoreerde ik de radio meer en achtte ik hem hoger dan de televisie. De mengelmoes van humor, nieuws, documentaires, hoorspelen, magazines, panelspelletjes en spitsvondige discussies van Radio 4 is uniek en is voor een groot deel bepalend geweest voor mijn opvattingen en gedrag. Ik ben op-gegroeid met het geluid van warme, zelfverzekerde en bedaard ge-zaghebbende BBC-stemmen die de stof van de speakerfronten van de buizenradio's van Bush, Ferguson, Roberts en Pye lieten trillen. Een van mijn allervroegste herinneringen is dat ik in ons huis in Chesham onder mijn moeders stoel zit terwijl zij op haar schrijf-machine tikt en op de achtergrond personages uit *The Archers* over melkvee kibbelen. *My Music, My Word!, A Word in Edgeways, Stop the Week, Start the Week, Any Answers, Any Questions, Twenty Questions, Many a Slip, Does the Team Think?, Brain of Britain, From*

Our Own Correspondent, The Petticoat Line, File on Four, Down Your Way, The World at One, Today, PM, You and Yours, Woman's Hour, Letter from America, Jack de Manio Precisely, The Men from the Ministry, Gardener's Question Time, The Burkiss Way, The Jason Explanation, Round Britain Quizz, Just a Minute, I'm Sorry I Haven't a Clue, Desert Island Discs en honderd andere hoorspelen, comedy's, quizzen en themaprogramma's hebben me vanaf mijn jongste jaren vermaakt, verbaasd, verrijkt, razend gemaakt, geïnformeerd en in vuur en vlam gezet. Mijn stem heeft, denk ik, meer te danken aan de BBC-microfoon en de stoffige, traag opwarmende Mullard-buizenradio dan aan de stembuigingen en intonaties van mijn familieleden, vrienden en schoolgenoten. Zoals in mijn schrijfstijl (als stijl het juiste woord is) het met smaak verorberde oeuvre van Wodehouse, Wilde en Waugh terug te vinden is, zo zijn de intonaties van John Ebden, Robert Robinson, Franklin 'Jingle' Engelmann, Richard 'Stinker' Murdoch, Derek Guyler, Margaret Howard, David Jacobs, Kenneth Robinson, Richard Baker, Anthony Quinton, John Julius Norwich, Alistair Cooke, David Jason, Brian Johnston, John Timpson, Jack de Manio, Steve Race, Frank Muir, Dennis Norden, Nicholas Parsons, Kenneth Williams, Derek Nimmo, Peter Jones, Nelson Gabriel, Derek Cooper, Clive Jacobs, Martin Muncaster en Brian Perkins in mijn brein en wezen doorgedrongen, en wel zodanig – net als verontreiniging met zware metalen in haar en huid en nagels en weefsel terechtkomt – dat ze zowel fysiek als emotioneel en intellectueel een deel van me zijn geworden. Ieder van ons is de som van ontelbare invloeden. Ik zou graag geloven dat Shakespeare, Keats, Dickens, Austen, Joyce, Eliot, Auden en de grote en nobele kopstukken van de literatuur hun invloed op me hebben gehad, maar in feite waren ze niet meer dan verre ooms en tantes, goed voor een briefje van vijf met Kerstmis en een boekenbon voor mijn verjaardag, terwijl Radio 4 en de BBC

World Service mijn vader en moeder waren, elke dag aanwezig en een constant voorbeeld.

Ik heb vanaf mijn jongste jaren geloofd dat ik met alle plezier mijn hele leven bij de radio zou willen werken. Al was ik maar omroeper of presentator van een of ander programma, dan zou ik al gelukkig zijn. Mijn hekel aan mijn gelaatstrekken en lichaamsbouw droeg bij aan die ambitie. Ik had, zoals het afgezaagde grapje zegt, een goed gezicht voor de radio. Omroepers en presentatoren hoeven geen make-up en keurige pakken. Voor iemand die geloofde dat elke poging tot verfraaiing slechts de aandacht op mijn vervloekte onvolkomenheden zou richten, leek een leven achter de microfoon de volmaakte loopbaan. Voor mij was een bestaan in de ether een stuk realistischer dan een irrationele carrière in de schijnwerpers.

Mijn eerste bezoek aan Broadcasting House, het gebouw van BBC Radio op Portland Place, vond al plaats in 1982, toen ik een verslaggever speelde voor een programma op Radio 1 dat, dacht ik, *B15* heette. De studio's in de kelder waren allemaal nummer *Bx*, en het staat me niet meer bij wat de waarde van de *x* was die het programma zijn naam gaf. In de korte tijd dat het liep, werd *B14* of *B12* of hoe het ook mag hebben geheten, gepresenteerd door David 'Kid' Jensen, een aimabele Canadese discjockey die, volgens een vriend van me die daar erg kien op is, vooral bekend was als de minst aanstootgevende presentator in het lange leven van *Top of the Pops*. Mijn personage in *B-huppeldepup*, Bevis Marchant, had zijn eigen onderdeeltje genaamd *Beatnews*, een nogal evidente parodie op het pseudo-urgente, triviale en verwaten *Newsbeat*. Ik zat er net twee weken toen Margaret Thatcher een troepenmacht uitzond om de Falklandeilanden te heroveren, en een week later werd ik uit de lucht gehaald. Mijn parodie op Brian Hanrahan en anderen werd als tactloos beschouwd. Ik schreeuwde boven het geluid van een elektrische slagroomklopper in een emmer uit om het geluid na te bootsen van een live reportage vanuit een helikopter. Ik dreef slechts de spot met de pompeuze, quasi-stoere manier van verslaggeven en deed niet alsof het gevaar waarin de soldaten verkeerden niets voorstelde, maar dat is voor domme mensen altijd te ingewikkeld om te kunnen onderscheiden. Het was oorlog, ik probeerde leuk te zijn, dus minachtte ik de opofferingsgezindheid en moed van de soldaten. Mijn luchthartigheid stond gelijk aan verraad en daar moest een eind aan komen. Ik denk dat ik me er nu meer kwaad over maak dan toen. Gewichtigdoenerij en verontwaardiging groeien met het klimmen der jaren, net als neusharen en oorlellen.

Kort na *Beatnews* nam een producer van de bbc, Ian Gardhouse, contact met me op: of ik wilde meewerken aan een Radio 4-programma van hem met de titel *Late Night Sherrin*. Ned Sherrin was een bekende programmamaker die zijn leven was begonnen als televisieproducer, eerst bij Val Parnells atv en daarna bij de bbc. Zijn meest vermaarde prestatie in die fase van zijn leven was *This Was the Week That Was*, meestal tw3 genoemd, het live-comedy-programma dat aan de wieg stond van een hausse in satire en door David Frost was gelanceerd. Daarna had Nedwin, zoals ik hem het liefst noemde, de wereld verblijd met *Up Pompeii!, Side by Side by Sondheim* en een rits samenwerkingsprojecten met Caryl Brahms en anderen. Hij had rechten gestudeerd en stond bekend om zijn liefde voor Tin Pan Alley, vette roddels en bevallige jongelingen. Hij had gestudeerd aan Exeter College in Oxford, maar voor die tijd had hij op het onderwijsinstituut gezeten met de aller-, allerheerlijkste naam in de hele wereldgeschiedenis: Sexey's School in Somerset.

Ik mocht Ned vanaf het eerste moment. Hij was als een strenge tante die gaat giechelen en gek doen als ze een slokje te veel op heeft. Het idee achter *Late Night Sherrin* was dat er een speciale gast van de week kwam die door Ned en een verzameling jonge, spitse types, onder wie ik, zou worden geplaagd en in de tang genomen. Ned noemde ons zijn 'jonge honden'. *Late Night Sherrin* ging, om redenen die mij noch Ian Gardhouse bijstaan, over in *And So to Ned*. Het waren beide liveprogramma's laat op de avond. De normale gang van zaken was dat we elkaar voor een licht souper troffen in het St. George Hotel vlak bij Broadcasting House. De reden hiervoor was volgens Ian dat hij en Ned dan een oogje op de gast van de week konden houden om te zorgen dat die redelijk nuchter bleef, een strategie die bij Daniel Farson en Zsa Zsa Gabor tumultueus mislukte.

Na het korte bestaan van *And So to Ned* volgde *Extra Dry Sherrin*, waarvan de formule, voor zover ik me kan herinneren, niet verschilde van de andere: misschien was er livemuziek of juist geen livemuziek of waren er drie gasten in plaats van twee. *Extra Dry Sherrin* liep één seizoen, waarna Ian me verwelkomde in een nieuw, Sherrinvrij liveprogramma van honderd minuten genaamd *The Colour Supplement*. Zoals de naam suggereert was dit een 'zondagsmagazine' met een verscheidenheid aan artikelen waarvan ik er in alle vrijheid een mocht maken en vormgeven. Elke week hield ik een soort monoloog als steeds een ander personage: een makelaar in onroerend goed, een architect, een journalist... en nog meer die me niet meer bijstaan. Hun achternaam was meestal ontleend aan dorpen in Norfolk; zo herinner ik me een Simon Mulbarton, een Sandy Crimplesham en een Gerald Clenchwarton.

Het was spijtig dat de aangeboden wedde bewees dat de rest van de wereld de radio niet echt hoog achtte. Als jongen had ik Kenneth Williams en anderen met komisch trillende stem horen jeremiëren over de schandalig verwaarloosbare beloning die voor hun diensten werd geboden en ik ontdekte al snel dat, vergeleken met haar drieste jongere broer, Televisie, freule Radio inderdaad een uiterst karig en verpauperd bestaan leidde. Het heeft me nooit bekommerd: ik zou het voor niets hebben gedaan, maar het was wel eens moeilijk Richard Armitage ervan te overtuigen dat de uren die ik besteedde aan het schrijven van monologen voor de radio, meedoen aan satirische programma's en hoorspelen en als gast optreden in panelspelletjes geen tijdverspilling was of, zoals hij scheen te denken, beneden mijn waardigheid. Radio is het arme familielid van televisie waar het financiële overwegingen betreft, maar het rijke in waar het echt om gaat: diepgang en intimiteit.

De schrijver Tony Sarchet en producer Paul Mayhew-Archer vroegen me voor de rol van een ijverige onderzoeksjournalist genaamd David Lander in *Delve Special*, een nieuwe comedyserie waar ze aan werkten. Het was in wezen een parodie op *Checkpoint*, het razend populaire programma van Radio 4 waarin de dappere Nieuw-Zeelander Roger Cook elke week een ander geval van oplichting, bedrog of zwendel onderzocht. Het eerste deel van het programma was dan een opsomming van de ellende van de ongelukkigen die waren uitgebuit of bestolen: het kon zijn dat hun huis was vernield door duur maar ondeskundig aangebracht sierpleisterwerk, ze waren er ingeluisd bij de aankoop van een niet-bestaande timeshare villa, ze hadden hun spaargeld belegd in... De manieren waarop onschuldige lammeren door gemene boeven ter slachtbank werden geleid waren legio. De confrontaties met deze laatste categorie bij hun voordeur vormden het tweede en onweerstaanbaar leukste deel van het programma. Cook was erom vermaard dat hij werd weggehoond, beledigd, gestompt en zelfs gemolesteerd door de boze doelwitten van zijn onthullingen. *Delve Special* hoefde de verhalen, geleverd door *Checkpoint* en de opvolger daarvan, *Face the Facts* van John Waite, nauwelijks te overdrijven. In de loop van drie jaar produceerden we vier reeksen, en toen Roger Cook naar de televisie overstapte, stapten wij met hem mee. We verschenen zesmaal op Channel 4 als *This Is David Lander*, waarvoor ik een monsterlijke blonde pruik droeg. Toen ik zo veel werk kreeg dat ik niet meer aan een tweede reeks kon meedoen, nam Tony Slattery mijn plaats in en kreeg het programma als titel *This Is David Harper*.

Een van de leukste kanten van het radiowerk voor *Delve*, afgezien van het niet hoeven dragen van een pruik of niet te hoeven inzitten over mijn uiterlijk, was mijn samenwerking met de gasten die de slachtoffers en de boeven speelden. Brenda Blethyn, Harry Enfield, Dawn French, Andrew Sachs, Felicity Montagu, Jack Klaff, Janine Duvitski en vele anderen kwamen naar de studio en lieten zich van hun briljantste kant zien. Eigenlijk is 'naar de studio' niet geheel juist. Teneinde auditieve echtheid te bereiken pootte Paul Mayhew-Archer ons vaak op straat, op het dak van Broadcasting House, in bezemkasten, kantines, kantoren, gangen en hallen, zodat hij en zijn geluidstechnicus de authentieke klank en sfeer van de scène konden vatten. Radiohoorspelen op locatie zijn geen dagelijkse praktijk, en de sfeer van 'Meester, het is zulk mooi weer, kunnen we niet buiten les krijgen?' die dat meebracht, maakte dat de opnamen nog leuker waren dan zulke sessies toch al zijn.

Intussen kwam er een eind aan dat andere radioprogramma waar ik aan meewerkte, *The Colour Supplement.* Ian nodigde me uit voor weer een ander Sherrin-project, ditmaal een liveprogramma op zaterdagmorgen genaamd *Loose Ends,* of 'Loose Neds', zoals de vaste hap het noemde. Dat waren achtereenvolgens onder anderen Victoria Mather, Carol Thatcher, Emma Freud, Graham Norton, Arthur Smith, Brian Sewell, Robert Elms en Victor Lewis-Smith. De opzet was altijd hetzelfde. Rond de met groen laken bespannen tafel zaten de vaste medewerkers en een paar gasten, auteurs, acteurs of musici die een nieuwe plaat wilden pluggen. Ned begon dan met een monoloog waarin het nieuws van die week op luchtige toon werd becommentarieerd. Hij noemde de auteur van die monoloog altijd met naam en toenaam; de eerste jaren was dat meestal Neil Shand of Alistair Beaton, met wie hij een paar satirische adaptaties van Gilbert en Sullivan had gemaakt, *The Ratepayer's Iolanthe* en *The Metropolitan Mikado*, dartele satires op de confrontaties tussen Ken Livingstone en Margaret Thatcher die halverwege de jaren tachtig werden opgevoerd en enthousiast werden ontvangen. Na de monoloog kondigde Ned een onderwerp aan dat eerder door een vaste medewerker was opgenomen.

'Carol, ik begrijp dat jij erop uit bent getrokken om dit verschijnsel te onderzoeken?'

'Nou, Ned…' zei Carol dan en vervolgens kwam ze met een korte inleiding bij de door haar opgenomen passage.

'Emma, jij hebt de dageraad op Beachy Head getrotseerd om het uit de eerste hand te zien, klopt dat?'

'Nou, Ned…'

Ik doopte Emma, Carol en Victoria de 'Nou-Neds', en ze bleven het programma even lang trouw als alle anderen.

Mijn eerste bijdragen aan *Loose Ends* bestonden uit een aantal typetjes in de trant van wat ik had gedaan bij *The Colour Supplement*. Zo was ik een keer een onderzoeker die urenlang televisie had moeten kijken voor een rapport over de vraag of de programmering slecht was voor de Britse kijkers, de jeugd in het bijzonder. Destijds was er veel discussie over geweldsscènes in politieseries en hun eventuele schadelijke invloed op de ontvankelijke geest van het jonge kind. Om redenen die we ons nu moeilijk kunnen voorstellen, werd nota bene *Starsky and Hutch* er uitgepikt als symbool voor alles wat verdorven was. 'Die Aardige Mr. Gardhouse', zoals Ned Ian noemde, stelde voor dat ik een onderdeel zou doen waarin een onderzoeker werd gedwongen televisie te kijken, dus sloeg ik die vrijdagmiddag aan het tikken en kwam ik de volgende morgen met een stuk, zogenaamd geschreven door ene professor Donald Trefusis, buitengewoon staflid van St. Matthew's College, Cambridge, filoloog en bekleder van de Regius-leerstoel Vergelijkende Taalwetenschap. Trefusis bleek welzeker geschokt door het geweld op de Britse televisie. Het geweld waarmee Noel Edmonds en Terry Wogan zijn gevoelens en die van de kwetsbare generatie en anderen bombardeerden, joeg hem de koude rillingen over de rug. Goddank, zo besloot hij, waren er nog leuke achtervolgingen en knokscènes waarin acteurs verkleed als politieagenten deden alsof ze elkaar neerschoten: zonder zulk onschuldig vermaak zou de televisie onaanvaardbaar schadelijk zijn voor de jeugd.

Nogal dik aangezette ironie, dat is waar, maar omdat het afkomstig was uit de knorrige mond van een brabbelende, in tweed gestoken don die te oud was om zich druk te maken op wiens tenen hij ging staan, leek het goed te werken, zo goed in elk geval dat het mij het vertrouwen gaf dit typetje erin te houden en de week erop met iets soortgelijks te komen. Algauw was Trefusis mijn enige wekelijkse bijdrage. In een inleidend fragment werd de suggestie gewekt dat ik, Stephen Fry, naar zijn professorale onderkomen op St. Matthew's was gegaan om hem te interviewen. De professor begon stilletjes fanmail te krijgen. Na een aflevering waarin hij van leer trok tegen het modeverschijnsel van ouderinspraak in het onderwijs, veranderde het stroompje in een vloedgolf van honderden brieven, waarvan het merendeel vroeg om de tekst van het gesprek, of de 'radioverhandeling' zoals hij het zelf bij voorkeur noemde. Trefusis' leeftijd en vermeende wijsheid en autoriteit boden me de vrijheid om botter en scherper en satirischer te zijn dan ik in eigen persoon ooit had kunnen zijn. Zo zijn de Engelsen, vooral de middenklasse die naar Radio 4 luistert: een jonge, vinnige, bozige persoon wekt irritatie, en dan roepen ze tegen de radio dat hij respect moet tonen en dat hij in spirituele en intellectuele zin zijn haar moet laten knippen. Maar laat dezelfde sentimenten exact, woord voor woord, op hoogst academische toon door een fictief samenraapsel van G.E. Moore, Bertrand Russell en Anthony Quinton uitspreken, en ze gaan spinnend op hun rug liggen.

De daaropvolgende vier, vijf jaar zette ik *Loose Ends* bijna uitsluitend op een Trefusis-dieet. Slechts af en toe verscheen ik in de vermomming van een ander typetje. Neds favoriete alternatief voor de professor was lady Rosina Madding, een soort verdwaasd, 'Diana Cooper op haar oude dag'-personage. Haar stem was een combinatie van Edith Evans en de lerares declamatie op mijn kostschool.

'Ik hoop dat je het niet erg vindt om hier te zitten, op mijn leeftijd raak je nogal verknocht aan tocht. Ik weet dat jullie jongelui verschrikkelijk gevoelig voor kou zijn, maar ik vind het juist erg prettig. Ja. Ja. Ja, dat zit lekker, niet? Al zou ik het geen kussen noemen, Pekinees is de gangbare naam. Nee, ach, geeft niet. Hij was al heel oud. Gooi maar gewoon op het vuur, wil je?'

Colonel & Mrs Chichester

In april 1984 reed ik van Londen naar Sussex om aan mijn zomer van *Forty Years On* te beginnen. Ik loop even de spelerslijst met u door.

Paul Eddington was opgeklommen tot de rol die hij John Gielgud bijna zestien jaar eerder had zien spelen: die van schoolhoofd. Eddington was natuurlijk een grote ster in televisiecomedy's, zeer bekend en geliefd als de gekwelde echtgenoot van Penelope Keith in *The Good Life* en meer recentelijk als Jim Hacker, de even onnozele als onnutte minister van Algemene Zaken in de immens populaire serie *Yes, Minister*. Bij de repetities in Londen was hij de aardigheid zelf, maar onwillekeurig keek ik huizenhoog tegen hem op. Ik had nog nooit dagelijks in de nabijheid van zo'n beroemd iemand gewerkt.

John Fortune kreeg de rol van Franklin, die Paul in de oorspronkelijke productie had gespeeld. John behoorde eind jaren vijftig met John Bird, Eleanor Bron en Timothy Birdsall tot de groten van het Cambridge-cabaret. Hij had met Eleanor Bron het legendarische (en gewiste) *Where Was Spring* gecreëerd. Eind jaren negentig en daarna zou zijn samenwerking met John Bird opnieuw tot grote bekendheid leiden door hun waanzinnig intelligente en vooruitziende satirische bijdragen aan *Bremner, Bird and Fortune*.

Annette Crosbie speelde de schoolzuster. Ze is nu vooral bekend als Victor Meldrews vrouw in *One Foot in the Grave*, maar toen kende ik haar als een bijzonder betoverende Queen Victoria in *Edward VII* en een bijna onmogelijk kwieke en verrukkelijke fee in *The Slipper and the Rose*. Doris Hare vertolkte de oude grootmoeder. Ze was toen negenenzeventig en een magistrale actrice van de oude school, zeer geliefd vanwege haar jarenlange rol van Reg Varneys moeder in *On the Buses*. Stephen Rashbrook, een uitstekende jonge acteur, speelde de rol van schooloudste, en de rest van de school werd gespeeld door jongens uit West Sussex.

Het Chichester Festival, in de jaren zestig opgezet door Leslie Evershed-Martin en Laurence Olivier, bood elk jaar een lange zomer met toneel en musicals in een groot, speciaal daarvoor gebouwd theater met een vooruitspringende speelvloer. In het seizoen van 1984 stonden *The Merchant of Venice*, *The Way of the World* en *Oh, Kay!* op het programma, naast *Forty Years On*, waarvoor ik naar Chichester was gekomen. Een tent, later vervangen door een volwaardig tweede theater, het Minerva, diende als zaal voor kleinere experimentele producties. Chichester was zeer in trek bij acteurs van de oude garde die aangetrokken werden zowel door de ontspannen sfeer van een welvarend stadje aan de zuidkust als door een lang seizoen met een niet al te veeleisend repertoire dat de zekerheid bood van gegarandeerd veel festivalbezoekers. Dat vaste publiek uit de omgeving stond collectief bekend als Colonel & Mrs Chichester vanwege hun onverbiddelijke en geborneerde smaak: Rattigan scheen de enige toneelschrijver van na de oorlog te zijn die hun goedkeuring kon wegdragen. Colonel & Mrs Chichester durfden de wereld zonder enige schroom mee te delen dat ze naar het theater kwamen om te worden geamuseerd.

Patrick Garland was een heerlijke regisseur, hoffelijk, intelligent, beminnelijk en uiterst tactvol. Tijdens de repetities had hij de ont-wapenende gewoonte de verbijsterde jongens van de cast toe te spreken alsof ze in een studentenkamer in Oxbridge zaten. 'Neem me niet kwalijk dat ik het zeg, heren, maar ik voel me genoodzaakt op te merken dat de trage aard van het gemeenschappelijke afgaan onmiddellijk volgend op Pauls exordium in de tweede acte lichte-lijk desastreus is voor de vaart en dynamiek van die scène. Ik zou het op prijs stellen als die onvolkomenheid kon worden rechtgezet. Mijn dank is groot.'

De decorontwerper was Peter Rice, wiens zoon Matthew al snel een vriend voor het leven werd. Als hij zijn vader niet hielp, spitte hij in de tuin van het huisje dat hij voor de zomer had gehuurd, en schoot hij konijnen en duiven, die hij vilde respectievelijk plukte, en in voortreffelijke maaltijden verwerkte. Hij speelde piano, zong, tekende en schilderde. Zijn stem verschilde niet veel van die van prinses Margaret: hoog, voornaam en doordringend. Misschien had hij te veel tijd in haar aanwezigheid doorgebracht, zijnde een vriend van haar zoon David Linley, met wie hij op Bedales had gezeten.

Anders dan Matthew, wiens huisje een lieflijk landelijk stulpje op het landgoed van de graaf van Bessborough was, had ik een oersaaie moderne flat op loopafstand van het festivaltheater. In mijn vrije tijd wijdde ik me aan het script van *Me and My Girl*. Mike Ockrent kwam een paar keer uit Londen over om er met me aan te werken. Robert Lindsay was terecht gecast als Bill, en de rol van Sally zou naar Leslie Ash gaan, op voorwaarde dat ze zang- en tapdansles zou nemen. De belangrijkste karakterrol, die van Sir John, was vergeven aan Frank Thornton, beter bekend als Captain Peacock, de afdelingschef bij Grace Brothers in *Are You Being Served?* Het stuk zou in het najaar in Leicester in première gaan, mits ik voor het eind van de volgende maand even een definitief repetitiescript leverde.

Mijn ouders kwamen uit Norfolk naar Chichester voor de eerste voorstelling van *Forty Years On*. Ik stelde hen vol trots voor aan Alan Bennett en Paul Eddington. Op zijn beurt stelde Alan ons voor aan zijn vrienden Alan Bates en Russell Harty.

'Ik hou van een toneelstuk met een lach en een traan,' zei Alan Bates, op een veel nichteriger toon dan ik ooit had gedacht te zullen horen uit de mond van een Ted Burgess uit *The Go-Between* en een Gabriel Oak uit *Far from the Madding Crowd*, twee van de manlijkste mannen uit de Engelse filmgeschiedenis. 'Je moet kunnen giechelen en grienen, vind je ook niet? Waar is het theater anders voor?'

Russell Harty noemde Alan Bates met anagrammatische diablerie Anal Beast of, in gemengd gezelschap, Lana Beast.

Ik denk dat ik als Tempest teleurstelde. Naar mijn idee kon ik de rol aan en kon ik hem met brille spelen, maar iets weerhield me ervan om beter te presteren dan adequaat. Ik was oké. Prima. Uitstekend. Dat laatste is het ergste woord dat er in de theaterwereld bestaat. Wanneer je vrienden naar de kleedkamer komen en een toneelstuk, een productie of jouw prestatie 'uitstekend' noemen, weet je dat ze het vreselijk vonden. Vaak laten ze het voorafgaan, zonder aanleiding, door 'nee', wat zo'n beetje alles zegt.

'Nee, je deed het uitstekend!'

'Nee echt, ik vond het... ik bedoel...'

Waarom zouden ze een zin met 'nee' beginnen als er geen vraag is gesteld? Daar kan maar één verklaring voor zijn. Als ze achter het toneel door de gangen naar je kleedkamer lopen, hebben ze in gedachten gezegd: 'God, wat was dat waardeloos. Stephen bakte er werkelijk niks van. Het was niet om aan te zien.' Dan komen ze binnen en alsof ze hun eigen gedachtegang beantwoorden en tegenspreken, zeggen ze onmiddellijk: 'Nee, je deed het prima... Nee echt, ik... mmm... ik vond het heel goed.' Ik weet dat dat zo is omdat ik me er zelf vaak op betrap dat ik exact hetzelfde doe. 'Nee echt, je was uitstekend.'

Hoe dan ook, de productie als geheel werd als een succes beschouwd. Colonel & Mrs Chichester waren enthousiast en al snel ging het gerucht dat we gingen 'transfereren'.

'Schitterend nieuws,' zei Paul Eddington op een avond tegen me toen we stonden te wachten tot we op moesten. Ik schreef bijna 'toen we in de coulissen stonden', maar Chichester had een voortoneel met aan drie kanten publiek, dus we moeten achter het decor hebben gestaan.

'O ja?' zei ik. 'Wat voor goed nieuws?'

'Het is erdoor. We gaan transfereren.'

'Wow!' Ik maakte een vreugdedansje. Ik had geen idee waar hij het over had.

Het kostte me twee dagen om de betekenis van 'transfereren' te achterhalen. De jongens van de cast leken het te weten, de dames van de kantine wisten het, de sigarenboer op de hoek en eigenares van mijn flat wisten het, iedereen wist het behalve ik.

'Prachtig nieuws van het transfereren,' zei Doris Hare. 'De Queen, als ik het goed heb.'

'Eh…' Betekende transfereren een koninklijk bezoek? Nu was ik nog meer in de war.

'Ik heb in de meeste theaters op de Avenue gespeeld, maar dit wordt mijn eerste keer bij de Queen.'

De Avenue? Ik zag ons op een door bomen omzoomde boulevard een openluchtvoorstelling geven voor een verveeld en beledigd staatshoofd. Het leek me een bizar idee.

Weer later zei Patrick tegen me: 'Je hebt het goede nieuws zeker al gehoord?'

'Jazeker. Ja hoor. Fantastisch, hè?'

'Dit wordt zeker je eerste keer op het West End?'

Dus dát betekende het! De productie transfereerde van Chichester naar het West End. Verhuizen. Natuurlijk. Duh.

Ik maakte het speelseizoen in Chichester in een roes af. Een week voor de laatste voorstelling kwam Mike Ockrent mijn definitieve script voor *Me and My Girl* ophalen.

Weer terug in Londen besloot ik, omdat Kim en Steve samen zo gelukkig waren in Draycott Place, dat het tijd werd dat ik uit Chelsea vertrok en op mezelf ging wonen. Voor honderd pond per week werd ik de huurder van een gemeubileerd tweekamerappartement op Regent Square, Bloomsbury. Alleen voor mij en mijn nieuwe grote liefde.

Computer 2

Eerder dat jaar had ik Hugh opgewonden gebeld. 'Ik heb net een Macintosh gekocht. Heeft me duizend pond gekost.'

'Wát?'

Een week lang bazuinde Hugh met groot genoegen rond dat ik een waanzinnig bedrag had uitgegeven aan zoiets absurds en de besteding onwaardigs als een regenjas, tot hij ontdekte dat deze Macintosh een nieuw type computer was.

Ik was waanzinniger verliefd op dit merkwaardig fraaie stuk techniek dan op alles wat ik voordien had bezeten. Er zat een kabeltje aan dat uitkwam in een apparaatje dat een 'muis' werd genoemd. Het beeldscherm was wít als je de computer opstartte en de systeemschijf laadde. De tekst die verscheen was zwart op wit, als op papier, in plaats van het wollige groen of oranje op zwart van alle andere computers. Een pijltje op het scherm kon worden geactiveerd door de muis over het tafelblad naast de computer te bewegen. Afbeeldingen van een floppydisk en een prullenbak verschenen op het scherm en langs de hele bovenkant stonden woorden die, wanneer je er met de muis op klikte, een soort grafisch rolgordijn neerlieten waarop een keuzemenu stond geschreven. Je kon dubbelklikken op plaatjes van documenten en mappen en dan gingen er vensters open. Ik had nog nooit zoiets gezien of me kunnen voorstellen. Niemand trouwens. Alleen de Lisa van Apple, die een kort leven was beschoren, had deze werkwijze gehad, maar die had nooit een plaats op de zakelijke of thuismarkt weten te veroveren.

In de ontwikkelingsfase werd deze grafische gebruikersinterface WIMP genoemd, wat staat voor Windows, Icons, Menus, Pointingdevice. Ik was op slag verslaafd aan de elegantie, de bruikbaarheid, het gebruiksgemak en het vernuft van WIMP. De meesten onder u die dit lezen, zullen te jong zijn om zich een tijd te kunnen voorstellen waarin computers op een andere manier werden gepresenteerd, maar dit was toen nieuw en revolutionair. Vreemd genoeg sloeg het lange tijd niet aan. Jaren en jaren na de introductie van de Apple Macintosh, in januari 1984, deden de rivalen – IBM, Microsoft, Apricot, DEC, Amstrad en andere – de muis, de iconen en het bureaublad met zijn afbeeldingen af als 'te veel gimmick', 'kinderachtig' en een 'voorbijgaand modeverschijnsel'. Goed, ik zal me inhouden en er niet al te lang bij stilstaan. Ik ben me er terdege van bewust hoezeer ik in de minderheid ben met mijn liefde voor al deze nerdige genialiteit. Het enige dat u moet weten, is dat ik, mijn 128 kilobyte Macintosh, Imagewriter bitmap-printer en kleine verzameling floppydisks samen heel, héél erg gelukkig waren. Wat zou ik nog behoefte hebben aan seks of menselijke relaties nu ik dit had?

Hugh, Katie en Nick Symons deelden een huis in Leighton Grove in Kentish Town; ik had mijn flat in Bloomsbury; Kim bleef in Chelsea. We zagen elkaar zo vaak mogelijk, maar ik stond op het punt acht keer per week te gaan optreden in een theater in het West End.

Richard Armitage had met Patrick en de producers van *Forty Years On* geregeld dat ik in november een paar dagen vrij kreeg zodat ik naar Leicester kon voor de première van *Me and My Girl*; Richard had deze clausule in het contract niet geëist omdat hij vond dat ik het genoegen moest kunnen smaken aanwezig te zijn bij de première van de musical waarvoor ik de tekst had geschreven, maar omdat hij zich van mijn nabijheid wilde verzekeren, mocht bij de generale repetitie en de première de noodzaak van dringende, onvoorziene tekstwijzigingen blijken.

We hadden de voorgaande maanden vreemde gesprekken gehad

waarin Richard had bewezen in staat te zijn midden in een zin van pet te wisselen en heen en weer te pendelen tussen zijn identiteit van producent, erfgenaam en beheerder van het erfgoed van de geestelijk vader van de musical en, niet onbelangrijk in mijn geval, mijn agent. 'Ik heb even met mezelf gepraat,' zei hij dan, 'en ik heb ingestemd met mijn uitzinnige eisen wat betreft jouw financiele deelname aan dit project. Ik wilde je uit alle vervolginkomsten schrappen, maar ik heb mijn poot stijf gehouden en tot mijn grote ergernis krijg je royalty, wat me zeer veel genoegen doet.'

In de beginfase van de repetities had Leslie Ash geen profijt laten zien van haar zang- en danslessen, en met wederzijdse instemming was ze uit de cast verdwenen. Op een middag zat ik bij Richard in zijn kamer toen hij verwoed over zijn kin begon te wrijven. Wie konden we in godsnaam nemen voor de rol van Sally?

'Wat dacht je van Emma?' zei ik. 'Ze kan geweldig zingen en ze heeft dan misschien wel nooit getapdanst, maar ze is in elk geval iemand die alles kan waar ze zich toe zet.'

Pal voor mijn ogen zag ik Richards persoonlijkheid zich weer splijten. 'Ja, natuurlijk. Schitterend. Haar wil ik,' om vervolgens tegen te werpen: 'Nou, dan mag je dik voor haar dokken ook. Kom op, wel redelijk blijven. Ze heeft geen ervaring, ze is nog niet echt bekend. Dat kan wel zijn, maar ze is een van de grote talenten van haar generatie, en dat kost gewoon een lieve cent.'

Ik liet Richard lekker worstelen. Ik heb begrepen dat hij zichzelf nog net niet in elkaar heeft geslagen en weldra kans zag zijn zenuwslopende onderhandelingen te beëindigen door zich de hand te schudden voor een deal die voor hen beiden bevredigend uitpakte.

En zo kwam Emma bij het gezelschap. Ze kende Robert Lindsay goed, want ze had met hem gewerkt in de Royal Exchange in Manchester, waar Robert zijn voortreffelijk ontvangen Hamlet had gespeeld. Ik denk zelfs dat ik met recht kan stellen dat Emma en Robert elkaar toen héél goed kenden. Verdomd goed. Nou en of.

Voor de voorstellingen in het West End moest er wat geschoven worden in de bezetting van *Forty Years On*. John Fortune en Annette Crosbie waren niet meer beschikbaar en hun rollen gingen naar David Horovitch en de moeder van Emma, Phyllida Law. Ook de jongens verdwenen uit de cast: de knapen uit Chichester die zich met zoveel aplomb en enthousiasme van hun rollen hadden gekweten, werden vervangen door professionals van Londense toneelopleidingen, die even energiek en opgewekt waren en heel wat gewiekster en ervarener.

Op de dag voor de première liep ik in de pauze tussen de technische doorloop en de generale repetitie met David Horovitch en een stel van die knapen de artiesteningang van het Queen's Theatre uit, op weg naar een Italiaan die zij met hun kennis van Soho hadden aanbevolen. Alan Bennett stond op de stoep, zijn broek bij de enkels met broekklemmen vastmakend.

'Heb je zin om mee naar de Italiaan te gaan?' vroeg ik.

'Hè ja!' zeiden de jongens.

'Nee zeg,' zei Alan op enigszins geschokte toon, als nodigden we hem uit voor een naaktorgie in een opiumkit. 'Ik fiets naar huis en dan eet ik een gepocheerd ei.' Alan Bennett is altijd uitmuntend in zo Alan Bennett zijn als een mens redelijkerwijs mag hopen. Een scherp verstand, een grote artistieke intuïtie, een vurig politiek en sociaal geweten, maar een man van broekklemmen en gepocheerde eieren. Geen wonder toch dat hij zo geliefd is?

Mijn naam stond nu in neon op Shaftesbury Avenue. Ik vond het te gênant om er een foto van te maken, iets waar ik nu natuurlijk spijt van heb. Ik heb wel een foto van het premièrefeest. Ik stel me voor dat ik heel blij was. Daar had ik ook alle reden toe.

Paul Eddington was ook blij. Hij genoot van een vruchtbare en zeer boeiende periode in zijn carrière. Hij was net gevraagd als lid van de Garrick Club, wat hem enorm veel genoegen deed, en hij en Nigel Hawthorne hadden een hoop geld verdiend met een tv-reclame, wat hem bijna evenveel genoegen deed.

'Een héle hoop geld,' zei hij glunderend. 'Het is een reclame voor een nieuwe chocoladereep van Cadbury die Wispa heet. Nigel fluistert me iets in mijn oor in zijn rol als Sir Humphrey. Een onvoorstelbaar bedrag voor een halve dag werk.'

'Goh,' zei ik, 'en krijgen Tony Jay en Jonathan Lynn ook een deel?'

'O!' Pauls gezicht betrok even bij het horen van de namen van de schrijvers en scheppers van *Yes, Minister*, een opmerking die ik niet met boze opzet maakte maar uit oprechte nieuwsgierigheid naar hoe die dingen werkten. 'Ja, daar voelen Nigel en ik ons wel wat schuldig over, dus sturen we ze allebei een kistje bordeaux. Heel goede bordeaux.'

Tussen schrijvers en acteurs gaapt een kloof: voor beide groepen ziet het leven aan de andere kant er vaak beter uit, en hoewel ik zeker weet dat Tony en Jonathan het fijn vonden een kistje heel goede bordeaux te krijgen, twijfel ik er niet aan dat ze de voorkeur hadden gegeven aan het soort vergoeding dat Paul en Nigel genoten. Maar zoals ik weldra zou ontdekken, kan schrijven ook lonend zijn.

Op een avond, toen het doek viel, fluisterde Paul me opgetogen en triomfantelijk in mijn oor: 'Ik mag het je nu vertellen. De kogel is door de kerk: ik ben minister-president.'

Die avond was de laatste aflevering van *Yes, Minister* uitgezonden. Aan het slot wordt Jim Hacker leider van zijn partij en van het land. Paul vertelde dat het bewaren van dat geheim het moeilijkste was wat hij ooit had moeten doen.

Ik raakte gewend aan het dagelijks spelen. Per week waren er zes avondvoorstellingen en een matinee op woensdag en zaterdag. Acht keer per week, een halfjaar lang, sprak ik dezelfde teksten tegen dezelfde mensen, droeg ik dezelfde kostuums en hanteerde ik dezelfde rekwisieten. In het Globe Theatre ernaast (dat nu het Gielgud heet) liep het stuk *Daisy Pulls it Off*, dat op een meisjesschool speelde, en de schoolmeisjes en schooljongens konden het, zoals u zich kunt voorstellen, héél erg goed met elkaar vinden. Elke woensdagmiddag in de pauze tussen de matinee en de avondvoorstelling was er een backstage schoolfuif, waarbij de ene week de jongens in het Queen's ontvingen, de andere week de meisjes in de Globe. Verderop in de straat stond het Lyric Theatre, waar Leonard Rossiter Truscott speelde in een reprise van Joe Ortons *Loot*. Op een avond hoorden we tot onze verbijstering dat Leonard, vlak voordat hij op moest, in elkaar was gezakt en overleden aan een hartaanval. Nog maar enkele maanden daarvoor waren zowel Tommy Cooper als Eric Morecambe ook op het toneel gestorven. Een klein egoïstisch deeltje van me betreurde de zekerheid dat ik deze genieën nooit zou ontmoeten of met hen zou kunnen samenwerken. Maar minstens evenzeer rouwde ik om hun dood en voelde ik mee met het verdriet dat zo'n plotselinge dood voor hun geliefden moest betekenen.

Het werd november, en het werd tijd om naar Leicester te gaan voor de première van *Me and My Girl*. Het plan was om donderdag aanwezig te zijn bij de generale, vrijdag te blijven voor de première en op tijd in Londen terug te zijn voor de matinee en de avondvoorstelling van *Forty Years On*. Wie moest in die tussentijd mijn rol van Tempest overnemen? Ik was diep geschokt toen ik ontdekte dat het Alan Bennett zelf was, die daarmee zijn oorspronkelijke rol uit 1968 zou oppakken. Geschokt, omdat ik natuurlijk geen kans zou hebben hem te zien.

Die maandagavond kwam hij naar de kleedkamer die ik met David Horovitch deelde.

'Zeg, Stephen, ik heb een vreemd verzoekje. Ik weet niet of je ermee instemt, maar ik vraag het je toch.'

'Ja?'

'Ik weet dat je pas donderdag weggaat, maar zou je het heel erg vinden als ik al woensdag Tempest speel, bij de matinee en ook bij de avondvoorstelling?'

'Lieve hemel, absoluut niet. Absoluut niet.' De beste man was duidelijk enigszins gespannen en wilde kijken hoe de vlag erbij hing en voorzichtig via een kleiner matineepubliek terugkeren in zijn rol. Het fantastische hiervan was dat ik in de zaal kon gaan zitten om naar hem te kijken. Twee voorstellingen lang. Het gebeurt niet vaak dat een acteur de productie kan zien waarin hij optreedt, en hoewel veel spelers er de voorkeur aan geven niet te zien hoe een ander hun rol speelt, vooral niet als dat een groot acteur als Bennett is, was ik een te groot fan van hem om me er iets van aan te trekken als hij me in de schaduw stelde. Wat, zo wist ik, zou gebeuren. Hij had tenslotte Tempest voor zichzelf geschreven en hij was de grote Alan Bennett.

Ik keek beide keren en ging na afloop naar zijn de kleedkamer.

'O Alan, je was verbluffend. Verbluffend.'

'Ja, vind je? Echt waar?'

'Ik vind het zo leuk dat je vandaag gespeeld hebt, maar weet je,' zei ik, 'het was echt niet nodig om jezelf met een matinee weer in je rol te laten glijden, want je was perfect, vanaf het allereerste moment.'

'O, maar daarom heb ik je niet gevraagd om vandaag te mogen spelen.'

'O nee?'

'Eigenlijk niet, nee.'

'Waarom dan?'

'Nou, je weet toch dat ik die film heb gedaan?'

Dat wist ik inderdaad. Alan had het script geschreven voor *A Private Function*, met in de hoofdrollen Maggie Smith, Michael Palin en Denholm Elliott. Ik was van plan er dat weekend heen te gaan.

'Weet je,' zei hij, 'vanavond is de première met de koningin erbij, en ik wilde een geldig excuus hebben om er niet heen te hoeven.'

Je moet een heel bennetteske vorm van verlegenheid hebben om optreden voor honderden onbekenden minder zenuwslopend te vinden dan het bijwonen van een feest.

Leicester ging in een waas aan me voorbij. De generale van *Me and My Girl* leek geslaagd, maar zonder publiek was het onmogelijk vast te stellen of er komische en slapsticknummers bij waren die echt gelukt waren. Robert en Emma waren fantastisch samen. Roberts komische *business* met zijn cape, bolhoed, sigaretten, kussens en alles wat er maar aan rekwisieten voor zijn voeten kwam, was meesterlijk. Ik had sinds de stomme film niet meer zulke goede slapstick gezien.

Ik ging de kleedkamers langs met flessen champagne, kaarten, bossen rozen en blijken van hoop, vertrouwen en dankbaarheid.

'Het wachten is nu op de ultieme regisseur,' zei Frank Thornton, en hij voegde er op mijn onuitgesproken vraag op zijn meest lugubere toon aan toe: 'Het publiek!'

'Juist,' knikte ik bij deze wijze acteursuitspraak.

Uiteindelijk stak de ultieme regisseur zijn duimen op met een luid 'Lambeth Walk, Oi!' Het publiek kwam overeind en juichte aan het eind zo lang dat het wel een halfuur leek. Het was een schitterende triomf en iedereen viel elkaar om de hals en snikte van vreugde zoals ze in de beste Hollywoodmusicals doen. Mike Ockrents magische regie vol komisch raffinement, Gillian Gregory's choreografie, Mike Walkers arrangementen en een ensemble dat zich met hart en ziel elke seconde inzette gedurende de twee uur die het stuk duurde, boden een avond entertainment die zich kon meten met mijn plezierigste ervaringen in het theater.

Begrijp me goed, musicals zijn nog steeds niet echt mijn ding, en ik durf te wedden dat tallozen onder u gepijnigd zullen kijken bij het idee van cockney-knopenkoningen en -koninginnen en beentjes van de vloer op een romtitomti-partituur als uit de jaren dertig. Niettemin vond ik het leuk om betrokken te zijn bij iets wat zo ver van me af stond, maar dat borrelde en bruiste van zo veel ongecompliceerde sprankel en warme malligheid en ongegeneerde pret. We dansten, wat zeg ik, we tapdansten onbekommerd om de trend van ambitieus, hoogdravend en kwelerig melodrama heen. Het deed me genoegen vertier te kunnen bieden dat eer deed aan de oorsprong van het woord 'musical', als adjectief, niet als zelfstandig naamwoord. Oorspronkelijk heette het genre muzikale komedie, en we hadden allemaal gehoopt dat er nog vraag was naar dat soort theater. Bij de nazit boog ik me naar een stralende Richard Armitage.

'Wat denk je,' brulde ik in zijn oor om te pronken met mijn theaterjargon, 'gaan we transfereren?'

'Zeker weten,' zei Richard. 'En bedankt, schat. Mijn vader knipoogt van boven naar me.'

Ontroerd wendde ik me af. Ik wist hoe belangrijk het voor mensen is om te weten dat ze eindelijk hun vaders goedkeuring hebben verdiend.

Compulsief Consumentisme, Cottages, Cheques, Creditcards en Classic Cars

Weer terug in Londen ging *Forty Years On* tussen de kerstdagen en Oud en Nieuw door. Inmiddels streepte ik op een kalender in de kleedkamer de dagen weg, als een gevangene die streepjes zet op de muur van zijn cel. Geforceerde herhaling van actie en spraak doet iets heel akeligs met je hersenen. Iedere doorgewinterde toneelspeler kent de ervaring dat je min of meer uit je lichaam treedt en machteloos van bovenaf toekijkend jezelf op het toneel ziet staan. Dan komt het moment dat je je tekst moet zeggen, en óf je bevriest en klapt dicht, óf je zegt drie of vier keer achter elkaar hetzelfde zonder dat je er erg in hebt. Alleen een kneep of schop van je medespeler kan je dan redden.

In *Forty years On* kwam een scène voor waarin ik een jongen een uitbrander moest geven. Dan scandeerde ik mijn reprimande door hard met mijn rechtervinger tegen de zijkant van een lessenaar te tikken. Tijdens een halflege matinee keek ik eens omlaag en zag dat het vernis op die plek was weggesleten door het tikken met mijn vinger. Om de een of andere reden werd ik daar heel naar van, en ik nam me voor die avond op een ander deel van de lessenaar te tikken. Op het moment suprême hief ik mijn hand, mikte zeker vijftien centimeter links van de kale plek en bracht mijn vinger omlaag op exáct dezelfde plek als eerst. De dagen daarop probeerde ik het nog eens en nog eens, maar een of andere extreme en krankzinnige vorm van spiergeheugen dwong mijn vinger om steeds weer dezelfde plek te raken. Dat verontrustte me mateloos, en ik begon de nog resterende twee of drie weken steeds meer te zien als een afschuwelijk juk waar ik nooit meer onder vandaan zou komen. Over dat gevoel van verstikkende kwelling zei ik niets tegen David,

Phyllida of Paul, omdat zij, met hun ruimere ervaring, nergens last van leken te hebben.

Doris Hare, die toen inmiddels tachtig was, had meer energie dan de rest van ons bij elkaar. Ze was de enige met een grote rol die niet meteen na afloop naar huis ging. Meestal gingen we met ons tweeën nog een hapje eten bij Joe Allen's. Doris had een manier om haar entree te maken zodat je zou zweren dat ze geen wollen sjaal om had, maar een vosje met een diamanten sluiting, en dat haar metgezel geen slungelige en schutterige jeune premier was, maar een gelikte combinatie van Noël Coward, Ivor Novello en Binkie Beaumont.

'Schat,' zei ze dan tegen me, 'het geheim is dat je er plezier in hebt. Waarom zouden we op de planken staan als we er niet met volle teugen van genoten? De rolverdeling, de repetities, de matinees, toeren…het is allemaal énig.' En dat meende ze ook.

Joe Allen's, een restaurant in de stijl van een Amerikaanse *diner*, is een populaire ontmoetingsplek voor acteurs, dansers, agenten, producenten en toneelschrijvers. De fameus onbeleefde obers en oobsters zijn vaak zelf afkomstig uit de showbusiness. Er gaat een beroemd verhaal over een Amerikaanse producer die ooit, ongeduldig over de trage bediening, met zijn vingers knipte: 'Acteur! Zeg, acteur!'

Ooit zat ik bij Joe Allen's in gezelschap van Russell Harty, Alan Bennett en Alan Bates. Onze tafel stond in het middelpunt van de aandacht, tot opeens alle hoofden zich naar de deur omdraaiden. Laurence Olivier en Dustin Hoffman kwamen binnen. Onze tafel bestond niet meer.

'Nou, die kunnen we in onze zak steken,' zei Russell.

Olivier zeilde voorbij, iedereen stralend aankijkend.

'Ga hem even gedag zeggen,' zei Alan Bennett tegen Russell. 'Jij kent hem goed.'

'Ik kijk wel uit. Dan zegt iedereen: "Kijk die kwal van een Russell Harty eens slijmen bij Larry Olivier."'

Harty en Bennett waren goede vrienden. Beiden hadden een huis in Yorkshire, waar ze vaak in het weekend in Alans auto naartoe reden. Op zo'n reis, zo gaat het verhaal, zei Alan: 'Kunnen we niet een spelletje van het een of ander doen om de tijd te doden?'

'Zullen we namen raden?' zei Russell.

'O nee! Dan krijgen we slaande ruzie.'

Na enig nadenken opperde Alan monter: 'Ik weet wat. We bedenken allebei degene wiens onderbroek we het minst graag op ons hoofd zouden zetten.'

'Colin Welland,' zei Russell zonder een moment te aarzelen.

'Oo, dat is niet eerlijk,' zei Alan, 'nou heb jij al gewonnen.'

Toen ze bij een andere gelegenheid door Leeds reden, stak Russell zijn hoofd naar buiten en riep tegen een nors kijkende vrouw die in de stromende regen op de bus stond te wachten: 'Hallo schat, alles goed?'

Terwijl ze verbijsterd terugkeek, draaide hij het raampje weer omhoog, nestelde zich in zijn stoel en zei vergenoegd: 'Het voorrecht een sprankje zon te kunnen brengen in een saai en monotoon bestaan.'

Zodra ik vrij was van de ketenen van *Forty Years On* leek mijn leven in snelheid en intensiteit te verdriedubbelen. Ik trok uit mijn appartement in Bloomsbury en in een groot gemeubileerd huis in Southgate Road, tussen Islington en Balls Pond Road. Nick Symons, Hugh, Katie en ik deelden dat heerlijk excentrieke huis bijna een jaar. Het leek, constateerde Hugh goedkeurend, op het soort huis waar de Rolling Stones in 1968 hadden kunnen wonen. Het stond tot de nok toe vol met Indiase koperen tafeltjes, albasten lampenkappen, kastjes met ingelegd houtwerk, opgezette vogels en bloemen onder glazen stolpen, kamerschermen, papier-machéschalen, mahonie chiffonnières, olieverfschilderijen van uiteenlopende kwaliteit in aangevreten verguld gipsen lijsten, obscure voorwerpen van sinister Hollands houtsnijwerk, onmogelijk zilverlamé behang en afgebladderde spiegels. Onze huisbaas, die zich uiterst sporadisch liet zien, was een sponsneuzig type met de naam Stanley. Hij deed tamelijk ontspannen en onbezorgd over een groep gewezen studenten die hun wanordelijke leven leidden tussen zijn antieke bibelots en snuisterijen.

De tweede serie van *Alfresco* was inmiddels uitgezonden, zonder enige indruk na te laten bij de goegemeente. Ik had mijn handen vol aan de *Listener*, de radio, aanpassingen voor de verhuizing van *Me and My Girl* naar het West End en mijn eerste echte filmrol. Die rolprent, onder regie van Mike Newell, heette *The Good Father*, gebaseerd op een Peter Prince-roman van Christopher Hampton.

Bij de eerste doorleessessie van het script keek ik nerveus om me heen en deed mijn best om te kijken alsof ik er iets te zoeken had. Ik zag Simon Callow, wiens controversiële nieuwe boek *Being an Actor* werd gezien als de eerste klaroenstoot tegen het monsterlijke regiment der tirannieke regisseurs; naast hem zat een van mijn lievelingsactrices, Harriet Walter; naast haar Joanne Whalley, die kort daarop naam en bijna eeuwige tienerfantasiefaam zou verwerven door Michael Gambon handmatig te bevredigen in *The Singing Detective*; en naast haar zat de ene helft van het Nationale Theater van Brent, Jim Broadbent. En tot slot was daar de ster van de film, Anthony Hopkins, een man die zo veel charisma, power en viriliteit uitstraalde dat het me bang te moede werd. Ik was min of meer bezeten van hem sinds zijn blauwe ogen zich recht van het scherm in mijn ziel hadden geboord in *Young Winston* van Richard Attenborough.

Te laat voor het handjes schudden was Miriam Margolyes net

voordat we van start gingen als een stralende stuiterbal binnenge-
waaid. Na afloop kwam ze naar me toe.

'Hoe is het? Ik ben Mir…' Ze zweeg even en plukte met duim en
wijsvinger iets van haar tong. '… Miriam Margolyes. Sorry, ik heb
vannacht m'n vriendin uitgelikt en ik heb nog wat kuthaartjes in
m'n mond.' Miriam is de liefste, loyaalste en fatsoenlijkste persoon
op de hele Equity-lijst, maar ze is zeker niet iemand die je mee-
neemt op de thee bij de aartsdeken.

In de film speelde ik ene Creighton, gescheiden en gebukt gaand
onder het verpletterende gewicht van leven, kinderen en alimentatie.
Ik had maar één scène, maar omdat die met Hopkins was, was ik in
mijn ogen Michael Corleone en Rhett Butler in één. Volgens de plot
had ik op school gezeten met Simon Callow, wat ik ietwat kwetsend
vond, omdat ik wist dat hij zeker acht jaar ouder was dan ik. Voor
iemand van in de twintig is acht jaar een heel leven. Ik wist dat ik niet
het type was dat ooit zou worden gevraagd als bevallige jongeling of
knappe minnaar, maar het was wel even slikken om voor mijn allereerste rol meteen van middelbare leeftijd te moeten zijn.

Mensen doen soms heel raar over rollen.

Ergens rond die tijd geven we een feest in Southgate Road. Ik ga
rond met een nebukadnezar champagne, glazen bijschenkend en
proberend de dampen niet in te ademen omdat ik maar al te goed
weet waar mijn champagne-allergie toe kan leiden. In het voorbijgaan vraagt een bevriende acteur wat ik op stapel heb staan en ik
noem *The Good Father*.

'Wat voor rol?'

'O, ik speel een soort gedesillusioneerde vader die in scheiding
ligt.'

'Jij?!' De acteur is niet in staat of niet bereid de minachting, woede en afkeuring in zijn stem te verbergen. 'Wat weet *jij* daar nou
van?'

Ik grijns afgemeten en loop door. Dus ik mag alleen vrijgezelle homo's spelen? Zit acteren zo in elkaar? De acteur, getrouwd, tweede kind op komst en niet erg gewild, is zeker in zijn kuif gepikt omdat hij geen werk heeft terwijl de goeie rollen naar gelukskonten zoals ik gaan: zijn bijtende, ongelovige lachje zal wel zijn manier van verwerken zijn. Mensen die geen toneelschool hebben gedaan, die gigantische gaten in hun Tsjechov-techniek hebben en rollen krijgen die ze onmogelijk uit echte, zelfdoorleefde ervaring kunnen spelen, dat moet buitengewoon irritant zijn voor echte acteurs. Dat snap ik best, maar toch ben ik lichtelijk gekwetst.

Tot onze niet geringe trots is Kate Bush vanavond van de partij. Hugh heeft net een rol gespeeld in de clip van haar nieuwe nummer. Twee nebukadnezars champagne zijn ruim voldoende om rond te gaan en gelukkig voor degenen die het niet drinken, zoals ik, zijn we nog van de leeftijd dat gasten een flesje wijn meebrengen, dus er is genoeg rode wijn om ook ons vrolijk te stemmen. Over rode wijn gesproken, voor het huis staat mijn nieuwe trots, een bordeauxrode Daimler Sovereign. Wat is mijn leven volmaakt. Als ik daaraan terugdenk, kan ik wel huilen. Genoeg geld voor sigaretten, overhemden en een mooie nieuwe auto, maar niet zo veel om losgezongen te raken van dit magische studentikoze bohemienbestaan van samenwonen en heerlijk onverantwoordelijk zijn. Ervaringen zijn nog nieuw en spannend, mijn smaakpapillen zijn nog niet blasé, het leven is nog fris.

We waren gelukkig en we hadden geluk, maar dit was het Engeland van Thatcher en we lieten geen gelegenheid onbenut om vlammend tekeer te gaan tegen het Engeland van Thatcher. We waren eigenlijk nog kinderen en het Engeland van Thatcher leek ons iets waar vlammend tegen tekeer moest worden gegaan, hoe vlammender hoe beter. Je zou denken dat het ons zo had verwend dat we het op onze blote knietjes zouden bedanken voor de filmrollen, schnabbels, betaalbare huizen, Daimler Sovereigns en ontluikende welvaart die met minimale inspanning tot ons gekomen waren, maar zo keken wij er in elk geval niet tegen aan. Ten eerste hadden we ons onderwijs en onze opvoeding genoten onder de meer liberale en consensusgerichte beschikkingen van Labour en Edward Heath. De nieuwe, verharde en strijdlustige zekerheid van Thatcher en haar vulgaire curiositeitenkabinet stond ver af van de waarden waarmee wij waren opgegroeid, en het voelde helemaal fout. Ik weet het, als het je goed gaat onder een bepaald regime moet je er niet over miepen. Dat komt ondankbaar over. Twee walletjes. De hand die je voedt. In een cashmere trui is het makkelijk van de ethische toren blazen. Het babbelvolkje. Trendy liberalen. Bah. Dat zie ik heus wel. Dat iemand met een gewone baan het doet is al erg genoeg, maar om een *acteur* vlammend tekeer te horen gaan tegen het Engeland van Thatcher...

De wereld heeft al moeite te erkennen dat onze soort de hersens of de ernst, wereldervaring en benul bezit die vereist zijn voor een politiek statement waaraan ook maar enige waarde te hechten valt. Maffe, ijdele flapdrollen, stuk voor stuk, is de min of meer aanvaarde visie; een waar je het moeilijk niet mee eens kunt zijn – en ik spreek als vol betalend lid van Equity en het Screen Actors Guild. Dat komt deels doordat, ook al zijn ze/we mij mateloos dierbaar – waar vind je aardiger, geestiger, loyalere mensen et cetera et cetera –, het acteervak waarschijnlijk meer gênante dombo's en bespottelijke onnozelaars telt dan welk beroep ook. Misschien moet je, om je een rol eigen te maken, eerst je hersens ontdoen van alle cynisme en zelfbewustzijn en irrelevante belemmeringen als logica, rede en empirisch vermogen. Sommige, maar niet alle allerbeste acteurs die ik ken, zijn inderdaad heerlijk vrij van zulke lastige zaken. Ik heb gemerkt dat altijd als ik zo dom ben om me in een of andere publieke controverse te mengen, de tegenpartij me steevast typeert als acteur. Dat devalueert terstond en afdoend alles wat ik zeg. Ik doe in mijn leven veel meer aan schrijven dan aan acteren, maar 'tja, hij is maar schrijver' mist toch die snerende doodsteek van 'waarom zou je je iets aantrekken van wat een acteur vindt?' Ik ben niet altijd zo imbeciel dat het me verrast, ik ben niet eens gepikeerd. In de strijd grijp je altijd het eerste het beste wapen, en als je op de man speelt, priem en schop je naar de zwakste en kwetsbaarste delen.

Ik zeg dit allemaal bij wijze van aanloopje naar een sectie waarin ik u mee moet voeren langs nog meer stuitende voorbeelden van mijn fortuin, uitspattingen, spastische spilzucht en vulgariteit van geest en laagheid van sociaal en moreel allooi.

Me and My Girl transfereerde naar het Adelphi Theatre. Matthew Rice, David Linley en ik gingen na afloop van de première lopend van de toneelingang in Maiden Lane naar de nazit bij Smith's in Covent Garden. Onderweg stortten de paparazzi zich op David als wespen op een picknick. 'Even hier, lord Linley.' Flits. 'Lord Linley, lord Linley!' Flits, klik, flits. Af en toe sloeg hij ze met een nijdige grauw van zich af. Dan deinsden ze even terug, hergroepeerden zich en vielen opnieuw aan. Dat ging het hele eind zo door.

'Hoe houd je dat vol?' vroeg ik David.

'Daar kom je gauw genoeg achter,' zei hij.

Charmant van hem om te zeggen, maar ik kon het niet echt serieus nemen. Mijn naam begon iets meer te betekenen in de wereld, maar er was nog geen gevaar dat de fotografen hem op de rode loper zouden roepen. Zodra ik doorhad dat een paar tv-optredens, vooral in een programma als *Alfresco*, dat maar een handjevol mensen aantrok, niet tot onmiddellijke roem zouden leiden, had ik me weer ontspannen in het leven en op het werk gestort. Ik kreeg wat meer post, van *Alfresco*-kijkers – fans is misschien een groot woord – van luisteraars naar *Loose Ends* of lezers van de tijdschriften waarvoor ik schreef. Een heel enkele keer werd ik op straat aangeklampt.

'Jij bent… die ene…' Er werd met vingers geknipt en met voeten gestampt om het uit de krochten van hun geheugen naar boven te halen.

'Ik weet het, ik lijk op hem, maar ik ben het niet,' zei ik af en toe. Ik kwam er algauw achter dat ze, of ze nu wel of niet wisten hoe ik heette of waarvan ze me kenden, drommels goed wisten dat ik geen dubbelganger was, van wie dan ook. Of ik het leuk vind of niet, mijn gezicht is onmiskenbaar het mijne, en ik heb inmiddels geaccepteerd dat het geen zin heeft om te doen alsof ik mij niet ben. Sommige mensen komen ermee weg, maar ik niet. Zonnebrillen, petjes over mijn ogen of hoog opgetrokken sjaals, het helpt allemaal niets. Ik kan net zo goed met een bord met mijn naam erop lopen.

Naarmate 1985 verstreek en *Me and My Girl* zich tot een grote hit ontpopte, begonnen de royalty-overzichten van Noel Gay Music binnen te komen. De vervolginkomsten die Richard Armitage de agent Richard Armitage de producer door de strot had geduwd begonnen vrucht af te werpen.

Martin Bergman zei met zijn gebruikelijke zelfverzekerde alwetendheid: 'O ja, Stephen, het levert je minstens een miljoen op, geen twijfel aan.'

Dat geloofde ik geen moment, maar de wekelijkse cheque bij de post was wel een prachtig nieuw verschijnsel in mijn leven.

Het eerste wat ik deed zodra ik in de gaten had dat mijn 'nettowaarde' aan het stijgen was, was elke denkbare betaalpas of creditcard aanvragen. Als je er een van Diner's Club aanvroeg, kon je er meteen twee krijgen, een voor privé en een voor zakelijk. In mijn leven bestond helemaal geen onderscheid tussen die twee, maar twee creditcards, hoera! Ik had een gold card van American Express, destijds het ultieme statussymbool, en een gewone groene. Ik had mijn normale bankpas, twee Mastercards (waarvan één Access, uw flexibele vriend) en twee Visacards. Daarnaast had ik nog talloze winkelpasjes en abonnements- en lidmaatschapskaarten. Herinnert u zich Clifton James als Sheriff J.W. Pepper in *Live and Let Die* en *The Man With the Golden Gun*? Grote Amerikaan met een bierbuik in een hawaïshirt, eeuwige pruim en bezweet voorhoofd? In één scène trekt hij zijn portefeuille, waarop het harmonica-interieur met tientallen creditcards zich ontrolt, tot bijna op de grond. Zo'n portefeuille had ik.

Waarom? Wel, ik hecht weinig vertrouwen in het waarheidsgehalte van zelfanalyse, maar ik vermoed dat dat ijdele en infantiele vertoon van 'waarde' wel eens te maken kan hebben gehad met het delict waarvoor ik destijds in de bajes belandde. Op mijn zeventiende was ik dwars door Engeland aan de zwier gegaan met de creditcards van iemand anders – een Diner's Club en een Access. Dat had me een verblijf in de penitentiaire jeugdinrichting Pucklechurch opgeleverd. [†] Ik denk dat ik acht jaar na dato nog steeds moeilijk kon geloven dat ik recht had op mijn eigen creditcards. Ik was nu kredietwaardig! Mijn creditcards waren het bewijs dat die lange nachtmerrie voorbij was en dat ik eindelijk een echte, keurige burger was. Niet dat het daar wat mij betreft bij zou blijven. Verre van. Diezelfde zelfdestructieve neigingen lagen nog steeds op de loer. Maar al te gauw zouden diezelfde creditcards, symbolen van legitimiteit en respectabiliteit of niet, eindeloze lijntjes allesbehalve legale en respectabele cocaïne versnijden.

Voorlopig klampte ik me er nog aan vast als symbolen van waarde, waardigheid, krediet en onkreukbaarheid. Ik schafte voor £ 7000 een laserprinter aan voor mijn Macintosh-computer. Een ongelooflijke en voor de meeste mensen absurde en niet te rechtvaardigen uitgave. Niemand had ooit zulke heldere computerafdrukken van zo'n hoge kwaliteit gezien. De standaardprinters waren van het matrixtype, meestal met speciaal papier met geperforeerde randen. Ze produceerden letters bestaand uit minieme puntjes, wat resulteerde in een wazige, onscherpe print. In de radiostudio kon ik nu wapperen met Trefusis-scripts die eruitzagen alsof ze professioneel gedrukt waren. Met plechtige stem placht ik de gasten en deelnemers rond de *Loose Ends*-tafel te vertellen dat ik mijn scripts met de hand uitschreef en ze vervolgens bij de drukker afleverde, die drie afdrukken maakte, voor Ian Gardhouse, de geluidstechnicus en mij. Dan keken ze me aan alsof ik tragisch en mogelijk gevaarlijk gek geworden was; maar dat ze zo'n belachelijk verhaal slikten, bewijst hoe zeldzaam laserprint toen nog was.

Ik was de eerste niet-zakenpersoon uit mijn kennissenkring met een autotelefoon. Dan zat ik in het verkeer, me koesterend in het doorgestikte leer van de Sovereign, en belde ik mensen puur om te kunnen zeggen: 'Wacht even, het wordt groen,' en dan hoorde ik ze aan de andere kant van de lijn ook groen worden, van afgunst. Natuurlijk dachten ze waarschijnlijk alleen: 'Wat een stumper,' maar ik was te zeer in mijn sas om me daar iets van aan te trekken.

Ik besloot dat ik een optrekje op het platteland moest hebben. Hoor eens, ik kan niet sorry blijven zeggen, maar nog één keer dan: ik weet hoe vreselijk dit moet overkomen. Een kat die almaar op zijn pootjes terecht blijft komen, zelfs een kat met een vrij problematische jeugd, is niet bepaald een interessante of bewonderenswaardige held. Ik moet de feiten vertellen zoals ik ze me herinner, in het volle besef dat ik er niet erg of helemaal niet goed afkom. Het geld stroomde binnen en ik was slachtoffer van niets anders dan mijn eigen schrokkerige hebberigheid en mijn ordinaire genot in de rijkdommen die de wereld me zo grif leek te willen bieden.

Na als kind te zijn weggelopen van een huis op het platteland dat, zo zag ik nu, paradijselijk idyllisch was geweest, wilde ik nu zo'n huis voor mezelf. Voor mij kon het platteland maar één ding zijn:

Norfolk. Er was alleen één probleempje. Ik wist dat mijn ouders, met name mijn vader, uiterlijk vertoon en poenerigheid verfoeiden. Ik durfde hun niet te vertellen hoeveel ik verdiende, want dat leek obsceen en niet te rechtvaardigen. Mijn vader associeerde ik met een nietsontziend arbeidsethos en minachting voor geld, althans, een totale desinteresse voor geld. Dat ik door de tuin des levens dartelde met mijn schortje wijd gespreid om alle gouden munten die op me neer regenden op te vangen, zou hem grotesk en stuitend hebben geleken. In zijn ogen zou het bijna even oneerlijk verkregen geld zijn geweest – dat hield ik mezelf althans voor – als het geld dat ik als delinquente adolescent bij elkaar had gestolen.

Stephens reactie op gênante kwesties is altijd weglopen of, net als in dit geval, zich uit de problemen liegen. Je hoeft niet lang op deze planeet te hebben rondgelopen om te weten dat je je daarmee altijd ín de problemen liegt. Ik besloot mijn ouders te vertellen dat ik een pand in Norfolk wilde kopen om er een restaurant van te maken. Dat klonk minder genotzuchtig en zelfverwennerijachtig dan puur een tweede huis kopen. Mijn ouders leken me te geloven, of waren zo lief om te doen alsof en mijn leugen niet meteen door te prikken.

Ik ben de snelste en ongeduldigste shopper ter wereld. Ik pluk spullen van de schappen als een geflipte deelnemer aan *Supermarket Sweep*. Kleren pas ik nooit. Rijen en wachten ontlokken me een knarsetandend gekreun van ongeduld. Met huizen bleek ik net zo te zijn. Ik belde een makelaar in Norfolk en kocht het derde huis dat hij me liet zien. De eerste twee waren aantrekkelijk, maar er moest te veel aan gebeuren. Het huis dat ik kocht, was een solide woonboerderij met zes slaapkamers, oorspronkelijk zestiende-eeuws, maar in de negentiende eeuw grotendeels overgemetseld met het grijsgele baksteen dat typerend is voor dat deel van Norfolk. Ik liet mijn ouders het huis zien. In de grote eetkamer en salon werden restauranttafeltjes gedacht en we bespraken het doorbreken van deuren, de constructie van een bar en voorraadruimte en het aantrekken van een kok en bediening. Daarna werd er op tactvolle wijze nooit meer over gesproken. Het was overduidelijk dat het een woonhuis voor mij was, en dat als ik ooit met de gedachte had gespeeld er een restaurant te beginnen, het niet meer dan een kortstondige fantasie was geweest. Me generend voor het feit dat het totaal ongepast was voor mijn leeftijd en vrijgezelle staat, zei ik maar tegen iedereen dat ik 'een cottage' in Norfolk had. Iets voor het weekend.

Daar zat ik nou, zonder partner met een knots van een huis en een knots van een auto. Eén knots van een auto? Dat moest snel rechtgezet worden. Ik begon aan wat een oldtimerkoopmanie van zes, zeven jaar zou worden, beginnend met een Aston Martin V8 uit begin jaren zeventig. Toen ik hem kocht, was hij schreeuwerig Yeoman red, dus liet ik hem overspuiten in geil maar gedekt Midnight Blue. Ik weet niet meer waar ik meer van hield, mijn buitenhuisje, mijn Aston Martin, mijn Apple-computer of mijn gold card. Wat een stijlloze hork was ik, wat een kwistzieke oetlul, wat een baarlijke bralnek. Ik kijk erop terug en het enige dat ik zie, is verspilling, ijdelheid, leegheid en puberale eigenwaan. Dat ik gelukkig was, biedt achteraf geen troost.

Bij het omzien in spijt dat door mijn gedachten speelt, stel ik me voor hoe ik het geld dat zo overvloedig binnenstroomde ook had kunnen gebruiken. Was ik nog niet gelukkig genoeg in Londen? Hugh, Katie, Nick en ik hadden het heerlijk in Southgate Road en dachten erover om ons geld in één pot te stoppen en samen een huis te kopen. Waarom wilde ik dan ook nog een groot huis in Norfolk? Ik was dol op mijn Daimler Sovereign, wat moest ik dan met nog een auto en nóg een? Je kunt maar één auto tegelijk besturen, sukkel. Ik was dol op mijn Macintosh, waarom wilde ik dan elke keer als Apple met een nieuw model kwam weer een andere? Wat moest ik überhaupt met die tierelantijnen waar ik mijn geld aan spendeerde? Waar was ik in godsnaam mee bezig? Ik had het kunnen sparen, beleggen, vermeerderen. Maar ik kan net zo goed zeggen dat ik *Don Giovanni* had kunnen zingen in Covent Garden, of als eerste aan bat had kunnen staan op Lord's. Zoals Dirty Harry in *Magnum Force* tegen Hal Holbrook zegt: 'Je moet je beperkingen weten.' Ik zal nooit zuinig, zinnig of vooruitziend zijn. Nooit. Dat zit gewoon niet in mijn genen. Ik geloof beslist dat verandering, verbetering, heuristische groei en de verwerving en verbreiding van kennis en wijsheid door ervaring mogelijk en wenselijk is. Ik geloof ook dat vossen altijd hun streken houden, stinkdieren hun stank en Stephens een roekeloos en extravagant gat in hun hand. Sommige dingen zijn niet te veranderen.

'Jij hoeft nooit meer te werken,' zei iemand op een feest tegen me. Voor mij klonk dat alsof hij me feliciteerde met een totale dwarslaesie: 'Hoera! Je hoeft nooit meer te lopen! Lekker de hele dag in bed blijven.' Misschien gaf ik daarom zo grif geld uit, om altijd een prikkel te hebben om te werken.

Een andere prikkel om te werken was het voorbeeld van Ben Elton. De tweede reeks was het laatste wat de wereld van *Alfresco* zag, maar tussen het bijslijpen van de laatste van de ruwweg honderd sketches die hij voor *Alfresco* had geschreven en het als coauteur afhechten van de tweede reeks van *The Young Ones* was hij erin geslaagd zes afleveringen te schrijven van een heel nieuwe comedyserie van eigen hand, die hij *Happy Families* noemde. Daarin speelde Jennifer Saunders alle vijf rollen van een oude oma en haar vier verdwenen kleindochters. Ade Edmondson, die vrij kort daarna met Jennifer zou trouwen, speelde de ongelukkige kleinzoon die de hele aardbol moet afzoeken om hen te vinden. Ik werd gecast als dezelfde harteloze Dr. de Quincy die ik in een paar *Alfresco*-sketches had gespeeld, met Hugh als Jim, mijn kiplingeske vriend en metgezel. De regie van de serie was in handen van de producer-regisseur van *The Young Ones*, Paul Jackson. Tijdens de opnamen, die plaatsvonden in en rond Denstone in Staffordshire, op nog geen vijf minuten van de verlokkingen van Uttoxeter en de gruwelen van Alton Towers, vertelde Paul tussen neus en lippen door dat hij het jaar daarop een nieuwe live-comedyshow voor Channel 4 ging maken. Of Hugh en ik interesse hadden. Die avond staken we in de bar nerveus de koppen bij elkaar. Deze 'gewaagde', 'alternatieve' en 'baanbrekende' show zou deels om de nieuwe, jonge generatie stand-up humoristen draaien. Stand-up was het zoveelste ijzer in Ben Eltons vuur: hij trad regelmatig op als presentator in de Comedy Store, en hij zou zeker een sessie of twee doen in de nieuwe serie. Ook andere komische teams zouden hun opwachting maken, zoals Mark Arden en Steve Frost, samen de Oblivion Boys, en Rik Mayall en Ade Edmondson, die weer bij elkaar waren, ditmaal als de Dangerous Brothers. Hugh en ik waren bang dat wij in dat gezelschap de spreekwoordelijke modderschuit onder hun stralende vlag zouden zijn. Ondanks onze karakteristieke koudwatervrees en angstige voorgevoelens besloten we het toch te doen. Uiteindelijk, ergens diep in de krochten van onze kolkende ketel van mafheid, wisten Hugh en ik dat we samen comedy moesten doen. Het was ons lot, zeg maar.

Weer terug in Londen kochten Hugh, Katie, Nick Symons en ik met ons vieren een groot huis in St. Mark's Rise, Dalston. Aan dat huis vlak bij Sandringham Road, dat vanwege zijn overwegend dealende Jamaicaanse bewoners bekendstond als Da Front Line, moest het nodige gebeuren, en we begonnen meteen met opknappen. Dat wil zeggen, we namen een ploeg stoere stukadoors en stoffeerders in de arm. Ze waren ontzettend goed, en daar wil ik u wat meer over vertellen.

O mijn god, nou gaat Stephen doorzagen over hoe goed die werklui wel niet waren en blablabla. Nee toch, hè?

Zoals ze bij hulplijnen zeggen: blijf aan de lijn, beller…

Een van de stukadoors, Martin, was werkelijk heel, heel deskundig. Geweldig met plafondrozetten en allerhande gipsen ornamenten en pleisterwerk. De andere twee, Paul en Charlie, waren meer dan competent in het berapen, aansmeren, afzetten, schuren, schilderen en andere bijkomende vaardigheden die je van een doorsnee bouwer mag verwachten, maar ze hadden nog iets anders. Ze waren namelijk onvoorstelbaar grappig. Ik bracht hun koffie, zoals je doet als je klussers over de vloer hebt, en ik maakte een praatje met hen op een naar ik hoopte vriendelijke en niet-hautaine manier, en elke keer maakten ze me verschrikkelijk aan het lachen. Ze hadden op de University of East Anglia in Norwich gezeten, welke zetel van hoger onderwijs ze spoorslags hadden verlaten, en waren naar Londen getogen om in de bouw te werken, dubbend of het comedycircuit een haalbaar doel was. Charlie was solozanger bij een punkband die blijkbaar nogal een cultstatus had. Paul amuseerde ons met imitaties van Londense types, met als absolute favoriet een Griekse cockney die een geheel eigen interpretatie van gecockneyficeerd Engels bezigde. Dat typetje was gebaseerd op de echt bestaande Adam, eigenaar van een kebabzaak in Hackney. Hugh en ik vonden dat Paul en Charlie, hoe bedreven ze ook waren in het aansmeren, afzetten, berapen enzovoort, beslist een poging moesten wagen in het comedycircuit. Paul wist niet zeker of hij optreden wel zag zitten, maar dacht dat hij het misschien wel zou proberen met schrijven.

De succesvolste comedyschrijver die ik kende, woonde even verderop in Islington. Dat was Douglas Adams. Het succes van zijn radioserie, boeken en televisiebewerking van *The Hitchhiker's Guide to the Galaxy* had hem internationaal aanzien, roem en rijkdom opgeleverd. Het was een boom van een kerel, zeker zeven centimeter groter dan ik, al leek het veel meer. Als hij de trap op- en afrende, schudde het hele huis. Hij was nieuwsgierig naar en begeesterd door alle mogelijke dingen en voorwerpen, levende planten en wezens, zichzelf, anderen, de wereld en het hele universum. De meest fundamentele wetten, principes en axioma's die aan alles ten grondslag liggen en die door iedereen als vanzelfsprekend worden aangenomen, waren voor hem fascinerend, grappig en heerlijk raar. Ik ken niemand bij wie zo veel kinderlijke eenvoud hand in hand ging met zo'n hoge graad van inzicht en intelligentie.

Bijna elke vrije dag ging ik bij hem langs in een zijstraat van Upper Street en vroeg ik, bleu als een schooljongen, aan zijn vrouw Jane of hij mocht komen spelen. Hij mocht eigenlijk nooit spelen, met dat eeuwige zwaard van een deadline boven zijn hoofd, dus wat deden we? Spelen natuurlijk. Douglas' opmerking over deadlines staat me bij als het mooiste wat daar ooit over gezegd is. 'Ik ben gek op deadlines, vooral dat zoevende geluid als ze voorbijschieten.'

Hoe speelden we dan? Wat speelden we? Scalextric? Treintje? Jammen? Verkleden? Nee – u hebt het vast al geraden. Douglas was de enige in mijn kennissenkring die ook een Macintosh-computer had. Net als ik ruilde hij zijn oude in zodra Apple een nieuw model op de markt bracht. Net als ik vond hij het niet alleen leuk, hij vond het fantastisch, hij geloofde erin, hij wilde het baanbrekende, wereldveranderende belang ervan van de daken schreeuwen. Net als ik snapte hij niet hoe mensen aan IBM-compatibele pc's met CP/M of het nieuwe bedieningssysteem MS-DOS konden blijven vasthouden, die allebei niet meer konden dan tekst in beeld brengen. Wij geloofden dat het hele idee van muis, icoontjes, aanklikmenu's en grafische software dé toekomst van de pc was, en we waren allebei even ontsteld en verontwaardigd over de prolurken die dat niet wilden zien. Zoals alle fanaten moeten we ontzettend flauwe en vervelende vlerken voor onze omgeving zijn geweest. Samen stapten we van de 512 'Big Mac' over op de Mac Plus met zijn magische scsi-connectoren, en vanaf daar op de kleuren-Mac ii en verder. Douglas kon het met gemak betalen, en ik kon langzamerhand, nu het geld van *Me and My Girl* bleef binnenstromen, zijn uitgaven pond voor pond bijbenen. Het was een zegen die dag te mogen leven, maar zo veel rijkdom was de hemel zelf.

Een zinnige vorm van internet lag natuurlijk nog jaren in het verschiet. Niet alleen bestond er nog geen World Wide Web, zelfs servers, diensten en protocollen als wais, Gopher, Veronica, Jughead, SuperJANET en Archie – inmiddels allang onder de zoden – waren toen iets waarvan een futurist slechts kon dromen. Wel had je Prestel, een vroege onlinedienst van Tante Post die het heel lekker deed op mijn oude bbc Micro en simpele mail en messaging mogelijk maakte, en je had Compuserve, een commerciële onlinedienst waarop de gewone enthousiasteling met behulp van een simpel akoestisch modem kon inloggen. De spannende facetten van het ontluikende internet, zoals elektronische post, Telnet en ftp, waren nog tantaliserend buiten bereik, slechts beschikbaar voor de bobo's van de academische wereld en de overheid. Douglas en ik waren voornamelijk zoet met het downloaden van kleine programma's (vooral zogenaamde 'inits') en die op onze pc's uitproberen tot ze crashten. Er zat geen echte gedachte achter. Als Jane ons vroeg waarom dat allemaal nodig was en wat dat nou voor zin had, wat ze als slimme, door de wol geverfde, realistische jurist van tijd tot tijd deed, keken we elkaar verwonderd aan.

'Zin?' Douglas proefde het woord op zijn tong, alsof het nieuw voor hem was.

Ik citeerde *King Lear*: 'Vraag niet naar reden of rede.'

Voor sommige mensen zijn computers, digitale apparaten en dergelijke slechts functionele voorwerpen die het uitvoeren van specifieke taken tot doel hebben. Moet er hier en daar iets worden aangepast om te zorgen dat die functies beter worden uitgevoerd, het zij zo; aanpassen dan maar. Voor andere mensen, mensen zoals Douglas en ik, ís het aanpassen de functie. Een computer gebruiken om een boek te schrijven, je belasting in te vullen of een factuur te printen is iets wat je zou kunnen doen, maar het is lang niet zo leuk als klooien. Mensen als Douglas en ik zijn één met onze digitale speeltjes, zoals een baasje één is met zijn hond. Tenzij je blind, herder, politieman of bewaker bent, hebben honden geen functie, ze zijn er om bemind, gekieteld en geaaid te worden – om vreugde te verschaffen. Een meer reguliere affectie in die trant is wat mensen met auto's hebben. Rowan Atkinson, Steve Coogan en Robbie Coltrane bijvoorbeeld. Die gebruiken hun auto ook om boodschappen te doen, naar huis te rijden enzovoort, en dat is logisch, maar dat is niet wat hun houding tegenover en relatie met auto's bepaalt. Als u niet gezegend of behept bent met diep-emotionele gevoelens voor apparaten, zult u me wegzetten als een halfgare nerd, net zoals u hen zult wegzetten als infantiele autogekken. Enthousiastelingen zijn het gewend bespot, beschimpt en niet begrepen te worden. Dat vinden we niet erg. Sterker, het is heel goed mogelijk dat Douglas en ik het heerlijk vonden om esoterische hobbyisten te zijn die een ondoorgrondelijk taaltje bezigden en uren in vruchteloze projecten staken. Ik moet tot mijn schande bekennen dat me enige spijt bekroop toen het muntje eindelijk bij Microsoft viel en ook zij met hun eigen grafische interface kwamen. Die noemden ze Windows, en in 1992 had versie 3.1 inmiddels het stadium van bijna-bruikbaarheid bereikt. Nog drie jaren zouden verstrijken eer Windows 95 eindelijk een bedieningssysteem kon worden genoemd in plaats van een toevoeging aan MS-DOS. Dat was elf jaar na de introductie van de Mac, in computertermen een heel leven. Douglas en ik zagen ons gelijk bevestigd, maar we waren ook ietwat teleurgesteld, alsof het gewone volk de toegang tot de geheime tuin had gevonden. Een van de naarste menselijke trekjes, en zo gemakkelijk om aan toe te geven, is nijd om de plotseling gedeelde populariteit van een tot dan toe exclusief genoegen. Wie heeft zich nooit verbeten als een groep, schrijver, kunstenaar of televisieserie waarvan we tot dan toe in beperkte kring genoten, ineens bij het grote publiek bekend raakt? Toen het nog slechts cultstatus had, klaagden we over het cultuurbarbarisme van een wereld die het niet waardeerde, en nu de wereld het wél waardeert, doen we gepikeerd en misplaatst bezitterig. Ik ben oud genoeg om me de langharige jongens op school te herinneren die de pest in hadden over het succes van *Dark Side of the Moon*. Ze monkelden 'gezwicht voor het grote geld' terwijl ze nog een maand eerder iedereen die ze te pakken konden krijgen verveelden met hun gezwatel over de onbegrepen genialiteit van Pink Floyd en die stomme wereld die dat niet zag.

Maar Douglas en ik hadden nog jaren van eenzaam genot voor de boeg, en ik reken de twee, drie jaar van ons intensieve contact, ons floppy's uitwisselen en ons nerdiaanse geheimtaaltje tot de gelukkigste jaren van mijn leven.

Douglas' schrijfschema was een kwelling in optima forma. Sue Freestone, zijn uitgeefster bij Heinemann, kwam persoonlijk bij hem smeken, vaak bijna met tranen in haar ogen, om wat pagina's uit zijn printer. Dan stortte Douglas zich de trap af naar de koffiezetter, stortte zich weer naar boven, beende naar zijn bureau en plofte achter zijn computer. Na een uurtje pielen met de screensaver, het behang, de bestandstitel, het installeren op het bureaublad van de betreffende map, het formatteren, het lettertype, de lettergrootte en letterkleur, de kantlijnen en de lay-out, tikte hij uiteindelijk met een beetje geluk een zin. Hij las hem na, zette hem cursief, gooide de woordvolgorde om, stond op, las hem nog eens. Neuriën, vloeken, grommen en kreunen, en dan wiste hij hem. Hij probeerde een andere zin. Hij las hem over en misschien pufte hij even tevreden. Dan stond hij op, beende de kamer uit en stortte zich de trap af naar de keuken, waar Sue en ik met een sigaretje zaten te kletsen, en schonk zichzelf nog een onmenselijk sterke kop koffie in.

'Mag ik vragen…?' zei Sue dan.

'Gaat goed. Ik heb de eerste zin al!'

'O.' Het was dan inmiddels juli en het nieuwe boek had september van het jaar ervoor uit moeten zijn. Eén zin tot dusverre. Sue perste er een strak lachje uit. 'Nou, het begin is er tenminste.'

Dan knikte Douglas enthousiast en slingerde zichzelf weer de trap op, een spoor van koffiespatten in zijn kielzog. We hoorden zijn voeten op de vloer boven ons stampen en dan hoorden we aan zijn gepijnigde kreet 'Nee! Waardeloos!' dat zijn trotse eerste zin bij nader inzien toch niet aan de eisen voldeed, en gaf het gebonk op het toetsenbord het heengaan van zijn eersteling aan. Het schrijversleven is zwaar, maar dat van Douglas Adams was pijnigend in een mate die ik nooit bij wie dan ook ben tegengekomen.

Crusty in de Carlton Club

Ben Elton, wiens flux-de-plume niet de minste hapering kende, kon natuurlijk niet rusten op de lauweren van zijn duizend *Alfresco*-sketches, twee reeksen *The Young Ones*, een gloednieuwe comedyserie en het vooruitzicht van Paul Jacksons show op Channel 4. Zodra hij terug was van de opnamen van *Happy Families* in Staffordshire, ging hij aan de slag als coauteur van een nieuwe BBC-sitcom. Althans, niet helemaal nieuw; eigenlijk was het de tweede reeks, maar een volkomen nieuwe bewerking van het origineel.

The Black Adder, met Rowan Atkinson in de hoofdrol en geschreven door hemzelf en zijn oude maatje en mede-Oxford-student Richard Curtis, was twee of zelfs drie jaar eerder uitgezonden en was, hoewel tot de nok gevuld met subliem spel en briljante komische scènes, overwegend nogal teleurstellend ontvangen. De BBC had besloten dat het programma, hoe goed het verder ook was, in elk geval te duur was voor een vervolg. *Black Adder*-producer John Lloyd zou het later omschrijven als 'de serie die er als een miljoen dollar uitzag en een miljoen pond kostte'.

Rowan had inmiddels besloten dat hij, zelfs als er een tweede reeks zou komen, geen coauteur meer wilde zijn, dus moest zijn medebedenker Richard Curtis beslissen of hij alleen verder wilde of er iemand bij zou halen. Hij koos voor het laatste, en de schrijver op wie zijn oog viel was Ben Elton. Richard Armitage, Rowans agent, meende dat *Blackadder* voldoende potentieel had om zijn gedram te rechtvaardigen om de BBC op andere gedachten te brengen, maar hij had ernstige twijfels of Ben Elton wel geschikt was voor het project. Hij ontbood mij op zijn kantoor.

'Elton,' zei hij. 'Richard Curtis wil blijkbaar samen met hem de volgende *Blackadder* doen.'

'Grandioos idee!'

'Echt? En al die scheetgrappen dan?' Richard had Ben nog steeds niet vergeven voor kolonel Sodom en diens ontploffende derrière in *There's Nothing to Worry About*.

'Nee, Ben is perfect, echt.'

'Hmm...' Richard nam een trekje van zijn Villager-sigaar en verzonk in diep stilzwijgen.

Ben is zachtaardig, beminnelijk, eerlijk en oprecht. Hij is een van de meest begenadigde mensen die ik ooit heb gekend. Maar naast die begaafdheid lijkt hij ook behept met een treurig talent om mensen tegen zich in te nemen en hun neus in minachting en afkeer te doen ophalen. Ze wantrouwen wat zij zien als zijn namaak-cockney-accent (het is geen namaak, hij heeft altijd zo gepraat, net als zijn broer en zus), de oprechte betweterigheid van zijn politieke opvattingen en de (schijnbaar) zalvende toon waarop hij die debiteert. Ben is van alles, maar hij is niet gek, en dat weet hij heel goed, maar het enige vermogen dat hem niet gegund lijkt te zijn is daar iets aan te kunnen doen. Richard Armitage had moeite met hem, maar hij was wel zo slim om te zien dat als dat decennium een comedypols had, niemand daar steviger de vinger aan had dan diezelfde Benjamin Charles Elton met zijn gutturale, tegen de haren in strijkende accent en zijn voorkeur, althans in Richards ogen, voor billen-, piemel- en flatulentiehumor.

'Denk je echt?' Hij keek me aan met de mix van ongeloof en teleurstelling die je verwacht op het gezicht van de secretaris van een herenclub in Pall Mall bij het bericht dat een van de leden Pete Doherty heeft voorgedragen voor de drankcommissie. Ik voelde me gevleid dat mijn mening zo op prijs werd gesteld. Dankzij mijn bijdrage aan *Me and My Girl*, dat van Richard de gelukkigste man van Londen had gemaakt, en het feit dat ik naar elk weekend of dinertje kon worden meegenomen zonder tegen te vallen, was hij me gaan zien als een soort bemiddelaar tussen zijn wereld en de dappere nieuwe wereld die om hem heen aan het opstaan was.

'Absoluut,' zei ik. 'Dus er komt echt een tweede reeks?'

'De vraag,' zei Richard, blind tastend naar de hoorn van de ingewikkelde telefoon achter zijn rechterschouder, 'is of we de BBC zover kunnen krijgen om het nog een kans te geven. Ze willen het budget decimeren.'

'Dat valt mee. Dat is tien procent.'

'Huh?'

'Decimeren is met een tiende verminderen.'

Bij de meeste mensen ontlokt dit soort domme pedanterie een acute behoefte om me te schoppen, maar Richard kon het altijd wel waarderen. 'Ha!' zei hij, en toen er een stem aan de andere kant van de lijn klonk: 'Ik wil John Howard Davies spreken. En trouwens,' vervolgde hij tegen mij toen ik opstond, 'we moeten het gauw eens hebben over *Me and My Girl* op Broadway. Vaarwel.'

Ik weet natuurlijk niet wat Richard Curtis, Rowan, Ben en John Lloyd bespraken over de tweede serie *Blackadder*, maar ik weet wel dat de schaalverkleining van het programma voor Ben een komische noodzaak was; het feit dat het voor de bbc een financiële noodzaak was, mag als een zeldzaam en fortuinlijk samengaan van belangen worden gezien. Toen de bobo's de scripts zagen die Ben en Richard in elkaar hadden gedraaid, slaakten ze een zucht van opluchting. Het budget was meer dan gedecimeerd, het was op zijn minst gevierendeeld.

Het is niet aan mij om voor Ben te spreken, maar ik interpreteer zijn overtuiging dat het komisch noodzakelijk was in de show te snoeien aldus. *The Black Adder* was in groot formaat gefilmd, met tal van buitenopnamen op imposante locaties. Hele bussen figuranten waren aangevoerd, er waren rijk bemenste gevechtsscènes en veel paardjerijden en wapengekletter. De opnamen werden per aflevering gemonteerd en dan voor publiek vertoond, en het gelach werd op band opgenomen. Het resultaat miste sfeer, maar wat belangrijker was: het miste focus. Ik heb een theorie over comedy die ik oplepel voor iedereen die ernaar wil luisteren, of, in uw geval, die het wil lezen. Ik zie comedy als een tennismatch, waarbij het belangrijkste voor de toeschouwer is dat hij de bal kan zien. Het maakt niet uit hoe atletisch, lenig, gracieus, snel en vaardig de spelers zijn, als je de bal niet kunt zien, is al hun virtuositeit niet meer dan loze gebaren, onverklaarbaar heen en weer geren en maaien en meppen; zodra je de bal ziet, krijgt het betekenis. Het probleem met *The Black Adder* was volgens mij dat je de bal nooit zag. Schitterend en prachtig was het waanzinnige geschreeuw, het samenzweerderige fluisteren, het machiavellistische konkelen, het kluchtige verstoppen, het dramatische galopperen en het duivelse zwaardvechten, maar de bal van wat er van moment tot moment gaande was, wat de personages dachten of zeiden of van plan waren, ging verloren in de rijkdom van de mise-en-scène: schildwachten bij elke poort, weidse panorama's, pages, schildknapen en dienstmaagden die nijver bezig waren met pagen, schildknapen en dienstmaagden en onbedoeld de kijker het zicht op de bal ontnamen. Ben wilde de hele opzet van alle overbodige frutsels ontdoen en stond erop dat de afleveringen voor een live publiek werden gespeeld en opgenomen in de multicamera, studiomatige sitcomstijl die ons *Fawlty Towers*, *Dad's Army* (dat hij adoreerde) en alle grote klassiekers van de televisiecomedy hadden opgeleverd.

Ik wil niet beweren dat ik een aandeel heb gehad in het feit dat de serie een vervolg kreeg, maar ik weet wel dat Richard Armitage een grote stem in het kapittel had bij de BBC; zijn jeugdvriend Bill Cotton, directeur Televisie en Algemeen Mannetjesmaker, was een van de machtigste mensen van de Beeb. Beiden waren kinderen van musicalsterren uit de jaren dertig. Bandleider Billy Cotton en songschrijver Noel Gay waren destijds het vriendenduo aan het hoofd van Tin Pan Ally, en hun zoons waren het vriendenduo dat een grote vinger in de pap had in de muziekwereld van een generatie later. Rowan en Ben waren mijn vrienden, en ik was enorm verguld dat een historische comedyserie die gebruikmaakte van hun talenten een nieuwe kans kreeg. Verder dacht ik er niet over na, behalve dat ik de blijde gedachte koesterde dat ik misschien wel Richard Armitage had weten te overtuigen dat Ben een goede keus was.

Fotomoment in Richmond Park voor de BBC-versie van *The Cellar Tapes*.

Idem: feitelijk een oen met een pijp in zijn hoofd.

Met Emma in 'My Darling', een sketch over Robert en Elizabeth Barrett Browning.

Fragment uit de 'Shakespeare Masterclass'-sketch met Hugh.

Hugh op Kreta. We hadden een villa gehuurd om materiaal te schrijven.

Kretenzisch crapuul.

Hugh maakt zich op om me in te maken met backgammon. De retsina was bevredigend smerig.

Hugh, Emma, Ben, ik, Siobhan en Paul: *There's Nothing to Worry About*,
Granada TV, 1982. O, maar dat was er wel...

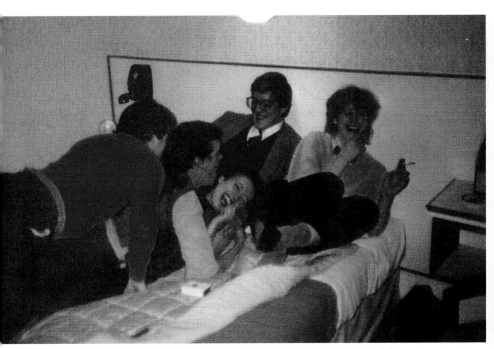

Feestje op mijn bed in het Midland Hotel. We zien er gelukkig uit.
Misschien waren we dat ook wel.

Een *Alfresco*-sketch die een genadige voorzienigheid
uit mijn geheugen gewist heeft.

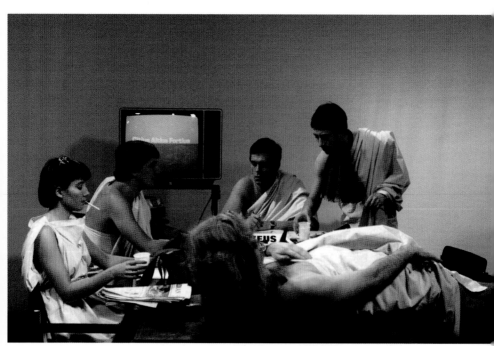

De voorzienigheid is me opnieuw genadig geweest. *Alfresco*.

De enige keer
in mijn leven
dat ik een
werkmansjasje
heb gedragen.
Alfresco.

Alfresco, serie 2: De Namaakpub.

Een joker in tweed en choker: onvergeeflijk slaagverwekkend. *Alfresco*.

Daarom was het een grote verrassing voor me dat ik werd gevraagd om een personage in de serie te spelen. Daarover hoorde ik voor het eerst in de loop van een samenzijn dat Ben 'een *crusty*' noemde.

Ondanks zijn (volkomen onterechte) reputatie als zure puriteinse socialist heb ik Ben altijd gekend als iemand die buitensporig gesteld is op ouderwetse en uiterst Engelse stijl, manieren en grandeur. Hij is gek op P.G. Wodehouse en Noël Coward en heeft een passie voor Engelse geschiedenis. Net als ik. Ik ben ook verzot op de wereld van de herenclub, vijfsterrenhotels met een rijke traditie, de buurt rond St. James's en maffe traditionele instituties, van Lord's tot beefsteak, van Wilton's tot Wartski's, van Trumper's in Jermyn Street tot de Sandpit van de Savile Club.

Misschien hebben we het idee – omdat we beiden afstammen van Europees-joodse families die de nazi's zijn ontvlucht – dat de mogelijkheid om zelfs kortstondig en oppervlakkig te kunnen doordringen in het bastion van het Establishment ons steviger verankerd doet voelen in een cultuur en in codes die we voor hetzelfde geld nooit zouden hebben ervaren. Misschien hielp het feit dat ik herkend werd door de portiers en obers van Londens chicste etablissementen me – net als het manische vergaren van creditcards – te geloven dat ik niet elk moment in de kraag kon worden gevat.

Sinds mijn studietijd was ik lid van de Oxford and Cambridge Club in Pall Mall, een klassiek St. James's-paleis met rookkamers, gecapitonneerde oorfauteuils en voorname marmeren trappen. Vurige flambouwen aan de buitenmuur werpen 's avonds hun gloed omhoog, en daaronder hoor je het gepok en geklak van rackets en biljartballen. Je moest uiteraard in Oxford of Cambridge studeren om lid te mogen worden, maar wat verrassender was, gegeven het feit dat op beide universiteiten al zeventig jaar gemengd onderwijs werd gegeven: het was een club uitsluitend voor heren; voor dames was schoorvoetend een aparte vleugel en salon beschikbaar. Het grootste privilege van dat lidmaatschap was voor mij dat ik nu toegang had tot andere clubs in Londen en de wereld. Dat gebeurde in augustus, als het personeel van de Oxford and Cambridge Club vakantie had. Dan stelden de Reform Club (die bij mij altijd associaties oproept met Phileas Fogg en *De Wereld Rond in Tachtig Dagen*) de Traveller's Club (domicilie van de privécongregatie van de mysterieuze en sinistere Monsignor Alfred Gilbey), de RAF Club, de Naval and Military (meestal de 'In and Out' genoemd), de absurd genaamde East India, Devonshire, Sports and Public Schools Club in St. James's Square en nog zo wat clubs hun deuren open voor ontheemde Oxford and Cambridge-leden die clubmatig in de watten gelegd wilden worden. De Carlton Club, een hoog-Tory bouwwerk in St. James's Street, ongeveer tegenover de drievoudige oude glorie van wijnhandel Berry Bros and Rudd, hoedenzaak Lock en Lobbs maatschoenen, stond ook op de lijst van etablissementen die ons in de augustusmaand keizerlijk onthaalden.

Ik had Ben Elton wel eens meegenomen naar de Oxford and Cambridge, en hij had zijn ogen uitgekeken bij het heerlijk absurde van zo'n herenclub. De lessenaars op de tafeltjes in de eetzaal voor solitaire eters die wilden lezen, de vreemde koper-en-mahonie weegschaal met een oeroud boek ernaast waarin leden hun gewicht konden noteren, de bibliotheek, de kapper en de biljartzaal: alles appelleerde aan zijn voorliefde voor het getikt traditionele. Zijn term ervoor was *crusty*, een term die zich laat vertalen als oude chic, maar ook als chagrijnig, net als de norse en narrige oude heren die zulke oorden bevolken.

Ik belde hem eind juli 1985 op.

'Ben, tijd voor een *crusty*.'

'Ik ben van de partij, Bing, en het komt prima uit, want ik wou je toch al spreken.' Ben noemde me altijd Bing of Bingable en dat doet hij nog steeds. Waarom weet ik niet meer.

'Als we volgende week gaan,' zei ik, 'heb ik allerhande clubs in de aanbieding, maar mij persoonlijk lijkt de Carlton het leukst.'

'De naam bevalt me nu al.'

De donderdag daarop troffen we elkaar in het Ritz voor een inleidende mondwassing. U mag het fout of hypocriet of snobistisch of grotesk of zielig vinden, gewone jongens van in de twintig die bekakt lopen te doen als personages in een roman van Wodehouse of Waugh, en misschien was het dat ook wel. Ik wil u vragen aan te nemen dat er een element in school, ik wil niet zeggen van ironie, maar van speelsheid misschien, van een bewustzijn van het ridicule van wat we aan het doen waren en van het ridicule figuur dat we sloegen. Twee joodse komieken die zich uitgaven voor flaneurs van de oude stempel. Ben was duidelijk slechts tijdelijk op bezoek in die wereld en ik was er meer onvergeeflijk mee verbonden, of wekte een meer geslaagde, dus engere indruk dat ik daar thuishoorde. Ik was immers echt lid van een Londense club en zou de daaropvolgende decennia lid worden van nog minstens vier andere, naast een aantal van de nieuwe exclusieve media-hang outs die kort daarop stormenderhand de bohemien wereld van Soho zouden veroveren.

We kuierden door St. James's Street en ik vertelde Ben over Brooks's en White's, de Whig- en Tory-bastions die elkaar aan weerskanten van de straat aanfronsten. White's was en is de meest aristocratische en exclusieve van alle Londense clubs, maar de Carlton, die we nu naderden, blijft de meest uitgesproken politieke club.

We liepen naar binnen en ik wuifde met een naar ik hoopte nonchalant handje naar de geüniformeerde portier in zijn mahoniehouten hokje.

'Oxford and Cambridge,' zei ik. 'Ik moet mijn ledenpas ergens hebben…'

'Dat is in orde, meneer,' zei de portier, Ben in één blik monsterend. Ben droeg, want hij wist dat dat in zulke etablissementen verplicht was, jasje en dasje, maar je hebt jasjes en dasjes en je hebt manieren om jasjes en dasjes te dragen. Met mijn antracietgrijze driedelige maatpak, New and Lingwood-overhemd en licht geruwde zijden Cherubs-das was ik helemaal op mijn plek, terwijl Ben in zijn c&a'tje oogde (en ik bedoel dit allerhartelijkst) als een buschauffeur die zich tegen heug en meug heeft opgedoft voor de bruiloft van zijn zus.

We stegen op naar de eetzaal op de eerste etage. Bij het passeren van een vrouwenbuste onder aan de trap ontplofte Ben bijna.

'Bing,' siste hij, 'dat is Thatch!'

'Ja, natuurlijk,' antwoordde ik hopelijk achteloos. 'Dit is per slot de Carlton Club.'

Toen we zaten, deelde ik hem mee dat ik hem had meegenomen naar de citadel van het moderne conservatisme, de club waar de conservatieve partij van nu geboren en gevormd was. Dus was Margaret Thatchers beeltenis vertegenwoordigd, net als die van alle Tory-leiders sinds Peel. Ben was zowel verbluft als opgetogen dat hij zich krek in het kamp van de vijand bevond. We voelden ons allebei lichtelijk stout, als twee kinderen die de sleutel van de drankkast van hun ouders hebben gevonden.

'Weinig volk wel,' zei Ben.

'Tja, het is augustus, dan zijn de meeste leden de stad uit. Maar ze zijn vast op tijd terug van de Rivièra voor het wildseizoen.'

'Wij gaan volgende week naar de hei,' zei Ben. 'Dan ben ik je deugniet.'

'Deugniet' was het woord dat Ben gebruikte als mix van Oxford-*scout* en Cambridge-*gyp*: bediende, huisknecht en trouwe page.

Samen hadden we een merkwaardige act van mij als aristocratische oude brombeer en Ben als mijn trouwe knechtje. Zeurpiet en Deugniet.

'Maar goed,' zei ik, 'dit is dus de Carlton Club. Het kloppend hart van het Establishment. Maar je zei dat je me wilde spreken?'

'Klopt. Het zit namelijk zo, Bing. Zoals je weet zijn Dickie C en ik bezig met die nieuwe *Blackadder*.'

'Zeker.'

'Nou, er zit een rol in voor jou.'

'Serieus?'

'Ik zal niet liegen,' zei hij. 'Het is niet het fraaiste personage op aarde. Hij heet lord Melchett en hij staat achter de koningin en kruipt in haar kont. Hij en Blackadder kunnen elkaar niet luchten. Een soort kamerheer, snap je?'

'Ben, natuurlijk doe ik het,' zei ik.

Vanuit mijn ooghoek zag ik dat een antiek heerschap een paar tafels verderop moeite had met het verteren van Bens vocalen, die van de portretten van Wellington en Churchill in zijn verbijsterde oren kaatsten. Hij had al tien minuten met toenemend venijn in zijn soep zitten sputteren en grommen. Bij Bens laatste uitroep keek ik op en herkende het vlekkerige, hangwangige en vuurspuwende facie van de lord Chancellor, Quintin Hogg, nu lord Hailsham. Hij had Oliver Hardy-gewijs zijn servet in zijn boord gepropt, en met zijn uitdrukking van verontwaardiging, ongeloof en nieuwsgierigheid tegen wil en dank deed hij me denken aan een oude vrijster die net een potloodventer zijn jas heeft zien opentrekken.

Al met al werd ons avontuur in de Carlton Club een van de vrolijkste en meest memorabele avonden in mijn bestaan.

Conincklijke Comedie

Als u de moeite hebt genomen dit boek te kopen, stelen of lenen, hebt u waarschijnlijk wel eens naar *Blackadder* gekeken of weet u er in elk geval iets van, maar u vindt het vast niet erg als ik het in grote lijnen uitleg voor Amerikanen en anderen die er minder mee bekend zijn. De tweede reeks van deze historische sitcom speelt in het Engeland van Elizabeth I, met Rowan Atkinson in de titelrol van lord Edmund Blackadder, een gladde, listige, manipulerende en charmant amorele hoveling. Tony Robinson en Tim McInnerny spelen respectievelijk zijn morsige huisknecht Baldrick en zijn onnozele vriend lord Percy, net als in de eerste reeks. Aan het koninklijk hof wordt de jonge koningin Elizabeth vertolkt door Miranda Richardson, Patsy Byrne speelt haar min met borstenfixatie Nursie en ik het personage dat Ben me had beschreven: lord Melchett, een William Cecil cum lord Burghley-achtige figuur, compleet met gespleten baard, gespleten tong en hermelijnen mantel.

We repeteerden in de repetitielokalen van de BBC in North Acton, die ik nog kende van *The Cellar Tapes*, *The Crystal Cube* en de aflevering 'Bambi' van *The Young Ones*. De regie was in handen van de uitermate charmante en capabele Mandy Fletcher. Hier moet ik even het verschil uitleggen tussen een regisseur voor multicamera televisie en een film- of theaterregisseur. In die laatste twee werelden is de regisseur de absolute monarch, hij of zij neemt alle creatieve beslissingen en is uiteindelijk verantwoordelijk voor wat er op het doek of het toneel vertoond wordt. Bij televisie doet de producer dat. Onze producer was John Lloyd. Mandy's taak was om te bedenken hoe ze de camera's moest coördineren en laten bewegen om optimaal in beeld te brengen wat John en de cast hadden bedacht. Daarmee wil ik niets afdoen aan haar rol en haar kundigheid, het is alleen zo dat de meeste mensen denken dat de regisseur de baas is in termen van script, acteerwerk, komische ideeën, de spelers sturen enzovoort. Dat was echter, vooral omdat Richard Curtis noch Ben Elton graag op de repetities kwam, het pakkie-an van onze producer.

Bij terugblikken op de geschiedenis van de Britse comedy valt steevast de naam van John Lloyd. Hij studeerde in Cambridge en zat bij Footlights, gelijk met zijn vriend en gelegenheidscollega Douglas Adams. Na Cambridge ging hij bij de BBC-radio werken, waar hij *The News Quiz*, *Quote Unquote* en andere spelshows en komische programma's bedacht, alvorens naar de televisie over te stappen met *Not the Nine O'Clock News*. Richard Curtis was een van de topschrijvers van die serie, en Rowan Atkinson een van de sterren. Vandaar dat het logisch was dat John, Rowan en Richard *The Black Adder* produceerden. Het jaar daarop produceerde hij de eerste reeks van *Spitting Image*, waaraan hij tot het laatst zou meewerken, en daarnaast produceerde hij de drie vervolgreeksen van *Blackadder*, inclusief incidentele speciale afleveringen voor het goede doel of anderszins. In 2003 begonnen hij en ik aan een ander kind van zijn vruchtbare geest, QI. Hij had overigens, al zal hij me niet in dank afnemen dat ik het vermeld, ook als scriptconsultant meegewerkt aan een paar afleveringen van *Alfresco*, dus je zou kunnen zeggen dat mijn carrière al zo'n dertig jaar gelijk opgaat met de zijne. En hij is, dat mag ik niet ongezegd laten, zo gek als een deur.

Succes heeft tien ouders en mislukking is een wees, zoals ik al eerder heb gezegd toen ik het had over de genese van de aflevering 'Bambi' van *The Young Ones*. *Blackadder II* bleek, al hadden we daar in de repetitiefase nog geen idee van, een enorm succes bij het publiek. Ik heb niet meer recht van spreken over hoe dat kwam dan wie ook, al dan niet verbonden aan het programma. Wat Ben Elton inbracht in de vorm van energie, fantastische woordspelingen, briljante anachronismen en algehele *jeux d'esprit* is niet te overschatten, en hetzelfde geldt voor Richard Curtis' oor, humor en talent, alsmede zijn feilloze inzicht in Rowans bereik en power. De transformatie van Tony Robinsons Baldrick van tamelijk gisse sidekick in de eerste reeks naar angstaanjagend onnozele minkukel in de tweede, was ook cruciaal voor het succes van de serie. Tim McInnerny's lord Percy was goddelijk, net als Patsy Byrnes Nursie. Velen zullen Miranda Richardsons vertolking van een jonge en griezelig labiele Queenie bestempelen als een van de absolute hoogtepunten van die reeks, en een van de beste komische rollen ooit op de Britse televisie vertoond.

Daarnaast hadden we de geweldigste gasten. Tom Baker speelde een zeebonk genaamd kapitein Redbeard Rum. Zijn vertolking was subliem en als mens was hij ronduit een schat. Als er een scène werd gerepeteerd waarin hij niet voorkwam, sloop hij naar buiten en kwam even later terug met een dienblad vol snoep, chips, chocola, sandwiches, nootjes en zoutjes, die hij met gulle hand ronddeelde, waarna hij weer weghuppelde om bij te halen. In zijn *Doctor Who*-tijd was hij nogal een feestbeest in de pubs en clubs van Londen. Hij streek regelmatig om een uur of drie, vier 's nachts neer bij de repetitieruimte in North Acton, waar vriendelijke nachtwakers hem binnenlieten en hem op een repetitiemat lieten uitslapen, en 's morgens maakten de productieassistenten hem weer wakker. Hij placht je aan te kijken met zijn ernstige, uitpuilende ogen waaraan je niet echt kon zien of hij je nu een idioot of een god vond.

Miriam Margolyes vervulde een gastrol als de puriteinse, klappen uitdelende lady Whiteadder in de aflevering 'Beer'. Rik Mayalls kapitein Flashheart kwam als een vuurpijl het scherm op geëxplodeerd, en tot mijn niet geringe vreugde gaf Hugh ook twee keer acte de présence, eerst als een van Blackadders winderige drinkmakkers in 'Beer' en daarna, in meer magistrale gedaante, als een dolzinnige Duitse superschurk en meester der vermommingen. Dat was in de laatste aflevering, aan het eind waarvan we op een of andere manier allemaal het loodje legden.

Na al deze geweldige bijdragen lof te hebben toegezwaaid, moet ik nu over naar wat voor mij het ware wonder van deze serie was: Rowan Atkinsons vertolking van Edmund. Ik zat op de repetities met open mond van verbijsterde bewondering naar hem te kijken. Ik had nog nooit zo'n buitengewoon komisch talent van dichtbij gezien. Ik had hem in Edinburgh zien optreden en me benat van het lachen, ik had van hem genoten in *Not the Nine O'Clock News* en ik had zijn nogal verontrustende titelrol in de eerste reeks gezien, maar de Edmund van *Blackadder II* was een openbaring. Met zijn schmierende hoffelijkheid, stembeheersing, minimalisme en ingehouden fysieke spel liet Rowan zich van een volkomen nieuwe kant zien. Deze Edmund was sexy, zelfverzekerd, speels, dynamisch, zwierig, gesoigneerd en charismatisch.

Rowan, dat is welbekend, is een teruggetrokken en bescheiden persoon. Hij studeerde eerst elektrotechniek in Newcastle en deed daarna zijn master op Queen's College in Oxford, en hij heeft altijd iets van een stille en noeste wetenschapper gehouden. Als je hem spreekt, zie je niet zo een-twee-drie waar dat komische vandaan komt. In mijn toespraak bij zijn huwelijk enkele jaren later heb ik dat geprobeerd te verklaren. Ik zei toen dat het leek alsof de Almachtige ineens had gemerkt dat hij nog ergens een voorraad komisch talent voor tien jaar had die hij vergeten was evenredig over de bevolking te verdelen. Dus besloot hij voor de grap het hele zwikje toe te kennen aan de minst waarschijnlijke sterveling die hij kon vinden. Hij liet daarvoor zijn blik vallen op Noordoost-Engeland, zag een schroomvallige, vlijtige jonge ingenieur door de straten van Jesmond dwalen, dromend van tractors en transistors, en zapte hem vol met al dat komische talent. Hij gaf hem niets van de gebruikelijke showbizzkapsones of zucht naar roem, adoratie en gelach, alleen die gigantische portie talent. Ik word nog wel eens wakker met een opvlieger van schaamte dat ik die gedachte veel te onhandig heb verwoord, waardoor het minder hartelijk en bewonderend klonk dan ik bedoelde, dat ik voorbijging aan de kundigheid, de concentratie en het zorgvuldige gebruik van dat talent dat Rowan tot zo'n authentiek komisch genie maakt. Los daarvan is hij een ontzettend leuk, lief, beminnelijk en wijs persoon wiens persoonlijke kwaliteiten als mens minstens even groot zijn als zijn komische prestaties.

Toen Rik Mayall kwam repeteren voor zijn rol in *Blackadder II* viel het contrast tussen zijn stijl en die van Rowan onmiddellijk op. Het was alsof je een Vermeer naast een Van Gogh zette, de ene een en al exquise finesse en subtiele, bijna onzichtbare nuances, de andere een fanfare van woeste en groot aangezette streken. Twee totaal verschillende vormen van esthetica, beide even briljant. Bij Rik zag je het personage vanuit zijn eigen karakter spruiten. Flashheart was een dik aangezette en extreme versie van Rik. Bij Rowan was het alsof hij Blackadder vanuit het niets tevoorschijn toverde. Hij groeide uit Rowan als een extra lichaamsdeel. Ik ben net zo jaloers en afgunstig als iedereen, maar als je in het gezelschap verkeert van twee mensen met een talent waaraan je nooit ofte nimmer kunt tippen, is het haast een opluchting om gewoon achterover te leunen en als een zwijmelende groupie toe te kijken.

Mijn grime voor *Blackadder II* werd gedaan door een schepsel van goddelijke schoonheid, Sunetra Sastry. Sunetra, afkomstig uit een Brahmaans-Indiase familie, was slim en geestig en de meest fascinerende vrouw die ik in jaren was tegengekomen. Ik dacht er ernstig over om haar mee uit te vragen toen Rowan me op een ochtend tijdens de repetities voor de tweede aflevering vroeg of ik het erg vond om van grimeur te ruilen. Omdat hij zijn baard had laten

staan – terwijl ik elke week mijn ellenlange struik moest laten aan-
lijmen – bevreemdde zijn verzoek me enigszins: zijn grime duurde
even lang als het aanbrengen van een toefje poeder op zijn neus.

'Ben je niet tevreden over de jouwe?' vroeg ik.

'Nee, dat is het niet, ze is prima. Alleen, eh…' Hij wierp me een
blik van onkarakteristieke intensiteit toe.

'O!' zei ik toen het muntje viel. 'Maar natuurlijk, beste man. Ja
hoor.'

Mijn aanvechting om Sunetra mee uit te vragen was meteen
over, en de vijf weken daarna zag ik voor mijn ogen de liefde tussen
haar en Rowan opbloeien. Uiteindelijk zouden ze elkaar na vijf jaar
samenwonen in New York het jawoord geven. Ik was *best man* en
legde de plechtigheid op achtmillimeterfilm vast. Inmiddels hebben ze twee kinderen en twintig jaar huwelijksleven achter de rug,
maar soms vraag ik me nog wel eens af wat er gebeurd zou zijn als
ik lef en initiatief genoeg had gehad om Sunetra meteen mee uit te
vragen.

'Joh, had het gedaan!' zegt Sunetra vaak. 'Ik was zeker met je uit-
gegaan.' Maar ik weet hoe gelukkig ze is en hoe verstandig het was
om mijn mond te houden.

Maar wacht eens Stephen, je was toch homo? Dat was en dat ben
ik inderdaad, maar zoals ik jaren later tegen een journalist zou zeggen, ik ben 'maar negentig procent homo', wat natuurlijk behoorlijk homo is, maar zo heel af en toe kom ik op mijn levenspad een
vrouw tegen die in die tien procent-marge valt. Caroline Oulton
in Cambridge was zo iemand, al heb ik het haar nooit verteld, en
Sunetra ook.

Het repetitie-opnameritme van *Blackadder* maakte dat de tijd
voorbijvloog. Op dinsdagmorgen lazen we het script, in aanwezigheid van Richard en soms Ben. John zuchtte en steunde dan en
fronste en schudde zijn hoofd om de onmogelijkheid van alles

– niet de meest tactvolle manier om zich geliefd te maken bij de schrijvers of ons, spelers. Niet dat hij zijn afkeuring of teleurstelling uitte, nee, het gesteun en gekreun was zijn manier om zich op te peppen voor de komende week. Daarna kreeg elke scène, vanaf het begin, langzaam maar zeker 'benen'. Terwijl we zo de hele aflevering scène voor scène uitzetten, maakte Mandy aantekeningen en stelde ze haar camerascript samen, terwijl John meesmuilde en zuchtte en rookte en gromde en ijsbeerde. Het was mede dankzij zijn perfectionisme en weigering met half werk tevreden te zijn dat *Blackadder* zo goed werkte. Elke zin, plotwending en actie werd opgepakt, tussen duim en wijsvinger gewreven, besnoven en goedgekeurd, afgewezen of voor sleutelwerk apart genomen. We deden allemaal mee met het oppoetsen van de grappen, het 'opfluffen', zoals John het noemde. Ik genoot van die sessies, die op den duur een typerend kenmerk van de *Blackadder*-repetities zouden worden. Gastspelers namen vaak een cryptogram of boek ter hand terwijl wij elkaar aftroefden met het ene malle epitheton en absurde metafoor na het andere.

Ik stel me voor dat Richard en Ben dit lezen en in briesende woede ontsteken. 'Ho even, wij leverden de scripts en bedachten de personages en de stijl. Nou niet doen alsof jullie alles gedaan hebben.' Ben en Richard hebben inderdaad de stijl, de verhaallijnen en het gros van de grappen bedacht. Wij voegden toe en schrapten, maar zij waren de schrijvers, dat staat buiten kijf. Mijn bewondering voor hun werk was en is buitengewoon groot en onvoorwaardelijk. Maar toch waren die dagen, zoals iedereen die toen of later wel eens bij een *Blackadder*-repetitie heeft gezeten zal bevestigen, steevast één lange koffie- en sigarettenzit van schaven, bijpunten en schrappen.

Zondag was opnamedag; dan voerden we de aflevering voor een studiopubliek op. Ben warmde de zaal op, stelde de personages voor en plaatste de serie in de context. Dat was belangrijk, want je voelde altijd een zekere teleurstelling van het publiek afstralen. Van de nieuwe serie was nog geen aflevering uitgezonden, dus keken ze naar een onbekend decor en misten ze de personages die ze van de eerste reeks kenden. Ze vonden het jammer dat Brian Blessed er niet meer bij was als de koning, bij *Blackadder the Third* misten ze Queenie, en toen ze aanschoven voor de opnamen van *Blackadder Goes Forth* hoopten ze prins George en Mrs. Miggins weer te zien.

Desalniettemin was het een vrolijk gebeuren. De zaterdag na de opnamen van de slotaflevering van *Blackadder II* gaf Richard een feest bij hem thuis in Oxfordshire. Het was een stralende zomerdag en omdat we allemaal tv wilden kijken, rolde Richard een verlengsnoer uit en zette een televisietoestel in de schaduw van een appelboom. We zaten op het gras en keken *Live Aid* helemaal uit, tot het eind van de Amerikaanse uitzending vanuit Philadelphia.

'Wij zouden ook zoiets moeten doen,' zei Richard.

'Hoe bedoel je?' Ik kon me er niet echt iets bij voorstellen.

'Komieken kunnen ook geld inzamelen. À la John Cleese met zijn Secret Policeman's Balls voor Amnesty.'

'Dus een soort komische *Live Aid*?'

Richard knikte. Hij liep toen al een tijdje op Comic Relief te broeden. Inmiddels wijdt hij al bijna vijfentwintig jaar om het jaar zes, zeven maanden van zijn tijd aan een organisatie die – of je nou wel of niet van de slapstickvrolijkheid van dat tweejaarlijkse grollenfestival houdt – honderden miljoenen bij elkaar heeft gekregen voor mensen die het verdomd goed kunnen gebruiken.

Coral Reef-rood, Cassidy, C4, Clapham, Cheeky Chappies en Casanova Coltrane

Blackadder II was nog niet in kannen en kruiken of ik kreeg een telefoontje van Richard Armitage.

'Ik kan je tot mijn genoegen vertellen dat ze *Me and My Girl* in Australië willen uitbrengen. Mike heeft je daar nodig om hem te helpen met wat wijzigingen. Die kunnen we dan meteen uitproberen voor Broadway.'

Ik kon me niet voorstellen dat Broadway doorging. Hoe kon een Amerikaans publiek anders reageren op cockney-capriolen en *rhyming slang* dan met blanco stilzwijgen en nerveus gekuch? Australië daarentegen leek me een heel goed plan. Mike en ik vlogen er met de kern van het productieteam naartoe voor de repetities met het Australische ensemble in het Melbourne Arts Centre. Ik wou dat die productie me beter was bijgebleven. Volgens mij heb ik een beetje met het script gepield en een of twee scènes veranderd, maar dat is het enige dat ik kan bedenken. Het was eind december en Mike en ik besloten dat het wel leuk zou zijn om de kerstdagen in Queensland door te brengen. Hij koos voor Hamilton, een van de Whitsunday-eilanden in het Grote Barrièrerif. Ik heb bijna de hele eerste kerstdag op mijn kamer zitten bibberen, bonzen en beven van een gecombineerde zonnesteek/zonnebrand, tot groot vermaak van Billy Connolly en Pamela Stephenson, die in hetzelfde hotel verbleven.

Weer terug in Engeland stortte ik me samen met Hugh op de Channel 4-show waarop Paul Jackson ons had geattendeerd. Seamus Cassidy, de jonge coördinator bij C4, wilde iets in de trant van het legendarische Amerikaanse *Saturday Night Live*. Onze show, had hij bedacht, ging *Saturday Live* heten. Sindsdien noemde ik hem, niet zonder genegenheid, Schaamteloze Cassidy.

Stand-up veroverde de wereld. Ons soort sketchhumor, zo vreesden Hugh en ik, leek met de maand meer gedateerd, zeker als je dat in een live-televisieformat deed. Het probleem met een duo in plaats van solo is dat je met elkaar praat in plaats van tegen je publiek. We hadden in het verleden wel sketches geschreven, de Shakespeare Masterclass bijvoorbeeld, waarbij we ons rechtstreeks tot het publiek richtten, maar verder deden we hoofdzakelijk typetjes, verankerd in minidrama's met een vierde wand tussen ons en de kijkende wereld. In een vlaag van roekeloze overmoed besloten we om, voordat we voor de camera's gingen staan, bij wijze van generale repetitie in een comedyclub op te treden. Een van dé zalen in die tijd was Jongleurs in Clapham, en daar togen wij naartoe. De programmering had ons ingeklemd tussen een jonge Julian Clary en Lenny Henry. Julian trad destijds op als de 'Joan Collins Fanclub' en deelde het podium met zijn terriër 'Fanny de Wonderhond'. Hij deed het heel goed, staat me nog bij. Toen Hugh en ik na ons kwartiertje van het toneel stapten en ons gebruikelijke 'Jezus, ze konden ons wel schieten' (Hugh) en 'het viel best mee' (ik) uitpuften, bleven we nog even naar Lenny kijken. Ik weet nog dat ik dacht: hoe heerlijk moet het zijn om bekend en bemind te zijn bij het grote publiek. Al je werk is al gedaan voordat je het toneel op stapt. Lenny kwam onder luid gejuich op en – zo leek het althans – hoefde zijn mond maar open te doen of de zaal zat al te kronkelen van het lachen en stampte waarderend met de voeten op de grond. Hugh en ik waren nog onbekend, *Blackadder II* was nog niet uitgezonden en *The Crystal Cube* en *Alfresco* waren bekeken door zeven man, die ons alle zeven de nek wilden omdraaien. Die avond bij Jongleurs vergastten we de zaal bloed en tranen zwetend op onze fraai gefraseerde teksten, puntige grappen en knappe persiflages, om slechts beloond te worden met spaarzame lachjes en beleefd maar sporadisch applaus. Lenny kwam op, floot even, baste een begroeting en de zaal stortte bijkans in. Hiermee wil ik niets afdoen aan zijn talent. Hij had door de jaren heen een bepaalde wisselwerking met zijn publiek opgebouwd en had de gave om je een gegarandeerd leuke avond te bezorgen. Hij was ontspannen en daardoor ontspande zijn publiek ook. Hugh en ik mochten onze zenuwen zo goed mogelijk verborgen hebben, we bewerkten ons gehoor meer dan dat we de mensen met enig vertrouwen in onze wereld binnenlieten. Een gespannen publiek kan je teksten en je performance nog zo bewonderen, je krijgt nooit die massale lachgolven die Lenny wist te ontlokken. Later, toen we wel bekend waren en onder luid gejoel werden ontvangen, dacht ik nog wel eens terug aan die avond in Klaploos Clapham, zoals ik het altijd noemde, en prees ik me gelukkig dat ik me niet meer hoefde te bewijzen. Dat gezegd hebbende: een paar jaar later was er een avond waarop ik precies het omgekeerde effect kon ervaren. Eind jaren tachtig en begin jaren negentig regisseerde ik een aantal 'Hysteria'-benefietprogramma's voor de Terrence Higgins Trust. Bij het derde moest ik een zeer bekende komiek aankondigen. Hij kwam onder donderend applaus op, zo geweldig vonden ze het dat hij er was. Hij ging af onder een… respectabel applaus. De volgende act was nieuw. Niemand in de zaal had enig idee wie hij was of wat ze konden verwachten. Ik sloofde me als ceremoniemeester uit om het publiek mee te krijgen.

'Lieve dames, schattige heren, ik twijfel er geen moment aan dat u de volgende artiest op uw meest wilde en woeste wijze welkom zult heten. Een briljante jonge komiek, ik weet zeker dat u hem zult opvreten – hier is de geweldige Eddie Izzard!' Ze waren beleefd en klapten netjes, maar ze hadden zoveel liever een John Cleese of Billy Connolly het podium op geschreeuwd.

Wat later keek ik vanuit de coulissen toe hoe Eddie onder een gigantisch applaus het toneel af ging. Hoeveel fijner is het om onder beleefd applaus op te komen en onder gejuich af te gaan dan zoals het de gevestigde komiek was vergaan: opkomen onder gejuich en afgaan onder beleefd applaus.

Saturday Live was een berenkuil: het werd live uitgezonden vanuit de grootste studio in het complex van London Weekend Television in South Bank. Het bestond uit een groot centraal podium, zijpodia voor de bands, grote, zwevende opblaasobjecten daarboven en een enorme arena voor het schellinkjespubliek, merendeels modebewuste jongeren die op hun gemak voor de camera's langs slenterden en floormanagers het bloed onder de nagels vandaan haalden in een stijl die typerend werd voor de opkomende jongeren-tv, een stijl die heen en weer zwenkte tussen verveeld misprijzen en hysterische, gillende adoratie. Hugh was ervan overtuigd dat ze meer geïnteresseerd waren in hoe hun haar op tv overkwam dan in onze verwoede pogingen hen te vermaken.

Ongeveer een maand eerder hadden we in de Comedy Store een nieuwe komiek gezien over wie we veel goede dingen hadden gehoord. Hij heette Harry Enfield en in zijn stand-up-act speelde hij een allerheerlijkst sikkeneurige en mopperige oude heer, een personage dat hij bewust had geënt op Gerard Hoffnung, een alter ego uit zijn legendarische interviews met Charles Richardson. Harry werkte als imitator bij *Spitting Image* en was net als wij geboekt voor *Saturday Live*. Hij was bevriend geraakt met Paul Whitehouse en Charlie Higson, onze schilders-stoffeerders, en hij en Paul hadden samen een typetje ontwikkeld gebaseerd op Pauls Grieks-cockney kebabuitbater Adam. Nu heette hij Stavros en maakte hij furore als pop bij *Spitting Image*, en Harry zag het wel zitten om hem in den vleze uit te proberen bij *Saturday Live*.

Hugh en ik benijdden Harry enigszins om het feit dat hij op één terugkerend typetje kon terugvallen. Wij moesten elke week van de twaalf die de eerste reeks telde iets nieuws bedenken. Elke week dat lege vel papier en die verwijtende pen, of liever dat lege scherm, die knipperende cursor en dat verwijtende toetsenbord. De sketches die het best leken te werken in de snoeihete, rumoerige en wispelturige sfeer van de studio waren die waarbij we ons, zoals we al hadden bedacht, tot het publiek richtten. We ontwikkelden een reeks parodieën op talkshows waarin Hugh ene Peter Mostyn speelde die mij in steeds merkwaardiger settings interviewde.

'Hallo en welkom bij *Een Autoradio Stelen Met*. Ik ben Peter Mostyn en vanavond ga ik een autoradio stelen met Nigel Davenant, schaduwminister van Binnenlandse Zaken en volksvertegenwoordiger voor South Reason. Nigel, hallo en welkom bij *Een Autoradio Stelen Met...*' et cetera.

Die sketch staat me zo goed bij (het gros van onze ervaringen bij *Saturday Live* is een waas van warrige herinneringen: het brein is soms heel mild) omdat we die niet met het gevreesde studiopubliek hoefden op te nemen, maar ongezien in de parkeergarage van lwt konden filmen. Omdat het live was, spande het er een beetje om. We hadden een soort metalen ploertendoder om het zijraampje van een auto in te slaan en de radio eruit te halen. In plaats van te kiezen voor het gebruikelijke broze en veilige suikerglas, wilden we het helemaal echt doen met de auto van iemand van het productieteam.

'Nou, eh, schaduwminister, hebt u wel eens een autoradio gestolen?'

'Eh, sinds mijn tijd als jong parlementair assistentje niet meer.'

'Gaat het lukken, denkt u?'

'Aan mij zal het niet liggen.'

'Zo mag ik het horen! De meeste autodieven gebruiken zo'n ding. Eén ferme tik en dan ritsrats de radio eruit. Maar even tussendoor: was de politiek uw eerste liefde?'

'O nee, Susanna was mijn eerste liefde, daarna ene Tony en dáárna de politiek.'

'Juist, is de politiek erg veranderd sinds u als jongeman na de tussenverkiezing van 1977 in het parlement ging?'

En zoals de bedoeling van die sketches was, ging Hugh verder met een echt standaardinterview alsof het de normaalste zaak van de wereld was. Latere scenario's omvatten onder andere: 'Mijn Grootvader Voorstellen Aan,' 'Mijn Geslacht Fotokopiëren Met' en 'Een Vliegtuigje Besturen Zonder Instructie Te Hebben Gehad Met'.

Het kostte zes harde klappen tegen die ruit om hem stuk te krijgen, staat me nog bij. Ik hoorde duidelijk de geschrokken stem van regisseur Geoff Posner in de oortjes van de twee cameramannen en de assistent-floormanager als de hamer weer zonder indruk te maken van de ruit terugsprong. 'Jezus! Tering! Godver nou toch!'

Hugh improviseerde nobel door. 'Nigel, denk je dat de autoruiten er steviger op zijn geworden door de nieuwe Europese veiligheidsglasnormen sinds je begintijd als autodief?'

'Abso... *beng*... luut, Peter. Dat zou ik... *beng*... zeker... *beng*... zeggen. Bovendien heb ik een stuk minder kracht in mijn armen vanwege... *beng*... *Krak!!*... zo, hebbes...' Waardoor ik een stuk minder kracht in mijn armen had, heb ik gelukkig nooit hoeven verklaren.

De enige andere sketch die me is bijgebleven, staat als een brandmerk in mijn geheugen gegrift omdat ik ervoor onder hypnose moest.

Ik kan, dat heb ik al eerder besproken, niet zingen. Daarmee bedoel ik dat ik écht niet kan zingen, net zomin als ik door de lucht kan vliegen door met mijn armen te wapperen. Kan. Niet. Het is geen kwestie van dat ik het slecht doe, maar een kwestie van dat ik het helemáál niet kan. Ik heb u al verteld wat mijn zangstem doet bij die montere misleide dwazen die rondhuppelen onder het roepen van: 'Dat is onzin! Iederéén kan zingen...' Hugh zingt, zoals we weten, prachtig, zoals hij vrijwel alles prachtig doet, maar Stephen dus niet. Ik dénk dat ik kan zingen als ik in mijn eentje ben, onder de douche bijvoorbeeld, maar dat is niet te controleren. Als ik ook maar even vermoed dat er iemand anders in huis is, of in de tuin, of binnen een straal van honderd meter, klap ik dicht. En dat omvat ook het gebruik van een microfoon, dus mijn zang is als een kwantumgebeuren voor een fysicus: elke waarneming wijzigt de uitkomst fataal.

Maar goed, op een dag halverwege de tweede serie van *Saturday Live* kwam ik erachter dat Hugh, of eigenlijk ikzelf, me in een onmogelijk parket had geplaatst. Op de een of andere manier was er een act geschreven waarbij het essentieel was dat ik moest zingen. Hugh deed in die sketch iets anders cruciaals en ik kon er niet omheen: ik moest zingen. Live. Op televisie.

Drie dagen verkeerde ik in totale paniek, trillen, zweten, janken, gapen, om de tien minuten moeten plassen – alle symptomen van extreme nerveuze spanning. Op het laatst kon Hugh het niet meer aanzien.

'Goed dan. Dan moeten we maar een andere sketch schrijven.'

'Nee, nee! Het komt wel goed.' Het vervelende was namelijk dat het een goede sketch was. Hoe verschrikkelijk ik er ook tegen opzag, ik wist dat we het eigenlijk moesten doen. 'Nee echt, het komt wel goed.'

Hugh zag mijn knikkende knieën, asgrauwe teint en verzenuwde trekken. 'Het komt helemaal niet goed,' zei hij. 'Dat zie je zo. Moet je horen, het is duidelijk psychisch. Je kunt een deuntje op een piano pingelen, je kunt het ene nummer van het andere onderscheiden. Je bent dus niet toondoof.'

'Nee,' zei ik, 'het probleem is dat ik toonstom ben.'

'Psychisch. Weet je wat jij moet doen? Naar een hypnotiseur.'

De volgende dag om drie uur belde ik aan bij een huis in Maddox Street, waar ene Michael Joseph, klinisch hypnotiseur, praktijk hield.

Hij bleek van Hongaarse afkomst te zijn. Hongaars is voor mij, waarschijnlijk dankzij mijn grootvader, het heerlijkste accent van de hele wereld. Ik zal niet 'vot' in plaats van 'wat' schrijven, of 'deh' in plaats van 'de', u moet zich maar een stem als die van George Solti voorstellen die zachtjes mijn brein binnen zweefde.

'Vertel me het probleem waarvoor u komt,' zei hij, waarschijnlijk roken of overeten of iets in dier voege verwachtend.

'Ik moet morgenavond zingen.'

'Pardon?'

'Morgenavond moet ik zingen. Op televisie, live.'

Ik legde hem uit wat het probleem was. 'U zegt dat u nooit kunt zingen, u hebt nooit gezongen?'

'Nou, ik denk dat het een psychische blokkade is. Ik heb best een goed oor voor specifieke tonen, E grote terts, C mol en D majeur. Maar zodra ik in het bijzijn van iemand anders moet zingen, gaan mijn oren bonzen, mijn keel knijpt dicht, ik krijg een droge mond en het enige dat eruit komt is een afgrijselijk vals gekras.'

'Juist, juist. Misschien moet u eens uw handen op uw knieën leggen, dat voelt prettig comfortabel, denk ik zo. Weet u, als u uw handen op uw benen legt, is het verbluffend hoe ze bijna in het vlees lijken weg te smelten, is het niet? Algauw is het moeilijk te zeggen wat uw handen zijn en wat uw benen zijn, nietwaar? Ze voelen één. En terwijl dat gebeurt, voelt het alsof u langzaam in een put omlaag wordt gelaten, voelt u niet? Omlaag in het donker. Maar mijn stem is als het touw dat u het vertrouwen geeft dat u niet verloren bent. Mijn stem kan u weer omhoog halen, maar nu laat hij u verder en verder omlaag zakken tot u in het warme donker daar beneden bent. Ja? Nee?'

'Mmm...' Ik voelde me wegzakken in een toestand van – niet bewusteloosheid, want ik was volkomen wakker en bewust – maar van gewillige ontspanning en tevreden lethargie. Het licht doofde om me heen tot ik knus en veilig omsloten zat in de put van duisternis en warmte die hij had beschreven.

'Zeg eens, wanneer besloot u dat u niet kon zingen?'

En ineens, totaal onverwacht, schoot me in volle scherpte een glasheldere herinnering aan samenzang te binnen.

Samenzang vindt elke zaterdagochtend plaats in de gymzaal/kapel/aula van het internaat. De muziekleraar, Mr. Hemuss, neemt met ons de gezangen door die morgen tijdens de dienst worden gezongen. Het is mijn eerste semester. Ik ben zeven jaar en raak net een beetje gewend aan het driehonderd kilometer van huis op kostschool zitten. Ik sta aan het eind van een rij met een gezangenboek in mijn hand en val in als de school het eerste couplet van 'Jerusalem the Golden' aanheft. Kirk, de schooloudste van dienst, slentert de rijen langs om te zorgen dat we ons gedragen. Opeens blijft hij bij mij staan en steekt zijn hand op.

'Meneer, meneer... Fry zingt vals!'

Er wordt besmuikt gelachen. Mr. Hemuss maant tot stilte. 'Jij even alleen, Fry.'

Ik weet niet wat vals zingen betekent, maar wel dat het iets heel ergs moet zijn.

'Vooruit.' Hemuss slaat een akkoord aan en buldert met zijn krachtige tenor de eerste versregel: 'Jerusalem the golden...'

Ik probeer vanaf daar verder te gaan. 'With milk and honey blest...' De school ontploft in gillend hoongelach als een schor en toonloos gepiep aan mijn keel ontsnapt.

'Juist, het lijkt me beter als je voortaan maar doet alsof,' zegt Mr.

Hemuss. Kirk grijnst triomfantelijk en loopt door, en ik sta daar, alleen, verhit, knalrood en trillend van vernedering, schaamte en angst.

De herinnering vervaagt en ebt weg onder het sussende en geruststellende Magyaarse timbre van Josephs stem. 'Dat was een pijnlijke herinnering, maar nu is het er een waar u om kunt lachen. Want nu ziet u dat hierdoor al die jaren de muziek in u opgesloten heeft gezeten. Morgenavond moet u zingen, ja?'

'Ja.' Mijn stem lijkt van heel ver weg te komen.

'Als u moet zingen, is er dan…hoe zegt u dat…een teken? Is er een teken dat u moet gaan zingen?'

'Ja. Mijn vriend Hugh kijkt me aan en zegt: "Zingen, kreng."'

'"Zingen, kreng?"'

'"Zingen, kreng."'

'Heel goed. "Zingen, kreng." Dus als u morgen voor de zaal staat, bent u zelfverzekerd, voldaan en geheel overtuigd van uw vermogen het moment tot een succes te maken. Als u de woorden "zingen, kreng" hoort, vallen alle zorgen en spanningen van u af. Het is het teken waardoor u in staat zult zijn het nummer te zingen. Zonder angst of dichtgeknepen keel. Rust, vertrouwen, zekerheid. Zeg me na.'

'Als ik de woorden "zingen, kreng" hoor, vallen alle zorgen en spanningen van me af. Het is het teken waardoor ik in staat zal zijn het nummer te zingen. Zonder angst. Zonder dichtgeknepen keel. Rust, vertrouwen, zekerheid.'

'Uitstekend. En nu trek ik aan het touw en haal ik u weer omhoog. Tijdens het trekken tel ik vanaf twintig omlaag. Als ik bij tien ben, begint u uitgerust en tevreden te ontwaken en kunt u zich dit gesprek nog tot in detail herinneren. Bij vijf gaan uw ogen open. Daar gaan we. Twintig, negentien…'

Ik vertrok in een waas, stomverbaasd dat die herinnering aan samenzang was teruggekomen en er vast van overtuigd dat ik op het moment suprême inderdaad kon zingen. Ik geloof dat ik tijdens de wandeling van Maddox Street naar het metrostation op Oxford Street zelfs in mezelf neuriede.

De avond erop vertelde ik Hugh dat als hij het verkeerde teken gaf en 'zingen, schatje' of 'teken, kreng' of iets in die geest zei, de hele onderneming zou mislukken. Alles ging goed, het moment brak aan, Hugh sprak de juiste woorden en in min of meer de juiste volgorde kwamen er met min of meer de juiste toonhoogtes geluiden uit mijn keel.

Bracht deze ervaring me tot zingen? Absoluut niet. Ik zing nog even beroerd als altijd. Bij bruiloften en begrafenissen beperk ik me nog steeds tot playbacken. Bij de begrafenis van John Schlesinger, een paar jaar geleden in een synagoge in St. John's Wood, zei degene die naast me stond bemoedigend: 'Kom op, Stephen, je zingt niet. Toe, zingen.'

'Heus, Paul, dat wil je echt niet.' Bovendien vond ik het veel prettiger om naar hém te luisteren.

'Toe, zing nou mee.'

Dus zong ik mee.

'Je hebt gelijk,' moest Paul McCartney erkennen. 'Je kunt niet zingen.'

Als carrièrestap was *Saturday Live* waarschijnlijk een goede zet. Het trok veel kijkers en viel over het algemeen goed in de smaak. Het was vooral een succes voor Ben, die van regelmatige gast uitgroeide tot vaste presentator. Zijn slotzinnetje – 'Ik ben Ben Elton, goedenavond!' – werd de vaste kreet van het programma, tot Harry en Paul genoeg kregen van de uiterst succesvolle Stavros en een nieuw personage voor Harry bedachten. Het werd een luidruchtige stukadoor uit 'Sarf Londen' die met breed grijnzende branie een dikke bundel bankbiljetten voor de neus van het publiek heen en weer zwaaide met de kreet 'Loadsamoney!', bakken met geld. Hij stond min of meer symbool voor de tweede acte van het Thatcher-stuk, een tijdperk van materialisme, hebzucht en minachting voor alle mensen die het niet konden bijbenen. Net als bij Alf Garnett van Johnny Speight en Warren Mitchell hield het grootste deel van de kijkers zich liever doof voor de satirische ondertoon van Paul en Harry en kreeg Loadsamoney een bijna volksheld-achtige status.

Ben, Harry, Hugh en ik plachten na de opname uit te zakken in een club in Covent Garden die de Zanzibar heette, waarbij we meestal de komiek of musici meenamen die als gast hadden opge-treden.

Op een avond kreeg ik de gelegenheid om de romantische en po-etische versiertechniek van Robbie Coltrane van nabij te bestude-ren. Hij pakte de hand van de jonge vrouw die naast hem zat.

'Wat heb je een prachtige zachte handjes,' zei hij.

'Dankjewel,' zei ze.

'Ik hou van vrouwen met kleine handen.'

'O ja?'

'Nou en of. Dan lijkt mijn pik des te groter.'

De Zanzibar zat altijd vol mensen uit het mediawereldje. Jimmy Mulville was een regelmatige bezoeker. Deze vlijmscherpe, gees-tige en gevatte Liverpudlian was een halve legende geweest in Cam-bridge, waar hij een jaar eerder dan ik was afgestudeerd. Hij had Latijn en Grieks gestudeerd, maar hij leek in niets op een Cam-bridge-classicus. Het verhaal ging dat zijn vader, een dokwerker uit Walton, een keer 's avonds was thuisgekomen en tegen de ze-ventienjarige Jimmy had gezegd: 'Je kunt maar beter met een fan-tastisch diploma aankomen, want ik kom net bij de bookmaker vandaan en ik heb gewed dat je geweldige eindexamencijfers haalt en een beurs voor Cambridge krijgt. Tegen een prima winstuitke-ring ook nog eens.'

'Godsamme, pa,' zou Jimmy geschokt hebben gereageerd. 'Hoeveel heb je ingezet?'

'Alles,' was het antwoord. 'Dus ik zou maar gauw gaan leren.'

Ze zeggen dat de scholieren van nu onder veel meer examendruk staan dan mijn generatie, en over het algemeen twijfel ik er niet aan dat dat ook zo is, maar er zijn vast niet veel jongeren geweest die onder zo'n enorme druk hebben gestaan als Jimmy dat jaar. Hij deed trouw wat van hem werd verwacht, slaagde met vlag en wimpel en kreeg een studiebeurs.

Ik vind het verhaal veel te mooi om te vragen of het waar is, uit angst dat het opgeleukt of overdreven blijkt te zijn. Wat in elk geval wel waar is, is dat toen Jimmy in 1975 op Jesus College kwam, hij zijn echtgenote bij zich had. Het is bij mensen uit een arbeidersmilieu niet ongebruikelijk om voor hun twintigste te trouwen, maar het is uiterst ongebruikelijk dat studenten getrouwd zijn, en ik heb geen idee hoe de jonge mevrouw Mulville zich in Cambridge staande heeft gehouden. Jimmy werd in 1977 voorzitter van de Footlights en rond de tijd waarover ik hier schrijf, schreef en speelde hij in de komische Channel 4-serie *Who Dares Wins* met zijn jaargenoot Rory McGrath. Daarna richtte hij Hat Trick op, een van de eerste onafhankelijke tv-productiemaatschappijen, vermaard vanwege televisieseries als *Have I Got News for You* en iets minder vermaard vanwege producties als mijn eigen *This is David Lander*.

Who Dares Wins kreeg een soort cultstatus vanwege het vaste, late uitzendtijdstip dat Channel 4 als eerste introduceerde. De kroegpraatstijl leek niet erg op wat Hugh en ik deden, maar de briljante invallen van de tekstschrijvers maakten de platte toonzetting meer dan goed. Afmakers van één woord kunnen heel bevredigend zijn.

Bijna elke aflevering eindigde met een lange, ingewikkelde feestscène, gefilmd met een enkele camera in één lange opname. In een van die afleveringen loopt Jimmy naar Rory toe en pakt een blikje bier. Op het moment dat hij het aan zijn mond zet, waarschuwt Rory hem: 'Eh, ik gebruik dat blikje als asbak.' Jimmy kijkt hem donker aan, zegt: 'Jammer dan,' en klokt de inhoud naar binnen.

Een andere regelmatige bezoeker van de Zanzibar was de opmerkelijke Peter Bennett-Jones, ook van Cambridge, tegenwoordig een van de machtigste managers, agenten en producenten in de Engelse televisie- en filmwereld. Ik weet nog dat we op zijn dertigste verjaardag om halfdrie 's nachts voor de deur van de club stonden en hij verkondigde dat hij zich dertig keer ging opdrukken.

'Je bent een oude vent!' zei ik. 'Je bezorgt jezelf een hartaanval.'

P B-J, zoals hij algemeen bekendstaat, drukte zich dertig keer op en daarna nog eens twintig keer, voor de lol.

Een vriend van me beweert dat hij jaren geleden een keer in Hongkong was en even niets te doen wist. De portier van het hotel raadde hem een restaurant aan.

'Ga naar de haven van Kowloon en vraag naar Chou Lai.'

Op de kade van Kowloon werd hij naar een jonk verwezen die op het punt van vertrekken stond. Hij sprong aan boord.

'Chou Lai?' vroeg hij. Iedereen aan boord knikte.

Na een halfuur stampen over woelige baren werd hij op een eiland afgezet. Niets. Hij dacht dat hij (bijna letterlijk) gesjanghaaid was. Na wat een eeuwigheid leek meerde er een andere jonk aan.

'Chou Lai?' riep de schipper en mijn vriend sprong wederom aan boord.

Het daaropvolgende uur ploegden ze dieper en dieper door de Zuid-Chinese Zee en hij begon te vrezen voor zijn leven. Uiteindelijk werd hij op weer een ander eiland afgezet, maar hier was in elk geval wel een restaurant dat met lampjes was behangen en waar binnen luide muziek klonk. Hij werd begroet door Chou Lai in eigen persoon, een joviale vent met een ooglapje die de toch al conradiaanse sfeer van het avontuur compleet maakte.

'Hallo, hartelijk welkom. Kom je uit Amerika?'

'Nee, uit Engeland, eerlijk gezegd.'

'Uit Engeland! Aha! Ken je P B-J?'

Je vraagt je onwillekeurig af hoeveel perplexe Engelse klanten diezelfde vraag voorgeschoteld hebben gekregen zonder dat ze ook maar enig idee hadden wie of wat een P B-J zou kunnen zijn. Mijn vriend wist het wel, maar hij hield het voor onwaarschijnlijk dat Chou Lai het over dezelfde persoon kon hebben. Dat bleek wel degelijk het geval te zijn.

'Ja! Pe'er Be'ett-Joes!'

Mijn vriend kreeg een gratis maal en een overtocht naar Kowloon op de privéboot van Chou Lai.

Peter Bennett-Jones: met zijn lange, slanke gestalte, gekreukte linnen pak en ouwe-jongens-krentenbrood houding klinkt en oogt hij als de vleesgeworden koloniale districtscommissaris uit de boeken van Somerset Maugham, maar hij is jonger dan Mick Jagger en een van de meest gehaaide, slimme en machtige mensen van de Londense mediawereld.

Helaas of gelukkig heb ik de avond in de Zanzibar gemist dat Keith Allen, een van de wegbereiders van de alternatieve humor en iemand die ik zeer goed heb leren kennen, op de bar klom en met flessen begon te smijten, waarbij een groot deel van de drankvoorraad, spiegels en andere ornamenten sneuvelden. Keith werd gearresteerd en tot een korte celstraf veroordeeld, en kreeg een toegangsverbod voor de Zanzibar. Tony Macintosh, de eigenaar, was zo goed of zo kwaad nog niet om hem wel toe te laten in zijn nieuwe etablissement, de Groucho, dat hij en Mary-Lou Sturridge in Soho op stapel hadden staan.

De jaren waarin ik me volstrekt onbedachtzaam in de bohemienwereld van Soho zou storten, lagen nog ver in het verschiet, maar ik bezag mensen als Keith Allen al wel met een mengeling van bewondering en vrees. Ze leken heer en meester over een Londen waar ik nog slechts een verlegen bezoeker was, een Londen dat inmiddels bruiste van tomeloze energie. Ik durfde geen voet te zetten in trendy nachtclubs als de Titanic en de Limelight, waar alles gericht leek op dansen en dronken worden, wat mij geen van beide erg kon bekoren. Zelfs de Zanzibar durfde ik alleen in gezelschap te bezoeken, maar een klein innerlijk duiveltje fluisterde dat het verkeerd was om alleen maar bezig te zijn met het mechanisch uitspugen van woorden. 'Je bent het jezelf verplicht om ook een beetje te leven, Harry,' zoals Clint zichzelf in *Dirty Harry* influistert.

Wie was ik in die tijd? Mijn omgeving was nog steeds geïmponeerd door mijn voorkomen, mijn gemakkelijke omgang met anderen, mijn schijnbare... weet ik veel, ongedwongenheid, ongenaakbaarheid, gebrek aan drang? Iets in me kwam in opstand, nee, niet in opstand, of alleen soms, maar was vooral geïntrigeerd of in de war, wat een mix van wrevel en nieuwsgierigheid teweegbracht.

Hoe kon iemand zo afgeschermd zijn van de wrede stormen van het leven, zo gepantserd tegen de aanvallen van het lot, hoe kon iemand zo compleet zijn? Het zou heerlijk zijn om zo iemand dronken te zien, zich bloot te zien geven. Te ontdekken wat hem beweegt.

Ik ben ervan overtuigd dat er mensen zijn die me aardiger zouden vinden en me meer zouden vertrouwen als ze me een keer zagen grienen boven een glas whisky, mezelf voor gek zagen zetten of agressief, sentimenteel en dronken zagen worden. Ik heb zo'n gemoedstoestand bij anderen altijd alleen maar onaangenaam, gênant, vermoeiend en ontstellend saai gevonden, maar er zijn vast mensen die mij zo heel af en toe ook wel eens zo zouden willen meemaken. Het geval wil dat ik nooit mijn zelfbeheersing verlies, ongeacht hoeveel ik drink. Mijn ledematen verliezen hun coördinatie, maar ze bewegen toch al vrij ongecoördineerd, dus is er weinig verschil merkbaar. Maar ik word nooit agressief, gewelddadig of huilerig. Dat is duidelijk een manco.

Destijds merkte ik dat buitenstaanders die de Stephen Fry uit die tijd ontmoetten een man dachten te zien die de loterij had gewonnen. Ik leek niet in staat uiting te geven aan de kwetsbaarheid, angst, onzekerheid, twijfel, onvolkomenheid, verwarring en onbekwaamheid om me staande te houden die ik zo vaak voelde.

De tekenen waren overduidelijk voor degenen die zo schrander waren om ze te doorzien. Alleen al door mijn wagenpark schreeuwde ik het toch van de daken? Een Aston Martin, een Jaguar xj12, een Wolseley 15/50, een Austin Healy 100/6 in showroomconditie, een Austin Westminster, een mg Magnette, een mgb roadster…

Wie me in die voertuigen vol notenhout en leer zag rijden, dacht dat ze het mobiele equivalent waren van de tweedjasjes en keper waarin ik me nog steeds kleedde. 'Die goeie ouwe Stephen. Hij stamt uit een ander tijdperk eigenlijk. Typisch Engels. Ouderwetse normen en waarden. Cricket, cryptogrammen, oldtimers, clubs. De schat.' Of ze dachten: pompeuze, zelfvoldane Oxbridge-zak, met zijn ouderwetse brogues en poenige auto's. Wat een lul.' En ik dacht: 'Wat een schertsfiguur. Een halfjoodse nicht die geen flauw idee heeft waarmee hij bezig is of wie hij is, maar nog steeds de slinkse, geniepige, snerende tiener van vroeger die er nooit echt bij hoort. Verwoest door liefde, niet in staat liefde te ontvangen, het niet waard om lief te hebben.'

Tot mijn laatste dag zullen de mensen om me heen me altijd bij voorkeur zien als sterk, comfortabel en Engels, als een degelijke lederen fauteuil. Ik verzet me er allang niet meer tegen. Bovendien is het meer dan een kwestie van goede manieren (hoewel die op zich een prima reden zijn), want waarom zou iemand voortdurend blijven mekkeren over wat hij vanbinnen voelt? Dat is niet respectabel, niet interessant en niet aantrekkelijk.

Een beetje psycholoog kan zien dat iemand met mijn verleden van tiener-*Sturm* en adolescente *Drang* (mijn suikerverslaving, afstandelijkheid, stemmingswisselingen, ongelukkige erotiek, vergalde romantiek, diefstal, verwijdering van school, fraude en detentie) die plotseling een nieuw doel in het leven krijgt en in de gelegenheid wordt gesteld belachelijke hoeveelheden geld te verdienen, daar heel goed op zou kunnen reageren zoals ik deed: een reeks malle, ongemakkelijke pogingen doen om zichzelf en de familie die hij het leven zo zuur had gemaakt te bewijzen dat hij nu iemand wás. Iemand die zijn plek had gevonden. Oké, ik heb auto's, creditcards, een tweede huis en ik ben lid van bepaalde clubs. Ik ken de eerste kelner van Le Caprice bij naam. Ik zit vastgestikt aan Engeland zoals het leer aan de stoel van een Aston.

Desgevraagd zou ik hebben gezegd dat ik gelukkig was. Ik wás ook gelukkig. Ik was zeker tevreden, wat vergeleken bij gelukkig is wat Pavillon Rouge vergeleken bij Château Margaux is, maar de meesten van ons zullen het daarmee moeten doen.

Saturday Live werd tot een succes bestempeld, en wellicht door ons optreden erin werden Hugh en ik wederom in het kantoor van Jim Moir ontboden om te kijken of we niet met onze leuter konden zwaaien en iemand zover konden krijgen dat die eraan ging zuigen, of 'een serie in elkaar konden draaien', zoals andere, lagere comedybazen het misschien zouden stellen.

Na het gebrek aan interesse van de BBC in *The Crystal Palace* stonden we een beetje aarzelend tegenover ambitieuze programma's en wilden we liever een poging wagen met een tv-versie van wat we het best konden: sketchcomedy.

'Uitstekend,' zei Richard Armitage. 'Dat kunnen jullie volgend jaar gaan doen. Maar eerst, Stephen…' Hij wreef in zijn handen en zijn ogen begonnen te glimmen, 'ga je naar Broadway.'

Clipper Class, Côte Basque en Choreografie

Ik vloog clipper class met Mike Ockrent naar New York, het equivalent van PanAm voor businessclass, waar je kon eten, drinken en roken tot het je neus, lever en longen uit kwam. We hadden een paar dagen om Richards potentiële financiers en coproducenten binnen te halen. Robert Lindsay was er al. Het was mijn allereerste reis naar de Verenigde Staten en ik moest mezelf voortdurend in mijn arm knijpen. Ik had als kind vaak over Amerika gefantaseerd en had het idee dat ik het, als ik er ooit zou komen, al kende en er des te meer weg van zou zijn.

Ik zal u niet te veel vervelen met mijn indrukken van de skyline van Manhattan. Als u niet al zelf in New York bent geweest, hebt u het wel in films en op televisie gezien en weet u dat het uit een hele hoop heel hoge gebouwen op een relatief klein eiland bestaat. U weet dat er lange tunnels en lawaaierige bruggen zijn. Er is een centraal gelegen, rechthoekig park, er zijn brede avenues die kaarsrecht van de ene naar de andere kant lopen, geregeld onderbroken door genummerde straten. U weet ook dat de avenues ook nummers hebben, behalve wanneer ze Madison, Park, Lexington, Amsterdam of West End heten. U weet dat er maar één uitzondering is, een eenzame diagonale doorgangsweg die het eiland van linksboven in zuidoostelijke richting doorsnijdt en daarbij de symmetrie van het rasterwerk van wegen negeert en pleinen en driehoeken van open ruimte creëert: Verdi Square, Dante Park, Columbus Circle, Madison Square, Herald Square en Union Square. U weet waarschijnlijk dat deze non-conformistische diagonaal Broadway heet. U weet ook dat op de plek waar Broadway kruist met 42nd Street en Times Square zich al honderd jaar het kloppende hart van de theaterwereld van New York bevindt.

David Lander, noest onderzoeksverslaggever met recalcitrante blonde pruik.

The Crystal Cube, met Emma en Hugh.

The Crystal Cube. De wrattige teint werd bereikt met behulp van Rice Krispies. Waar gebeurd.

De man van de Sater in *Saturday Live*. Ik kan me niets van die sketch herinneren. Vanwaar die opgerolde broekspijp?

Als lord Melchett in *Blackadder* II.

Nog meer *Saturday Live*: met Hugh, Harry Enfield en Ben Elton. Waarom dat elektrische mes, als het dat is? Daar staat me *niets* meer van bij.

Studied indifference: Stephen Fry

DON'T DO IT
Stephen Fry

Lord Hailsham, you may remember, sent letters to important people in the Cabinet earlier this year telling them he strongly disapproved of 'having sex'. Quintin and I have had our disagreements over the years – we could never agree about John Denver, for instance – but on the subject of sex we are as of one mind.

I haven't – and I can't speak for Hailsham here – had sex for four years. This didn't begin as a conscious embrace of the virtues of celibacy, nor was I forced to make myself unavailable because no one wanted me. Less an oil-painting and more an oil-slick I may be, but I think that if I wanted intimate carnal congress I could find it without paying. I gave coitus the red card for utilitarian reasons: the displeasure, discomfort and aggravation it caused outweighed any momentary explosions of pleasure, ease or solace. A simple calculus of felicity.

Sex does not enrich or deepen a relationship, it permanently cheapens and destabilises one. Everyone I know who is unfortunate enough to have a sex-mate, joy-partner, bed-friend, love-chum, call them what you will, finds that – after a week or two of long blissful afternoons of making the beast with two backs, or the beast with one back and a funny-shaped middle or the beast with legs splayed in the air and arms gripping the sides of the mattress – the day dawns when Partner A is keen for more swinking, grinding and sweating and Partner B would rather turn over and catch up with Jeeves and Bertie. Dismal weeks follow. A finds it difficult to meet B's eye after 9.00 in the evening, B announces in a nonchalant voice that he or she is 'completely bushed' just so that A will know that 'it isn't on tonight', and before they are a month older, nasty cracks appear.

I yield to no one in my admiration of the erotic capabilities of the human body. The contemplation of the erotic is a joyous frame in life's rich comic strip. But let it not be supposed that there is anything erotic about coition. A walk, a smile, a gait, a way of flicking the hair away from the eyes, the manner in which clothes encase the body, these can be erotic, but I would be greatly in debt to the man who could tell me what could ever be appealing about those damp, dark, foul-smelling and revoltingly tufted areas of the body that constitute the main dishes in the banquet of love. These zones, when interfered with, will of course produce all kinds of chemical reactions in the body: the blood will course, the breath will quicken and the heart will pound. Once under the influence of the drugs supplied by one's own body, there is no limit to the indignities, indecencies and bestialities to which the most usually rational and graceful of us will sink.

Let's face it, we have outgrown the functional necessity for these lusts. There was a time when Man did not connect the act of intercourse with the production of babies. There is no obvious reason to suppose that a penetration one summer leads to a baby next spring. And so in the past we *had* to keep rogering blindly away all the time and Dame Nature was kind enough at least to make it spasmodically pleasurable. We have inherited this instinct to rut as we have inherited other instincts once necessary for survival: the instincts to fight and quarrel and frighten and conquer. But these vestigial urges have no place in a rational, intelligent community that can determine its own destiny.

I concede that it is healthy to remember and respect our origins and the duality of our nature, but we still have eating and sleeping and defecating – these are far less under our control and serve to remind us quite painfully enough of the physicality and baseness of the flesh that houses and imprisons our great creating minds. We have no need of the moist, infected pleasures of the bedroom to humiliate us more.

Besides, I'm scared that I may not be very good at it.

Het celibaat-artikel in *Tatler*.

Scène uit *Forty Years On*, Chichester, 1984. Ik, Doris Hare, Paul Eddington en John Fortune.

Premièrefeest na het 'transfereren' van *Forty Years On*, Queen's Theatre, Londen, 1984. Katie Kelly (op de rug gezien, glanzend knotje), jongens uit het ensemble, ik, Hugh Laurie, mijn zusje Jo.

(*Links en onder*)
Dat shirt van Paul Smith
herinner ik me nog.
Mijn verjaardag.

Emma.

Me and My Girl. Robert Lindsay en Emma Thompson.

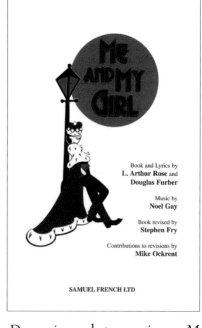

De versie van het scenario van *Me and My Girl* van de firma French.

Me and My Girl. Emma's kleedkamer voor de première.

Een uur voor de première van *Me and My Girl* op Broadway.
Links mijn neef Danny, rechts zijn grootmoeder, oudtante Dita.

Experiment met nieuwe bril in de keuken van
mijn ouderlijk huis in Norfolk.

Ik liep door de theaterwijk met mijn hoofd omhoog gericht naar de neonverlichting, ik boog nederig voor het standbeeld van George M. Cohan (op de sokkel staat *Give my regards to Broadway*, en tot op de dag van vandaag krijg ik een brok in mijn keel als ik het zie, meer uit eerbied voor James Cagneys imitatie van hem dan uit liefde voor of kennis van Cohan zelf), ik ging in de Carnegie Deli zitten om ansichtkaarten te schrijven, waarbij ik me overgaf aan de onvoorstelbare onbeschoftheid van het bedienend personeel en enige logica trachtte te ontdekken in een Ruben Special. Alles in New York is precies zoals je verwachtte en toch sta je versteld. Als ik naar Manhattan was gegaan en tot de ontdekking was gekomen dat de wegen glooiend en bochtig waren, de gebouwen laag en gedrongen en de mensen traag, lijzig en vriendelijk, en er geen spoor te bekennen zou zijn geweest van die vermaarde energiestoot die je alleen al kreeg door er rond te lopen, dan zou ik verbaasd met mijn ogen hebben geknipperd en mijn hoofd hebben geschud. Maar het was precies wat ik ervan had verwacht, wat de legendes, mythes, literatuur en Tin Pan Alley al sinds jaar en dag hadden voorspeld, van de wolken stoom die uit de roosters in de straat omhoog stegen, de enorme, deinende, geblokte Yellow Cabs die stuiterend en met hun banden slippend hun weg zochten over de grote staalplaten die door een reus willekeurig over de straten leken te zijn verspreid, en de vreemde, rokerige geur op elke straathoek die bij nader onderzoek afkomstig bleek te zijn van versgebakken pretzels. Precies wat ik altijd al had geweten. Maar na elke vijf stappen moest ik blijven staan om ademloos te grijnzen, te staren en met grote ogen naar het spektakel te kijken, het lawaai, de bombarie en de dynamiek. De bevestiging van ons verwachtingspatroon is een grotere schok dan de ontkrachting ervan.

Richards potentiële collega's voor de Broadway-productie waren twee Amerikanen: James Nederlander, die de helft van de theaters in Amerika leek te bezitten, en Terry Allen Kramer, die de helft van het onroerend goed in Manhattan leek te bezitten. Het waren twee gewichtige, door de wol geverfde zakenmensen. Ze waren ervan overtuigd dat Engelsen niet konden choreograferen, en als een Amerikaanse producent iets in zijn hoofd heeft, krijg je dat er met geen mogelijkheid meer uit, niet met *Mr Muscle*, niet met TNT, niet met een elektroshockbehandeling.

Jimmy Nederlander was ervan overtuigd dat hij het geheim van een goede musical kende.

'Het moet een hart hebben,' zei hij tijdens een lunch met Terry, Mike en Robert in de Côte Basque op 55th Street tegen me. 'Ik heb gezien wat je in Londen hebt gedaan en ik zei tegen mijn vrouw: "Schatje, dit is verdomme een productie met een hart en een ziel. Er zitten een hart en een ziel in en we moeten ervoor gaan." Ze was het helemaal met me eens.'

'De choreografie moet ook deugen,' bromde Terry.

Terry Allen Kramer zei graag zulke dingen. Ze was misschien niet de rijkste vrouw van Amerika, maar ze betaalde wel meer belasting dan alle andere Amerikaanse vrouwen. Ze had op een gegeven moment het grootste deel van de aandelen Columbia Pictures en een grote hoeveelheid geld uit olie en onroerend goed, waaronder het blok waar de Côte Basque stond, befaamd van Truman Capote.

Bij aankomst voor de lunchafspraak had ik versteld gestaan van de hooghartigheid van het bedienend personeel. New York is met afstand chiquer en meer klassengebonden dan Londen. Arrogante liftbedienden, portiers, chauffeurs en gerants met witte handschoenen en in livrei kunnen het leven van mensen zonder maatschappelijk zelfvertrouwen tot een ware hel maken. Ik was aangespoeld op een mij volstrekt onbekende kust en elk greintje zelfverzekerdheid dat ik in de loop der jaren had weten te vergaren en dat me in staat stelde de eerste kelner van de Ritz en Le Caprice recht aan te kijken, smolt als sneeuw voor de zon. Het buitenland is uit op je bloed, zoals George VI het graag stelde. Hoe hoog je thuis ook op de maatschappelijke ladder bent gestegen, in het buitenland moet je weer helemaal onderaan beginnen.

'Jaa?' lijsde de ober die naar me toe kwam zweven toen ik gemaakt nonchalant de eetzaal overzag, mijn pogingen tot achteloosheid en verhevenheid volstrekt in strijd met mijn gevoel van ongemak en inferioriteit.

'O, eh, ja. Ik heb hier een lunchafspraak met een paar mensen, alleen ben ik een beetje aan de vroege kant. Zal ik… eh… neem me niet kwalijk.'

'Naam?'

'Stephen Fry. Sorry.'

'Even zien. Ik heb geen reservering onder die naam.'

'O, sorry! Dat is mijn naam, sorry.'

'Ah. En op welke naam is er gereserveerd?'

'Waarschijnlijk op naam van Terry Allen Kramer. Sorry. Is er een tafel gereserveerd op naam van Terry Allen Kramer?'

Het was alsof plotsklaps de elektriciteit werd ingeschakeld. De ober begon van top tot teen te stralen, zijn lichaamstaal veranderde van hooghartig dedain in diepe neerbuigendheid, sidderende aandacht en hysterische eerbied.

'Meneer, Mrs. Kramer stáát er ongetwijfeld op dat u alvast plaatsneemt en een glaasje champagne of een cocktail neemt. Wilt u misschien iets te lezen tijdens het wachten? Mrs. Kramer is doorgaans een minuut of tien te laat, dus wilt u wat olijven? Een asbak? Iets anders? Wat dan ook? Steeds tot uw dienst.'

Tjonge. En ze kwam inderdaad tien minuten te laat, waarbij ze in het voorbijgaan Jimmy Nederlander, Mike Ockrent en Robert Lindsay meevoerde, die zich intussen bij me hadden gevoegd op de ongemakkelijke bank in het wachtgedeelte.

Terwijl we gingen zitten, werd er een telefoon bij de tafel aangesloten waarin ze tijdens de lunch instructies naar ondergeschikten op haar kantoor blafte.

Toen het tijd werd voor het nagerecht, keek ze de tafel rond. 'Wie wil er nog iets na? Willen jullie nog iets toe?'

Ik knikte opgetogen en ze klapte in haar handen. 'André, de dessertwagen.'

Le chariot à patisserie werd voorgereden, beladen met exquise *délices*. Terry Allen Kramer wees naar een imponerende toren van room, geglazuurd gebak en suikervruchten. 'Wat is dat?' blafte ze.

André stortte zich met hart en ziel op zijn rol. 'Madame, dit is een *mousseline* van *almandine* en *nougatine*, geklopt tot een *sabayon* van *praline* en *souffline…*' enzovoort. Terry onderbrak hem door met haar hand een flinke schep te nemen, die luid smakkend van haar vingers te likken en vervolgens na een korte inwerkperiode met afgewend gezicht tegen de ober te zeggen: 'Neem maar weer mee, dit smaakt nergens naar.'

Robert en ik keken verbijsterd toe. Mike vertelde later dat ze het waarschijnlijk deed om ons te imponeren met haar meedogenloosheid, ons bewust te maken van het feit dat ze voor ons tien anderen kon krijgen en dat ze geen genade kende. Ik dacht alleen dat ik een mens nog nooit zoiets weerzinwekkends had zien doen, terwijl ik toch ooit had gezien hoe een man zijn pik tevoorschijn had gehaald en over de balie van een viersterrenhotel had gepist, waarbij hij de receptionist en twee omstanders onder spetterde.

Terry zag dat we haar aanstaarden en ze produceerde een kil lachje. 'Het nagerecht was bagger. Bagger is bagger. Had ik al gezegd dat de choreografie van levensbelang is?'

Als die lunch een test was, doorstonden we die op de een of andere manier, en Terry en Jimmy stonden braaf garant voor de rekening.

Ik ging terug naar Engeland, waar Hugh en ik begonnen te schrijven aan de eerste aflevering van een 'Fry en Laurie'-sketchshow voor volgend jaar.

'We moeten op tournee gaan,' zei Hugh.

'Op tournee?'

'Als we in het hele land een liveprogramma gaan doen, moeten we er wel materiaal voor schrijven. We doen geen Shakespeare Masterclass of Dracula, alleen nieuw materiaal.'

Hoewel we niet bijzonder bekend waren en zeker niet zo beroemd als Harry en Ben intussen werden, leek er in universiteitssteden voldoende vraag naar ons te zijn, en dus werd er een tournee op poten gezet. We schreven, staarden uit het raam, ijsbeerden door de kamer, kochten Big Macs, keken uit het raam, gingen een stukje lopen, trokken ons de haren uit het hoofd, vloekten, keken televisie, vloekten nog harder, schreven en schreeuwden onze frustratie uit als er weer een dag verstreken was en we bekeken wat we hadden geproduceerd, waarna we kreunden en afspraken om de volgende dag meteen weer aan de slag te gaan en wiens beurt het was om koffie en Big Macs mee te nemen.

Toen we een redelijke hoeveelheid materiaal hadden, moest ik terug naar New York voor de repetities van *Me and My Girl*. Het was de bedoeling dat ik na de première zou terugkomen. We zouden op tournee gaan en een eenmalige aflevering van Fry en Laurie maken die met kerst op de buis zou komen, het daaropvolgende jaar gevolgd door een serie.

De repetities van *Me and My Girl* vonden plaats in de buurt van het Flatiron Building in Manhattan. Ik had nog nooit zulke fraaie faciliteiten gezien of zo'n gestructureerde voorbereiding van een theaterproductie meegemaakt. Er waren een dansruimte, een muziekruimte en zelfs een leesruimte, een reusachtig vertrek dat ik helemaal voor mezelf had om mijn teksten te oefenen. Er was zelfs een apart schrijfvertrek, keurig voorzien van een bureau, een elektrische typemachine, papier en een koffiezetapparaat. Mike Ockrent had de leiding over het productieteam, maar verder was Robert als enige overgebleven van de Engelse cast. Enn Reitel had zijn plaats in Londen ingenomen, en hij zou tijdens de lange looptijd worden opgevolgd door Gary Wilmot, Karl Howman, Brian Conley, Les Dennis en vele anderen. Hier in New York beschikte Robert over Maryann Plunkett, die ik in *Sunday in the Park* had gezien en de rol van Sally speelde, en George S. Irving speelde sir John.

Ik verbleef in het Wyndham, een ouderwets showbizzhotel op 58th Street met ruime, uitgewoonde suites met een badkamer en een inrichting die uit 1948 leek te stammen. Naast elk bed stond een telefoon zonder draaischijf of druktoetsen. Als je de hoorn opnam, kreeg je verbinding met de balie. 'Ik wil graag even bellen,' zei je tegen de telefonist. Je gaf het nummer door en hing op. Vijf minuten of een halfuur later, afhankelijk van het toeval of het lot, ging de telefoon en had je verbinding. De meeste nachten schrok ik om twee of drie uur wakker van het luide gerinkel van de telefoon.

'Hallo?'

'Uw gesprek met Rome…'

'Ik heb geen gesprek met Rome aangevraagd.'

'Mijn fout. Verkeerde nummer. Dank u.'

Bij het ontbijt maakte ik een praatje met gasten die langere tijd in het hotel verbleven, bijna allemaal acteurs of mensen uit de theaterwereld. Een van mijn favorieten was Raymond Burr, een boom van een man, maar buitengewoon vriendelijk en opgewekt, ondanks de chronisch vermoeide bloedhondenblik in zijn ogen. Hij vroeg me zelfs of hij zijn televisierol van *Perry Mason* weer moest oppakken.

'Kennen jonge mensen het nog?'

'Nou, ik moet bekennen dat dat voor mijn tijd was,' zei ik. 'Maar ik was wel dol op *Ironside*.'

'Dank je. Ze willen geen nieuwe afleveringen van *Ironside*, maar er is wel sprake van een vervolg op *Perry Mason*. Heb je het echt nooit gezien?'

'De tv kan wel een goeie advocatenserie gebruiken. Hij was toch advocaat?'

'O jee. Dat moet ik de producenten vertellen. Ik heb een intelligente jonge Engelsman ontmoet die amper van Perry Mason heeft gehoord. O jee.'

Als Raymond Burr niet beschikbaar was voor een praatje, kon ik in een ander hoekje van de eetzaal terecht bij het koningskoppel van Broadway, Hume Cronyn en Jessica Tandy. Ze praatten altijd via elkaar tegen me.

'Kijk, kindje, daar hebben we die knul uit Engeland. Hoe zou het met zijn repetities gaan?'

'Niet onaardig,' antwoordde ik dan. 'De cast is echt geweldig.'

'De cast is geweldig, zegt hij! Zou hij denken dat het een succes wordt?'

'Ach, dat ligt in de schoot van de goden. Of eigenlijk meer in de schoot van de critici, denk ik.'

'Hij noemt de critici goden, kindje. Hoor je dat? Goden!'

Enzovoort.

Toen de repetities begonnen, kreeg ik een voorproefje van het Amerikaanse werkethos. De concurrentie voor een rol was zo groot dat niemand zich een moment ontspanning gunde. Tijdens de pauzes leerden jongens en meisjes elkaar nieuwe pasjes, oefenden ze toonladders en deden ze hun warming-up of cooling-down, al naar gelang het tijdstip. En ze dronken voortdurend water. We zijn het in de westerse wereld intussen zo gewend dat we onszelf eraan moeten herinneren dat er een tijd was dat jonge Amerikanen zich niet naakt voelden zonder een fles water in hun hand.

Ik kreeg ook een inkijkje in de betekenis van de sterrencultus. Het is een beetje paradoxaal voor Amerika, de republiek die de ketenen van monarchie, klasse en maatschappelijke positie heeft afgeschud, dat het zijn sterren een status van privilege toekent waarbij die van Europese hertogen of prinsen in het niet valt. Net als bij de echte aristocratie gelden de principes van *noblesse oblige* ook voor de sterren. Robert vertelde me dat ze een keer met zijn allen ergens in het noorden een tv-commercial moesten opnemen. Het was een lange, vermoeiende dag midden in een klamme zomer, de dansers sjokten rond in middeleeuwse wapenrusting, weelderige kostuums en met bont gevoerde mantels, en om de haverklap moest er weer een scène worden overgedaan. Tijdens het draaien merkte Robert dat hij zonder duidelijke aanleiding steeds minder vriendelijk werd bejegend. Hij vroeg Maryann Plunkett of hij misschien iets verkeerds had gedaan.

'Iedereen is doodmoe, heeft het warm en wil dat het achter de rug is.'

'Ik ook,' zei Robert, 'maar wat kan ik daar verder aan doen?'

'Robert, jij bent de ster! Jij hebt de leiding. Jíj beslist wanneer we ermee kappen en naar huis gaan.'

'M-maar...' Robert was natuurlijk opgegroeid in de zelfbewuste 'we zijn allemaal maatjes van elkaar'-sfeer van de Engelse theaterwereld, waar niemand het zelfs maar zou wagen om op zijn strepen te staan. Omdat we in Engeland een klassenstelsel hebben, doen we ons uiterste best om duidelijk te maken dat iedereen volstrekt gelijk is. Omdat dat in Amerika niet zo is, zwelgt iedereen in de macht, status en prestige die voortkomt uit succes.

'Robert, het is jouw taak om voor ons te beslissen.'

Hij slikte nerveus, dankbaar dat niemand van zijn Engelse tijdgenoten hiervan getuige was, en richtte zich in aanwezigheid van iedereen tot de regisseur. 'Oké, Tommy, nog één take en dan kleedt iedereen zich om en gaan we naar huis.'

'Prima, Bob,' zei de regisseur. 'Komt voor elkaar. Je zegt het maar.'

Iedereen lachte opgelucht en zo leerde Robert de verplichtingen en verantwoordelijkheden van het ster zijn.

De try-outs van *Me and My Girl* waren in hartje Los Angeles, in het Dorothy Chandler Pavilion, dat toen vooral bekend was vanwege de jaarlijkse uitreiking van de Oscars. Ik logeerde in het Biltmore Hotel vlak bij Pershing Square, bijna op loopafstand van het theater. Maar dit was natuurlijk Los Angeles, en zoals bekend word je daar niet geacht je lopend te verplaatsen. En als je een knalrode Mustang met open dak hebt gehuurd, wil je daar natuurlijk zo veel mogelijk gebruik van maken. Ik had niet al te veel te doen, afgezien van aanwezig zijn bij de eerste voorstellingen en af en toe een nieuwe bijdrage aan de dialogen leveren. Na een week in het Biltmore vond ik dat ik mijn zuurverdiende centjes best mocht verbrassen aan een lang weekend in het Bel-Air. Voor het uiterst schappelijke bedrag van vijftienhonderd dollar per nacht kreeg ik de beschikking over een kleine bungalow met een prachtige tuin waar mijn hoogsteigen kolibrie rondfladderde. Op de tweede avond nodigde ik de dansers uit, die zich op de een of andere manier naar binnen wisten te persen, voor zeshonderd dollar wijn en drank naar binnen werkten en in een wolk van zoenen en buitensporige dankbaarheid weer de plaat poetsten.

Los Angeles was de enige stad waar we try-outs hielden, en de show was alleszins positief ontvangen door voornamelijk al wat ouder publiek met een seizoensabonnement. Hierna zou Broadway volgen, en vanaf dat moment was er geen ontsnapping of tweede kans meer mogelijk. Een van de eigenaardigheden van de New

Yorkse theaterwereld is dat een productie staat of valt met de recensie in de *New York Times*. Deze gruwelijke macht ligt overigens bij de krant en niet bij de recensent. Zoals Bernard Levin ooit heeft opgemerkt, kan een aap de functie van recensent van de *Times* bekleden en toch in staat zijn een productie van de planken te krijgen. In ons geval was Frank Rich de dienstdoende aap bij wie we in de smaak moesten vallen, en pas op de grote avond zouden we erachter komen of zijn duim omhoog of omlaag zou gaan. Als hij omlaagging, zou de hele productie op zijn achterste gaan, Jimmy, Terry en Richard zouden hun geld kwijt zijn en de hele cast zou worden ontslagen. Vernedering alom.

We hadden al een zekere hoeveelheid kwaad bloed gezet door als eersten gebruik te maken van het Marriot Marquis Theatre, onderdeel van een grootschalig nieuwbouwproject aan Times Square. Om plaats te maken voor een reusachtig nieuw hotel was het geliefde Helen Hayes Theatre gesloopt, wat tot zo veel volkswoede had geleid dat de Marriot Group had beloofd een nieuw theater in het project op te nemen, en dat was het Marquis geworden.

Bij de generale repetitie waren de zenuwen tot het uiterste gespannen en Jimmy Nederlander en Terry Allen Kramer, die als enige uitlaatklep voor hun nervositeit niets beters wisten te doen dan mensen te ontslaan, roken bloed. Hun eerdere onzekerheid over de dansnummers stak opnieuw de kop op. Ik zat achter hen en hoorde hun afkeurende gemopper over Gillian Gregory, de choreografe. Ik heb geen idee waarom ze dachten dat haar ontslag op de dag vóór de voorvertoning iets zou kunnen bijdragen, maar er zullen ongetwijfeld tal van shows op nog kortere termijn zijn gered. Ik vermoed dat ze er iemand als Tommy Tune of Bob Fosse of een andere legende uit de danswereld bij wilden halen om vervolgens iedereen drie dagen lang achttien uur per dag af te beulen en dan overal te verkondigen dat ze de rotte appels eruit hadden gewerkt en zo de show hadden gered. Tycoons uit het Amerikaanse entertainment zien zichzelf graag als mythisch onverbiddelijke, keiharde bullebakken. Theatermensen hebben de pest aan dramatiek, die krijgen ze bij hun werk al genoeg over zich heen, en mensen van buiten de theaterwereld maken van alles om hen heen een drama.

Ik sprak Richard Armitage aan over de ontevreden geluiden die ik had opgevangen.

'Hm,' zei hij. 'Daar zal ik iets aan moeten doen.'

We gingen zitten en waren getuigen van een energieke, maar op de een of andere manier enigszins zielloze generale. Het nieuwe theater rook naar tapijtlijm en meubelwas. De zaalverlichting bestond uit fluorescerende strips die niet gedimd konden worden, maar alleen aan en uit konden, wat dodelijk was voor de sfeer. Zelfs als ze uit waren, waren de uitgangbordjes zo fel dat je bij het licht ervan met gemak je programmaboekje kon lezen. De zaaldeuren achterin hadden zulke zware veren dat ze met een enorme klap dichtsloegen, hoe voorzichtig je ze ook probeerde te sluiten. Als iemand ze achteloos losliet, was het alsof er een pistool werd afgeschoten. Het dansen was voor mijn ongeschoolde lekenogen spectaculair, maar Terry Allen Kramer zat bij elk zwaaiend been of draaiend lijf verwoed in haar notitieboekje te krassen.

Toen uiteindelijk het doek viel, stond ze op en opende ze haar mond.

'De choreo...'

Haar woorden gingen verloren toen Richard haar onderbrak. 'God allemachtig, die zaalverlichting is rampzalig. En hetzelfde geldt voor de deuren en de uitgangbordjes. Maar daar kunnen we voor de eerste voorvertoning niets meer aan doen. Helemaal niets. Of er moet een wonder gebeuren.'

Terry lachte ruw. 'Niets? Ha! Dat denk jij! We kunnen nog van alles doen. Bill Marriot is een persoonlijke vriend van me. Al moet ik hem uit zijn bed bellen, hij zorgt maar dat het verdomme voor elkaar komt. Laat iemand me naar de dichtstbijzijnde telefoon brengen, en wel nu!'

En daar ging ze, stomend en dampend als een slagschip op ramkoers. Er werden opdrachten en bevelen uitgedeeld, Bill Marriot werd ruw uit zijn Europese sluimer gewekt en binnen een uur werden er elektriciens in schaarliften naar het plafond gedirigeerd en schroefden mannen in witte overalls de deurveren los. In haar glansrol als commandant was Terry de choreografie geheel vergeten.

Ik schudde Richard de hand. 'Meesterlijk,' zei ik. 'Als ik een petje had, nam ik het voor je af.'

Bij de eerste voorvertoning kreeg de show gaandeweg meer sfeer. De deuren waren inmiddels fluisterstil, de uitgangbordjes gloeiden vriendelijk en de zaalverlichting was warm en moeiteloos regelbaar. Ik logeerde niet langer in het Wyndham, maar had mijn intrek genomen in een verrukkelijk appartement op 59th Street in Central Park South, met een niet te evenaren uitzicht over het park en Fifth Avenue. De woning behoorde toe aan Douglas Adams, die me er met zijn kenmerkende vrijgevigheid gratis gebruik van liet maken. Op de avond van de première gaf ik een nerveuze pre-borrel. Mijn ouders waren overgekomen, net als Hugh. Mijn oudtante Dita, die aan de nazi's in Salzburg was ontkomen en in 1940 naar Amerika was geëmigreerd, was imponerend en angstaanjagend aanwezig. Ze bood Hugh haar filterloze Pall Mall-sigaretten aan.

'Heel vriendelijk van u,' zei Hugh terwijl hij een Marlboro Red met filter pakte, 'maar ik rook liever deze.'

'Wat ben jij voor rare gezondheidsfreak?' zei mijn tante en ze wierp hem haar pakje toe. 'Roken.' De immer beleefde Hugh stak er een op.

Noch Mike Ockrent noch ik durfde aanwezig te zijn bij de première. De wetenschap dat Frank Rich al was geweest en dat zijn recensie over een paar uur zou verschijnen, maakte onze spanning bijna ondraaglijk. We ijsbeerden door de foyer, dronken de ene gin-tonic na de andere en werden steeds hysterischer van paniek, angst en wanhoopsgevoel waarom we in vredesnaam aan zo'n absurde onderneming waren begonnen. Onze loopjes kruisten elkaar en we botsten steeds tegen elkaar, wat elke keer aanleiding was voor weer een nieuwe manische lachbui.

'De première van onze eigen Broadway-show,' zei Mike steeds weer, ongelovig met zijn hoofd schuddend. 'Het kan niet waar zijn. Laat iemand me alsjeblieft wakker maken.'

Ik herhaalde de zinnetjes uit *The Producers* die iedereen bij pre-mières aanhaalt.

Wauw, dit stuk houdt het nog geen avond vol.

Een avond? Maak het nou. Ze stoppen er op bladzij vier mee.

Hoe heeft het zover kunnen komen? Ik heb het zo zorgvuldig aange-pakt. Het verkeerde stuk, de verkeerde regisseur, de verkeerde cast. Hoe heb ik zo de spijker op z'n kop kunnen slaan?

Enzovoort.

Jaren later zou Mike samen met Mel Brooks een versie van *The Producers* in musicalvorm doen, tot hij door een ongeneeslijke vorm van leukemie werd geveld en niet meer zou meemaken dat het een van de grootste Broadway-successen van die tijd werd.

Tijdens het tweede deel, vlak na de pauze, kwam Ralph Rosen, de algemeen directeur van de maatschappij, op zijn gemoedelijke ma-nier naar ons toe slenteren om ons in te fluisteren dat een vriend van een vriend een vriend had die een vriendin had die weer een vriend bij de *New York Times* had die een kladversie van de recensie van Frank Rich had gezien en dat die gunstig was. Meer dan gunstig. Hij was lyrisch. Ralph schudde ons plechtig de hand. Hij was de rustigste, hoffelijkste en meest nuchtere man die ik in Amerika had ontmoet. Als hij iets beweerde, dan was het ook zo, en niet anders.

Tegen de tijd dat we boven bij elkaar kwamen voor de premièreparty, had Richard de recensie in zijn hand en waren zijn ogen vochtig.

Me and My Girl werd later dat jaar bij de Antoinette Perry Awards genomineerd voor dertien Tony's. Tien gingen er aan onze neus voorbij, waaronder die voor mijn categorie, maar Robert en Maryann kregen er allebei een voor beste musicalrol, en het mooist van alles was dat Gillian Gregory in de categorie beste choreografie won. Tot op de dag van vandaag weet ik niet of ze weet dat Richard haar heeft behoed voor een volstrekt zinloos en onrechtvaardig ontslag.

Ik keerde nog steeds in de wolken terug naar Engeland. *Me and My Girl* draaide in het West End en op Broadway, er liepen producties in Tokio, Boedapest, Australië en Mexico… de andere windstreken zijn me ontschoten. De show zou op Broadway drieenhalf jaar draaien en in West End nog eens zes. In de tussentijd had ik *Fry and Laurie* om naar uit te kijken, nog een reeks *Blackadder*, en… wie wist wat er nog meer zou volgen? Het leek erop dat ik nu een insider was, ik was iemand in de showbizz.

In augustus 1987 vierde ik thuis in Norfolk het feit dat ik al tien dagen niet meer rookte. Hugh, Kim en een stel andere vrienden kwamen langs voor mijn dertigste verjaardag, en nog geen tien minuten na hun komst zat ik al weer aan een sigaret.

Mijn wilde jaren als twintiger waren voorbij en de maand daarop zouden Hugh en ik beginnen met onze eerste aflevering van een serie voor de BBC, die we *A Bit of Fry and Laurie* wilden noemen. Mijn financiële toestand was gezond en werd steeds gezonder. Ik had auto's, een zeker bestaan en mijn ster was gestaag rijzende. Ik was de gelukkigste mens die ik kende.

Hoewel ik nooit de neiging heb gehad om op enig moment de balans van mijn leven op te maken, weet ik nog dat ik een keer 's avonds in de tuin van mijn huis in Norfolk naar de ondergaande zon keek met het gevoel dat ik eindelijk mijn plek had gevonden. Ik geloof niet dat ik echt triomfantelijk terugkeek op de ongelukkige sukkel die ik vroeger was, maar ik voelde me wel zo verzaligd als een mens zich maar kan voelen.

En als iemand zo verzaligd is, krult het lot zijn lippen in een wrede lach.

C

Toen ik een paar weken later weer in Londen was, vroeg een bevriende acteur of ik zin had in een lijntje. Ik had geen idee wat hij bedoelde, maar ik stemde gretig toe, want hij had het gevraagd op een manier die 'een lijntje' heel intrigerend, stiekem en leuk deed klinken. Ik dacht dat hij me misschien een heel foute grap of zo ging vertellen. In plaats daarvan haalde hij een opgevouwen papiertje uit zijn zak en strooide er wat wit poeder uit, dat hij op de rookglazen koffietafel in twee lijntjes deelde. Hij vroeg of ik een briefje van tien pond had. Ik trok een biljet tevoorschijn, hij rolde het strak op en zette het aan een van zijn neusgaten. Hij snoof de helft van zijn lijntje op, hield het opgerolde bankbiljet tegen zijn andere neusgat en snoof de rest op. Ik nam het kokertje van hem over, ging op mijn knieën zitten en deed hetzelfde, waarbij ik zijn handelingen zo precies mogelijk nadeed. Het poeder brandde dusdanig in mijn neus dat mijn ogen ervan traanden. Ik liep terug naar mijn stoel en we praatten wat. Na twintig of dertig minuten deden we het nog een keer. En daarna nog een keer. Inmiddels was ik hyperenergiek, praatziek, klaarwakker en gelukkig.

Toen wist ik het nog niet, maar dat was het begin van een nieuwe periode in mijn leven. De tragiek en farce van dat drama komen in een volgend boek aan de orde.

Tot dat moment dank ik u voor uw gezelschap.

Dankwoord

Enkele personen die in dit boek voor het voetlicht komen, zijn zo vriendelijk geweest om het te lezen en de gaatjes in mijn geheugen op te vullen. Mijn dank gaat met name uit naar Kim, Ben en de Aardige Meneer Ian Gardhouse, maar er zijn vele anderen die mijn dank verdienen. Het is lastig inschatten of er mensen zijn die zich geschoffeerd voelen als ze hier juist wel of niet worden genoemd. Dit boek is nu al vrij omvangrijk en het zou twee keer zo lang zijn geworden als ik iedereen die een belangrijke rol in mijn jongere leven heeft gespeeld ruimte had kunnen geven.

Ik ben Don Boyd dankbaar dat hij me heeft verwezen naar de vriendelijke en behulpzame Philip Wickham van het Bill Douglas Centre for the History of Cinema and Popular Culture van de universiteit van Exeter, waar de archieven van Don Boyd zijn ondergebracht, waaronder *Gossip*-materiaal, dat van onschatbare waarde voor me is geweest.

Extra veel dank en genegenheid gaan uit naar Anthony Goff, mijn agent, Jo Crocker, mijn onvermoeibare en liefhebbende helpster en Louise Moore van Penguin, maar mijn diepste erkentelijkheid is bestemd voor degene aan wie dit boek is opgedragen, de collega zonder wie ik nooit in staat zou zijn geweest om dit te schrijven en zonder wiens vriendschap mijn leven onvoorstelbaar veel armer zou zijn geweest.

Verantwoording illustraties

Papa.

Mama.

Opa.

Mijn zusje Jo, ik, mijn broer Roger.

Tussen papa en mama met rechts een nogal langharige Roger.

Tragisch haar. Tragische tijd. Ergens tussen school en de jeugdgevangenis.

De Sugar Puffs-junk is overgestapt op Scott's Porage Oats. (Privécollectie auteur)

University Challenge. (ITV/Rex Features)

Kim met zijn Half Blue. (Privécollectie Kim Harris)

De Cherubs. Ik weet dat we een stel eikels lijken, maar dat waren we niet. Echt niet.

Kim Harris. Heeft wel iets van een jonge Richard Burton. (Privécollectie Kim Harris)

Emma Thompsons haar groeit alweer aardig aan. (Brian Logue/ Daily Mail/Rex Features)

Te arm voor een buitenboordmotor moeten Hugh Laurie en zijn vrienden zich op eigen kracht door het water sleuren.

Als de koning in *All's Well That Ends Well*, BATS May Week productie 1980, in de Cloister Court van Queens College. (Dr. Simon Mentha)

Kabeltrui, deel 1. (Privécollectie auteur)

De doorschijnende oren van Hugh Laurie, heer van stand. (Privé-collectie auteur)

Kabeltrui, deel 2. (Privécollectie auteur)

Latin! De meest gestolen poster van de Edinburgh Fringe van 1980. (Privécollectie auteur)

Ernstig maar triomfaal op de groepsfoto ter ere van onze Fringe First Award. (Cambridge Mummers)

Even later, reagerend op Tony Slattery en met onafscheidelijke sigaret. (Cambridge Mummers)

The Snow Queen, 1980. Mijn eerste optreden bij de Footlights. (Cambridge Footlights. Herdruk met toestemming van de Syndics of Cambridge University Library: UA FOOT 2/5/30, UA FOOT 2/8/95)

Met Kim buiten Cambridge Senate House, na onze Tripos-uitslag. Ik was waanzinnig verliefd op die das van Cerruti. (Andrew Everard)

In kamer A2, Queens'. Afstudeerdag: met zusje Jo. (Privécollectie auteur)

'We waren niet bepaald het fraaiste kwartet dat ooit het televisiepubliek tegemoet getreden is.' *University Challenge*. (Fotoarchief BBC)

The Young Ones. Komische helden. (Fotoarchief BBC)

Rowan Atkinson overhandigt Hugh de cheque van de Perrier-prijs. Edinburgh, 1981. (Perrier)

Het slotlied van *The Cellar Tapes*. Ik vrees dat we ons daar schuldig maken aan gênante en schijnheilige 'satire'. Vandaar de vreugdeloze blikken. (Fotoarchief BBC)

Fotomoment in Richmond Park voor de BBC-versie van *The Cellar Tapes*. (Fotoarchief BBC)

Idem: feitelijk een oen met een pijp in zijn hoofd. (Fotoarchief BBC)

Met Emma in 'My Darling', een sketch over Robert en Elizabeth

Barrett Browning. (Fotoarchief BBC)

Fragment uit de 'Shakespeare Masterclass'-sketch met Hugh. (Fotoarchief BBC)

Hugh op Kreta. We hadden een villa gehuurd om materiaal te schrijven. (Privécollectie auteur)

Kretenzisch crapuul. (Privécollectie auteur)

Hugh maakt zich op om me in te maken met backgammon. De retsina was bevredigend smerig. (Privécollectie auteur)

Hugh, Emma, Ben, ik, Siobhan en Paul: *There's Nothing to Worry About*, Granada TV, 1982. O, maar dat was er wel... (ITV/Rex Features)

Feestje op mijn bed in het Midland Hotel. We zien er gelukkig uit. Misschien waren we dat ook wel. (Foto Robbie Coltrane)

Een *Alfresco*-sketch die een genadige voorzienigheid uit mijn geheugen gewist heeft. (ITV/Rex Features)

De voorzienigheid is me opnieuw genadig geweest. *Alfresco*. (ITV/ Rex Features)

De enige keer in mijn leven dat ik een werkmansjasje heb gedragen. *Alfresco*. (Foto Robbie Coltrane)

Alfresco, serie 2: De Namaakpub. (ITV/Rex Features)

Een joker in tweed en choker: onvergeeflijk slaagverwekkend. *Alfresco*. (ITV/Rex Features)

David Lander, noest onderzoeksverslaggever met recalcitrante blonde pruik. (Met dank aan Hat Trick Productions, Channel 4 en Screenocean)

The Crystal Cube, met Emma en Hugh. (Privécollectie auteur)

The Crystal Cube. De wrattige teint werd bereikt met behulp van Rice Krispies. Waar gebeurd. (Privécollectie auteur)

De man van de Sater in *Saturday Live*. Ik kan me niets van die sketch herinneren. Vanwaar die opgerolde broekspijp? (ITV/Rex Features)

Als lord Melchett in *Blackadder II*. (Fotoarchief BBC)

Nog meer *Saturday Live*: met Hugh, Harry Enfield en Ben Elton. Waarom dat elektrische mes, als het dat is? Daar staat me *niets* meer van bij. (ITV/Rex Features)

Het celibaat-artikel in *Tatler*. (Foto: Tim Platt/Tatler © Condé Nast Publication Ltd. Tekst: Stephen Fry/Tatler © Condé Nast Publications Ltd.)

Scène uit *Forty Years On*, Chichester, 1984. Ik, Doris Hare, Paul Eddington en John Fortune. (Met dank aan de *Chichester Observer*)

Premièrefeest na het 'transfereren' van *Forty Years On*, Queen's Theatre, Londen, 1984. Katie Kelly (op de rug gezien, glanzend knotje), jongens uit het ensemble, ik, Hugh Laurie, mijn zusje Jo. Dat shirt van Paul Smith herinner ik me nog. Mijn verjaardag. (Privécollectie auteur)

Emma. (Ted Blackbrow/Daily Mail/Rex Features)

Me and My Girl. Robert Lindsay en Emma Thompson. (Alastair Muir/Rex Features)

De versie van het scenario van *Me and My Girl* van de firma French. (Noel Gay Organisation)

Me and My Girl. Emma's kleedkamer voor de première. (Ted Blackbrow/Daily Mail/Rex Features)

Een uur voor de première van *Me and My Girl* op Broadway. Links mijn neef Danny, rechts zijn grootmoeder, oudtante Dita.

Experiment met nieuwe bril in de keuken van mijn ouderlijk huis in Norfolk. (Privécollectie auteur)

Register

COLOFON

De Fry Kronieken werd in het voorjaar van 2011, in opdracht van
Uitgeverij Thomas Rap te Amsterdam, gedrukt bij Bariet te Rui-
nen. Het omslag werd ontworpen door Studio Jan de Boer, de ty-
pografie van het binnenwerk werd verzorgd door Peter Verwey,
Heemstede. Het auteursportret is gemaakt door David Eustace. Het
omslagbeeld is afkomstig van Eustace Communications Ltd.

Copyright © 2010 Stephen Fry
Copyright Nederlandse vertaling © 2011 Auke van den Berg, Henny
Corver, Paul Heijman, Willem Muilenburg en Helene Reid

ISBN 978 90 6005 846 6
NUR 320